マネー・ローンダリング
反社会的勢力
対策ガイドブック

｜改訂版｜

2021年金融庁ガイドライン等への実務対応

白井真人／芳賀恒人／渡邉雅之
【著】

*Guide to Anti-Money Laundering
and Anti-Social Forces Compliance*

第一法規

はしがき

マネー・ローンダリング及びテロ資金供与対策の政府間会合であるFATF（Financial Action Task Force:金融活動作業部会）は、2021年8月30日に第4次対日相互審査報告書（MER）を公表しました。日本は重点フォローアップ国となり、今後、政府による犯罪収益移転防止法をはじめとする法令やガイドラインが改正され、顧客管理が必要となる金融機関・暗号資産交換業者・DNFBP（非金融機関・職業専門家）に対して新たな対応が求められることになります。

2012年に公表されたFATFの新勧告等に対応するため、金融庁は、2019年のFATFの第4次対日相互審査（オンサイト審査）に先立ち、2018年2月に「マネー・ローンダリング及びテロ資金供与対策に関するガイドライン」（「マネロン・テロ資金供与対策ガイドライン」）を公表し、金融機関はこれに基づく対応を進めてきました。

しかしながら、MERにおいては、リスク評価が画一的であること、継続的顧客管理が十分になされていないこと、取引フィルタリング・モニタリングシステムが不全であることなどの問題点が指摘されています。

今回の改訂においては、金融機関等に対して2024年3月末までにマネロン・テロ資金供与対策ガイドラインに沿った管理態勢の整備を完了することが求められていることを踏まえ、第4章・第5章を中心に、2021年2月の改正後のガイドライン（およびFAQ）に合わせて構成を見直すとともに、MERにおける指摘事項や最近の法令等改正を反映するなどの更新を行っております。

また、反社会的勢力への対応についてもMERにおいて指摘される問題点も踏まえ、より実質的なリスクベース・アプローチに基づくKYC・KYCCの方法について提示しております。

最後に、本書の改訂にご尽力いただきました第一法規の松田浩氏をはじめとする編集部の皆様に心から感謝申し上げます。

令和3年11月30日

白井真人／芳賀恒人／渡邉雅之

目次

第3章 (渡邉雅之)

犯罪収益移転防止法の概要 93

第5章（白井真人）

リスク低減措置とAML/CFT態勢の整備 313

※本書に記述された内容は著者個人の私見であり、著者が所属する組織の見解ではありません。

凡　例

1. 内容現在

本書の記述は、原則として、令和３（2021）年８月30日の第４次対日相互審査報告書までの内容を踏まえたものとしている。なお、法令について、「犯罪による収益の移転防止に関する法律」に関連する記述は、令和３（2021）年７月19日に施行されたものによった。

2. 法令・ガイドライン等の略称表記

犯 収 法：犯罪による収益の移転防止に関する法律（平成19年法律第22号）

改 正 法：犯罪による収益の移転防止に関する法律の一部を改正する法律（平成26年法律第117号）

新　　法：平成28年10月１日施行後の犯罪による収益の移転防止に関する法律（第二次改正）

旧　　法：平成28年10月１日施行前の犯罪による収益の移転防止に関する法律

新　　令：平成28年10月１日施行後の犯罪による収益の移転防止に関する法律施行令（平成27年政令第338号）

改正規則：犯罪による収益の移転防止に関する法律施行規則及び疑わしい取引の届出における情報通信の技術の利用に関する規則の一部を改正する命令（平成27年内閣府等令第３号）

新 規 則：平成28年10月１日施行後の犯罪による収益の移転防止に関する法律施行規則（第一三次改正）

旧 規 則：平成28年10月１日施行前の犯罪による収益の移転防止に関する法律施行規則

留意事項：「犯罪収益移転防止法に関する留意事項について」（金融庁総務企画局企画課調査室、平成24年10月）

解釈ノート：FATF勧告の解釈ノート（仮訳）（財務省、平成24年２月）

平成27年パブコメ：「犯罪による収益の移転防止に関する法律の一部を改正する法律の施行に伴う関係政令の整備等に関する政令案」等に対する意見の募集結果について（平成27年９月）

マネロン・テロ資金供与対策ガイドライン：金融庁「マネー・ローンダリング及びテロ資金供与対策に関するガイドライン」（平成30年２月６日、令和３年２月19日改正）

第1章

マネー・ローンダリング対策の基礎

1.「マネー・ローンダリング」とは何か

(1) マネー・ローンダリングの定義

マネー・ローンダリング（Money Laundering）は、日本語では「資金洗浄」と訳され、犯罪によって得た利益を、その出所や真の所有者が分からないようにして、捜査機関による発見・検挙を免れようとする行為のことを指します。

例えば、賭博や振り込め詐欺、売春などは、それ自体が経済的利益を得ることを目的とした犯罪行為ですが、犯罪者がこれらによって獲得した資金を不用意に使えば足がつくおそれがあり、そのままの状態では自由に使うことができません。そのため、このような「汚れた金」を、何らかの方法により、表の世界で堂々と使うことができる「きれいな金」にする必要があります。そこで、金融取引や物品の売買取引などを経由させることにより、出所をうやむやにして「資金」を「洗浄」する行為が行われます。こうした行為がマネー・ローンダリングと呼ばれています。

○図表1-1：マネー・ローンダリングとは

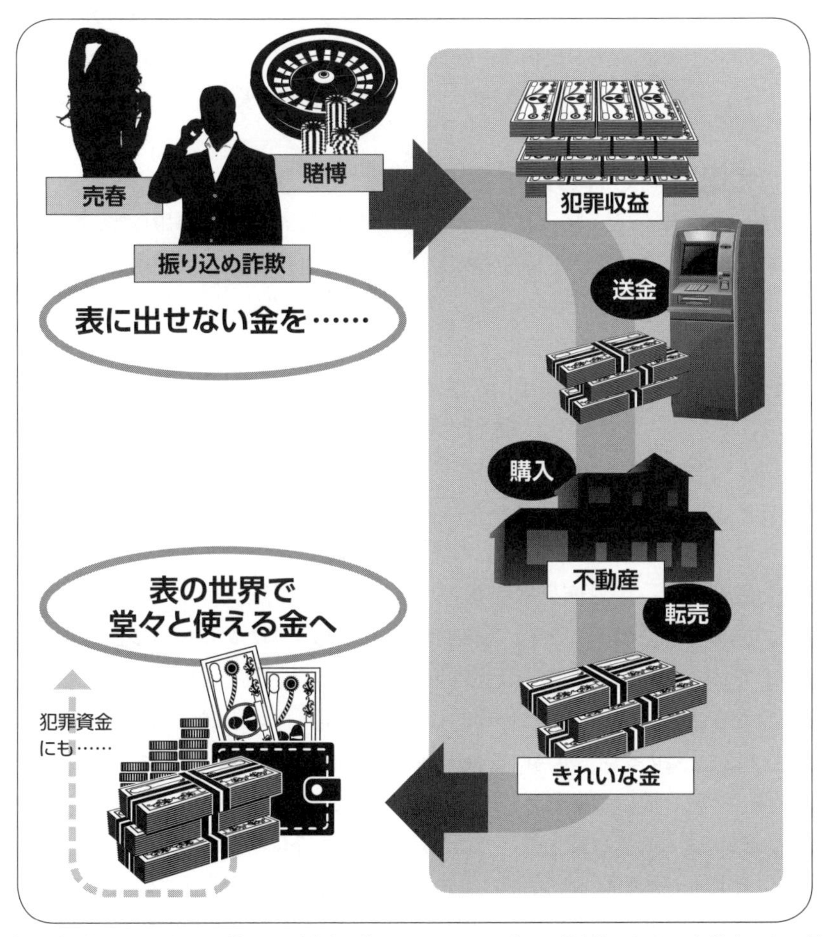

（出所）警察庁刑事局組織犯罪対策部「マネー・ローンダリング対策のための事業者による顧客管理の在り方に関する懇談会」（平成22年2月5日）

(2) マネー・ローンダリングの方法

マネー・ローンダリングには、様々な方法が存在すると言われていますが、代表的なものは、金融機関が提供する各種の金融サービスを悪用したものです。そのほかにも、一般的な商取引を偽装したものなども知られています。

ア　金融機関を介した資金洗浄

マネー・ローンダリングの方法として、金融機関との取引を悪用したものは多く見られます。その中でも代表的なものは、銀行等（預金等受入金融機関）の預金口座や送金取引を悪用したもので、例えば、犯罪行為によって得た資金（現金）を、偽名で開設した預金口座に入金して送金取引等を繰り返すことで、最終的に出所を分からなくするなどの手口が想定されます。特に銀行等は決済機能を有しており、マネー・ローンダリングを行う者（マネー・ローンダラー）にとって、利便性が高いと言えるでしょう。（決済機能という意味では、資金移動業者が提供するサービスについても、銀行等が提供する送金サービスと同様に、マネー・ローンダラーに悪用されるおそれがあると考えられます。）

また証券会社（金融商品取引業者）との取引を悪用したマネー・ローンダリングも、主要な手法の１つです。証券市場には、取引のために毎日多額の資金が流入しており、そのような取引資金に犯罪収益を混入させることによって、その原資を分からなくしたり、あるいは物理的な証券（券面）[1]、特に無記名のものを利用したりすることによって、容易に資金の移転が可能になると考えられます。

保険会社も、他の金融セクターに比べて相対的にリスクは低いものの、マネー・ローンダリング及びテロ資金供与を行う者のターゲットになる可能性があると考えられています[2]。例えば、貯蓄性の保険商品を悪用して、犯罪収益をもとに保険料を一括払いした上で中途解約し、保険会社から払戻しを受けることで、資金源を不明確にするといった方法が想定されます。

以上のように、金融機関との取引を悪用した様々なマネー・ローンダリングの手口が想定されるため、金融機関はマネー・ローンダリング対策に協力し、厳格な

---

1)　もっとも、日本では株式等振替制度による株券等のペーパーレス化が進んでおり、このような方法でのマネー・ローンダリングは困難になっていると思われます。

2)　IAIS（保険監督者国際機構）が2004年10月に公表したAML/CFTに関するガイダンスペーパーにおいて、そのような認識が示されています。

規制に服することが求められているのです。

イ　商取引を介した資金洗浄

マネー・ローンダリングは、金融機関との取引だけでなく、一般的な商取引を装うことによっても行われることがあります。

例えば、ある価値を有する物品を売主Ａから買主Ｂに販売するという商取引を想定したときに、ＡとＢが共謀すれば、両者の間で容易に価値の移転を行うことが可能です。つまり、本来の価値が100万円のものを300万円で売却すれば、ＢからＡに価値の移転が行われ、逆に10万円で売却すれば、ＡからＢに価値の移転が行われることになるでしょう。

また別の方法としては、高額な商品を犯罪収益で購入し、その商品を転売することにより、通常の商取引によって得た資金であるように仮装するという手段も想定されます。

このような商取引によるマネー・ローンダリングには、高額な商品（例：宝石）や、あるいは正当な価値が分かりにくい商品（例：美術品）などが、悪用されやすいと考えられており、こうした金融機関以外の一部事業者も、規制の枠組みに含まれています。

ウ　クレジットカード取引

クレジットカードの中には、利用限度額が高額又は無制限のものもあります。また、クレジットカード自体の譲渡は容易であるので、利用限度額があるクレジットカードであっても、マネー・ローンダラーが協力者（例えば、マネー・ローンダラーが経営するヤミ金融に借金をしている者や暴力団の共生者など）から複数のクレジットカードを譲り受ければ、多額の取引が可能となります。マネー・ローンダラーはこれを利用することで、現金で得られた犯罪収益を別の形態の財産に容易に換えることができます。また、マネー・ローンダラーが、国外の協力者にクレジットカードを渡して、これを利用して海外ATMから出金したり、大量の物品を購入させ、当該物品を換金させれば、事実上の海外送金を行うこともできます。

さらに、クレジットカードの中にはプリペイド方式のものがある上、繰り返し入金が可能なものもあります。こうしたものは資金が銀行口座を経由しませんので、よりマネー・ローンダリングに悪用されやすいと言えるでしょう。

エ　暗号資産（仮想通貨）

「暗号資産」（「仮想通貨」ともいいます）とは、インターネット上で取引される電子的に記録された財産的価値であり、代表的なものとしては「ビットコイン」などがあります。暗号資産は（現金などと同様に）商取引の決済に用いられるほか、法定通貨に対する価格変動が大きいことから、暗号資産自体も投機の対象となっています。

暗号資産は「ブロック・チェーン」と呼ばれる技術を土台としており、このうちビットコインなどが採用するパブリック・チェーンにおいては、その仕組み上、ネットワーク全体を管理するものが存在しません。また、「ビットコインアドレス」（ビットコインで取引を行う際の口座番号のようなもの）は、個人情報と必ずしも紐づいていないため、利用の仕方によっては高い匿名性を保ったまま取引を行うことが可能です。そうした特性を悪用して、インターネットのダークウェブ上に存在する闇サイトにおける、麻薬や武器などの非合法な取引の決済手段として用いられることがあります。また、暗号資産を第三者に対して譲渡することにより、既存の金融システムを経由せずに、いかなる国・地域との間でも、金融機関での送金取引と同様にインターネット上で瞬時に価値を移転することが可能ですので、このような性質を利用して、マネー・ローンダリングやテロ資金供与に用いられるおそれがあります。

オ　不動産取引

不動産取引の特徴は、一回的な取引であり、預金取引やクレジットカード取引のような継続的な取引ではないという点です。不動産（宅地・建物）の売買のうち、マネー・ローンダリングのリスクが高いのは、マンション物件であると言われています。マネー・ローンダリングは、最終的には再び金銭に換金することを目的とするので、個性の強い、戸建ての物件では、値下がりのリスクが大きく、マネー・ローンダリングの手段の対象となりにくいためです。なお、マネー・ローンダラーが多数のマンション物件を一括購入すると不審に思われる可能性があるので、協力者（例えば、暴力団の共生者）に資金を渡して、購入させることが考えられます。

カ　マネー・ローンダリングの３段階

実際にマネー・ローンダリングに用いられる手法は様々であり、また時代によって変化していますが、そのプロセスは「プレースメント」「レイヤリング」「インテグレーション」という３つの段階に分解できると考えられています。

○図表1-2：マネー・ローンダリングの３段階

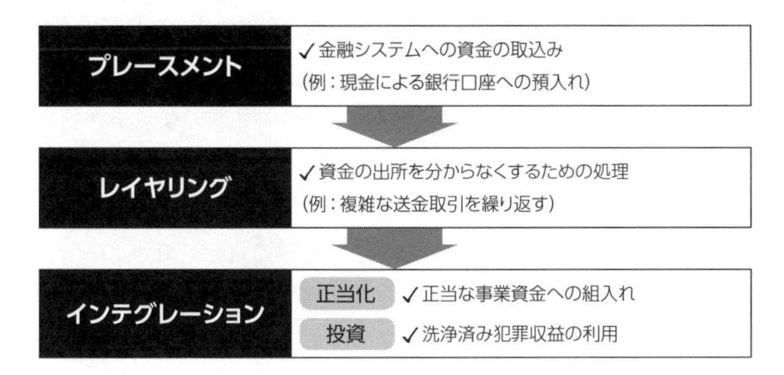

①　「プレースメント」

第一段階である「プレースメント」とは、犯罪によって得られた「汚い金」を金融システムに取り込む、あるいは合法的な商取引の流れに取り込む段階のことを指します。例えば、多額の犯罪収益（現金）が手元にある場合に、そのままの状態では取扱いに困るでしょう。そこで偽名で開設した銀行口座に、当該現金を入金してしまうなどの方法で、金融システムの一部にその資金を取り込んでしまえば、手元に現金を置かなくともよく、その後の（金融取引及び商取引を使った）資金洗浄の手段につなげることもできます。

なお、プレースメントの際には、本人確認手続等を免れるために一定の金額未満に取引を分割して実施する手口（一般に「ストラクチャリング」と呼ばれます）や、現金の状態で外国に密輸し、他国の金融機関等で入金するなどの手口が用いられることもあります。また、商取引を用いたマネー・ローンダリングでは、例えば、現金を多く取り扱う業種（例：カジノ、小売業者など）において、合法的な事業による売上金の中に、犯罪収益を一部混入させるなどの方法もとられると言われています。

②　「レイヤリング」

ひとたび金融システムに取り込まれた犯罪資金は、次にその出所を分からなくするための処理が必要になります。これが第二段階の「レイヤリング」です。この目的のために、しばしば複数の、そして複雑な金融取引が用いられることになります。

レイヤリングの典型的な手口は電信送金を悪用したものであり、多数の銀行口座間で送金取引を繰り返すことで、資金の追跡を困難にすることができます。特に、国際的な送金取引（とりわけマネー・ローンダリング規制が緩い国や、銀行の機密保持が厳格な国を経由させる）を利用したり、実態のない法人名義の口座などを経由させたりすることによって、資金の流れを不透明にすることが可能になると考えられています。

またこのときに、いったん換金性の高い現金同等物（トラベラーズチェックや、銀行振出小切手、L/C等）を購入し、他の金融機関に持ち込んで換金するなどの方法をとることによって、より巧妙に資金の流れを偽装できるとされています。

③　「インテグレーション」

マネー・ローンダリングの最終段階が「インテグレーション」です。これは、出所を隠ぺいした犯罪資金を、合法的なビジネスによる収益等であるように偽装するなどして、再び表の経済に「統合」させる操作のことを指します。

このフェーズは、２つのサブフェーズである「正当化（justification）」と「投資（investment）」から構成されます[3)]。「正当化」とは、犯罪収益を通常の事業活動により得た資金に組み入れることであり、例えば、金融機関からのローンを不必要に借り入れて、資金の原資は金融機関からの借入金であるように偽装するといったことが行われます。

「投資」のフェーズは、手元に残った「洗浄済み」の犯罪収益を、大手を振って利用する段階であり、このような資金が、犯罪組織の活動を支えることになります。

---

3)　FATF : THE MISUSE OF CORPORATE VEHICLES, INCLUDING TRUST AND COMPANY SERVICE PROVIDERS（9頁）における整理

キ　国内で発生したマネー・ローンダリングの事例（五菱会事件）

前記のようなマネー・ローンダリングの事例は、世界中で見られますが、ここでは、日本国内で実際に発生したマネー・ローンダリングの事例を紹介します。

○図表1-3：五代目山口組傘下組織が敢行したマネー・ローンダリング事案

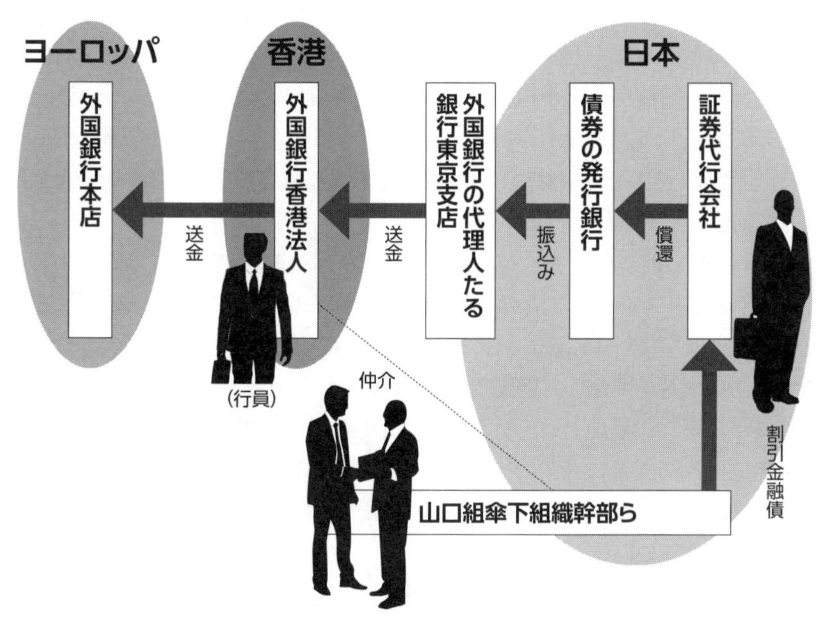

（出所）警察庁「平成17年警察白書」第2章第1節（2）

この事件は一般に「五菱会事件」と呼ばれるもので、今から20年近く前の平成15（2003）年に発生した事件です。指定暴力団山口組系二次団体の五菱会幹部が統括するヤミ金融グループが、傘下の金融組織を通じて、多数回に及んで、「出資の受入れ、預り金及び金利等の取締りに関する法律」（出資法）に定める金利の数十倍から一千倍以上にも及ぶ金利を徴収し、この犯罪行為（出資法違反）により得られた90億円以上に及ぶ犯罪収益を資金洗浄したというものです。

同幹部が、プライベート・バンキング・サービスを行う欧州系Ａ銀行香港法人の担当者に、割引債券（無記名債権）の購入及び償還と資金の国外持出を相談したところ、Ａ銀行香港法人担当者は、同行と業務委託関係にあるＢ銀行東京支店に割引債券の償還（換金）を依頼しました。

Ｂ銀行東京支店は、Ｃ証券代行会社に割引債券の償還を委託し、五菱会幹部らの関係者を代理人としてＣ証券代行会社に赴かせ、償還の申込みを行わせ、約10日の間に、前後３回にわたって合計約46億円の割引債券を償還しました。その後、Ｂ銀行東京支店から、日本国内の都市銀行に開設されているＡ銀行香港支店の銀行口座に送金し、さらに、当該都市銀行から、Ａ銀行の銀行預金口座に送金するなどして、最終的にＡ銀行本店にある匿名口座に、ほかの預金と合わせて約51億円を隠匿したというものです。

この事件を、前述のマネー・ローンダリングの３段階に当てはめて整理すれば、「無記名債権」である割引債券を購入し、手元の犯罪収益を金融システムに取り込んだところが、第一段階の「プレースメント」に該当することになるでしょう。その後、当該債券を換金し、複数の銀行を経由した送金取引により海外に持ち出した行為が、第二段階の「レイヤリング」に該当します。そして、欧州にある銀行の匿名口座への送金は完了したものの、第三段階の「インテグレーション」が完了する前に事件が発覚してしまい、現地当局によって資金が凍結されてしまった、ということになります。

なお、この事件においては、Ａ銀行香港法人に割引債の償還を委託した後は、五菱会幹部の名義は一切表に出ることなく、割引債の償還及び送金が行われました。この「名義を伏せて、割引債を償還して送金した」行為と、「無記名口座に送金した」という２つの行為により、「組織的な犯罪の処罰及び犯罪収益の規制等に関する法律」（以下「組織的犯罪処罰法」という）における犯罪収益等隠匿罪として検挙され、五菱会幹部については有罪が確定しました。

さらに、本事件においては、Ｂ銀行同支店は、顧客等の本人確認義務及び本人確認記録の作成義務等、また、疑わしい取引の届出義務に係る法令違反を行っていたとして金融庁から行政処分を受けました。また、証券代行会社に対しても、多額の無記名割引金融債の受払いをする取引について本人確認及び記録の作成・保存を行わない行為について、本人確認義務や本人確認記録の作成義務に違反したものとして、金融庁から行政処分を受けています。

ク　国境を越えて行われたマネー・ローンダリング事犯

近時、「ビジネスメール詐欺」と呼ばれる詐欺が国際的に横行しており、背後には国際的な犯罪グループが関与していると考えられています。その手口は、取引相手や会社の上司などを装ってメールを送信して、だまして偽の銀行口座に振り込みを実施させるというものです。JAFIC（警察庁犯罪収益移転防止対策室）の平成30（2018）年の年次報告書では、このビジネスメール詐欺に関連したマネー・ローンダリング事犯が取り上げられています。

会社役員である日本人の男らは、男らが管理する法人口座を日本の地方銀行の東京支店に開設した上、当該法人口座に、商取引に係る偽りのメールを信じたアメリカの農業関連企業から約7850万円を送金させました（なお、当該法人口座は、アメリカから送金させる2カ月前に開設されており、本件のために開設されたと見られています[4)]）。送金された詐欺の被害金について、それが詐欺被害金であるのに、銀行担当員に対して虚偽の説明をして、正当な事業収益であったかのように装って同口座に入金させ、さらに、通常の預金取引を装って、同口座から現金の払出しを受けるなどしたことから、組織的犯罪処罰法違反（犯罪収益等隠匿罪）等で検挙されました。

なお、翌年以降の令和元（2019）年、令和2（2020）年の年次報告書における国境を越えて行われたマネー・ローンダリング事犯の事例もビジネスメール詐欺に関連したものであり、留意すべき類型であるといえるでしょう。

---

4)　2018年7月4日　日本経済新聞「7千万円送金させた疑い　ビジネスメール詐欺で逮捕」

○図表1-4：日本人による国際的なビジネスメール詐欺事件に係る犯罪収益等隠匿

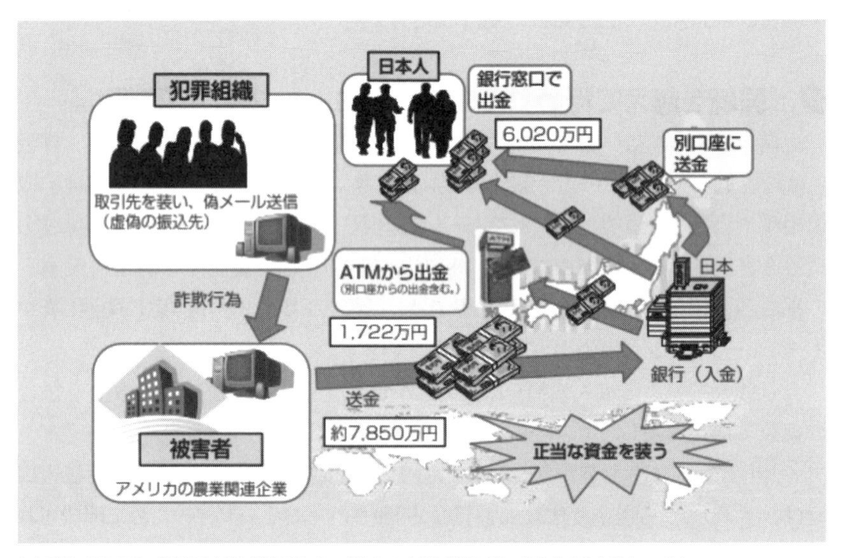

（出所）JAFIC「犯罪収益移転防止に関する年次報告書（平成30年）」p.52

2. マネー・ローンダリング対策の概要

(1) マネー・ローンダリング対策の枠組み

ア　マネー・ローンダリング対策の目的

資金洗浄行為を放置することは、犯罪によって得られた収益が、世の中で堂々と使えるようになることを意味し、結果的にそうした資金は犯罪組織の活動資金として利用されるおそれがあります。そのため、国際的な合意のもとでマネー・ローンダリング行為自体を犯罪行為と位置付け、各国の法令で資金洗浄行為を犯罪化する法整備が行われています。

日本においても、「国際的な協力の下に規制薬物に係る不正行為を助長する行為等の防止を図るための麻薬及び向精神薬取締法等の特例等に関する法律」（以下「麻薬特例法」という）及び組織的犯罪処罰法によって前提犯罪（後述）を指定し、資金洗浄行為（法令上「犯罪収益の隠匿」と呼ばれます）を犯罪としています。

イ　マネー・ローンダリングとテロ資金供与

もともとのマネー・ローンダリング対策の目的は、犯罪収益の洗浄を防止することであり、組織犯罪対策の一環として各国で推進されてきた経緯があります。しかし今日の「マネー・ローンダリング対策」の枠組みには、組織犯罪対策に加えて「テロ資金供与の防止」という目的が追加されていることに注意が必要です。

この枠組みの変更は、平成13（2001）年9月11日に米国で発生した、同時多発テロをきっかけとして実施されたものです。それまでに、すでに組織犯罪対策としての国際的なマネー・ローンダリング対策の仕組みが整備されていましたが、犯罪組織への資金の流れを断つのと同様に、テロリストへの資金供給を断つことがテロ組織の活動を抑えるために有効であるとの考え方から、後述のFATF特別勧告により、マネー・ローンダリングの定義に「テロ資金供与」が追加されました。

各国の規制当局から金融機関に対するマネー・ローンダリング対策の要請は、2000年代初頭以降に特に厳しくなっていますが、その背景には、9.11後に新たな役割を与えられた「マネー・ローンダリング対策」が、国際的なテロとの戦いにおける重要な手段の1つとして、積極的に推進されてきたことがあります。

なお、今日ではテロ資金供与対策と、組織犯罪対策としてのマネー・ローンダリング対策は一体で考えられており、単に「マネー・ローンダリング対策」といった場合には通常は両者を含みます。また、特に両者が含まれることを表したいときには、マネー・ローンダリング対策を表す「AML：Anti-Money Laundering」とテロ資金供与対策を表す「CFT:Counter Financing of Terrorism[5)]」を組み合わせた、「AML/CFT」という表記もよく用いられます。

また、最近の国際社会が直面する問題の1つとして、大量破壊兵器の拡散防止が挙げられます。この問題への対処を金融面から支援するため、マネー・ロー

---

5)　Counter-Terrorism FinancingあるいはCounter Terrorist Financingの略として「CTF」と表記されることもあります。

ンダリング対策に、従来の組織犯罪及びテロ資金供与対策に加えて、拡散金融への対応も統合される方向にあります。

ウ　金融機関等の事業者とマネー・ローンダリング対策

組織犯罪への対応やテロ資金供与対策については、各国政府が取り組むべき課題であり、実際のマネー・ローンダリング犯罪の摘発は、警察などの機関が実施することになります。しかし、「犯罪資金の洗浄を防止する」という取組みの性質を考慮すれば、そのような資金の流れに接する機会が多く、かつ提供するサービス（例：預金口座）が資金洗浄に悪用される可能性がある、金融機関の協力が不可欠です。そのためマネー・ローンダリング対策においては、国際的な取極めとして金融機関等に一定の法的な義務を課し、その協力を得ながら、官民一体で推進する枠組みが採用されています。

なお、同様の理由から、マネー・ローンダリング行為に接する機会が多いと考えられる「一定の非金融機関」や「職業専門家」もマネー・ローンダリング規制の国際的枠組みに含まれます。一定の非金融機関の例としては、カジノや不動産業者、宝石・貴金属商などが、後述のFATF勧告において指定されています。

また、弁護士、会計士をはじめとした職業専門家については、例えば弁護士名義の口座を用いて顧客の資産を保管する、マネー・ローンダリングに用いるための法人の設立・管理業務に携わる、あるいはマネー・ローンダリングに用いられる不動産の売買手続に関与するなどの可能性があると考えられており、いわゆるゲートキーパーとしてマネー・ローンダリング規制に服することとなっています。

エ　金融機関等にとってのマネー・ローンダリング対策の難しさ

多くの金融機関等にとって、マネー・ローンダリング対策は金融犯罪対策等のコンプライアンス対応と比べて、積極的に推進するための動機付けが難しいテーマであると考えられているようです。その主な理由としては、以下のようなものが挙げられるのではないでしょうか。

- **金融機関及びその顧客に直接的被害がない**

「盗難・偽造キャッシュカードへの対応」を例にとると、金融機関が対応を怠った場合には、口座保有者が受けた被害金額を金融機関が補償しなければならない可能性があります。このように、金融機関に対して直接的な損失が発生する可能性があるのであれば、それを予防するための措置をとることには理解が得られやすいと思われます。また「振り込め詐欺」の防止について言えば、金融機関の顧客が詐欺の被害者となるため、その防止への取組みが不十分である場合には、被害者となった顧客から厳しいクレームを受け、あるいは社会的な非難にさらされることになります。被害金の補償といった直接的な損失は生じないかもしれませんが、結果的には金融機関の顧客基盤を失うことにもつながりかねません。そのため、振り込め詐欺防止への取組みは、金融機関内部での理解が得られやすいでしょう。

それに対してマネー・ローンダリングでは、基本的には、上記の２例のような経済的な被害が、金融機関及びその顧客に発生することはないと考えられます。例えば、ある銀行に偽名の預金口座が開設されてしまい、その口座に犯罪組織の資金が隠匿されていたとしても、その他の顧客に被害が生じることはなく、また銀行もなんら経済的損失を受けることはありません。そのため、金融機関にとっては他の問題と比べて危機感を持ちにくいと言えるでしょう。

- **効果が見えにくい**

上記の偽造・盗難キャッシュカード及び振り込め詐欺防止を例にとれば、これらは被害を未然に防ぐことが目的であることから、金融機関が対策に力を入れて取り組めば、効果が目に見えて分かりやすいと言えます。

他方、マネー・ローンダリング対策における金融機関等の役割は、顧客の本人確認等を行い、記録を保管し、発見した「疑わしい取引」を当局に届け出ることであり、結果的に個別の届出が組織犯罪の摘発に役立ったかどうかは、必ずしも明らかではありません。また、仮に組織犯罪の抑止に役立てられたとしても、それは社会的な貢献であり、個別の金融機関等あるいはその顧客のためになっているという感覚は持ちにくいでしょう。つまり「投資対効果」という観点で見たときに、金融機関としてはメリットを感じにくいと言えるでしょう。

- **対象取引が金融機関等にとって高収益であることが多い**

マネー・ローンダラーは、それが不法に得られた資金であるにせよ、多額の金銭を保有していると考えられます。つまり金融機関等にとってみれば、資産の運用を任せてもらいたい、いわゆる「富裕層」顧客であるということになります。

また、マネー・ローンダリングを行うために金融商品や金融サービスを悪用する場合には、あくまでもその資金源が犯罪収益であるという事実を隠すことが目的であり、その金融商品への投資によるリターンや、手数料の水準などはあまり問題とはなりません。その目的さえ達成できるのであれば、多少投資のパフォーマンスが悪くても、手数料が割高でも、特に文句を言うことはないでしょう。（これが、「疑わしい取引の参考事例」で「経済合理性のない取引」が疑わしいとされている理由です。）

つまり、マネー・ローンダリングを行おうとする顧客は、一見すると金融機関等に対して多額の収益をもたらす「優良顧客」である可能性があり、そうした顧客に対して疑いの目を向けることは、金融機関等にとっては非常に難しいことであると言えます。

- **体系的に理解することが難しい問題である**

もともとマネー・ローンダリング対策は麻薬犯罪に対する抑止策として導入され、その後組織犯罪・重大犯罪全般に、さらにはテロ・大量破壊兵器に関する資金供与の防止というように、そのカバーする範囲を広げています。その結果、金融機関等においても、例えばテロ資金供与防止関連は外為部門、本人確認は事務部門、疑わしい取引の届出はコンプライアンス部門など、多くの部署が部分的に関与する必要があり、多くの金融機関等の職員や経営陣にとっては、マネー・ローンダリング対策の全体像をつかむことが難しい規制になっていると考えられます。また、すでに述べたように、マネー・ローンダリング対策よりも世間の関心が高いと思われる「金融犯罪の防止」や「反社会的勢力対応」との関係が理解しにくいことも、マネー・ローンダリング防止に関する体系的な理解を妨げている大きな要因だと思われます。

(2) マネー・ローンダリング対策の法規制

ア　マネー・ローンダリング対策における金融機関等の法的義務（ハードロー）

上記のとおり、国際的な取極めに基づき、各国の法令により金融機関（及び指定する非金融事業者・職業専門家）には法的義務が課せられますが、その具体的な内容としては、以下のようなものがあります。

- **顧客管理措置**
  金融機関等は、取引関係を開始する場合や一定金額以上の一回的取引を行う場合などの際、信頼できる確認書類や情報源を用いた本人確認を含む、顧客管理措置（カスタマー・デュー・ディリジェンス）を実施することが求められます。
- **記録保存**
  金融機関等は、当局からの照会に迅速に回答できるように、顧客との取引に関する記録や顧客管理措置の記録、及び（取引に関する）調査の記録等を一定期間保存することが義務付けられます。
- **疑わしい取引の届出**
  金融機関等が、顧客の資金が犯罪による収益あるいはテロ資金供与に関連するものであるとの疑いを持った場合には、その旨を所定の当局に届け出ることが義務付けられます。

以上のような法的義務は、FATF勧告に基づいて各国の法令により義務付けられるものですが、国・地域により義務付けられる範囲や内容には若干の差があります。例えば、記録の保存における「一定の期間」は、５年とする国もあれば、我が国のように７年の国もあります。また国・地域によっては、FATF勧告に沿って上記以外の項目（例えば、マネー・ローンダリング対策に関するコンプライアンス・オフィサーの任命や、内部監査の実施等）も、法令上の義務として規定する場合もあります（FATF勧告の詳細については、本章4.（2）参照）。なお、我が国においてこれに対応する法律が、後述の「犯罪による収益の移転防止に関する法律」（「犯罪収益移転防止法」。以下「犯収法」という）です。

イ　法律以外の規制（ソフトロー）

FATF勧告が求める対応を金融機関等に実施させるために、多くの国において、法令上の規定（ハードロー）を置くことに加えて、金融監督当局がその監督下にある金融機関に対して、マネー・ローンダリング対策に関して留意すべき事項等をガイドライン等の形式で示すことで、必要な対応を促す仕組みになっています。

こうしたソフトローによるマネー・ローンダリング規制は広く行われており、例えば米国の場合では、FFIEC：Federal Financial Institutions Examination Council（連邦金融機関検査協議会）が発行する「Bank Secrecy Act/Anti-Money Laundering Examination Manual」においては、規制当局が金融機関のマネー・ローンダリング防止態勢を検査する際の着眼点が詳細に解説してあります。同マニュアルは、付属資料も含めると400ページを超える大部で、本来は金融機関を検査・監督する側のマニュアルとして作成されたものですが、米国金融機関のAMLコンプライアンス部門の担当者や、コンプライアンス態勢をチェックする内部監査部門の担当者が、自社のマネー・ローンダリング防止態勢を整備し、あるいは検証する際の指針としても、広く役立てられています。このように、検証の視点を広く公開することによって、当局としては金融機関の対応を促す効果を期待していると言えるでしょう。また英国においては、JMLSG：Joint Money Laundering Steering Group[6)] が公表するガイダンスが、金融機関がAML/CFTの実務を行う上での指針として広く参照されています。こちらも3部構成で合計500頁を超えるボリュームがあり、金融機関におけるリスクベース・アプローチ、顧客管理措置、疑わしい取引の届出等の業務に関して留意すべき事項を詳細に解説しています。同ガイダンスは、前述のFFIECの検査マニュアルとは異なり、民間が策定した金融機関向けガイドラインという位置づけですが、その内容についてはFCA（金融行為規制機構）などの当局も公認しており、事実上

---

6)　英国銀行協会（BBA）など18の金融関連の業界団体により組成された団体で、AML/CFTに関する優れた実施例を広めることなどを目的として、ガイドラインの策定・公表を行っています。詳細はJMLSGのウェブサイト（http://www.jmlsg.org.uk/）を参照。

の公的なガイドラインだと考えて差支えないでしょう。

この点我が国においても、従前から、金融庁の監督指針（主要行等向けの総合的な監督指針[7]の、「Ⅲ-3-1法令等遵守（特に重要な事項）」、「Ⅲ-3-1-3-1取引時確認等の措置」にマネー・ローンダリング及びテロ資金供与対策に関連する記述がありました。また、現在は廃止された「金融検査マニュアル」においても、かつては「リスク管理等編」の「法令等遵守態勢の確認検査用チェックリスト Ⅲ. 個別の問題点」に、関連する記述がありました。

金融庁は、FATFの第4次対日相互審査に先立ち、平成30（2018）年2月6日に、「マネー・ローンダリング及びテロ資金供与対策に関するガイドライン」（以下「マネロン・テロ資金供与対策ガイドライン」といいます。）を制定し、適用を開始しました。マネロン・テロ資金供与対策ガイドラインは、①マネー・ローンダリングおよびテロ資金供与対策が我が国および国際社会にとって喫緊の課題となっていること、および②2019年に迫っているFATFの第4次対日相互審査において、リスクベース・アプローチによるマネロン・テロ資金供与防止対策の導入が必要であるところ、犯収法に基づくリスクベース・アプローチでは不十分であること等に基づくものです。

現行のFATFの基準では、「Law or Enforceable Means」（法令または執行可能な手段）において所要の規定を設けることが求められています（勧告35）が、「執行可能な手段」（Enforceable Means）については一定のガイドライン等も含まれることから、金融庁としては、法令等に定められた監督権限に基づき、各金融機関等に「対応が求められる事項」等を明確化した同ガイドラインは、基本的には、FATFの定義するEnforceable Meansに該当するものとしています。（なお、FATFによる第4次対日相互審査報告書において、「マネロン・テロ資金供与対策ガイドライン」は、執行可能な手段として認められました。）

7） 「中小・地域金融機関向けの総合的な監督指針」にも、ほぼ同一内容が記載されているほか、他業態向けの監督指針にも関連する記述が見られます。

3. マネー・ローンダリング対策の不備によるリスク

(1) マネー・ローンダリング対策に取り組むべき理由

以上のように、マネー・ローンダリング対策に関する理解は、金融機関等の内部でもなかなか得られにくいと言えますが、それでもなお、マネー・ローンダリング対策を推進しなければならない理由は、どこにあるのでしょうか。

まず、金融機関等には服さなくてはならないマネー・ローンダリング対策の法律（例：犯収法、外国為替及び外国貿易法（以下「外為法」といいます。））が存在し、それらの法令上の義務を果たすことができなければ、罰則が適用されることとなります。すなわち、金融機関等のマネー・ローンダリング対策の不備によって、直接的な法令違反を招くリスク（リーガル・リスク）が存在することは明らかです。

しかし実際のところ、より留意すべきなのは、金融機関等が監督官庁から行政処分等を受けるリスク（規制リスク）でしょう。特に銀行等の金融機関に対しては、マネー・ローンダリング対策に関する取組みの状況や、整備されたコンプライアンス態勢が十分であるかどうかを、金融監督・検査を通じて厳しく検証されることになります。その場合には、法令に明文の規定として置かれている義務を果たしているだけでは必ずしも十分とは言えず、当局が公表する各種のガイドラインや、業界団体が策定した自主ルール等への遵守状況も含め、当該金融機関の取組みが十分であるか検証されることもあります。こうした金融監督当局の期待水準は、何らかの要因により変化しうるものです。そして、結果的に期待水準を満たせない場合には、直接的な法令違反の事実が存在しなくとも、行政処分等を受けてしまう可能性を排除できません。特に後述するように、海外の（特に米国）当局からは、マネー・ローンダリング対策の不備に関して、きわめて過酷な処分が下されるケースがありますので、金融機関としては注意が必要です。

それに加えて、金融機関等はマネー・ローンダリング対策が不十分であることによって、自社の信用が失墜するリスク、すなわち「風評リスク（レピュテーショナル・リスク）」を負っていることも十分に認識すべきでしょう。例えば、自社が提供する金融サービスが、犯罪組織やテロリストによる資金洗浄のツールとして悪用され、その事実がマスメディア等で報じられるようなことがあれば、当該金融機関の信用・ブランドイメージは大きく傷つけられることになります。

(2) マネー・ローンダリング対策の不備にともなう海外での処分事例

以上のような、金融機関が負うマネー・ローンダリング問題に関する規制リスク・風評リスクに関して参考になる事例を紹介します。

ア HSBCのケース

HSBCの米国におけるマネー・ローンダリング防止態勢の不備を議会報告書の中で指摘された事例です。

本件は平成24（2012）年7月16日に米上院国土安全保障・政府問題委員会の常設調査小委員会（議長：レビン上院議員）が、HSBCの過去10年の資金洗浄問題を取り上げた335ページの詳細な報告書（U.S. Vulnerabilities to Money Laundering, Drugs, and Terrorist Financing：HSBC Case History）を公表し、公聴会で経営陣を厳しく追及したものです。

同年7月17日に開催された公聴会では、HSBC米国法人（HBUS）のドーナーCEOほか経営幹部が出席し、HSBCのマネー・ローンダリング防止態勢の不備について謝罪し、英HSBCホールディングスでコンプライアンス責任者を務めるデービッド・バグリー氏が、引責辞任する意向を表明しました。

その後、メキシコ現地法人（HSBCメキシコ）が、疑わしい取引についての報告の遅れ等を理由にメキシコの監督当局に制裁金2,750万ドル（約22億円）を支払ったことを公表されたほか、英HSBCは制裁金に対する引当金として7億ドル（約560億円）を計上したと7月30日に公表しました。HSBCと米国当局の交渉の結果、12月には、約19億ドル（約1,520億円）の過去最高額の罰金を支払うことで合意しています。

なお上記報告書では、HSBCが行っていたメキシコ関連、イラン関連のマネー・ローンダリング関連が疑われる取引の実態と、それに対する同行のずさんな対応が詳細に記載されていますが、その一部にはHBUSが日本の大手地方銀行と行っていた取引が取り上げられています。

この取引は、日本の地方銀行に中古車取引の代金という名目で持ち込まれた多額のドル建てトラベラーズチェック（TC）の決済をHBUSに依頼していたというものであり、報告書では、この取引を通じてロシアの犯罪組織の資金が米国の金融システムに持ち込まれた可能性を指摘しています。報告書は、直接的にはHSBCの米国法人の態勢不備を指摘するものではありますが、あわせて当該邦銀のマネー・ローンダリング防止への取組みに疑問を呈しています。

この報告書は、米国議会委員会の調査に基づき一方的に公表されたレポートであり、名前が取りざたされた金融機関としては当然反論もあるとは思われますが、当事者であるHSBCにとっては「規制リスク」及び「風評リスク」が、また期せずして行名が取り上げられた地方銀行にとっては「風評リスク」が顕在化した事例と言えるでしょう。

イ　スタンダードチャータード銀行のケース

スタンダードチャータード銀行（SCB）が米ニューヨーク州の銀行監督当局からマネー・ローンダリング防止態勢の指摘を受けた事例（2012年8月）です。これは、同年8月6日に米ニューヨーク州金融サービス局が、SCBが過去10年近くにわたり約6万件、2,500億ドル規模に上るイラン向け送金取引を隠し、数億ドルに上る手数料を得てきた旨を指摘する27ページにわたる文書を公開したものです。同文書ではSCBをイラン向けの送金取引を意図的に隠ぺいする「ならず者金融機関」であると断罪し、米国の法令に違反していることから、ニューヨーク州における営業免許を失う可能性がある旨を指摘したものです。

これに対してSCBは、米国のルールに抵触する可能性のある取引は1,400万ドルにすぎないなどと反論しましたが、当局の公表に関する報道を受けて同行の株価は大幅に下落し、ニュースから24時間以内に時価総額の25%を失うことになりました。

結局同行は、3億4,000万ドル（約272億円）の和解金を支払うほか、マネー・ローンダリングのリスク・コントロールの監視態勢を、ニューヨーク支店において少なくとも2年間導入することで当局と合意し、かろうじて銀行免許のはく奪を免れました。さらに同年12月には、追加で3億2,700万ドル（約298億円）の罰金を支払うことで連邦当局と同意しました。この件も、巨額の和解金の支払いが求められる「規制リスク」と、株価の暴落という「風評リスク」が顕在化した事例と言えます。

ウ　BNPパリバ銀行のケース

フランスのBNPパリバ銀行が、米国当局から約90億ドルの巨額の制裁金の支払いと、12か月間の米ドル決済業務停止を命ぜられることになった事例（2014年6月）です。BNPパリバが支払った制裁金の額は、マネー・ローンダリング対策に関して金融機関が受けたものの中で、現時点では史上最高額となっています。

米国司法省のリリースによれば、BNPパリバは平成16（2004）年から平成24（2012）年にかけて、米国の国際緊急経済権限法（IEEPA）と対敵通商法（TWEA）に違反すると知りながら、主に原油関連取引に絡んだ、制裁対象国（スーダン、イラン、キューバ）に所在する顧客との間でドル送金を手掛けていました。その際には、取引の内容を隠ぺいするために取引相手国に関わる情報を書類から削除していたほか、一部の取引においては、中東・欧州・アフリカの銀行網や、米銀最大手JPモルガン・チェースを利用して支払いを迂回するなどして、制裁国や自行が取引に関与している事実の隠ぺいを図っていました。また、これらの取引について、多数の経営幹部が黙認していたことも明らかになっています。

平成21（2009）年には、同行の違法行為について米国当局へ匿名の告発が寄せられ、その直後に当局は調査の実施を通告しましたが、同行は調査への協力や違法行為の停止に関し適切な対処を行いませんでした。違法取引の規模もさることながら、同行幹部による上記のような対応の不備が、罰金が膨れ上がる一因になったとされています。

同行はこの問題で89億7,000万ドルの制裁金を米当局に支払うことで合意しているほか、幹部13名の解雇と、平成27（2015）年から1年間にわたるドル決済業務の一部縮小の要求に応じること、また新たなコンプライアンス・内部統制プロシージャーの策定などに取り組むことで、銀行免許のはく奪は回避されることになりました。

以上の事例はすべて米国当局による処分事例ですが、米国の金融機関ではなく、米国内に拠点を有する外国の金融機関に対するものです。ニューヨークという国際金融センターを有し、基軸通貨である米ドルを発行する米国だからこそできる、米国法令の域外適用と言えるでしょう。

4. マネー・ローンダリング防止に係る国際的枠組み

世界各国で推進されるマネー・ローンダリング対策は、国際的な枠組みに従って、各国の規制が整備されることになっており、その枠組みの中心にあるのがFATF（ファタフ）です。本節では、このようなマネー・ローンダリング対策の国際的枠組みが導入された経緯と、その内容について解説します。

(1) 国際的なマネー・ローンダリング対策の歴史

マネー・ローンダリング対策の国際的な枠組みについての歴史は、1980年代まで遡ることができます。当時、世界各国において麻薬問題がきわめて深刻化しており、麻薬密売に関与する犯罪組織に対する何らかの対抗策が求められていました。そこで、犯罪組織の資金源を押さえることによって組織を弱体化させるアプローチが考案され、平成元（1989）年にフランスで開催されたアルシュ・サミットの経済宣言においては「麻薬犯罪による利益を特定し、追跡し、凍結し、差押え、及び没収することを容易にするための措置等のイニシアティブとそのための協力を支援すること」が盛り込まれたのです。そして、それを実現するための政府間会合として設立されたのがFATF：Financial Action Task Force（金融活動作業部会）であり、FATFは平成2（1990）年4月には、現在のFATF勧告の原型となる「40の勧告」を提言しています。

その後、平成8（1996）年、平成15（2003）年には「40の勧告」の改訂・再改訂が行われ、マネー・ローンダリングの前提犯罪の範囲の拡大、各国におけるFIU（疑わしい取引の情報を一元的に受理・分析し、捜査機関に提供する政府機関）の設置、対象業種の拡大などが行われています。

また、平成13（2001）年に発生した米国同時多発テロ事件を受けて、FATFはテロ資金供与防止に関する特別勧告（「8の特別勧告」。平成16（2004）年に勧告が1つ追加され「9の特別勧告」）を策定・公表し、マネー・ローンダリング対策にテロ資金供与対策の目的が統合されることとなりました。

このように、9.11テロの後、FATFは40＋9の勧告によりマネー・ローンダリング及びテロ資金供与対策を推進してきましたが、平成24（2012）年2月には、従来の勧告を全面的に見直して再構成し、新たな「40の勧告」を策定しています。

以上の流れを見ると、先進国首脳の合意により創設されたFATFを中心に、世界的なマネー・ローンダリング対策の枠組みが構築されてきたわけですが、その目的は、麻薬対策から組織犯罪対策一般へ、そしてテロ資金供与対策へと拡大してきていることが分かります。また、平成24（2012）年2月に改訂された現在のFATF勧告においては、最近の国際情勢などを念頭に、核兵器などの大量破壊兵器の拡散に係るファイナンスの防止にまで、その範囲を広げていることには注意が必要です。

○図表1-5：FATF勧告の範囲の拡大

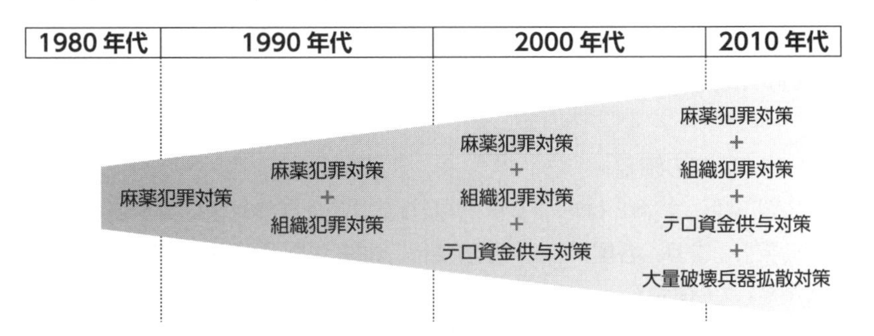

(2) FATF（金融活動作業部会）とは

ア　FATFの概要とその位置付け

FATFとは、マネー・ローンダリング及びテロ資金供与対策における国際協調を推進するための政府間会合[8)]のことで、令和3（2021）年9月現在、日本を含む37か国の国・地域、及び2つの国際機関が参加しています。

またFATFメンバー国にとどまらず、世界中にマネー・ローンダリング対策のネットワークを構築するために、地域ごとにFATF型地域体（FSRB：FATF-style

8)　FATFは、常設の国際機関ではなく、各国の合意（マンデート）に基づき設けられる「政府間会合」であり、事務局はパリのOECD本部に置かれています。（なお2019年4月には、以後マンデートに期限を設けずに、FATFが引き続き活動することが決定しています。）

regional bodies）と呼ばれる組織が設置されています。この地域体は現在のところ、アジア太平洋（APG）、カリブ海（CFATF）、ヨーロッパ（MONEYVAL）、ユーラシア（EAG）、南東アフリカ（ESAAMLG）、ラテンアメリカ（GAFILAT）、西アフリカ（GIABA）、中東・北アフリカ（MENAFATF）、中央アフリカ（GABAC）の各地域に設置されており、日本はAPGのメンバーでもあります。FATF型地域体はFATF勧告に基づく相互審査の実施や、マネー・ローンダリングの手口（タイポロジー）の研究などを行っており、各国はFATF型地域体に参加することで、FATFの直接のメンバー国ではなくともその枠組みに参加することができます。このように、間接的に参加する国も含めれば、190か国・地域以上がFATFの枠組みに参加していることになり、FATFを中心とした枠組みは、事実上の国際標準と言ってよいでしょう。

FATFが行う主な活動には、以下のようなものがあります。

- **FATF勧告の策定**
  FATFは、マネー・ローンダリング及びテロ資金供与対策に関する「FATF勧告」により、各国がとるべき法執行、刑事法制及び金融規制上の措置を策定しています。
- **相互審査（ピア・レビュー）の実施とフォローアップ**
  FATFは、メンバー国から審査団を選出し、審査団が各国に訪問するなどして、FATF勧告の遵守状況をチェックする「相互審査」を実施しています。
  審査基準は、FATFが策定する「メソドロジー」と呼ばれる文書で詳細に規定されており、その審査基準に従って、各勧告に対して４段階で評価を行うことになっています。
  各国の相互審査の結果はレポートとして公表され、対応が不十分な項目については、FATFによるフォローアップ手続が実施され、その後の改善状況が監視されることになります。
- **リスクの分析作業、ガイドラインの作成等**
  マネー・ローンダリングに関する具体的な手法（タイポロジー）や傾向に関する情報を収集・分析し、各種ガイドライン等として公表しています。
- **ハイリスク・非協力国の特定と対応**

各国のマネー・ローンダリングに対する対応状況を分析し、「資金洗浄・テロ資金供与対策に戦略的欠陥を有する国、地域」を定期的に見直し、公表しています。

イ　FATF勧告の概要

平成24（2012）年に見直された現在のFATF勧告は、以下の40項目になります。（「旧」は2012年の見直し以前の旧勧告における番号を表しています。）

○図表1-6：FATF勧告の一覧

新	旧	勧告内容
A. 資金洗浄及びテロ資金供与対策及び協力		
1	—	リスクの評価及びリスク・ベース・アプローチの適用
2	31	国内の協力及び協調
B. 資金洗浄及び没収		
3	1，2	資金洗浄の罪
4	3	没収及び予防的措置
C. テロ資金供与及び大量破壊兵器の拡散に対する資金供与		
5	SR Ⅱ	テロ資金供与の罪
6	SR Ⅲ	テロリストの資産の凍結・没収
7	—	大量破壊兵器の拡散に関する対象を特定した金融制裁
8	SR Ⅷ	非営利団体
D. 予防的措置		
9	4	金融機関の守秘義務との関係
10	5	顧客管理
11	10	記録の保存
12	6	重要な公的地位を有する者
13	7	コルレス取引
14	SR Ⅵ	資金移動業
15	8	新しい技術
16	SR Ⅶ	電信送金
17	9	第三者への依存
18	15，22	内部管理、外国の支店及び子会社

新	旧	勧告内容
19	21	リスクの高い国
20	13, SR Ⅳ	疑わしい取引の届出
21	14	内報及び秘匿性
22	12	DNFBPs：顧客管理
23	16	DNFBPs：その他の措置
E. 法人及び法的取極めの透明性及び真の受益者		
24	33	法人の透明性及び真の受益者
25	34	法的取極めの透明性及び真の受益者
F. 当局の権限及び責任、及びその他の制度的な措置		
26	23	金融機関の規制及び監督
27	29	監督機関の権限
28	24	指定非金融業者及び職業専門家の規制及び監督
29	26	Financial Intelligence Unit（FIU）
30	27	法執行及び捜査当局の権限
31	28	法執行及び捜査当局の能力
32	SR Ⅸ	キャッシュ・クーリエ
33	32	統計
34	25	ガイダンス及びフィードバック
35	17	制裁
G. 国際協力		
36	35, SR Ⅰ	国際的な文書
37	36, SR Ⅴ	法律上の相互援助
38	38	法律上の相互援助：凍結及び没収
39	39	犯罪人引渡し
40	40	他の形態の国際協力

このように、勧告の内容は多岐にわたりますが、基本的には各国が整備すべき法律や制度についての「勧告」であり、個々の金融機関やその他の事業者に対するものではありません。

しかし、勧告の中には勧告１（リスクベース・アプローチ）や勧告10（顧客管理）などのように、マネー・ローンダリング対策の観点で、各国が金融機関やその他の事業者に対して義務付けるべき内容について言及しているものもあることから、そのような勧告の趣旨を正しく理解しておくことは重要です。以下ではFATF勧告のうち、金融機関等の実務に関係すると思われる勧告の概要を説明します。

① 勧告1「リスクの評価及びリスクベース・アプローチの適用」

一般にリスクの高低に応じた対応を行うことにより、資源の有効活用を図る考え方を「リスクベース・アプローチ（RBA）」といいます。勧告1では各国に対し、マネー・ローンダリング対策において、RBAを導入することを求めており、各国が自国におけるリスクを特定、評価及び把握し、当該リスクを効果的に低減するために行動し、資源を割り当てることを求めています。

さらに、各国の金融機関及び特定非金融業者及び職業専門家（DNFBPs）に対しても、マネー・ローンダリング及びテロ資金供与に関するリスクを特定、評価及び低減させるための効果的な行動をとることを求めるべきである、とされています。

具体的には、金融機関等は、マネー・ローンダリング及びテロ資金供与の「顧客」「国・（地政学的な）地域」「商品」「サービス」「取引又は提供チャンネル」に関するリスクを識別・評価することが求められることになります。また金融機関等は、評価の根拠を明らかにし、評価を最新の状態にアップデートし、所管官庁等にリスク評価情報を提供するための適切なメカニズムを構築するため、評価の結果を書面化する必要があるとされています。さらに、金融機関等は、識別されたリスクを効率的に管理するための方針、管理機能及び手順を策定し、その実施について監視し、必要に応じて強化する必要があります。これらの方針等は、上級経営者により承認されなければならないほか、リスク管理の手段は法令や権限ある当局等のガイダンスと整合的でなければなりません。

なお、改訂前のFATF勧告におけるRBAは、マネー・ローンダリング対策に関する「顧客管理措置」（旧勧告5）の一部として示されていたほか、業態ごとのガイドラインとして公表されていましたが、現在の勧告に見直す際に、RBAを重視する姿勢をより明確にするため、独立した勧告としました。

令和2（2020）年10月には、勧告1が一部改訂され、各国、各国の金融機関及びDNFBPsに対して、拡散金融に関する金融制裁の回避、潜在的な違反等によるリスクを特定・評価し、提言するためのアクションを取るように求める内容が追加されました。

②　勧告10「顧客管理」

同勧告では、金融機関が顧客に匿名、あるいは明らかな偽名の口座を保有させることが禁止されるべきであるとしています。その上で、以下の場合には、金融機関は顧客管理措置をとることが求められるべきであるとしています。なお、ここでいう「顧客管理措置」は、いわゆる本人確認（上記の「身元確認」）だけではなく、より広い概念である点には注意が必要です。（第５章２（4）参照）

ⅰ　業務関係の確立
ⅱ　一見取引であって、ⅰ）特定の敷居値（15,000米ドル・ユーロ）を超えるもの、またはⅱ）勧告16の解釈ノートに規定する状況下の電信送金
ⅲ　資金洗浄又はテロ資金供与の疑いがあるとき、又は
ⅳ　金融機関が過去に取得した顧客の本人確認データについての信憑性又は適切性に疑いを有するとき。

上記のような場合に、金融機関が顧客管理措置として具体的に実施すべき事項としては、以下の項目を挙げています。

a）信頼できる独立した情報源に基づく文書、データ又は情報を用いて、顧客の身元を確認し、照合すること。
b）受益者の身元を確認し、金融機関が当該受益者が誰であるかについて確認できるように、受益者の身元を照合するための合理的な措置をとる。この中には、金融機関が、法人及び法的取極めについて当該顧客の所有権及び管理構造を把握することも含まれるべきである。
c）業務関係の目的及び所与の性質に関する情報を把握し、必要に応じて取得する。

d）顧客、業務、リスク、及び必要な場合には資金源について、金融機関の認識と整合的に取引が行われることを確保するため、業務関係に関する継続的な顧客管理及び当該業務関係を通じて行われた取引の精査を行う。

金融機関が上記a）からd）の顧客管理措置を適用する際には、リスクベース・アプローチにより措置の程度を決定すべきであるとしています。

以上のほかに、勧告10では以下のようなポイントが示されています。

- 金融機関は、業務関係の確立若しくは一見顧客に対する取引の実施前又はその過程において、顧客及び受益者の身元を照合することを求められるべきである。
- 各国は、資金洗浄及びテロ資金供与のリスクを効果的に管理でき、かつ、通常の業務遂行を阻害しないために不可欠である場合には、金融機関が実務上合理的な範囲で業務関係確立後速やかに照合措置を完了することを容認できる。
- 金融機関は、上記（a）から（d）の適用されるべき義務（ただし、リスクベース・アプローチにより、措置の程度について適切な修正が加えられる）を遵守できない場合には、口座開設、業務関係の開始又は取引の実施をすべきではない。あるいは、業務関係を終了すべきことが求められるべきである。また、当該顧客に関する疑わしい取引の届出を行うことを検討すべきである。

さらに、以下のとおり、顧客との新規取引開始時点だけではだけではなく、継続的な顧客管理も求めています。

- これらの義務は全ての新規顧客に適用すべきである。なお、金融機関は重要性及びリスクに応じて既存顧客にもこの勧告を適用し、また、適切な時期に既存の業務関係についての顧客管理措置を行うべきである。

③　勧告11「記録の保存」

勧告11は金融機関の記録保管義務について規定しており、権限ある当局からの情報提供の要請に迅速に応じられるよう、金融機関が国内取引及び国際取引に関するすべての必要な記録を最低５年間、保存するよう求められるべきだとしています。

また、金融機関は、顧客管理手続を通じて取得したすべての記録（例えば、旅券、身分証明書、運転免許証又は同様の書類など公的な身元確認書類の写し又は記録）や、取引内容の分析結果（例えば、複雑で異常に多額な取引の背景及び目的に関する照会結果）を含む口座記録及び通信文書についても、業務関係終了後最低５年間保存すべきであるとしています。

④　勧告12「PEP」

「PEPs：Politically Exposed Persons（「ペップス」と読む）」とは「重要な公的地位を有する者」を指す、マネー・ローンダリング対策特有の用語です。

PEPsには「外国のPEPs」「国内のPEPs」「国際機関において特に重要な公的な機能を任せられている、又は任せられてきた者」の３種類があり、解釈ノートの用語集では、それぞれ以下のとおり定義しています。

種別	定義
外国のPEPs	外国において特に重要な公的な機能を任せられている、又は任せられてきた個人であり、例えば国家元首や首相、高位の政治家、政府高官、司法当局者、軍当局者、国有企業の上級役員、重要な政党役員をいう
国内のPEPs	国内において特に重要な公的な機能を任せられている、又は任せられてきた個人であり、例えば国家元首や首相、高位の政治家、政府高官、司法当局者、軍当局者、国有企業の上級役員、重要な政党役員をいう

国際機関において特に重要な公的な機能を任せられている、又は任せられてきた者	例えば当該機関の長官、副長官及び理事会やそれと同等な委員会のメンバーといった上級管理者をいう

こうした地位にある個人は、自らの権力を濫用して国の財産を私物化したり、汚職に関与したりする可能性があると考えられており、一般にマネー・ローンダリングのリスクが非常に高いカテゴリーだと考えられています。なお、そのような趣旨で高リスクであるとされているので、（権限が大きくない）中級者や、より下位の個人は、たとえ公務員等であったとしてもPEPsとはみなされません。

勧告12においては、金融機関は外国のPEPsが顧客である、あるいは受益者である場合においては、通常の顧客管理措置に加えて以下のことを実施すべきであるとしています。

(a) 顧客又は受益者がPEPか否かを判定するための適切なリスク管理システムを有すること。
(b) 当該顧客と業務関係を確立（又は既存顧客と既契約の業務関係を継続）する際に上級管理者の承認を得ること。
(c) 財源及び資金源を確認するための合理的な措置をとること。
(d) 業務関係についてより厳格な継続的監視を実施すること。

同様に、国内PEPs及び現在又は過去に国際機関で主要な役割を与えられた者についても、金融機関は、顧客又は受益者がそのような者であるかを判定するための適切な措置をとり、これらの者との業務関係でリスクが高い場合には、金融機関は上記（b）（c）及び（d）の措置を適用することを求められなければならない、とされています。

以上のすべてのタイプのPEPsに求められる措置は、当該PEPsの家族又は近しい間柄にある者にも適用されることになっています。

⑤　勧告13「コルレス取引」

コルレス銀行業務について、解釈ノートの用語集では以下のとおり定義されています。

> Correspondent banking（コルレス銀行業務）は、ある銀行（correspondent bank）から他の銀行（respondent bank）に対する銀行業務の提供をいう。国際的な巨大銀行は世界中の他の銀行のコルレス先として活動する。respondent bankは資金管理（例えば様々な通貨の付利口座）、国際間電信送金、手形決済、payable-through口座、外国為替業務を含む、広範な業務の提供を受けることが出来る。

このようなコルレス銀行業務の性質上、ある銀行（Ａ銀行）が他の銀行（Ｂ銀行）に業務の提供を行う場合に、Ａ銀行にとっての直接的なサービス提供相手はＢ銀行ですが、最終的な金融サービスの利用者は、Ｂ銀行の顧客であるということがあります。その場合、Ａ銀行のマネー・ローンダリング対策の観点では、Ｂ銀行の顧客管理に依存することになるため、Ｂ銀行が適切なマネー・ローンダリング防止態勢を有しているかが問題となります。

○図表1-7：コルレス銀行業務

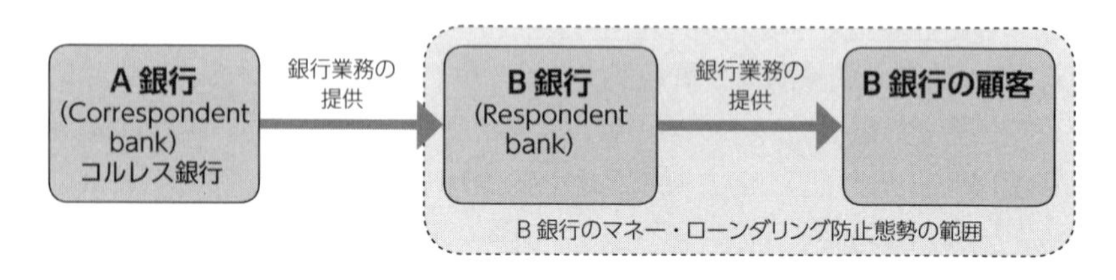

このような背景から、勧告13では、金融機関は海外とのコルレス銀行業務その他同様の関係について、通常の顧客管理措置の実施に加えて、以下のことを実施すべきであるとしています。

a) 相手方機関の業務の性質を十分に理解するため、また、公開情報から、資金洗浄及びテロ資金供与に関する捜査又は行政処分の対象となっていないかどうかを含め、当該機関の評判や監督体制の質について判定するため、相手方機関についての十分な情報を収集する。
b) 相手方機関の資金洗浄対策及びテロ資金供与対策を評価する。
c) 新たなコルレス契約を確立する前に上級管理者の承認を得る。
d) 契約する両機関の責任を明確に把握する。
e) 「ペイアブル・スルー・アカウント（payable-through-accounts）」(*)については、相手方機関がコルレス機関の口座に直接アクセスする顧客の顧客管理を実施し、また、相手方機関が要請に応じて関連する顧客管理情報をコルレス機関に提供できることを確認する。

(*) 第三者が自己取引のために直接用いるコルレス口座

また、金融機関が、シェルバンクとのコルレス契約を確立又は継続することは禁止されるべきで、金融機関は、コルレス先機関が自行の口座をシェルバンクに利用されることを容認していない旨の確認も求められるべきである旨が規定されています。

ここでのShell bank（シェルバンク）とは、設立又は許認可を受けた国に物理的実態がなく、効果的な連結ベースの監督に服している金融グループとは関係を有さないものをいいます。

⑥ 勧告14「資金移動業」

銀行以外にも、顧客に送金等のサービスを提供する事業者が存在しますが、こうした決済サービスがマネー・ローンダリングやテロ資金供与に悪用されるおそれがあることから、適切な規制の枠組みが必要となります。（なお、非合法に提供される資金移動サービスには、いわゆる「地下銀行」があります。）

勧告14は、各国は、資金移動業（Money or value transfer services：

MVTS）を行う自然人又は法人に免許制又は登録制を課すとともに、FATF勧告において求められる関連措置の遵守を確保し、モニタリングするための効果的なシステムを適用するための措置を講ずるべきであり、無免許又は無登録で資金移動業を営む自然人又は法人を特定し、これに対する適切な制裁措置を講ずるべきであるとしています。

また、資金移動業者のエージェントとして業務を行う自然人又は法人についても、免許又は登録義務が課されるか、資金移動業者において、当局によりアクセス可能な最新のエージェントリストを保有していなければならず、エージェントを使う資金移動業者が、自社の資金洗浄及びテロ資金供与対策のプログラムをエージェントにも適用し、それらエージェントのプログラム遵守について監視することを確保するよう措置を講じなければならない、としています。

⑦　勧告15「新しい技術」

金融機関におけるサービスは日々進歩していますが、新たに開発されたサービスがマネー・ローンダリングに悪用されやすい特性（匿名性が高いなど）を有している可能性もあります。例えば「電子マネー」や、最近では「ビットコイン」などの暗号資産は、そのような新技術に該当すると思われます。

そこで勧告15では、各国及び金融機関は、(a) 新たな伝達方法を含む新たな商品や取引形態の開発、及び (b) 新規及び既存商品に関する新規の又は開発途上にある技術の利用に関連して存在する資金洗浄及びテロ資金供与のリスクを特定し、評価しなければならない旨を規定しています。また金融機関の場合には、このようなリスクの評価は、新たな商品、取引又は技術を導入する前に行わなければならず、金融機関は、これらのリスクを管理し低減させる適切な措置を講じなければならないとしています。

平成30（2018）年10月には本勧告は一部改訂され、暗号資産によりもたらされるマネロン・テロ資金供与リスクを管理・低減するために、各国が暗号資産交換業者を登録・免許制として、AML/CFT規制の対象とするように求める内容が追加されました。

⑧ 勧告16「電信送金のルール」

近年、特にテロ資金供与防止の観点から、金融機関を通じた送金取引について監視をすることが求められています。電信送金においては、金融機関を結ぶSWIFT等のネットワークで送受信されるメッセージ（電文）をチェックすることになりますが、電文に含まれる情報が不完全であると、十分な監視が行えないことになります。

そこで勧告16では、各国は、金融機関が、正確な必須送金人情報、及び必須受取人情報を電信送金及び関連する通知文（related message）に含めること、また、当該情報が一連の送金プロセスを通じて電信送金、又は関連電文メッセージに付記されることを確保しなければならない、としています。また、各国は、金融機関が所要の送金人及び／又は受取人情報の欠如を見つけるため、電信送金を監視することを確保し、適切な措置を講じなければならないことになっています。

さらに、各国は、電信送金を処理するに当たり、テロリズム及びテロ資金供与の防止・抑止に関連する国連安保理決議1267号並びにその後継決議及び決議1373号など、国連安保理決議で規定される義務に基づき、金融機関が凍結措置を講じることを確保するとともに、指定された個人及び団体との取引を禁止しなければならないこととされています。

⑨ 勧告17「顧客管理の第三者依存」

勧告17では、一定の基準が満たされる場合には、各国は、顧客管理措置の実施又は業務紹介について第三者機関（監督又は監視の対象となり、勧告17の要請を満たしている金融機関又はDNFBP）に依存することを、金融機関に容認することができるものとされています。

このように第三者機関への依存が容認される場合であっても、顧客管理措置に関する最終的な責任は第三者機関に依存する金融機関にあります。

なお、この勧告は、アウトソーシング（外部委託）やエージェント（代理店）との関係に適用されるものではありません。ここでの第三者機関は通常、顧客との間に既存の業務関係を有し、顧客管理を依存した者と顧客との関係からは独立し、顧客管理措置を実施するための独自の手続を適用することになります。

⑩　勧告18「内部管理、外国の支店及び子会社」

勧告18においては、金融機関は、資金洗浄及びテロ資金供与対策プログラムの実施が求められなければならないこと、また金融グループは、資金洗浄及びテロ資金供与対策目的のため、グループ全体として、情報共有に関する政策及び手続を含む資金洗浄及びテロ資金供与対策に関するプログラムの実行が求められるべきであることが規定されています。

（ここでの「プログラム」の内容については、解釈ノートに説明があります。詳細は第５章で解説します。）

また、金融機関は、金融グループの資金洗浄及びテロ資金供与に対するプログラムを通じて、海外支店及び過半数の資本を所有している子会社に対し、本国のFATF勧告の実施義務と整合的な資金洗浄及びテロ資金供与対策の措置が適用されることを確保することが求められるべきである旨も定められています。

⑪　勧告19「リスクの高い国」

金融機関は、FATF勧告を適用していないか又は適用が不十分である国の者（当該国の会社及び金融機関を含む）との業務関係及び取引に対して、特別の注意を払うべきであり、当該国がFATF勧告を引き続き適用しないか又は適用が不十分である場合には、各国は適切な対抗措置をとりうるようにすべきである旨が勧告されています。

⑫　勧告20「疑わしい取引の届出」

金融機関が、資金が犯罪収益又はテロ資金供与と関係しているのではないかと疑う場合、あるいは疑うに足る合理的な理由がある場合には、その疑いを金融情報機関（FIU）に速やかに届け出るよう、直接法律又は規則によって義務付けられるべきである旨を勧告しています。

⑬　勧告21「内報及び秘匿性」

金融機関（その取締役、職員及び従業員）が、疑わしい取引の届出を善意で行う場合には、契約及び法規制等により課されている情報開示に関する制限に違反したことから生じる刑事上又は民事上の責任から、法規定によって保護されるべきである旨を勧告しています。

また、疑わしい取引の届出又はその関連情報がFIUに提出されている事実を開示すること（内報）は法律で禁止されるべきであるとしています。

⑭ 勧告22「DNFBPs：顧客管理」

勧告10，11，12，15及び17に定められている顧客管理義務及び記録保存義務が、以下の指定非金融業者及び職業専門家が、それぞれ一定の業務を行う場合においても適用されることを定めています。

a）カジノ
b）不動産業者
c）貴金属商及び宝石商
d）弁護士、公証人、他の独立法律専門家及び会計士
e）トラスト・アンド・カンパニー・サービスプロバイダー

⑮ 勧告23「DNFBPs：その他の措置」

勧告18から21に定められている義務は、一定の条件を満たす場合には、すべての指定非金融業者及び職業専門家に対して適用される旨を規定しています。

⑯ 勧告24「法人の透明性及び真の受益者」

法人を隠れ蓑にして資金洗浄・テロ資金供与が行われることが想定されることから、各国は、資金洗浄又はテロ資金供与のための法人の悪用を防止するための措置を講じるべきであることを勧告しています。また、各国は、権限ある当局が、適時に、法人の受益所有及び支配について、十分で、正確なかつ時宜を得た情報を入手することができ、又はそのような情報にアクセスできることを確保すべきであり、さらに金融機関及びDNFBPsが顧客管理の義務を実施する際の、受益所有及び支配に関する情報へのアクセスを促進するための措置を検討すべきであるとされています。

⑰　勧告25「法的取極めの透明性及び真の受益者」

上記の勧告24と同様に信託等の「法的取極め」の悪用防止の観点から、各国は、資金洗浄又はテロ資金供与のための法的取極めの悪用を防止するための措置を講じるべきであり、とりわけ、各国は、権限ある当局が、適時に、信託設定者、受託者及び受益者に関する情報を含む明示信託に関する十分で、正確なかつ時宜を得た情報を得ることができ、又はそのような情報にアクセスできるよう確保すべきであることを勧告しています。また、勧告24と同様に、各国は、金融機関及びDNFBPsが顧客管理の義務を実施する際の受益所有及び支配に関する情報へのアクセスを促進するための措置を検討すべきであるとされています。

ウ　相互審査

FATF勧告は、あくまでも、各国がマネー・ローンダリング対策のために整備すべき法制度や、当該国の金融機関等に対して求めるべきマネー・ローンダリング防止の取組みについて規定するものです。そのような性質上、「勧告」は各国の金融機関に対して直接的に効力を持つものではありませんが、その内容が各国の規制に反映されることとなっていることから、金融機関等のマネー・ローンダリング対策担当者の間でも、広く参照されています。

FATF勧告は、これまでも数次の改訂を経て強化されており、各国政府に重大犯罪に対する強力な対抗手段を与えることにより、金融システムの統一性を守ることに貢献しています。なお、現時点での最新版は平成24（2012）年２月に公表されたFATF勧告であり、これらの勧告は、事実上の国際スタンダードとなっています。

このようなFATF勧告に実効性を持たせるために、FATFの枠組みに参加する各国がFATF勧告に沿った国内の法規制を整備しているか、当該法規制に基づく実効的なマネロン・テロ資金供与対策を実施しているか等を検証するための仕組みが「相互審査」です。相互審査においては、FATF勧告に基づいて作成された評価基準に基づいて、当該国のマネー・ローンダリング／テロ資金供与防止に関する法律・規制、その他の必要な措置が適切に整備され、運用されているかを審査することになっています。具体的な審査の方法は、FATFから事前に送付される質問票に回答した上で、他のメンバー国によって組織された審査団が対象国を訪問し、実地調査を行うなどした結果を、報告書として取りまとめることとされています。

なお、被審査国の対応状況が十分でないと判断された場合には、当該国にハイレベル使節団が派遣される、又はFATF勧告を遵守しない、あるいは対応が不十分な国としてFATFに指定されるなどの措置がとられる可能性もあり、そうしたことが起これば、当該国の金融機関等の外国との取引にとってきわめて深刻な影響が及ぶこととなります。

(3) FATFの第4次相互審査

第4次相互審査は、平成24(2012)年2月に改訂されたFATF勧告と平成25(2013)年2月に公表された「勧告の遵守およびAML/CFTシステムの実効性の審査のためのメソドロジー」に基づいて行われます。

第3次相互審査とは異なり、2012年勧告に即した法令等の整備が行われているかという法令等整備状況(技術的遵守状況:Technical Compliance)の審査に加えて、AML/CFTシステムの有効性(Effectiveness)の審査も行われます。

基準	概要
法令等整備状況(技術的遵守状況) “The technical compliance assessment”	AML/CFTに関する当該国のシステムの要素が、FATF勧告に沿って整備されているかを評価(第三次相互審査の評価基準に相当)
有効性評価 “The effectiveness assessment”	上記の要素が、どの程度有効なAML/CFTシステムの目的に合致し、機能しているかを評価

第3次相互審査と同様に、第4次相互審査においても、審査対象国に関する事前調査と、FATF審査団による現地調査が組み合わされて実施されることになります。また現地調査の際には、当該国の当局者だけではなく、民間セクター(金融機関等)に対するインタビューが実施されることもあります。(相互審査における手順の詳細は、FATFが公表する“Procedures for the FATF Fourth Round of AML/CFT Mutal Evaluations”[9] に記載されています。)

9) http://www.fatf-gafi.org/media/fatf/documents/methodology/FATF-4th-Round-Procedures.pdf

ア　法令等整備状況の審査

「法令等整備状況」については、40項目のFATF勧告が法令の法的拘束力のある形で実現されていることが審査の対象となります。評価のレーティングは「履行（Compliant）」、「概ね履行（Largely Compliant）」、「一部履行（Partially Compliant）」、「不履行（Non-Compliant）」、「不適用（Not Applicable）」とされます。

イ　有効性の審査

「有効性」の審査については、平成25（2013）年2月に公表された「勧告の遵守およびAML/CFTシステムの実効性の審査のためのメソドロジー」において記載されています。

「有効性」については、11のImmediate Outcomes（IO：直接的効果）というAML/CFTシステムの達成すべき重要な目標について、High Level（ほぼ達成）・Substantial Level（概ね達成）・Moderate Level（一定程度達成）・Low Level（未達成・ほとんど達成されず）の4段階で評価されます。

金融機関に関連するのは、IO.3（監督当局による、リスクに即したAML/CFTに関する規制等の遵守に関する金融機関の監督状況）、IO.4（金融機関によるリスクに即した十分なAML/CFT予防措置および疑わしい取引の報告）です。

有効性審査はTCの審査と同じくらい重要です。一般的に、TCの評価が低ければ基本的には有効性も低い評価になります。例外的に、TCの評価が低くても一定程度の有効性ありの評価が可能ですが、この場合、正当化の理由を説明する必要があります。

正当化の理由の例としては、「マネロン・テロ資金供与のリスク自体が低いこと」、「その他の構造的、重要性または文脈的要素」、「当該国の法や制度の特別性、FATF勧告にない代替手段の存在」などが挙げられます。

直接的効果（Immediate Outcome）4

④　金融機関やDNFBPsがAML/CFTの予防措置についてそのリスクに応じて適格に講じており、疑わしい取引を報告している。

主要課題（Core Issues）：直接的効果が実現されているかどうかの判定に際して考慮される課題

① 金融機関・DNFBPsは自己のML/TFのリスクおよびAML/CFTの義務をどの程度理解しているか。

② 金融機関・DNFBPsは自己のリスクに見合ったリスク軽減措置をどの程度十分に適用しているか。

③ 金融機関・DNFBPsは顧客管理措置および記録保存措置（実質的支配者情報や継続的モニタリングを含む）をどの程度十分に適用しているか。

④ 金融機関・DNFBPsは、以下の強化された措置または特別の措置をどの程度十分に適用しているか。(a) PEPs、(b) コルレス先銀行、(c) 新しいテクノロジー、(d) 電信送金規則、(e) テロ資金供与関係の対象者への金融制裁、(f) FATFが特定した高リスク国

⑤ 金融機関・DNFBPsは、犯罪収益と疑われるものやテロ支援を疑われる資金について、報告義務をどの程度果たしているか。内報を防ぐ現実的な方策は何か。

⑥ 金融機関・DNFBPsは、AML/CFTに関する義務を履行するため内部管理および手続きを（金融グループレベルも含め）どの程度きちんと適用しているか。

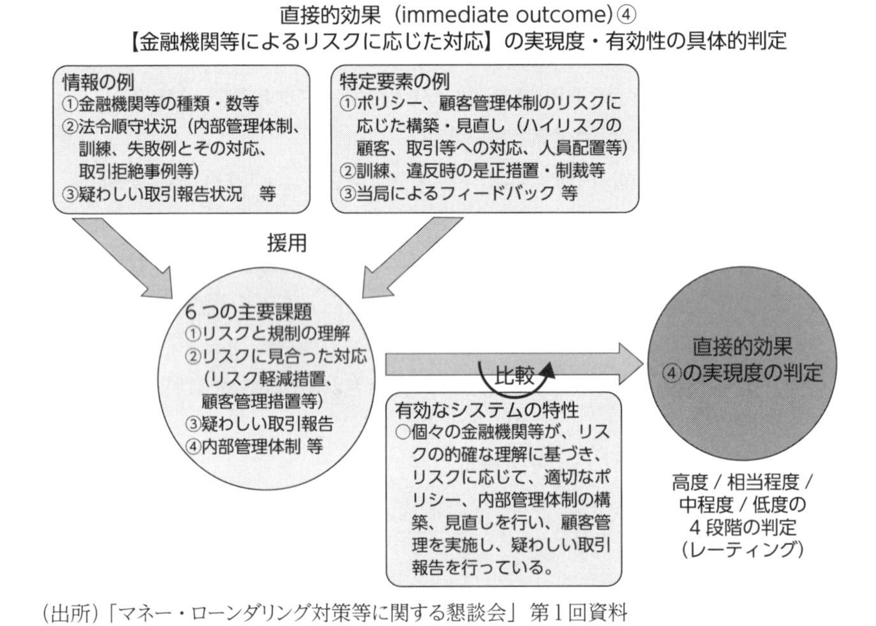

（出所）「マネー・ローンダリング対策等に関する懇談会」第１回資料

5. 日本のマネー・ローンダリング対策に関する国際的な評価

FATFによる対日相互審査は、過去に4ラウンド（第１次〜第4次）が実施されています。直近の第4次相互審査は令和3年（2021年）8月に審査結果が公表されましたが、それ以前には平成6（1994）年、平成10（1998）年、平成20（2008）年の3次にわたり審査を受けています。本節では、これまでのFATF対日相互審査結果の概要と、マネー・ローンダリング対策に関して日本が国際社会から受けた評価について整理します。

（1）第４次FATF対日相互審査（2019年）以前

日本は平成6（1994）年6月に第1次相互審査を受け、マネー・ローンダリングの前提犯罪を薬物犯罪に限定していたことに対し指摘を受けています。金融機関等の事業者が薬物犯罪に限定した犯罪収益による資金を見分けることは難しく、この当時の疑わしい取引の届出制度は有効に機能しておらず[10]、平成10（1998）年に実施された第2次相互審査においても同様の指摘を受けました。

ア　2008年第3次FATF対日相互審査

第3次対日相互審査においては、平成20（2008）年3月に審査団が来日し、関係する当局者や一部の金融機関等にインタビューを実施するなどした上で相互審査報告書を作成し、同年10月にリオデジャネイロで開催されたFATF全体会合での採択を受けて公表されました。

相互審査は「40の勧告」及び「9の特別勧告」に関して、それぞれの遵守状況を4段階で評価することになっていますが、日本については合計49項目中10項目について「NC:Non-Compliant（不履行）」、15項目について「PC:Partially Compliant（一部履行）」との評価を示す非常に厳しいものでした。

○図表1-8：第3次FATF対日相互審査結果

40の勧告

勧告	勧告の概要	評価
1	資金洗浄罪	LC
2	資金洗浄罪－認識及び法人への刑罰	LC
3	没収・凍結措置	LC
4	勧告に整合的な守秘義務	C
5	金融機関における顧客管理	NC
6	外国における重要な公的地位を有する者との取引	NC
7	コルレス銀行（国際決済のために為替業務代行の契約を結んだ銀行）の業務	NC
8	新技術の悪用及び非対面取引	PC
9	顧客管理措置の第三者依存	N/A
10	本人確認・取引記録の保存義務	LC
11	通常でない取引への注意義務	PC
12	DNFBP（指定非金融業者及び職業専門家）における顧客管理	NC
13	金融機関における疑わしい取引の届出（STR）	LC

10)　警察庁「犯罪収益移転防止に関する年次報告書 令和2年」p.4

14	届出者の保護義務	LC
15	内部管理規定の整備義務	NC
16	DNFBPによるSTR	PC
17	義務の不履行に対する制裁措置	LC
18	シェルバンク（実態のない銀行）の禁止	PC
19	他の報告様式	C
20	他の職業専門家及び安全な取引技術	C
21	高リスク国への特段の注意	NC
22	海外支店・現法への勧告の適用	NC
23	金融機関に対する監督義務	LC
24	DNFBPに対する監督義務	PC
25	ガイドライン及びフィードバック	LC
26	FIU	LC
27	資金洗浄・テロ資金供与の捜査	LC
28	関係当局の権限	C
29	監督当局	LC
30	資源，資質，訓練	LC
31	国内関係当局間の協力	LC
32	統計	LC
33	法人－受益所有権者	NC
34	法的取極（信託）－受益所有権者	NC
35	条約	PC
36	法律上の相互援助	PC
37	双罰性	PC
38	外国からの要請による資産凍結等	LC
39	犯人引渡	PC
40	国際協力（外国当局との情報交換）	LC

９の特別勧告

勧告	勧告の概要	評価
Ⅰ	国連諸文書の批准	PC
Ⅱ	テロ資金供与の犯罪化	PC
Ⅲ	テロリストの資産の凍結・没収	PC
Ⅳ	テロに関するSTR	LC

V	テロ対策に関する国際協力	PC
Ⅵ	代替的送金システム	PC
Ⅶ	電信送金のルール	LC
Ⅷ	非営利団体（NPO）	PC
Ⅸ	国境における申告及び開示（キャッシュ・クーリエ）	NC

（出所）JAFIC年次報告書（平成23年）43頁

我が国は、FATFの「40の勧告」を受けて、平成20（2008）年3月に「犯罪による収益の移転防止に関する法律」を全面施行し、金融機関以外の一定の非金融業者なども特定事業者とし、FIUを国家公安委員会・警察庁に移管するなどのマネー・ローンダリング／テロ資金供与対策に関する法制面の整備を進めてきました。そうした取組みは一定の評価を受けたものの、全体的な評価は、主要国の間でも際だって低いものとなってしまいました。

NCと判断された項目は10項目ありますが、特に厳しい指摘を受けたのが、勧告のうち「予防的措置」に関連した部分であり、とりわけ旧勧告5「顧客管理措置」に関しては多くの項目を挙げて対応不足を指摘しています。そのほかにも、旧勧告6「PEPs」、旧勧告7「コルレス銀行業務」、旧勧告15「内部管理、法令遵守、監査」など、金融機関等におけるマネー・ローンダリング／テロ資金供与対策に関する部分について、軒並み不遵守の評価を受けるという、厳しい結果になっています。

なお、我が国の金融機関の取組みのうち、犯収法及び外為法の規定以外の部分については、金融庁の監督指針における監督上の着眼点として示されていましたが、相互審査においては、FATFの基準では監督指針が法的拘束力を持つものとみなされないと判断されたことも、このような厳しい評価となった大きな要因であると言われています。

イ　第3次審査結果のフォローアップと改善勧告

相互審査においてFATFより指摘を受けた項目については、被審査国において改善に向けた取組みが求められることとなっており、その改善状況を管理する仕組みが「フォローアップ」と呼ばれています。第3次相互審査においてフォローアップの対象となるのは、49項目のFATF旧勧告及び旧特別勧告のうち、６項目の「重要勧告」で１項目でもNCないしPCとの評価を受けた場合とされていますが、平成20（2008）年の対日相互審査では、重要勧告とされる旧勧告５「顧客管理」がNC、旧特別勧告ⅡがPCの評価を受けており、日本はフォローアップ対象国となっています。

対象国は相互審査の２年後に、PC又はNCと評価された勧告について、新たにとった措置について報告することが求められており、相互審査から３年後をめどにフォローアップ手続の対象から外れる、すなわち指摘を受けた項目の改善を完了することが望ましいとされています。日本はこの手続に従って、平成22（2010）年10月以降、FATF全体会合において複数回、犯収法の改正等の改善策を報告しましたが、対応が十分とは認められず、平成26（2014）年６月には、日本の重大な不備４項目に対して早期改善を求める声明がFATFより公表されました。日本に対する第３次相互審査のフォローアップ手続は、その後平成28（2016）年10月に終了しました。

（2）第４次相互審査の結果と今後の展望

ア　2019年第4次FATF対日相互審査のスケジュール

第4次対日相互審査については、令和元（2019）年10月から11月にかけて審査団が来日し、オンサイト審査が行われました。その後、本来であれば翌年のFATF全体会合において、日本に対する審査結果が採択される予定となっていましたが、新型コロナウイルス感染症の影響によりスケジュールは延期されました。最終的に令和3（2021）年6月に（オンラインで）開催された全体会合において正式に採択され、同年８月に相互審査報告書（Mutual Evaluation Report：MER）がFATFのウェブサイトにて公表されました。

イ　審査結果の概要と対応計画

前述の通り、第４次相互審査は、FATF勧告に対する法令等整備状況（Technical Compliance）と、有効性（Effectiveness）の両面から審査が実施されました。法令等整備状況は、FATFの40の勧告に対して、それぞれ

C（履行）、LC（概ね履行）、PC（一部履行）、NC（不履行）の4段階で、有効性に関する審査では、High（高い）、Substantial（十分）、Moderate（中）、Low（低い）の4段階で、それぞれ評価されました。

①　法令等整備状況（TC）の審査結果

法令等整備状況については、全40項目のうち、下から2番目の評価であるPC（一部履行）が10項目、一番下の評価であるNC（不履行）が1項目という結果でした。（図表1-9）

○図表1-9：第4次対日相互審査結果（法令等整備状況）

	FATF勧告	評価		FATF勧告	評価
1	リスク評価とリスクベース・アプローチ	LC	21	内報禁止及び届出者の保護義務	C
2	国内関係当局間の協力	PC	22	DNFBPにおける顧客管理	PC
3	資金洗浄の犯罪化	LC	23	DNFBPによる疑わしい取引の届出	PC
4	犯罪収益の没収・保全措置	LC	24	法人の実質的所有者	PC
5	テロ資金供与の犯罪化	PC	25	法的取極の実質的所有者	PC
6	テロリストの資産凍結	PC	26	金融機関に対する監督義務	LC
7	大量破壊兵器の拡散に関与する者への金融制裁	PC	27	監督当局の権限の確保	LC
8	非営利団体（NPO）の悪用防止	NC	28	DNFBPに対する監督義務	PC
9	金融機関の守秘義務	C	29	FIUの設置義務	C
10	顧客管理	LC	30	資金洗浄・テロ資金供与の捜査	C
11	本人確認・取引記録の保存義務	LC	31	捜査関係等資料の入手義務	LC
12	PEPs（重要な公的地位を有する者）	PC	32	キャッシュ・クーリエ（現金運搬者）への対応	LC
13	コルレス銀行業務	LC	33	包括的統計の整備	LC
14	送金サービス提供者の規制	LC	34	ガイドラインの策定義務	LC
15	新技術の悪用防止	LC	35	義務の不履行に対する制裁措置	LC
16	電信送金（送金人・受取人情報の付記）	LC	36	国連諸文書の批准	LC
17	顧客管理措置の第三者依存	N/A	37	法律上の相互援助、国際協力	LC

18	金融機関・グループにおける内部管理既定の整備義務、海外支店・現地法人への勧告の適用	LC	38	外国からの要請による資産凍結・没収等	LC
19	勧告履行に問題がある国・地域への対応	LC	39	犯人引渡	LC
20	疑わしい取引の届出	LC	40	国際協力（外国当局との情報交換）	LC

法令等整備状況評価（4段階）

C	Compliant（履行）	不備はない
LC	Largely Compliant（概ね履行）	軽微な不備が存在する
PC	Partially Compliant（一部履行）	中程度の不備が存在する
NC	Non-Compliant（不履行）	重大な不備が存在する

法令等整備状況については、FATF勧告自体が変更になっているものの、勧告に対する日本の法規制の対応状況を見るという点においては第3次審査と同様の審査になりますが、合計49項目中NC10項目、PC15項目であった3次の審査結果に対して、4次の審査結果はPC・NC合計でも11項目と、大幅に改善しているように思われます。この要因としては、3次審査後に進めてきた各種の法令整備が評価されたことと、金融庁によるマネロン・テロ資金供与対策ガイドラインが金融機関に対して強制力を持つものとして認定された[11]ことが大きいと考えられます。

TCの中で唯一「NC」の評価を受けたのは、「非営利団体（NPO）の悪用防止」です。報告書においては、「日本では、NPO 等セクターに関するテロ資金供与リスクについての理解が十分ではなく、テロ資金供与に悪用されるリスクがある一部の NPO 等に対し、リスクに基づいた具体的措置を講じていない。」「複数の日本の NPO 等がリスクの高い地域で重要な活動を行っており、日本の当局による NPO 等セクターへの効果的なアウトリーチやガイダンスを早急に強化する必要がある。」との指摘がされています。

11）　MERパラグラフ77

PCの指摘を受けた項目のうち、金融機関等の特定事業者にとって特に影響の大きい項目に対する指摘は以下の通りです。

- 「PEPs（重要な公的地位を有する者）」（勧告12）

例えば、犯収法に定められた、外国PEPsの取引を行う際に必要とされる「統括管理者」による承認は、FATF勧告の「上級管理職」による承認とは一致しないなど、犯収法で定められた外国PEPsへの対応がFATF勧告に沿ったものとなっていない点を指摘しています。また、FATFによるPEPsの定義に含まれる、国内PEPs、国際機関PEPs及びその家族・親しい間柄にある者が日本の定義ではPEPsに含まれないこと、生命保険の受取人や受取人の実質的支配者がPEPsであるか否かについて、金融機関が判断することを求める規定がないことも指摘しています。

- 「DNFBPにおける顧客管理／疑わしい取引の届出」（勧告22, 23）

弁護士、公認会計士及び税理士並びにこれらの法人は、本人確認のみを行うものとし、その他のCDDに関する事項は要求されないこと、すべてのDNFBPsが疑わしい取引の届出の対象となっているわけではないこと、DNFBPsがすべての支店及び過半数所有子会社に対してグループ全体のプログラムを実施することを明確に要求するものではなく、また、海外支店及び過半数所有子会社が本国と整合的なAML/CFT措置を適用することを保証するものでもないことが指摘されています。

- 法人（法的取極め）の実質的所有者（勧告24, 25）

法人に関しては、実質的支配者情報に関しては、公証人から入手できる情報は限られており、金融機関およびDNBFPから入手できる情報は必ずしも完全ではないとしています。また、法的取極めに関しては、受託者が取引関係を形成する際に、金融機関またはDNFBPにその状況を開示するための具体的な措置は講じられていないことなどについても指摘しています。

②　有効性（Effectiveness）の審査結果

有効性の審査項目（IO：Immediate Outcome）は11項目が設定されていますが、このうち８項目が、下から2番目のME（中程度）との評価を受け、最低評価のLEはありませんでした。

○図表1-10：第４次対日相互審査結果（有効性）

有効性の審査項目 （IO：Immediate Outcome）		評価
1	資金洗浄/テロ資金供与リスクの認識・協調	SE
2	国際協力	SE
3	金融機関・DNFBPの監督	ME
4	金融機関・DNFBPの予防措置	ME
5	法人等の悪用防止	ME
6	特定金融情報等の活用	SE
7	資金洗浄の捜査・訴追・制裁	ME
8	犯罪収益の没収	ME
9	テロ資金の捜査・訴追・制裁	ME
10	テロ資金の凍結・NPO	ME
11	大量破壊兵器に関与する者への金融制裁	ME

HE	High（高程度）	IOは概ね達成。軽微な改善のみ要する
SE	Substantial（十分）	IOは概ね達成。中程度の改善を要する
ME	Moderate（中程度）	IOは一定程度達成。相当程度の改善を要する
LE	Low（低程度）	IOは不達成またはほとんど不達成。根本的な改善を要する

有効性の評価は、他国の審査結果を見ても総じて厳しい評価となっていますが、FATFの審査基準では、ME又はLEの合計が９項目以上かつLEが2項目以上あると「観察対象国」の条件に該当することから、あと少し評価が悪ければ観察対象国なる可能性もあったと考えられます。

IOの評価項目のうち、金融機関等の事業者にとって特に重要な項目は、IO.3（「金融機関・DNFBPの監督」）とIO.4（「金融機関・DNFBPの予防措置」）

ですが、これら2項目の審査結果については、日本語版（仮訳）が金融庁のウェブサイトに掲載されています[12]。

IO.3, IO.4においては、それぞれの評価について以下のように結論付けています。（以下、仮訳からの抜粋です。）

IO.3 に係る結論

金融機関に対するリスクベースでの AML/CFT に係る監督は前向きに進んでいる。

その段階は、初期段階にあり、継続中で徐々に改善している。金融庁は関連手段を整備し、十分なリスク把握をして、積極的な監督手法を実施している。それにもかかわらず、金融機関に対する監督活動の効果は日本の金融機関の変化への対応の遅さに影響されており、改善の余地が大きい。監督当局は、金融機関のコンプライアンスを促進するための措置をとるために、様々な種類の行政処分の実施にあたっては、その効果、（他の金融機関にも影響を及ぼす）抑止力含め、検討すべきである。

金融庁は、暗号資産交換業者の AML/CFT の問題に対し、抑止的な行政処分を含む迅速かつ適切な対処をしており、これらの活動を他の金融機関へもリスクベースで拡張している段階である。

DNFBP セクターにおける AML/CFT に係る監督のギャップは重要な懸念であるが、日本の状況においてこの脆弱性はこれらセクターの重要度が低いことを考慮すると限定的である。

日本の銀行セクターの最も顕著な重みと重要性、また暗号資産交換業者セクターの顕著な重要性、及び金融庁の監督上の主要な役割を考慮すると、日本の監督の有効性は未だ大きな改善が必要である。

日本は、IO.3 に関して、中程度のレベル（moderate level of effectiveness）の有効性を有すると評価される。

12）　https://www.fsa.go.jp/inter/etc/20210830/20210830.html

IO.4 に係る結論

一定数の金融機関（大規模銀行及び一定数の資金移動業者を含む）は、マネロン・テロ資金供与リスクについて適切な理解を有している。その他の特定事業者（金融機関、暗号資産交換業者、DNFBPs）は、自らのマネロン・テロ資金供与リスクの理解がまだ限定的である。金融機関は、AML/CFT に係る義務についてより良い認識を有しているものの、これらの義務の履行については金融機関によってばらつきがある。一定数の金融機関は、自身のリスク評価や、認識されたリスクに応じた低減措置を適用し始めているものの、その他の金融機関は画一的な低減措置を適用し、顧客の本人確認及び基本的な取引スクリーニング以上のことは実施していない。加えて、金融機関は、一般に、継続的顧客管理や実質的支配者の確認・検証等の最近導入・変更された義務の概念についての理解が限定的であることや、新たな義務を履行する期限を設定していないために、これらの義務を十分に履行していない。取引モニタリングシステムは、既に導入されている場合でも、大幅に強化され、新しい顧客管理（CDD）ツールと統合される必要がある。

また、強制力のある金融庁 AML/CFT ガイドラインで求められている義務も、リスクに見合った、全ての金融機関における効果的な AML/CFT 管理態勢（AML/CFTsystems）を確保するために強化、高度化される必要がある。

他の特定事業者（暗号資産交換業者や DNFBPs）は、AML/CFT に係る義務の履行についてまだ初期段階である。疑わしい取引の届出は、特に暗号資産交換業者について増加しているものの、基本的な類型や疑わしい取引の参考事例に基づいている。全ての DNFBPs が、疑わしい取引の届出義務の対象になっているわけではない。

地域における最も重要な金融ハブの一つとしての日本の役割、日本の状況における金融セクターの重要性、重大なマネロン・テロ資金供与リスクにさらされている銀行や固有のマネロン・テロ資金供与リスクを有する暗号資産交換業者分野の出現を考慮すると、IO.4については、いまだ大幅な改善（major improvements）が必要である。
日本は、IO.4に関して、中程度のレベル（moderate level）の有効性を有すると評価される。

このように、IO.3、IO.4とも、評価としては中程度（ME）との評価ではありましたが、個別の内容を見ると日本の当局・金融機関等の事業者が抱える多くの課題を指摘しています。

IO.3の監督当局に対する評価については、金融庁の取り組みに対する評価は全体的にポジティブに見えますが、金融機関に対する行政処分がないことについて明確に不備として指摘されている点が注目されます。DNFBPsに対する監督は、金融機関に対する監督よりも遅れているとの見解を示しています。

IO.4における事業者の取り組みについての評価は、一部の金融機関（メガバンク等を想定していると考えられます）はリスクを良く理解し、リスクベースの対応ができていると評価していますが、それ以外の大半の金融機関、暗号資産交換業者、DNFBPsは、まだ多くの課題があるとの認識を示しています。（セクター別では、特にDNFBPsの取り組みに対しては厳しい評価であるように見受けられます。）

具体的な内容面では、取引モニタリングシステムの高度化、継続的顧客管理の実施、実質的支配者の確認・検証などの日本の金融機関の強化すべきポイントを指摘しており、今後、これらの点を中心に対応強化が求められていくことなると思われます。なお、金融庁のマネロン・テロ資金供与対策ガイドラインに対する対応期限が明確に設定されていないことが指摘されていますが、金融庁は令和３（2021）年春に、各所管の業態に対して、マネロン・テロ資金供与対策ガイドラインを踏まえた態勢整備を令和６（2024）年３月末までに完了することを要請しています。これは、タイミングとしては審査結果が公表される前でしたが、予め審査で指摘される内容を先取りした対応であったと考えられます。

IO.4では、日本に対する「勧告事項」を以下の通り列挙しています。これらに対応するために、マネロン・テロ資金供与対策ガイドラインが改正されたり、当局から追加的なガイダンスが提供されたりする可能性もあると考えられますが、各金融機関等においては、これらの勧告事項を踏まえたAML/CFT態勢の整備（強化）を2024年３月末までに完了させる必要があります。

IO.4仮訳pp.6-7「勧告事項」

- 引続き、マネロン・テロ資金供与リスクに基づく金融機関のコンプライアンス文化の変化を促すための適切な啓発、及び、研修を実施し、監督当局も関与しつつ、マネロン・テロ資金供与リスク及びAML/CFT に係る義務のより良い理解のために支援すべきである。
- 全ての金融機関に対して、自らの業務、商品、サービス、及び顧客に応じた適切なリスク評価の策定を求めるべきである。
- 3メガバンク向けのベンチマークの基準に平仄が取れるよう、金融庁 AML/CFT ガイドラインを高度化するよう更新すべきである。適切な取引モニタリングシステムの必要性を強調し、適切な継続的顧客管理との関連性を明確にすべきである。
- 全ての金融機関が新たな法律上・規制上・監督上の義務を履行するための、規範的（prescriptive）かつ適切なスケジュールを設定すべきである。
- 金融機関において、取引記録を考慮に入れた包括的、かつ、変化する顧客のリスク特性に基づく、顧客情報の検証方法の改善、及び、継続的顧客管理措置の完全な履行がなされるようにすべきである。
- 金融機関の複雑な構造を踏まえつつ、金融機関が、CDD データと取引モニタリングを統合した、適切かつ包括的な、情報システムを導入することを確実に履行すべきである。その取引モニタリングは、金融機関の業務内容、特定されたリスク、並びに、顧客の取引パターン、及び、リスク特性に適合したものであり、また、適切な検知シナリオに基づく取引モニタリング・パラメータを有するものであるべきである。

- AML/CFT 義務の新たに課されたカストディアル・ウォレット・サービスについて、適時に履行するようにすべきである
- 「トラベルルール」の解決策が開発された際には、暗号資産交換業者とカストディアル・ウォレット・サービス提供業者が、電信送金に係る義務の対象となるようにすべきである。
- 引続き、暗号資産交換業者のマネロン・テロ資金供与リスクに対する理解を改善させると共に、暗号資産に関連する全ての新しい技術開発（新たなビジネスモデル、取扱候補の暗号資産及びその他の暗号資産に係るイノベーション等）が、マネロン・テロ資金供与リスクを勘案して分析されるようにすべきである。
- 暗号資産交換業者のコンプライアンス文化を継続的に強化するため、AML/CFT に係る義務の理解と実施に欠かせない指導やサポートを提供する。この際、各事業者のリスク評価及び当該評価に基づく全ての AML/CFT に係る義務の履行に重点が置かれるべきである。
- 暗号資産交換業者の特性に合わせた、より踏み込んだシナリオ設定に資するために、疑わしい取引の届出へ参考となる情報の提供を精緻化、そして調整すべきである。

ウ　想定される今後のフォローアップ・プロセス

①　審査結果を踏まえたフォローアップ・プロセス

FATF相互審査においては、審査終了後のフォローアップ・プロセスが設けられています。これは、加盟国によるFATF基準の実施を促進し、十分なピア・プレッシャーと説明責任を確保するため、相互審査結果の採択後、被評価国に適用されるモニタリング・メカニズムであり、被評価国は「通常フォローアップ」（すべての国を対象とする、デフォルトのプロセス）または「重点フォローアップ」（法

令整備または有効性のいずれかにおいて重大な欠陥を有する国を対象とした、より集中的なフォローアップ）のいずれかに指定されることになります。上述の法令等整備状況・有効性の審査結果を踏まえ、日本に対しては「重点フォローアップ」が適用されることになっています。

フォローアップ期間は5年間と定められ、5年後にはフォローアップ評価が実施されますが、審査項目のうち、法令等整備状況における不備事項（「不履行(NC)」、「一部履行（PC)」）のすべてまたは大半は、MER採択の３年後までに対処済みであることが期待されます。一方で、有効性の再評価については5年後のフォローアップ評価のタイミングでのみ行われることになります。

重点フォローアップでは、通常フォローアップに比して当該国に課される報告の頻度が高くなっており、5年間で３回の報告が一般的です。対応が不十分であった場合には、当該国の大臣へFATFより書簡が送付される、書簡の内容を補強するための派遣団が組成される、FATF加盟国としての地位が停止または打ち切られるなどの措置が取られる場合がありますので、日本はフォローアップ期間のうちに、FATFから指摘を受けた事項について着実に取り組んでいく必要があります。

②　財務大臣談話と行動計画

令和３（2021）年８月30日にMERが公表されたのと同時に、財務大臣による「FATF（金融活動作業部会）対日相互審査についての財務大臣談話」が発表されました。この中では、政府一体となって強力に対策を進めるために、警察庁・財務省を共同議長とする「マネロン・テロ資金供与・拡散金融対策政策会議」を設置するとともに、今後3年間の行動計画を策定することが表明され、行動計画については、同日に財務省ウェブサイトに公表されています。行動計画のうち、事業者（金融機関、暗号資産交換業者、DNFBPs）の対策及び監督に関する項目は図表1-11の通りです。

○図表1-11：行動計画（事業者に関する項目）

2. 金融機関及び暗号資産交換業者によるマネロン・テロ資金供与・拡散金融対策及び監督				
	項目	行動内容	期限	担当府省庁等
(1)	マネロン・テロ資金供与・拡散金融対策の監督強化	マネロン・テロ資金供与・拡散金融対策に関する監督当局間の連携の強化、適切な監督態勢の整備するほか、リスクベースでの検査監督等を強化する。	令和４年秋	金融庁、その他金融機関監督官庁
(2)	金融機関等のリスク理解向上とリスク評価の実施	マネロン・テロ資金供与対策に関する監督ガイドラインを更新・策定するとともに、マネロン・テロ資金供与・拡散金融対策に係る義務の周知徹底を図ることで、金融機関等のリスク理解を向上させ、適切なリスク評価を実施させる。	令和４年秋	金融庁、その他金融機関監督官庁
(3)	金融機関等による継続的顧客管理の完全実施	取引モニタリングの強化を図るとともに、期限を設定して、継続的顧客管理などリスクベースでのマネロン・テロ資金供与・拡散金融対策の強化を図る。	令和６年春	金融庁、その他金融機関監督官庁
(4)	取引モニタリングの共同システムの実用化	取引時確認、顧客管理の強化および平準化の観点から、取引スクリーニング、取引モニタリングの共同システムの実用化を図るとともに、政府広報も活用して国民の理解を促進する。	令和６年春	金融庁
3. 特定非金融業者及び職業専門家によるマネロン・テロ資金供与・拡散金融対策及び監督				
	項目	行動内容	期限	担当府省庁等
(1)	監督ガイドライン策定・リスクベースの監督強化	マネロン・テロ資金供与対策に関する監督ガイドラインを更新・策定するとともに、適切な監督態勢を整備するほか、リスクベースでの検査監督を強化する。	令和４年秋	警察庁、特定非金融業者及び職業専門家所管行政庁

(2)	特定非金融業者及び職業専門家に対するリスク評価・顧客管理強化等	マネロン・テロ資金供与対策義務に関する周知徹底を図り、リスク理解を向上させる。この他、マネロン・テロ資金供与対策の強化の一環として、継続的顧客管理及び厳格な顧客管理措置、疑わしい取引の届出の質の向上に取り組む。	令和４年秋	警察庁、特定非金融業者及び職業専門家所管行政庁

出所「マネロン・テロ資金供与・拡散金融対策に関する行動計画」（https://www.mof.go.jp/policy/international_policy/councils/aml_cft_policy/20210830_2.pdf）より一部抜粋

すべての事業者に共通している項目としては、「監督の強化」があります。これは、MER（IO.3）で日本におけるリスクベースでの金融機関・DNFBPsへの監督がまだ初期段階にあること、事業者に対するAML/CFTに関する処分が少ないことなどに対する指摘を受けたものであり、特に金融機関等に対しては、金融庁による検査が、今後ますます厳しく運用されることが想定されます。

第2章

我が国における
マネー・ローンダリング対策

1. 国内の関連法規制整備の経緯

日本はFATF設立当初からのメンバー国であり、その枠組みに従って、国内の法規制の整備を進めています。以下では、我が国のマネー・ローンダリング対策の歩みを振り返り、現状の法制度を整理します。

(1) 犯罪収益移転防止法制定以前の動き

ア　大蔵省銀行局長による要請・通達（平成２（1990）年７月）

FATFによる国際的な動きを踏まえて、平成２年６月28日付の大蔵省通達により、金融機関の本人確認手続の実施が要請されました。この通達は、金融機関に対して本人確認に努めることを求める内容でしたが、後にあらためて発出される平成４年７月１日付大蔵省通達（蔵銀第1283号）においては、「本人確認を行わなければならない」と表現が強化されています。

しかし、この時点では金融機関が顧客に対して本人確認を行うための根拠となる法令は整備されておらず、あくまで行政指導として、高額の取引等に対して本人確認を求めるという性質のものでした。また、通達による本人確認の実施対象は、銀行では3,000万円超の資金の受入れ等に限定されており、現在の基準から見ればきわめて緩やかなものでした。

イ　麻薬特例法の施行（平成４（1992）年７月）

平成４（1992）年には麻薬特例法の施行により、薬物犯罪による収益を隠匿する行為が犯罪化されるとともに、薬物犯罪収益に関する「疑わしい取引の届出制度」が創設されました。これは、現在の疑わしい取引の届出制度につながるものですが、疑わしい取引の届出の対象が薬物犯罪により得られた収益である疑いがある場合に限定されていたため、届出件数はきわめて少なく平成10（1998）年に組織的犯罪処罰法が制定されるまでの間は、毎年20件未満[1)]、金融機関の日常の実務として定着していたとは言い難い状況であったと言えます。

---

1)　「JAFIC年次報告書 平成23年版」27頁

ウ　組織的犯罪処罰法の施行（平成12（2000）年2月）

平成8（1996）年のFATF勧告の見直しにより、マネー・ローンダリングの前提犯罪が薬物犯罪から重大犯罪に拡大されたことを受けて、平成12（2000）年に施行された組織的犯罪処罰法においては、「一定の重大犯罪」がマネー・ローンダリングの前提犯罪として指定されることとなりました。

また、平成10（1998）年のバーミンガム・サミットにおいて、各国において疑わしい取引の届出情報を一元的に受理・分析する政府機関であるFIU：Financial Intelligence Unitの設立が合意されたのを受け、同法において日本版FIUについて規定し、日本では金融監督庁内に「特定金融情報室」が設置され、疑わしい取引の一元的な管理が開始されました。その後、「疑わしい取引の参考事例」の制定や、金融機関を対象とした研修会での周知徹底などの施策が奏功したことなどにより、平成11（1999）年には届出件数が1,000件超に急増し、以後今日まで、右肩上がりで増加しています。

エ　テロ資金提供処罰法及び改正組織的犯罪処罰法の施行（平成14（2002）年7月）

平成13（2001）年9月11日に発生した米国同時多発テロ事件を受けて、FATF特別勧告が制定されました。勧告では、テロ資金供与自体を犯罪化することを求めており、我が国においてもテロ資金供与をマネー・ローンダリングの前提犯罪とするための立法措置が行われました。

これによって、今日のマネー・ローンダリング対策の枠組みである、組織犯罪対策とテロ資金供与対策を合わせてマネー・ローンダリング対策とするという形が、我が国においても法的に整ったことになります。

オ　改正外為法の施行（平成15（2003）年1月）

我が国の外国為替、外国貿易その他の対外取引に関する法律である外為法（外国為替及び外国貿易法）では、国際約束を履行するため必要があるとき等に経済制裁等の措置を講ずることを規定しています。平成13（2001）年の米国同時多発テロ事件の発生を受けて同法も改正され、従来は努力規定であった送金等を行う際の金融機関等による本人確認が義務化され、200万円相当額を超える海外送金、両替、外貨預金等を行おうとする場合には、本人確認書類による本人確認が必要となりました。また、国連安保理決議に基づき資産凍結等の対象となるテロリスト等を迅速かつ適切に指定するために、関係省庁による情報提供等の根拠となる規定も整備されました（当該規定は平成14（2002）年５月施行)。(外為法の詳細については、第５章で解説します。)

カ　本人確認法の施行（平成15（2003）年１月）

平成15（2003）年には「金融機関等による顧客等の本人確認等に関する法律」（以下「本人確認法」という）が施行されました。これによって、従来は通達に基づき行われていた金融機関の本人確認が、法律上の義務と位置付けられたことになります。また同法では、金融機関による本人確認記録・取引記録の作成及び保存についても、同時に義務付けられることになりました。

なお本人確認法は、翌平成16（2004）年に、口座の譲り渡し・譲り受け等の行為に罰則を設けるなどの改正が行われ、名称が「金融機関等による顧客等の本人確認等及び預金口座等の不正な利用の防止に関する法律」に変更されました。さらに平成19（2007）年１月以降は、本人確認法施行令・施行規則の改正により、10万円を超える現金送金などを行う際の本人確認が義務付けられています。(改正前は200万円を超える現金送金が本人確認の対象でした。)

（2）犯罪収益移転防止法の制定（平成20（2008）年３月）

ア　制定の経緯

平成15（2003）年のFATF勧告改訂においては、金融機関以外の非金融業者等もマネー・ローンダリング対策の枠組みに含めることとなりました。そこで、既存の法律を整理して、これらの事業者も対象に含めた、新たなマネー・ローンダリング対策法として整備したのが犯収法です（なお、同法の施行にともなって、本人確認法は廃止されました)。

イ　法令の概要

犯収法においては、主に以下の内容が規定されました。

①　「特定事業者」の範囲

従来、疑わしい取引の届出、記録保管、本人確認が義務付けられていたのは金融機関等のみでしたが、FATF勧告に合わせて、これらにファイナンスリース事業者、クレジットカード事業者、宅地建物取引業者、宝石・貴金属等取扱事業者、郵便物受取サービス業者、電話受付代行業者などの事業者が規制対象として追加されました。

また、弁護士や司法書士等も新たに「特定事業者」に指定され、基本的に金融機関と同様の義務を負うこととなりましたが、職業専門家については疑わしい取引の届出義務が免除されているほか、弁護士は日弁連が定めた自主規制に服することとされました。

②　FIUの移管

我が国のFIUは、当時の金融監督庁内に「特定金融情報室」として設立され、その後金融庁内に設置されていましたが、「特定事業者」として、金融機関以外も指定されることとなったことなどを踏まえて、国家公安委員会に移管されました。

③　特定事業者が行う措置の整理

従前、マネー・ローンダリング対策に関する金融機関の義務は、複数の法律にまたがって規定されていましたが、旧本人確認法からは本人確認に関する規定を引き継ぎ、組織的犯罪処罰法から、疑わしい取引の届出に関する規定を移管することになりました。これによって、本人確認、記録保管、疑わしい取引の届出等の特定事業者が行うべき措置について、犯収法において一元的に規定することとなりました。

(3) 犯罪収益移転防止法の改正 (平成25 (2013) 年4月)

ア　改正の経緯

平成20（2008）年のFATF対日相互審査では、金融機関等の特定事業者に義務付ける顧客管理措置に関して、FATF勧告の基準を満たしていないとして、多くの評価項目で指摘を受けました。こうした指摘事項に対応するため、警察庁が主催する有識者懇談会での議論等を踏まえて犯収法の改正を実施し、平成25（2013）年4月に改正法が施行されました。

イ　改正の概要

平成25（2013）年の改正犯収法においては、主に以下の内容の変更が加えられました。

①　本人確認から「取引時確認」への変更

顧客等に対する「本人確認」を「取引時確認」へと名称を変更し、従来の本人確認書類による本人特定事項（氏名、住所、生年月日等）の確認に加え、顧客の「職業・業種」や「取引目的」等、確認すべき内容を追加しました。

また、取引に「高リスク取引」の概念を導入し、高リスク取引（イラン・北朝鮮に居住・所在する者との取引等）については、より厳重な確認措置を実施することを規定しました。

○図表2-1：本人確認から「取引時確認」への変更

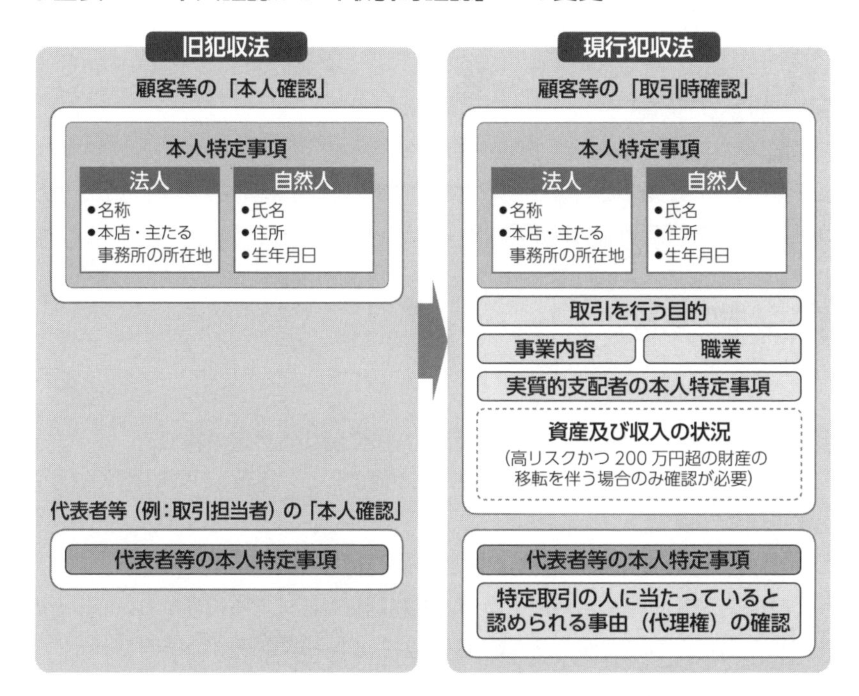

② 特定事業者によるマネー・ローンダリング防止態勢の整備、継続的顧客管理の実施を規定（努力義務）

従前より金融機関等に求められていた、「本人確認（取引時確認）」、「記録の保存」、「疑わしい取引の届出」の義務に加えて、努力義務ながら、教育訓練の実施等の、金融機関のマネー・ローンダリング防止に関する体制整備義務が規定されました。また、取引時確認を実施した情報を最新の状態に保つための措置を講じる（すなわち、継続的な顧客管理を実施する）ことも、あわせて規定されました。

(4) 犯罪収益移転防止法の再改正（平成28（2016）年10月）

ア　制定の経緯

平成26（2014）年6月、FATFの全体会合で日本の顧客管理について重大な懸念が表明されました。これを受けて平成26年に犯罪収益移転防止法が再度改正されました（全面施行は平成28（2016）年10月）。

イ　法令の概要

改正法では以下の改正がなされました。

① 疑わしい取引の届出に関する判断の方法に関する規定の整備

マネー・ローンダリングに悪用されるリスクに応じて、疑わしい取引の判断の方法が規定されました。

② コルレス契約締結時の厳格な確認の義務付け

金融機関が外国所在為替取引業者と業務関係を確立する段階において、その外国所在為替取引業者が自己の顧客等に対して取引時確認等の措置を十分に行うなど、実効的な対策を行っているかについて確認するよう義務付けることとされました。

③ 特定事業者が行う体制整備等の努力義務の拡充

取引時確認等の措置の実施に関する規程の作成、業務を統括管理する者の選任等、特定事業者が取引時確認等を的確に行うために講ずるよう努めなければならない措置が規定されました。

④ 顧客管理を行う上で特別の注意を要する取引に対する取引時確認の実施

従前は敷居値以下の取引や犯罪による収益の移転に利用されるおそれがないと主務省令で定められた取引であるために取引時確認の対象とならなかった取引であっても、当該取引が、疑わしい取引その他の顧客管理を行う上で特別の注意を要する取引であればこれを特定取引として、取引時確認の対象とすることとされました。

⑤ 敷居値以下に分割された取引に対する取引時確認の実施

敷居値以下の取引であっても、一回当たりの取引の金額を減少させるために一の取引を分割したものであることが一見して明らかであるものは、一の取引とみなし、当該取引の額が敷居値を超える場合には取引時確認を行わなければならないこととされました。

⑥　外国PEPsとの取引の際の厳格な取引時確認の実施

外国PEPs（重要な公的地位にある者（Politically Exposed Persons））との特定取引が厳格な取引時確認の対象に追加されました。

⑦　顔写真のない本人確認書類に係る本人確認方法の改正

各種健康保険証や国民年金手帳等の顔写真のない本人確認書類を利用して本人特定事項の確認を行う場合には、顧客等の住居に宛てて転送不要郵便で取引関係文書を送付するなど、二次的な確認措置が求められることとされました。

⑧　実質的支配者に関する規定の改正

法人の実質的支配者について、議決権その他の手段により当該法人を支配する自然人まで遡って確認すべきこととされました。

⑨　取引担当者の代理権等の確認方法の改正

法人の取引担当者が正当な取引権限を持っていることを確認する方法から、社員証を有していることを削除しました。また、従前、役員として登記されていることが確認方法として認められていましたが、当該確認方法は、役員が代表権を有する場合に限ることとされました。

⑩　公共料金等を現金納付する際の取引時確認の簡素化

簡素な顧客管理を行うことが許容される取引に、公共料金、入学金等の支払に係る取引のうち、マネー・ローンダリングに利用されるおそれが極めて低いと考えられる一部の取引を追加することとされました。

2. マネー・ローンダリング防止に関する法的枠組み

前述の国内法制定及び改正の経緯を受けて、我が国のマネー・ローンダリング対策に関する、現在の法的枠組みは、以下のとおりとなっています。

(1) マネー・ローンダリング行為自体に対する処罰

ア　関連する法律

マネー・ローンダリング行為については、組織的犯罪処罰法及び麻薬特例法において、当該行為それ自体を犯罪化し、また、テロ資金供与に関しては、「公衆等脅迫目的の犯罪行為のための資金等の提供等の処罰に関する法律」（「テロ資金提供処罰法」）において、処罰することとしています。なお、テロ資金提供処罰法においては、「公衆又は国若しくは地方公共団体若しくは外国政府等を脅迫する目的をもって行われる犯罪行為」を「公衆等脅迫目的の犯罪行為」（テロ行為）と定義し（1条）、テロ行為の実行を容易にする目的で資金若しくはその実行に資するその他利益（資金以外の土地、建物、物品、役務その他の利益）を提供すること（資金提供）、及びその実行のために使用する目的で、資金の提供を勧誘・要請すること（資金収集）は、10年以下の懲役又は1,000万円以下の罰金に処することが定められています。

イ　マネー・ローンダリングの犯罪類型（隠匿・収受）

マネー・ローンダリングの具体的な犯罪類型としては、「隠匿行為」と「収受行為」という２つの行為類型が処罰の対象となっています。ここで、「隠匿行為」とは、犯罪収益を隠匿し、あるいは犯罪収益ではないかのごとく仮装することをいいます。

「隠匿行為」について、組織的犯罪処罰法は次の３つの類型を設けています。第１類型は「収益等の取得若しくは処分の事実を仮装する行為」であり、例えば、第三者名義での銀行預金等について他人になりすまして取引を行う場合です。

第２類型は「収益等そのものを隠匿する行為」であり、前述の五菱会の事例において行われた犯罪収益の送金がこれに該当します。

第３類型は「収益等の発生の原因につき、事実を仮装する行為」であり、当該犯罪収益について犯罪行為によるものではなく合法的な取引において取得したものと仮装する場合がこれに該当します。

これに対して「収受行為」とは、当該収益が犯罪に起因するものであることを知って収受する行為をいいます。

ウ　前提犯罪及び犯罪収益について

前述した「隠匿行為」及び「収受行為」の対象となる「犯罪収益等」における「犯罪」とは、犯罪収益を生み出す前提となる犯罪（前提犯罪）のことをいい、組織的犯罪処罰法２条２項・別表の定める一定の重大犯罪（窃盗、詐欺、売春斡旋、出資法違反等）、麻薬特例法２条２項が定める薬物の輸入、譲渡等の罪がこれに該当します。

次に、「犯罪収益等」における「収益等」については、(i) 犯罪生成財産、犯罪取得財産、犯罪報酬財産といった狭義の「犯罪収益」（組織的犯罪処罰法２条２項）のほか、(ii) 犯罪収益、犯罪収益に由来する財産又はこれらの財産とこれらの財産以外の財産が混和した財産などといった「犯罪収益等」（組織的犯罪処罰法２条４項）、(iii)「薬物犯罪収益等」（麻薬特例法２条５項）が、これに該当します。

なお、これらの犯罪収益等に関しては、はく奪の方法として没収と追徴が設けられており、刑法が定める規定よりも、その対象が拡張されているところに特色があります。

(2) 金融機関等の事業者に対する法律

前述のとおり、マネー・ローンダリング対策については、金融機関等の協力を得ながら推進する仕組みとなっていますが、事業者に対して、法令上の義務を課す法律は犯収法、外為法及び国際テロリスト財産凍結法になります。

ア　犯罪収益移転防止法

①　規制の対象と法令上の義務

犯収法は、同法が定める「特定事業者」にマネー・ローンダリング対策を求める法令です。

同法により特定事業者に課せられる義務は、大きく分けて①顧客の本人確認義務、②本人確認記録・取引記録などの作成・保存義務、③疑わしい取引の届出義務、の３点であり、それに加えて、外国為替取引に関する通知義務（旧特別勧告Ⅶへの対応）が設けられています。

金融機関によって発見された、犯罪収益の隠匿やテロ資金供与の疑いのある取引（疑わしい取引）は、各所管の行政庁経由で国家公安委員会（実際には警察庁内に設けられたJAFIC）に集約され、捜査機関による組織犯罪捜査などに活用されることとなっており、必要に応じて外国のFIUとも連携が図られています（詳細については、第３章を参照）。

イ　外国為替及び外国貿易法

外為法の目的の１つとして、「我が国又は国際社会の平和及び安全の維持」（同法１条）を目的としております。

外為法は、テロ資金の供与の防止及び経済制裁の実施を主たる目的としているのに対して、犯収法は、マネー・ローンダリングの防止を主たる目的としている点、若干ずれる部分がありますが、FATF勧告においては、マネー・ローンダリング防止とテロ資金供与の防止を一体的に行うことを求めており、広義の「マネー・ローンダリング等」防止対策という意味では同一目的であると言えます。

犯収法は、①顧客の本人確認義務（平成25年４月以降は取引時確認義務）、②本人確認記録及び取引記録の作成・保存義務、③疑わしい取引の届出義務、④外国為替に係る情報通知義務を手段としております。

これに対して、外為法は、①顧客の本人確認義務、②本人確認記録及び取引記録の作成・保存義務を負う点は、犯収法と共通しておりますが、疑わしい取引の届出義務や外国為替に係る情報通知義務は定められておりません。他方、犯収法には定められていない、⑤テロ資金などの犯罪収益の受入禁止義務、⑥テロ資金の供与禁止及びテロリストの資産凍結義務が定められております。

ウ　国際テロリスト財産凍結法

FATFより指摘を受けていた「テロリストの資産凍結のメカニズムが不完全」との指摘に対応するために制定された法律であり、平成27（2015）年10月5日に施行されました。

国連安全保障理事会決議に基づく資産凍結措置に関して、日本においては、外国のテロリスト等との取引を、外為法により対外取引を規制することで実現していました。しかし国内取引についてはこれまで規制する法律が存在せず（外為法は、外貨建て及び非居住者・海外向け取引のみが規制対象)、その点についてFATFより指摘を受けていました。

同法では、国連安全保障理事会決議1267号等、及び1373号に基づいて国家公安委員会が国際テロリストの指定及び公告を行うこととしており(法3条・4条)、官報により氏名等(別名を含む)が公告されることになります。さらに当該国際テロリストが「規制対象行為」(例:金銭の贈与、借入れ)を行うときは、都道府県公安委員会の許可を必要とすることで、行為を制限しています(法9条)。また、その者の財産に対して公安委員会が提出を命じ、仮領置できることとし(法17条)、さらに、何人も別途許可がある場合を除き、国際テロリストとの規制対象行為(金銭の贈与や貸付け、預貯金等債務の履行等)を行ってはならないこととされています(法15条)。

3. その他のガイドライン等

(1) マネロン・テロ資金供与対策ガイドライン

ア　ガイドラインの制定

平成30(2018)年2月6日に金融庁が公表し、適用が開始された『マネー・ローンダリング及びテロ資金供与対策に関するガイドライン』(以下「マネロン・テロ資金供与対策ガイドライン」といいます。)は、①マネー・ローンダリングおよびテロ資金供与対策がわが国および国際社会にとって喫緊の課題となっていること、および②2019年に迫っている金融活動作業部会(Financial Action Task Force、以下「FATF」という。)の第4次対日相互審査において、リスクベース・アプローチによるマネロン・テロ資金供与防止対策の導入が必要であるところ、犯罪収益移転防止法に基づくリスクベース・アプローチでは不十分であること等に基づくものです。

上記①については、米国上院の報告書において、我が国の地方銀行(北陸銀行)のマネー・ローンダリング対策が問題視されて、海外の銀行から海外送金に関するコルレス契約が解除されるという事態が発生しました(その後、当該地方銀行においてはマネロン・テロ資金供与防止対策が格段に強化されました)。また、米国のニューヨーク州の金融当局が、我が国のメガバンクを含む海外の大手金融機関に対して、イラン、スーダン、ミャンマーその他の資金凍結国に送金したことを理由に巨額の制裁金を課しているところです。

上記②については、我が国のマネロン・テロ資金供与防止対策において、リスクベース・アプローチが進んでいない根本的な原因は、犯罪収益移転防止法に基づくリスクベース・アプローチが硬直的で実効性が低いものとなっていたり、リスク管理の体制整備が努力義務となっているため、同法に基づく対応のみでは、2019年に迫っているFATFの第４次対日相互審査に耐えられないとの判断によるものです。

マネロン・テロ資金供与対策ガイドライン「I-1 マネー・ローンダリング及びテロ資金供与対策に係る基本的考え方」においては、マネロン・テロ資金供与リスク管理態勢の全般的な整備・高度化を進めるにあたっては、犯罪収益移転防止法の取引時確認等の基本的な事項を遵守するだけでなく、金融機関等においては、前記動向の変化等も踏まえながら自らが直面しているリスク(顧客の業務に関するリスクを含みます。)を適時・適切に特定・評価し、リスクに見合った低減措置を講ずること(いわゆる「リスクベース・アプローチ」)が不可欠であるとされています。

マネロン・テロ資金供与対策ガイドライン「I-2 金融機関等に求められる取組み」では、金融機関等においては、その取り扱う商品・サービス、取引形態、国・地域、顧客の属性等を全社的に把握してマネロン・テロ資金供与リスクを特定・評価しつつ、自らを取り巻く事業環境・経営戦略、リスクの許容度も踏まえた上で、当該リスクに見合った低減措置を講ずることが求められるとされています。また、管理態勢の構築に当たっては、マネロン・テロ資金供与リスクが経営上重大なリスクになり得るとの理解の下、関連部門等に対応を委ねるのではなく、経営陣が主体的かつ積極的にマネロン・テロ資金供与対策に関与することが不可欠であるとされています。

マネロン・テロ資金供与対策ガイドライン「I-3 業界団体や中央機関等の役割」においては、金融機関等だけでリスクベース・アプローチを導入することには限界があるため、我が国金融システム全体の底上げの観点からは、業界団体や中央機関等が、当局とも連携しながら、金融機関等にとって参考とすべき情報や対応事例の共有、態勢構築に関する支援等を行うほか、必要かつ適切な場合には、マネロン・テロ資金供与対策に係るシステムの共同運用の促進、利用者の幅広い理解の促進等も含め、傘下金融機関等による対応の向上に中心的・指導的な役割を果たすことが重要であるとされています。

マネロン・テロ資金供与対策ガイドライン「I-4 本ガイドラインの位置付けと監督上の対応」では、本ガイドラインにおける「対応が求められる事項」に係る措置が不十分であるなど、マネロン・テロ資金供与リスク管理態勢に問題があると認められる場合には、業態ごとに定められている監督指針等も踏まえながら、必要に応じ、報告徴求・業務改善命令等の法令に基づく行政対応を行い、金融機関等の管理態勢の改善を図ることとされています。また、「対応が求められる事項」に係る態勢整備を前提に、特定の場面や、一定の規模・業容等を擁する金融機関等の対応について、より堅牢なマネロン・テロ資金供与リスク管理態勢の構築の観点から対応することが望ましいと考えられる事項を「対応が期待される事項」として記載しています。

マネロン・テロ資金供与対策ガイドライン「II　リスクベース・アプローチ」では、マネロン・テロ資金供与対策におけるリスクベース・アプローチとは、金融機関等が、自らのマネロン・テロ資金供与リスクを特定・評価し、これを実効的に低減するため、当該リスクに見合った対策を講ずることとされています。「リスクの特定・評価・低減」の方法について、金融機関等に求められる「対応が求められる事項」、「対応が期待される事項」、「先進的な取組み事例」などが示されています。

マネロン・テロ資金供与対策ガイドライン「III　管理態勢とその有効性の検証・見直し」では、「マネロン・テロ資金供与対策に係る方針・手続・計画等の策定・実施・検証・見直し（PDCA）」、「経営陣の関与・理解」、「経営管理（三つの防衛線等）」、「グループベースの管理態勢」、「職員の確保、育成等」について「対応が求められる事項」、「対応が期待される事項」「先進的な取組み事例」が示されています。

営業店の担当者として注目すべきであるのは、「経営管理（三つの防衛線等）」のうち、「第1の防衛線」は営業部門、「第2の防衛線」はコンプライアンス部門やリスク管理部門等の管理部門、「第３の防衛線」は内部監査部門を指し、マネロン・テロ資金供与対策においても、顧客と直接対面する活動を行っている営業店や営業部門が、マネロン・テロ資金供与リスクに最初に直面し、これを防止する役割を担うとされていることです。

すべての営業職員は、自らの部門・職務において必要なマネロン・テロ資金供与対策に係る方針・手続・計画等を十分理解し、取引時確認の措置や疑わしい取引の届出などの措置を的確に実施することが求められます。また、本部や営業部店の内部管理責任者等は、営業部店のマネロン・テロ資金供与対策に係る方針・手続・計画等における各職員の責務等を分かりやすく明確に説明し、営業部店に属するすべての職員に対し共有することが求められます。

マネロン・テロ資金供与対策ガイドラインにおいては、金融庁等のモニタリングに当たって、金融当局として、各金融機関等において「対応が求められる事項」「対応が期待される事項」が明確化されるとともに、今後の当局としてのモニタリングのあり方等が示されています（同ガイドラインⅠ-1 マネー・ローンダリング及びテロ資金供与対策に係る基本的考え方）。

モニタリング等を通じて、金融庁等は、同ガイドラインにおける「対応が求められる事項」に係る措置が不十分であるなど、マネロン・テロ資金供与リスク管理態勢に問題があると認められる場合には、業態ごとに定められている監督指針等も踏まえながら、必要に応じ、報告徴求・業務改善命令等の法令に基づく行政対応を行い、金融機関等の管理態勢の改善を図ります（同ガイドラインⅠ-4 本ガイドラインの位置付けと監督上の対応）。

また、「対応が求められる事項」に係る態勢整備を前提に、特定の場面や、一定の規模・業容等を擁する金融機関等の対応について、より堅牢なマネロン・テロ資金供与リスク管理態勢の構築の観点から対応することが望ましいと考えられる事項を「対応が期待される事項」として記載しています。

さらに金融機関等におけるフォワード・ルッキングな対応を促す観点から、過去のモニタリングや海外の金融機関等において確認された優良事例を、他の金融機関等がベスト・プラクティスを目指すに当たって参考となる「先進的な取組み事例」として掲げています。

イ　ガイドラインの改正

令和3（2021）年2月に改正された「マネロン・テロ資金供与対策ガイドライン」においては、同年8月30日に公表されたFATFの第4次対日相互審査報告書の内容を先行して取り入れた改正がなされました。

なお、各金融機関は、改正後の同ガイドラインにおいて「対応が求められる事項」の全項目について、令和6（2024）年3月末までに対応を完了させ、態勢を整備することが求められています。令和3（2021）年4月28日の金融庁の各協会宛の通知『マネー・ローンダリング及びテロ資金供与対策に係る態勢整備の期限設定について』において、各金融機関が、①「マネロン・テロ資金供与対策に関するガイドライン」（令和3年2月の改正後のもの）で対応を求めている事項について、令和6（2024）年3月末までに対応を完了させ、態勢を整備すること、②上記の態勢整備について、対応計画を策定し、適切な進捗管理の下、着実な実行を図ることが求められています。

（ア）リスクベース・アプローチに関する改正

「リスクベース・アプローチ」とは、マネロン・テロ資金供与の固有リスクを特定・評価し、リスク低減措置を講ずることにより、**「残存リスクをリスク許容度まで低減させること」**であることが明確化されました（ガイドラインII-1、III-1【対応が求められる事項】③）。

①　リスクの特定

- 「リスクの特定」に関しては、「**自らの営業地域の地理的特性や、事業環境・経営戦略のあり方等、自らの個別具体的な特性**」をより積極的に考慮することが求められることになりました。新たな商品・サービスを取り扱う場合や新たな技術を活用して行う取引を行う場合の商品・サービス提供前の事前検証のポイントとして、当該商品・サービス自体のリスクの検証だけでなく、「**その提供に係る提携先、連携先、委託先、買収先等のリスク管理態勢の有効性も含め**」リスクを検証することが求められることになりました（ガイドラインII-2（1）【対応が求められる事項】④）。

②　リスクの評価

- 「リスクの評価」に関しては、「**疑わしい取引の届出の届出状況の分析**」は、「リスクの特定」の「対応が期待される事項」とされていましたが、「リスクの評価」において分析の結果を考慮することが「**対応が求められる事項**」とされました。

③　リスクの低減

(i)　顧客管理（カスタマー・デュー・ディリジェンス：CDD）（ガイドラインII-2（3）(ii)）

- 「商品・サービス」「取引形態」「国・地域」「顧客属性」に対するリスク評価の結果を踏まえて、すべての顧客について残存リスクが**「リスク許容度」の範囲内になるまで**、「**リスクに応じた顧客管理**」が必要であること求められるようになりました。「リスクに応じた顧客管理」が求められるのは、特に①より厳格な顧客管理（Enhanced Due Diligence：EDD）、②簡素な顧客管理（Simplified Due Diligence：SDD）、③継続的顧客管理措置に照らした取引モニタリング・フィルタリングの3つ措置です。
- 「対応が求められる事項」として、「**顧客の営業内容、所在地等が取引目的、取引態様等に照らして合理的ではないなどのリスクが高い取引**」について、「**取引開始前又は多額の取引等に際し**」、「**取引開始前又は多額の取引等に際し、営業実態や所在地等を把握するなど追加的な措置**」を講ずることが求められることになりました。

(ii)　取引モニタリング・フィルタリング

- 取引モニタリング・フィルタリングは、取引量が少ないなどの理由により、**職員自身が手管理や目検で管理できる金融機関等については、必ずしもITシステムを利用するとは限らないため**、改正前の「II-2（3）(vi) ITシステムの活用」対応が求められる事項②・④および⑤を本項目へ移されました。
- 「取引フィルタリング」は、自らの取扱業務や顧客層を踏まえて、あいまい検索機能の設定を適切に行うなどの対応を求めるため、「**制裁対象の検知基準がリスクに応じた適切な設定となっているかを検証**」という文言を記載ました。また、新たに経済制裁対象者等が指定された際に、各金融機関等において遅滞なく自らの制裁リストを取り込み、照合を行う態勢整備の必要性を明確化するため、「**遅滞なく照合するなど・・・その他リスクに応じた必要な措置**」の実施が新設されました。

ⅲ 疑わしい取引の届出

- 疑わしい取引の該当性について、「国によるリスク評価の結果」(犯罪収益移転危険度調査書)のほか、①疑わしい取引の参考事例、②自らの過去の疑わしい取引の届出事例等も踏まえつつ、③外国 PEPs 該当性、④顧客属性、⑤当該顧客が行っている事業、⑥顧客属性・事業に照らした取引金額・回数等の取引態様その他の事情を考慮することになりました(ガイドラインII-2(3)(v)【対応が求められる事項】③)。
- 「疑わしい取引の届出」により「リスクが高いと判断した顧客」について行うべき事項として、①顧客リスク評価の見直し、②当該リスク評価に見合ったリスク低減措置であることが追加されました。

ⅳ ITシステムの活用

- 「ITシステムの活用」については、経営陣がマネロン・テロ資金供与のリスク管理に係る業務負担を分析し、より効率的効果的かつ迅速に行うために、ITシステムの活用の可能性を検討することとされました(ガイドラインII-2(3)(vi)【対応が求められる事項】②)。

④ 海外送金等を行う場合の留意点

(i) 海外送金等(ガイドラインII-2(4)(i))

- 「コルレス先」のほか、「委託元金融機関等」(地域金融機関)についてもリスク評価の対象とされました(【対応が求められる事項】④)。
- 継続的な顧客管理の中でリスクが高まったと想定される事象が発生した場合は、リスク評価を見直しをすることとされました(【対応が求められる事項】④)。
- リスク評価の結果、特にリスクが高いコルレス先や委託元金融機関等をモニタリングすることとされました(【対応が求められる事項】⑤)。
- 送金人・受取人が金融機関の直接の顧客でない場合も、制裁リスト等の照合のみならず、コルレス先や委託元金融機関等と連携(情報収集)しながら、リスクに応じた厳格な顧客管理を実施することとされました

（【対応が求められる事項】⑧）。

(ii) **輸出入取引等に係る資金の融通及び信用の供与等（ガイドラインII-2(4)(ii)）**

- 海外送金において、輸出入取引がマネー・ローンダリングの仮装として利用されていることから、その特有のリスクの特定・評価・低減措置を行うことを求められることになりました。
- 評価の観点として、「国・地域」のリスクのほか、「取引対象となる商品」「契約内容」「輸送経路」「利用する船舶」「取引関係者等（実質的支配者を含む）」のリスクも検討することが求められることになりました。

（イ）ガバナンス・管理態勢に関する改正

① **マネロン・テロ資金供与対策に係る方針・手続・計画等の策定・実施・検証・見直し（PDCA）（ガイドラインIII-1）**

ガイドラインIII-1「対応が求められる事項」として、リスク低減措置後の残存リスクが十分でない場合には、リスク低減措置を改善することのほか、当該リスクの許容度や金融機関等への影響に応じて、商品・サービスの取扱いを中止することも検討することが明記されました。

② **経営陣の「主導的」な関与**

経営陣の役割が「主体的」な関与から「主導的」な関与に改められまして役割の位置付けが明確化されました。

「経営陣の主導的な関与」とは、「**管理のためのガバナンス確立等**」や「**マネロン・テロ資金供与対策の方針・手続・計画等の策定及び見直し**」について、**経営陣が**承認するとともに、その**実施状況についても、経営陣が、定期的及び随時に**報告を受け、必要に応じて議論を行う」（III−2【対応が求められる事項】⑥）とされています。

③ **職員の確保、育成等**

職員の確保、育成等（ガイドラインIII-5）の「対応が求められる事項」（④）として、研修等の効果について、検証・フォローアップ等を通じて確認するだけでなく、新たに生じたリスクも加味して、**必要に応じて研修等の受講者・回数・受講状況・内容等を見直す**こと（PDCA）が求められることになりました。

(2) 監督指針

金融庁が公表する「監督指針」とは、多面的な評価に基づく総合的な監督体系の構築のため、監督事務の基本的考え方、監督上の評価項目、事務処理上の留意点について、従来の事務ガイドラインの内容を踏まえて体系的に整理し、必要な情報を極力集約したオールインワン型の行政部内の職員向けの手引書のことです[2)]。言い換えれば、金融庁が所管する金融機関を監督するに当たって、金融機関に対応してほしいポイントをまとめた文書と言ってよいでしょう。

監督指針は、銀行等、証券（金融商品取引業者）、保険などの業種ごとに公表されており、さらに銀行等でも「主要行等向けの総合的な監督指針」と「中小・地域金融機関向けの総合的な監督指針」に分けられています。これは海外にも多くの拠点を有し、グローバルに多様なビジネスを展開するために高度なリスク管理や適切な経営管理（ガバナンス）が必要とされる主要行等と、営業地域が限定されており、特定の地域、業種に密着した営業展開を行っている中小・地域金融機関に対しては、監督当局として期待する内容も異なるという理由によるものです。

監督指針は、金融機関のガバナンスやリスク管理、顧客保護など、様々な切り口で監督上の着眼点を示していますが、マネー・ローンダリング及びテロ資金供与防止に関連しては、主に「Ⅲ-3-1法令等遵守（特に重要な事項）」のうち「Ⅲ-3-1-3-1取引時確認等の措置」の箇所に記載されています。

平成30（2018）年2月6日のマネロン・テロ資金供与対策ガイドラインの施行に伴い、監督指針も改訂され、「Ⅲ-3-1-3-1-2 主な着眼点」においては、「銀行の業務に関して、取引時確認等の措置及びリスクベース・アプローチを含む「マネー・ローンダリング及びテロ資金供与対策に関するガイドライン」（以下「マネロン・テロ資金供与対策ガイドライン」という。）記載の措置を的確に実施し、テロ資金供与やマネー・ローンダリング、預金口座の不正利用といった組織犯罪等に利用されることを防止するため、以下のような態勢が整備されているか。」（下

2) 金融庁ウェブサイト「アクセスFSA」の解説（http://www.fsa.go.jp/access/18/200604g.html）

線部分が追加箇所）とされ、犯収法第11条に定める取引時確認等の措置（取引時確認、取引記録等の保存、疑わしい取引の届出等の措置）だけでなく、マネロン・テロ資金供与対策ガイドラインに定める措置を的確に実施することが求められることが明らかにされました。

取引時確認等の措置及びマネロン・テロ資金供与対策ガイドライン記載の措置を的確に行うための「一元的な管理態勢」の整備に当たっては、以下の措置を講ずることとされています（Ⅲ-3-1-3-1-2（1））（項目は、主要行向けと中小・地域金融機関向けで共通です。）。本項目は、平成30（2018）年2月6日の監督指針の改訂前は、努力義務でしたが、改訂後は態勢整備義務とされています。

① 管理職レベルのテロ資金供与及びマネー・ローンダリング対策のコンプライアンス担当者など、犯収法第11条第３号の規定による統括管理者として、適切な者を選任・配置すること。

② テロ資金供与やマネー・ローンダリング等に利用されるリスクについて調査・分析し、その結果を勘案した措置を講じるために、以下のような対応を行うこと。

イ．犯収法第３条第３項に基づき国家公安委員会が作成・公表する犯罪収益移転危険度調査書の内容を勘案し、取引・商品特性や取引形態、取引に関する国・地域、顧客属性等の観点から、自らが行う取引がテロ資金供与やマネー・ローンダリング等に利用されるリスクについて適切に調査・分析した上で、その結果を記載した書面等（以下「特定事業者作成書面等」という。）を作成し、定期的に見直しを行うこと。

ロ．特定事業者作成書面等の内容を勘案し、必要な情報を収集・分析すること、並びに保存している確認記録及び取引記録等について継続的に精査すること。

ハ．犯収法第４条第２項前段に定める厳格な顧客管理を行う必要性が特に高いと認められる取引若しくは犯罪による収益の移転防止に関する法律施行規則（以下「犯収法施行規則」という。）第５条に定める顧客管理を行う上で特別の注意を要する取引又はこれら以外の取引で犯罪収益移転危険度調査書の内容を勘案してテロ資金供与やマネー・ローンダリング等の危険性の程度が高いと認められる取引（以下「高リスク取引」という。）を行う際には、統括管理者が承認を行い、また、情報の収集・分析を行った結果を記載した書面等を作成し、確認記録又は取引記録等と共に保存すること。

③ 適切な従業員採用方針や顧客受入方針を策定していること。

④ 必要な監査を実施すること。

⑤ 取引時確認等の措置を含む顧客管理方法について、マニュアル等の作成・従業員に対する周知を行うとともに、従業員がその適切な運用が可能となるように、適切かつ継続的な研修を行うこと。

⑥ 取引時確認や疑わしい取引の検出を含め、従業員が発見した組織的犯罪による金融サービスの濫用に関連する事案についての適切な報告態勢（方針・方法・情報管理体制等）を整備すること。

コルレス契約については、犯収法第９条、第11条及び犯収法施行規則第28条、第32条並びにマネロン・テロ資金供与対策ガイドラインに基づき、以下の態勢を整備することが求められています。平成30（2018）年２月６日のマネロン・テロ資金供与対策ガイドラインの適用開始に伴い、同ガイドライン上の措置についても講ずることが求められることになり、努力義務から態勢整備義務へと改められました。

（注）犯収法第９条の「外国所在為替取引業者との間で、為替取引を継続的に又は反復して行うことを内容とする契約」とは、国際決済のために外国所在為替取引業者（コルレス先）との間で電信送金の支払、手形の取立、信用状の取次、決済等の為替業務、資金管理等の銀行業務について委託又は受託する旨の契約（コルレス契約）をいう。

イ．コルレス先の顧客基盤、業務内容、テロ資金供与やマネー・ローンダリングを防止するための体制整備の状況及び現地における監督当局の当該コルレス先に対する監督体制等について情報収集し、コルレス先を適正に評価した上で、統括管理者による承認を含め、コルレス契約の締結・継続を適切に審査・判断すること。

ロ．コルレス先とのテロ資金供与やマネー・ローンダリングの防止に関する責任分担について文書化する等して明確にすること。

ハ．コルレス先が営業実態のない架空銀行（いわゆるシェルバンク）でないこと、及びコルレス先がその保有する口座を架空銀行に利用させないことについて確認すること。

また、確認の結果、コルレス先が架空銀行であった場合又はコルレス先がその保有する口座を架空銀行に利用されることを許容していた場合、当該コルレス先との契約の締結・継続を遮断すること。

また、疑わしい取引の届出を行うに当たって、顧客の属性、取引時の状況その他銀行の保有している当該取引に係る具体的な情報を総合的に勘案する等適切な検討・判断が行われる態勢が整備されていることを求めており、以下の点を態勢整備上の留意点として挙げています。

① 銀行の行っている業務内容・業容に応じて、システム、マニュアル等により、疑わしい顧客や取引等を検出・監視・分析する態勢を構築すること。

② 犯罪収益移転危険度調査書の内容を勘案の上、国籍（例：FATFが公表するマネー・ローンダリング対策に非協力的な国・地域）、外国PEPs該当性、顧客が行っている事業等の顧客属性や、外為取引と国内取引との別、顧客属性に照らした取引金額・回数等の取引態様その他の事情を十分考慮すること。また、既存顧客との継続取引や高リスク取引等の取引区分に応じて、適切に確認・判断を行うこと。

上記の監督指針の内容のうち、「一元的な管理態勢」に関する内容は、バーゼル銀行監督委員会が公表する、「コア・プリンシプル」（実効的な銀行監督のためのコアとなる諸原則）及び「コア・プリンシプル・メソドロジー」がもとになっています。

コア・プリンシプルは、1980年代及び1990年代に発生した金融危機を踏まえ、国際金融システムを強化するために、平成9（1997）年に初めて作成及び合意された文書であり、銀行の規制監督に関し世界的に合意された最低基準を25項目の「原則」として取りまとめたものです。その内容は、銀行の免許付与、銀行自己資本の適切性、リスク管理等を含む、非常に広い領域をカバーしています。また、コア・プリンシプル・メソドロジーは、上記の25原則を解釈し、その充足度を評価するためのより詳細なガイダンスのことを指しています。

平成9（1997）年に策定されたコア・プリンシプルは、120か国の銀行監督者が参加する銀行監督者国際会議による承認を経て、平成18（2006）年10月に開催された改訂版[3)]が公表されました。この2006年版の主要な改訂内容の1つが、「マネーロンダリング、テロ資金の供給及び不正行為の防止に関する基準」であり、その「原則18：金融サービスの濫用」に記載されている項目を、監督指針に忠実に反映させたものが前述の項目です。（なお、コア・プリンシプルは平成24（2012）年9月に再度改訂される際に、コア・プリンシプルとコア・プリンシプル・メソドロジーが統合され、現在では上述の内容は「原則29：金融サービスの濫用」として記載されています。）

監督指針には列挙した各項目についての詳しい解説等はありませんが、上記の趣旨に鑑みると、世界中の金融機関に求められるマネー・ローンダリング防止態勢と同様のものを、我が国の金融機関に対しても整備することを求めるものだと考えてよいでしょう。

（3） 金融検査マニュアルの廃止

金融庁は令和元（2019）年12月18日に金融検査マニュアルを廃止したため、同検査マニュアルに規定されていたマネロン・テロ資金供与対策に関する態勢整備の規定は適用されないことになりました。

もっとも、金融庁の「マネロン・テロ資金供与対策ガイドライン」（前記（1））

3)　日本銀行のウェブサイト（http://www.boj.or.jp/announcements/release_2006/data/bis0610a1.pdf）に掲載されている以下の文書を参照。「120か国の銀行監督者が実効的な銀行監督のための国際原則の改定を承認」（2006年10月5日）

及び各監督指針等（前記（2））においてマネロン・テロ資金供与対策に関する態勢整備が規定されていますので、金融機関はこれらに基づき態勢整備をする必要があります。

(4) 金融行政方針

金融庁では、平成27（2015）年事務年度より、金融行政が何を目指すかを明確にするとともに、その実現に向け、いかなる方針で金融行政を行っていくかを、毎年「金融行政方針」として公表しています。各事務年度、これに基づく行政を実施するとともに、PDCAサイクル1を強く意識し、その進捗状況や実績等を継続的に評価し、現状分析や問題提起等とあわせ、「金融レポート」として公表した上で、これを翌事務年度の金融行政方針に反映させています。

「2021事務年度　金融行政方針」では、マネー・ローンダリング対策関連は、以下のように取り上げられています。

> 「2021事務年度　金融行政方針」18頁～19頁
>
> (1) マネロン・テロ資金供与・拡散金融対策の強化
>
> 技術の進化による決済手段の多様化や取引のグローバル化等が進行し、金融取引がより複雑化する中、国際的には、金融機関等に対し、リスクの変化に応じた継続的な管理態勢の高度化が求められている。海外では経営陣の交代や高額の罰金を含む処分を課せられる事例も発生するなど、マネー・ローンダリング（資金洗浄、以下「マネロン」）・テロ資金供与・拡散金融管理態勢の脆弱性が金融機関の経営に与える影響度も拡大している。
>
> そのような環境下、FATF（金融活動作業部会）第4次対日相互審査の結果も踏まえ、引き続き関係省庁や業界団体等とも連携し、丁寧な顧客対応の促進や、顧客の実態把握に関する取組みについての利用者の理解向上を図りつつ、我が国における金融機関等のマネロン・テロ資金供与・拡散金融対策の高度化に向けた施策を着実に実行していく。具体的には、検査要員の確保等により検査・監督体制を強化し、リスクが高いとされる業態を優先的に、リ

スクベースでの検査・監督を実施する。
また、マネロン・テロ資金供与・拡散金融対策の高度化・効率化のため、各金融機関等による共同システムの実用化の検討・実施に取り組む。
FATF 等における国際的な議論について、特に、「暗号資産及び暗号資産交換業者に対するリスクベースアプローチに関するガイダンス」改訂案の最終化など、金融庁が共同議長を務めるコンタクト・グループ関係の作業を中心に、主導的な役割を果たす。

(5)「外国為替検査ガイドライン」の制定

財務省は、変化するリスクへの的確な対応といった国際的な要請を踏まえると、ルールとチェックリストを中心とした従来の検査手法では不十分であり、外国為替取引等の分野における金融機関等による主体的かつ積極的なRBAに基づく対応を促進する必要があるとの認識の下、平成30（2018）年9月26日、従前の「外国為替検査マニュアル」を改組し、「外国為替検査ガイドライン」を制定しました。同ガイドラインは、国際社会がテロ等の脅威に直面する中、時々に変化する国際情勢を踏まえたリスクの変化等に機動的かつ実効的に対応する必要性が高まっており、国際的にも、FATFが平成24（2012）年に公表した改訂「40の勧告」において、リスクを適時・適切に特定・評価し、リスクに見合った低減措置を講じること（いわゆる「リスクベース・アプローチ」、以下、「RBA」といいます。）の導入が求められていることに対応して定められるものです。

外為検査を企画・立案・実施する財務省は、これまで関係法令の改正や新たな資産凍結等経済制裁措置の実施等に併せて、検査マニュアルを随時改正してきましたが、こうした国際的な要請も踏まえつつ、金融機関における外為法令等の遵守体制整備、特に外為法17条に規定する確認義務の履行において、ルールとチェックリストを中心とした枠組みから、RBAを明示的に取り入れたより効果的な枠組みへの移行が不可欠との認識の下、FATFの勧告6及び勧告7が金融機関等へ向けた資産凍結措置に関するガイダンスの提供を求めていることを念頭に置きつつ、検査マニュアルを発展的に改組し、金融機関が主体的かつ積極的にRBAを踏まえた外為法令等の遵守を促進できるよう、必要な体制整備等に関する具体的な検査項目を詳述した本ガイドラインを策定することとしました。

本ガイドラインにおいては、新たな取組として、(1) RBAを適用するための外為法令及び犯収法令の遵守体制及びリスク管理体制の構築、(2) 金融機関等に対するオフサイト・モニタリングの実施、(3) 関係当局間の連携について定めています。

令和3（2021）年7月施行の改正で以下の事項の改正がなされました。FATF第4次対日相互審査報告書で指摘されている事項を見込んだ改正も含まれるものと考えられます。

- 告示により資産凍結等経済制裁対象者が追加される等、規制の対象が拡大、変更された場合に、**「当該規制に係る外為法の規定の遵守に必要な範囲で」**直ちに管理者、担当部店にその内容を周知する必要があることが明確化されました。外部のシステム等から送信・送付される資産凍結等経済制裁者に係る情報を活用する場合には、当該外部との契約及びリスクに応じた頻度での検証等によりリストの正確性が確保され、当該検証等の内容及び結果が記録されている場合には、更新後の「制裁対象者リスト」に拡大、変更された規制の対象が正しく反映されていることを確認し、確認した旨を記録する必要ないこととされました（本ガイドラインP.10参照）。
- 告示に資産凍結等経済制裁対象者の仮名名の情報（別称を含む）が含まれる場合又は当局より当該情報が公表された場合には、**アルファベット名の把握が困難である外国人の名義照合を含め、資産凍結等経済制裁の確実な実施に必要な範囲で、直ちに、名義照合を行うこと**とされました。なお、預金口座のアルファベット名義の照合については、国際連合安全保障理事会等により資産凍結等経済制裁対象者が指定され、その際に適切な照合を行っており、その後に当該資産凍結等経済制裁対象者との新たな預金契約が生じないことが確保されている場合には、当該照合の結果によることで差し支えないこととされました（本ガイドラインP.14参照）。
- 第三者等による資産凍結等経済制裁対象者の行為の代理等により**預金取引の真の相手方が資産凍結等経済制裁対象者であると疑われる場合**には、預金者等からの説明や預金債権の発生・変更の原因となる取引の内容を証明する書類等により検証し、**当該取引に係る真の相手方を合理的に判断**することとされました。

- 外貨両替業者については、特定事業者作成書面（リスク評価書）の作成が「努力義務」から「義務」となりました。① 国のリスク評価を勘案しながら、自らが提供している商品・サービスや取引形態、取引に係る国・地域、顧客の属性等のリスクを包括的かつ具体的に検証すること、② リスク評価の過程に経営陣が関与し、リスク評価の結果を経営陣が承認すること、③ 定期的に見直すほか、マネー・ローンダリング等対策に重大な影響を及ぼし得る新たな事象の発生等に際し、必要に応じ、リスク評価を見直すことが求められています。

(6)「犯罪収益移転危険度調査書」

平成26（2014）年11月27日に公布された犯収法3条3項においては、国家公安委員会が毎年、犯罪による収益の移転に係る手口その他の犯罪による収益の移転の状況に関する調査及び分析を行った上で、特定事業者その他の事業者が行う取引の種別ごとに、当該取引による犯罪による収益の移転の危険性の程度その他の当該調査及び分析の結果を記載した犯罪収益移転危険度調査書を作成し、これを公表する旨が定められています。この規定に基づき、平成27（2015）年9月18日に犯収法の政省令の公布に合わせて、国家公安委員会から第1回目の調査書が公表されました。毎年公表され令和2年まで6回の公表がなされています。

調査書では、「危険度の調査」に当たって、「商品・サービス」、「取引形態」、「国」・地域」及び「顧客」の観点から、危険度に与える要因を特定し、当該要因ごとに①犯罪による収益の移転に悪用される固有の危険性、②危険度を低下させるために取られている措置（事業者に対する法令上の義務、③所管行政庁による事業者に対する指導・監督、④業界団体又は事業者による自主的な取組等）に関する状況を分析した上で、⑤疑わしい取引の届出状況、⑥マネー・ローンダリング事犯の検挙事例を分析し、多角的・総合的に危険度の評価を行っています。

○図表2-2：平成29（2017）年調査書における危険度の類型とその評価

類型	リスクを高める要因（概要）
「商品・サービスの危険度」	• 特定事業者の業態ごとに、代表的な商品・サービスのリスクを評価（例えば、預金取扱金融機関については「預貯金口座」「預金取引」「内国為替取引」「貸金庫」「手形・小切手」につき、いずれも「悪用される危険性がある」との評価） • 上記の商品・サービスに関して、「多額の現金または小切手により、入出金を行う取引」など、「疑わしい取引の参考事例」の状況を伴う場合には、リスクが高まる。
「取引形態と危険度」	• 金融機関等との取引の形態として「非対面取引」「現金取引」はそれぞれ「悪用されるリスクが高い」取引 • 「外国との取引」は、一般に悪用されるリスクがあり、とくに「適切なマネー・ローンダリング等対策が取られていない国・地域との間で行う取引」や「多額の現金を原資とする外国送金取引」は危険度が高い。
「国・地域と危険度」	• FATF声明を踏まえれば、イランおよび北朝鮮の２か国との取引は危険度が特に高い • イラン及び北朝鮮のほかにも、FATF声明を踏まえて注意を要する国・地域との取引は、外国との取引の中でも、危険度が高いと認められるが、平成29（2017）年11月3日付けの声明では該当する国・地域はなかった。
「顧客の属性と危険度」	• 顧客との取引を行ううえで、以下の属性はマネー・ローンダリング等の危険度が高い。 ・「反社会的勢力（暴力団等）」 ・「国際テロリスト（イスラム過激派等）」 ・「非居住者」 ・「外国の重要な公的地位を有する者」 ・「実質的支配者が不透明な法人」

犯収法８条の「疑わしい取引の届出等」に関する規定においては、疑わしい取引の届出の要否を判断する際には、調査書の内容を勘案しなければならないこととされており、また同法施行規則32条１項では、弁護士以外の特定事業者は、自らが行う取引について調査・分析し、当該取引による犯罪収益の移転の危険性の程度（つまりリスクの程度）その他の調査・分析結果を記録した書面を作成・見直しを行うことが規定されていますので、調査書は、それらの取組みを行う際の、基本的な考え方を示す文書として参照されることになります。

なお、日本のマネー・ローンダリング対策に関する国際的な評価については、令和3（2021）年8月30日に第4次FATF対日相互審査報告書が公表されました。第4次相互審査については、第1章をご覧ください。

第3章

犯罪収益移転防止法の概要

1. 犯収法の仕組み

犯罪収益移転防止法（以下「犯収法」といいます）は、銀行などの「特定事業者」にマネー・ローンダリング対策を求める法律です。同法により特定事業者に課せられる義務は、大きく分けて、①顧客の取引時確認（同法４条）、②確認記録・取引記録等の作成・保存義務（同法６条、７条）、③疑わしい取引の届出義務（同法８条）の３つです。

銀行などの特定事業者は、預金口座の開設、融資取引、送金などの特定取引をするに際して、顧客の本人特定事項（自然人の氏名・住居・生年月日、法人の名称・本店／主たる所在地）、取引を行う目的、職業（自然人）・事業内容（法人）、（法人の）実質的支配者の本人特定事項の確認を行います。法人取引や代理取引については、代表者（取引担当者）の本人特定事項および取引担当者が顧客等のために特定取引等の任に当たっていると認められる事由の確認を行います。

特定事業者は取引時確認により得た情報に関する確認記録や取引の期日・内容等に関する取引記録等を作成し、これを一定期間保存します。

特定事業者は、取引時確認の結果や取引開始後のモニタリングその他の事情を勘案して、特定業務において収受した財産が犯罪による収益である疑いがある場合には、所管当局（銀行の場合は金融庁）に疑わしい取引の届出をします。

疑わしい取引の届出に関する情報はわが国における資金情報機関（FIU）の業務を担っている警察庁の犯罪収益移転防止対策室（JAFIC：Japan Financial Intelligence Center）に集約され、JAFICは届出情報の整理・分析を行います。その中で犯罪の嫌疑が強いものについては、捜査機関に情報提供され、捜査機関は捜査・調査の上、暴力団等の犯罪組織から犯罪収益を没収・追徴します。

犯収法に基づく取引時確認、確認記録・取引記録等の作成・保存、疑わしい取引の届出は、以上のプロセスの中でマネー・ローンダリングの防止に役立っているのです。

○図表3-1：犯収法の仕組み

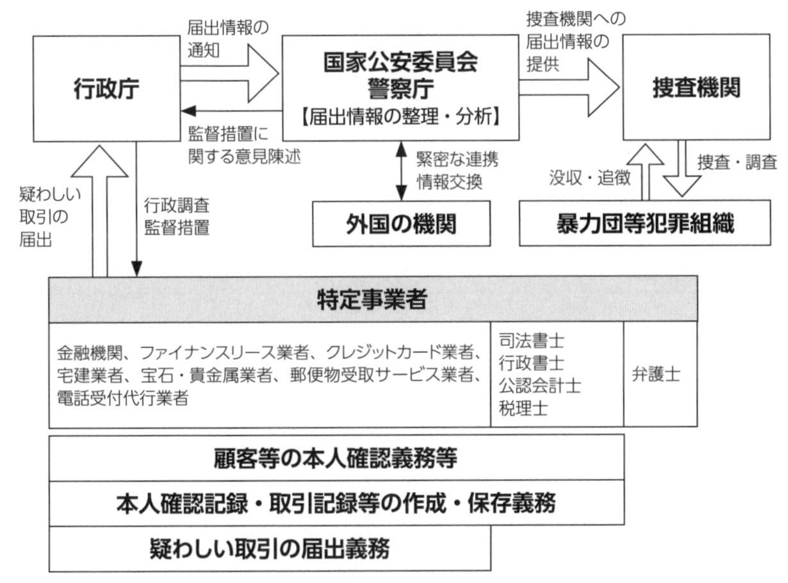

（出所）警察庁刑事局組織犯罪対策部「マネー・ローンダリング対策のための事業者による顧客管理の在り方に関する懇談会」（以下「懇談会」といいます）（平成22年2月5日）

2. 特定事業者

犯収法上の取引時確認等の義務を負う事業者を特定事業者といいます。犯収法上、以下の者が特定事業者とされています。

○図表3-2：犯収法上の特定事業者

金融機関（銀行、信用金庫、保険会社、金融商品取引業者、資金移動業者、貸金業者等）
ファイナンスリース業者
クレジットカード事業者
宅地建物取引事業者
宝石・貴金属等取扱事業者
郵便物受取サービス事業者
電話受付代行業者
電話転送サービス事業者
司法書士・司法書士法人
行政書士・行政書士法人
公認会計士・監査法人
税理士・税理士法人
弁護士・弁護士法人（本人特定事項の確認、確認記録・取引記録等の作成・保存に相当する措置について、司法書士等の士業者の例に準じて、日本弁護士連合会の会則で定めるところによる。

（出所）JAFIC「犯罪収益移転防止法の概要」（平成26年4月）を修正

犯収法上の特定事業者に該当する場合には、以下の義務が課されます。特定事業者でない者については、下記の義務を負いません。

なお、司法書士・司法書士法人、行政書士・行政書士法人、公認会計士・監査法人、税理士・税理士法人については、取引時確認事項のうち、本人特定事項（個人顧客の氏名・住居・生年月日、法人顧客の名称、本店又は主たる営業所の所在地）のみの確認が求められています（弁護士・弁護士法人についても日本弁護士連合会の会規で同様に定められています。）。FATFの第4次対日相互審査報告書において、勧告22（DNFBPs（指定非金融事業者及び職業専門家））に関して、「法律専門家、公認会計士、およびそれぞれの法人は、顧客の本人特定事項の確認を行う以外に、他の顧客管理措置を適用する必要はない。」との評価がなされています。

政府の「マネロン・テロ資金供与・拡散金融対策に関する行動計画」におい

ては、「全ての特定非金融業者及び職業専門家に実質的支配者情報の確認を含む顧客管理義務の対象とすることを検討し、所要の措置を講じる。」（期限：令和4年秋、警察庁、特定非金融業者及び職業専門家所管行政庁）とされており、今後、法改正によりこれらの職業専門家についても他の特定事業者と同様に取引時確認事項全般の確認が必要となるでしょう。

○図表3-3：特定事業者の義務

取引時確認義務
確認記録の作成・保存義務（7年間保存）
取引記録等の作成・保存義務（7年間保存）
疑わしい取引の届出義務（司法書士等の士業者を除く）
取引時確認を的確に行うための措置

（出所）JAFIC「犯罪収益移転防止法の概要」（平成26年4月）

3. 特定業務と特定取引

次頁の図表3-4のとおり、「特定事業者」＞「特定業務」＞「特定取引」の順に対象範囲が広くなります。

犯収法上の「特定業務」に該当する場合には、疑わしい取引の届出義務及び取引記録等の作成・保存義務を負います。特定事業者であっても、特定業務以外の業務に関しては、犯収法の対象外となります。

特定事業者が「特定取引」を行うに際しては、取引時確認義務及び確認記録の作成・保存義務を負います（法4条1項、6条1項）。

○図表3-4：特定事業者・特定業務・特定取引の関係

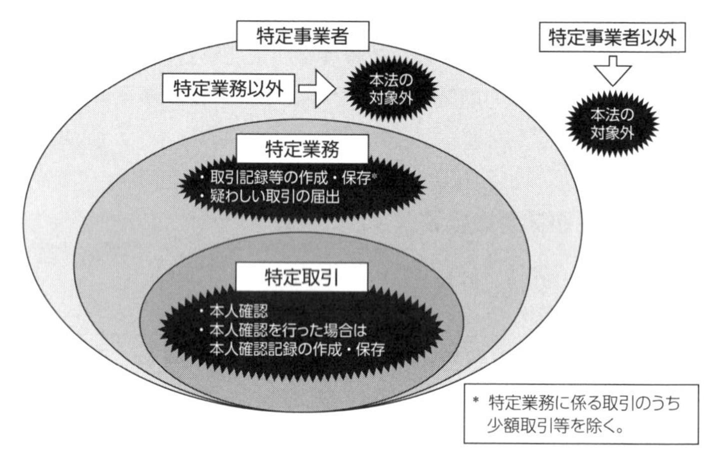

（出所）JAFIC「犯罪収益移転防止法の概要」（平成26年4月）

「特定取引」は、FATF勧告を参考に、①継続的な取引関係の構築（例えば、預金口座の開設、クレジットカード契約の締結）、②多額の一見取引（例えば、200万円超の現金取引や10万円超の現金送金）、③継続的取引についてなりすまし等が疑われる場合を対象としています（令7条）。（図表3-5参照）

○図表3-5：犯収法上の特定取引と取引時確認

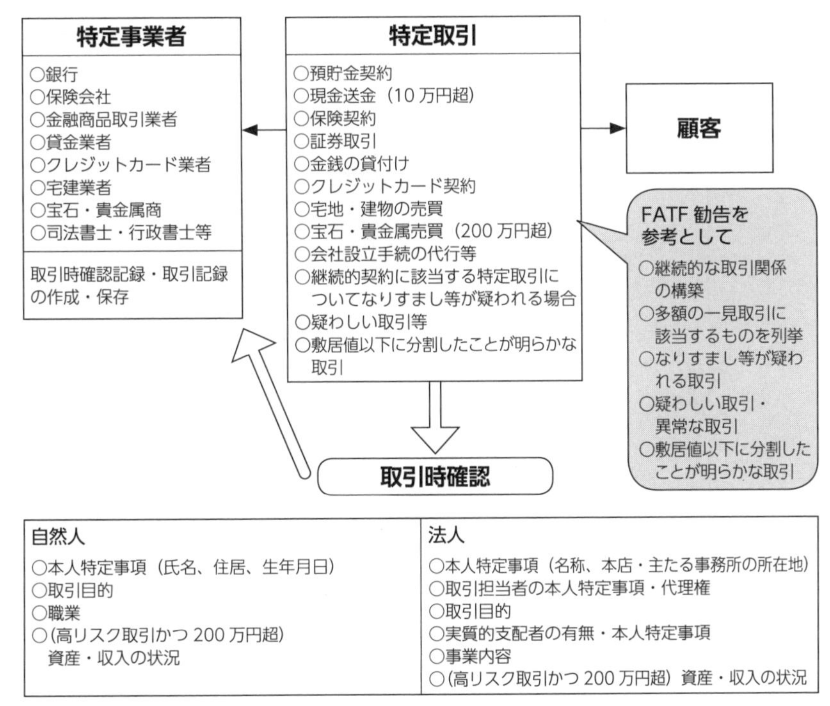

自然人	法人
○本人特定事項（氏名、住居、生年月日） ○取引目的 ○職業 ○(高リスク取引かつ200万円超)資産・収入の状況	○本人特定事項（名称、本店・主たる事務所の所在地） ○取引担当者の本人特定事項・代理権 ○取引目的 ○実質的支配者の有無・本人特定事項 ○事業内容 ○(高リスク取引かつ200万円超) 資産・収入の状況

（出所）「懇談会」第1回配付資料11（平成22年2月5日）を元に作成

犯収法上の各特定事業者の特定業務と特定取引の関係は下記の図表3-6のとおりです。銀行等の金融機関である特定事業者については、その行う業務のすべてが特定業務に該当します。

○図表3-6：各特定事業者の特定業務・特定取引

特定事業者	特定業務	特定取引
金融機関等（銀行、金融商品取引業者、保険会社等）	その行う業務	イ　預金又は貯金の受入れを内容とする契約の締結 ロ　定期積金等の受入れを内容とする契約の締結 ハ　信託（有価証券に該当するものに係る信託や担保付社債信託等一定のものを除く。）に係る契約の締結

特定事業者	特定業務	特定取引
		ニ　信託行為、受益者指定権等の行使、信託の受益権の譲渡その他の行為による信託の受益者との間の法律関係の成立（リに規定する行為に係るものを除く。） ホ　保険契約の締結 ヘ　共済に係る契約の締結 ト　保険契約等又は共済に係る契約に基づく年金（人の生存を事由として支払いが行われるものに限る。）、満期保険金、満期返戻金、解約返戻金又は満期共済金の支払い（勤労者財産形成貯蓄契約等、勤労者財産形成給付金契約、勤労者財産形成基金契約、資産管理運用契約等及び資産管理契約に基づくものを除く。） チ　保険契約又は共済に係る契約の契約者の変更 リ　金融商品取引法２条８項１号から６号まで若しくは10号に掲げる行為又は同項７号から９号までに掲げる行為により顧客等に有価証券を取得させる行為を行うことを内容とする契約の締結 ヌ　投資助言・代理業又は投資運用業に掲げる行為を行うことを内容とする契約の締結（当該契約により金銭の預託を受けない場合を除く。） ル　有価証券の貸借又はその媒介若しくは代理を行うことを内容とする契約の締結 ヲ　無尽に係る契約の締結 ワ　不動産特定共同事業契約の締結又はその代理若しくは媒介 カ　金銭の貸付け又は金銭の貸借の媒介（手形の割引、売渡担保その他これらに類する方法によってする金銭の交付又は当該方法によってする金銭の授受の媒介を含む。）を内容とする契約の締結 ヨ　商品先物取引業に掲げる行為を行うことを内容とする契約の締結 タ　現金、持参人払式小切手、自己宛小切手又は無記名の公社債の本券若しくは利札の受払いをする取引（本邦通貨と外国通貨の両替並びに旅行小切手の販売及び買取りを除く。）であって、当該取引の金額が200万円（現金の受払いをする取引で為替取引又は自己宛小切手の振出しを伴うものにあっては、10万円）を超えるもの レ　他の特定事業者が行う為替取引（当該他の特定事業者がソに規定する契約に基づき行うものを除く。）のために行う現金の支払いを伴わない預金又は貯金の払戻しであって、当該払戻しの金額が10万円を超えるもの

特定事業者	特定業務	特定取引
		ソ　イに掲げる取引を行うことなく為替取引又は自己宛小切手の振出しを継続的に又は反復して行うことを内容とする契約の締結 ツ　貸金庫の貸与を行うことを内容とする契約の締結 ネ　社債等の振替を行うための口座の開設を行うことを内容とする契約の締結 ナ　電子記録債権法の規定による電子記録を行うことを内容とする契約の締結 ラ　保護預りを行うことを内容とする契約の締結 ム　200万円を超える本邦通貨と外国通貨の両替又は200万円を超える旅行小切手の販売若しくは買取り ウ　外国銀行の業務の代理又は媒介として行うイ、ロ、カ若しくはソに掲げる取引（ソに掲げる取引にあっては、為替取引に係るものに限る。）又はイ、ロ、カ若しくはソに規定する契約（ソに規定する契約にあっては、為替取引に係るものに限る。）に基づく取引
ファイナンスリース事業者	ファイナンスリース業務 ※①中途解約できず、②賃借人が賃貸物品の使用に伴う利益を享受し、費用を負担するものをいう。	1回の賃貸料が10万円を超えるファイナンスリース契約の締結
クレジットカード事業者	クレジットカード業務	クレジットカード交付契約の締結
貸金業者	貸金業務	貸金契約の締結
宅地建物取引業者	宅地建物の売買又はその代理若しくは媒介業務	宅地又は建物の売買契約の締結又はその代理若しくは媒介
宝石・貴金属取扱事業者	貴金属（金、白金、銅及びこれらの合金）若しくは宝石（ダイヤモンドその他の貴石、半貴石及び真珠）又はこれらの製品の売買業務	代金の額が200万円を超える宝石・貴金属等の売買契約の締結
郵便物受取サービス事業者	郵便物受取サービス業務	役務提供契約の締結
電話受付代行業者	電話受付代行業務	役務提供契約の締結 ※電話による連絡を受ける際に代行業者の商号等を明示する条項を含む契約の締結を除く。 ※コールセンター業務等の締結は除く。

特定事業者	特定業務	特定取引
電話転送サービス事業者	電話転送サービス業務	役務提供契約の締結
司法書士・司法書士法人、行政書士・行政書士法人、税理士・税理士法人、公認会計士・監査法人	以下の行為の代理又は代行（特定受任行為の代理等）に係るもの • 宅地又は建物の売買に関する行為又は手続 • 会社等の設立又は合併等に関する行為又は手続 • 現金、預金、有価証券その他の財産の管理・処分 ※租税、罰金、過料等を除く ※成年後見人等裁判所又は主務官庁に選任される者が職務として行う他人の財産の管理・処分を除く。	以下の特定受任行為の代理等を行うことを内容とする契約の締結 • 宅地又は建物の売買に関する行為又は手続 • 会社等の設立又は合併等に関する行為又は手続 • 200万円を超える現金、預金、有価証券その他の財産の管理又は処分 ※特定業務から除外されるものは除く。
弁護士・弁護士法人	弁護士等・弁護士法人よる顧客等又は代表者等の本人特定事項の確認、確認記録の作成及び保存、取引記録等の作成及び保存並びにこれらを的確に行うための措置に相当する措置については、司法書士等の例に準じて日本弁護士連合会の会則で定めるところによる。	

（出所）JAFIC「犯罪収益移転防止法の概要」（平成26年４月）

上記のほか、①継続的取引である特定取引についてなりすましの疑いがある場合、②契約時確認事項に偽りの疑いがある場合は、高リスク取引として厳格な取引時確認が必要となります。

また、平成28（2016）年10月施行の改正後の犯収法において、「顧客管理を行う上で特別に注意を要する取引」（「疑わしい取引」「同種の取引の態様と著しく異なる態様で行われる取引」）（令７条１項、規則５条）及び「明らかに敷居値以下に分割された取引」（令７条３項）が特定取引として追加されました。

4. 犯収法の取引時確認義務

(1) 通常の特定取引

特定事業者は、顧客等との間で特定取引を行う際に取引時確認をすることを要します（法4条1項）。

取引時確認には、いわゆる本人確認（「本人特定事項の確認」）のほか、各種の顧客属性の把握等が含まれますが、取引時確認の際の確認事項及び確認方法は、自然人、人格のない社団・財団、法人（上場法人等以外）、国や上場法人等ごとに異なります（図表3-7参照）。自然人については、本人特定事項、取引を行う目的、職業の確認を行う必要があります。高リスク取引でかつ200万円超の財産の移転を伴う場合は、資産及び収入の状況を確認する必要があります。代理人取引の場合は、代表者等の本人特定事項及び代理権の確認をする必要があります。

人格のない社団・財団については、本人特定事項の確認は不要であり、取引を行う目的、事業内容の確認を行う必要があります。また、取引担当者（代表者等）の本人特定事項の確認をする必要がありますが、代理権の確認は不要です。

法人（上場法人を除く）は、本人特定事項、取引を行う目的、事業内容、実質的支配者の本人特定事項（旧法では実質的支配者の有無の確認も必要でしたが、平成28（2016）年10月施行の犯収法の改正後は不要となりました。）の確認が必要です。また、取引担当者（代表者等）の本人特定事項及び代理権の確認が必要です。

国、地方公共団体、上場法人等（「国等」）については、取引担当者（代表者等）の本人特定事項及び代理権の確認のみが必要です。

取引時確認をした場合は、確認記録を作成し、特定取引が終了した日から7年間保存する必要があります（法6条）。

平成28（2016）年10月施行の犯収法の改正により、特定取引として新たに以下の2つの取引が追加されました。

- 顧客管理を行う上で特別の注意を要する取引（「疑わしい取引」と「同種の取引の態様と著しく異なる態様で行われる取引」がありま

す）（令７条１項、規則５条）
- 「二以上の取引が１回当たりの取引の金額を減少させるために一の当該各号に掲げる取引を分割したものの全部又は一部であることが一見して明らかであるもの」（以下「明らかに敷居値以下に分割された取引」という）（令７条３項）

(2) 高リスク取引

①継続的取引である特定取引についてなりすましの疑いがある場合、②継続的取引である特定取引について契約時確認事項に偽りの疑いがある場合、③イラン・北朝鮮に居住・所在する者との間で行う特定取引は、「高リスク取引」として、厳格な取引時確認が必要となります（法４条２項、令12条）（図表3-7参照）。平成28（2016）年10月施行の改正後の犯収法では、外国PEPs（Politically Exposed Persons：重要な公人）との特定取引が、新たに「高リスク取引」として厳格な取引時確認の対象となりました。

(3) 特定取引のうち取引時確認済の取引

取引時確認済の顧客については、①預貯金通帳その他の書類の提示または送付を受ける、②顧客しか知りえない事項（パスワードや暗証番号）、③顧客と面識がある場合など、顧客が確認記録に記録されている顧客等と同一であることを確認した場合には、その事項を確認記録に記録し、７年間保存すれば足ります（法４条３項、令13条１項）。ただし、高リスク取引については、取引時確認済の確認では足りず、上記の厳格な取引時確認が必要となります（令13条２項）。

また、平成28（2016）年10月施行の改正後の犯収法において特定取引として追加された、「顧客管理を行う上で特別に注意を要する取引」（「疑わしい取引」「同種の取引の態様と著しく異なる態様で行われる取引」）に該当する場合も（通常の）取引時確認が必要となります。

(4) 敷居値以下の取引

「200万円以下の現金取引」、「200万円以下の外貨両替」、「10万円以下

の現金送金」といった敷居値以下の取引については、取引時確認不要とされています。

もっとも、平成28（2016）年10月施行の改正後の犯収法で特定取引として追加された、「顧客管理を行う上で特別に注意を要する取引」に該当する場合は、通常の取引時確認が必要となります。

また、「明らかに敷居値以下に分割された取引」に該当する場合も、通常の取引時確認（上記（1））又は取引時確認済の確認（上記（3））が必要となります。

(5) 簡素な顧客管理が許容される取引（旧法では「犯罪による収益の移転に利用されるおそれがない取引」）

「国又は地方公共団体に対する10万円を超える大口現金取引」や「1回に支払われる賃貸料の額が10万円以下のファイナンスリース契約」などは、旧法では、「犯罪による収益の移転に利用されるおそれがない取引」として、特定取引から除外され、取引時確認が不要とされていました（旧規則4条）。

平成28（2016）年10月施行の改正前の犯収法施行規則4条の題名は「犯罪による収益の移転に利用されるおそれがない取引」でしたが、平成28（2016）年10月施行の改正後の犯収法施行規則4条の題名は「簡素な顧客管理を行うことが許容される取引」に改められました。もっとも、平成28（2016）年10月施行の改正後の犯収法において新たに追加された特定取引である「顧客管理を行う上で特別に注意を要する取引」に該当する場合以外は、従前どおり取引時確認は不要です。

(6) 国等に対する取引時確認

特定事業者は、以下の顧客等に関しては、「国等」として、代表者等の本人特定事項及び代理権の確認のみを行うことで足ります（法4条5項、令14条、規則18条）。

- 国
- 地方公共団体
- 独立行政法人
- 国又は地方公共団体が資本金、基本金その他これらに準ずるものの２分の１以上を出資している法人
- 外国政府、外国の政府機関、外国の地方公共団体、外国の中央銀行又は我が国が加盟している国際機関
- 勤労者財産形成貯蓄契約等を締結する勤労者
- 上場株式会社等
- 勤労者財産形成基金
- 存続厚生年金基金
- 国民年金基金
- 国民年金基金連合会
- 企業年金基金
- 預貯金契約又は定期積金等のうち、被用者の給与等から控除される金銭を預金若しくは貯金又は定期積金等とするものを締結する被用者
- 被用者の給与等から控除される金銭を信託金とする信託契約を締結する被用者
- 団体扱い保険又はこれに相当する共済に係る契約を締結する被用者
- 顧客等に有価証券を取得させる行為を行うことを内容とする契約のうち、被用者の給与等から控除される金銭を当該行為の対価とするものを締結する被用者
- 金銭の貸付け又は金銭の貸借の媒介に関する契約のうち、被用者の給与等から控除される金銭により返済がされるものを締結する被用者
- 有価証券の売買を行う外国の市場（国家公安委員会及び金融庁長官が指定する国又は地域に限る。）に上場又は登録している会社

（「犯罪による収益の移転防止に関する法律施行規則第18条第11号の規定に基づき、国又は地域を指定する件」（平成20年国家公安委員会、金融庁告示第1号）において、アイスランド、アイルランド、アメリカ合衆国、アルゼンチン、イタリア、インド、英国、オーストラリア、オーストリア、オランダ、カナダ、ギリシャ、シンガポール、スイス、スウェーデン、スペイン、タイ、大韓民国、台湾、中華人民共和国、デンマーク、ドイツ、トルコ、ニュージーランド、ノルウェー、フィンランド、ブラジル、フランス、ベルギー、ポルトガル、香港、マカオ、マレーシア、南アフリカ共和国、メキシコ、ルクセンブルク、ロシアが指定されています。）

上場会社も「国等」に含まれますが、非上場会社と同様に、法人顧客としての確認をする特定事業者も多いようです。

○図表3-7：犯収法における取引時確認

確認項目	確認する内容　[確認の方法]			
	自然人	人格のない社団・財団	法人（上場法人等以外）	国・上場法人等
本人特定事項	氏名、住居、生年月日 【本人確認書類の提示・送付／高リスクの場合は2つ以上の本人確認書類（そのうち1つは最初に用いたもの以外）】		名称及び本店又は主たる事務所の所在地 【本人確認書類の提示・送付／高リスクの場合は2つ以上の本人確認書類（そのうち1つは最初に用いたもの以外）】	確認不要
代表者等の本人特定事項	氏名、住居、生年月日 【本人確認書類の提示・送付】			
代表者等の代理権の確認	①同居の親族等、②委任状、③電話による確認、④取引の任に当たっていることが明らか		①委任状、②社員証の確認、③法人の役員として登記されていること、④電話による確認、⑤取引の任に当たっていることが明らか ⇒新法では、「②社員証の確認」、「③代表者以外の役員として登記されていること」が認められなくなる。	
取引を行う目的	取引を行う目的 【当該顧客又は代表者等から申告を受ける方法】			確認不要
職業・事業内容	職業 【当該顧客又は代表者等の申告】	事業内容 【代表者等の申告】	事業内容 【書類による確認】	
実質的支配者の本人特定事項			実質的支配者の本人特定事項 【申告による方法、ただし高リスク取引の場合には書類による確認】 ⇒新法では実質的支配者の定義が変更され、自然人にさかのぼる確認が必要となる。	
資産及び収入の状況 ＊高リスク取引かつ200万円超の財産の移転有	資産及び収入の状況 【源泉徴収票、確定申告書、預貯金通帳、支払調書、給与支払明細等】		資産及び収入の状況 【貸借対照表、損益計算書、有価証券報告書等】	

○図表3-8：特定取引・敷居値以下の取引・簡素な顧客管理を行うことが許容される取引取引時確認済の確認が必要な取引

特定業務
（疑わしい取引の届出、取引記録の作成・保存）

特定取引

取引時確認の対象取引
（法４条１・２項、令７条・９条）

【具体例】
・口座開設
・200万円を超える大口現金取引
・10万円を超える現金送金
・保険契約の締結
・200万円を超える外貨両替
・クレジットカード契約　　等

⇒平成27年改正により「顧客管理を行う上で特別の注意を要する取引」「敷居値以下の分割した取引」が特定取引として追加

取引時確認済の確認が必要な取引

既に取引時確認を行っている顧客等であることを確認した取引（法４条３項及び令１３条２項）

※継続な特定取引でなりすまし、偽りの疑いがある場合はいかなる場合も取引時確認が必要

⇒平成27年改正により「顧客管理を行う上で特別の注意を要する取引」に該当する場合は取引時確認が必要になる。

特定取引から除外される取引
⇒取引時確認不要

（マネロンのおそれのない取引：令７・９条、規則４条）

⇒平成27年改正により「簡素な顧客管理を行うことが許容される取引」となり、「顧客管理を行う上で特別な注意を要する取引」「敷居値以下の分割した取引」に該当する場合は取引時確認が必要になる。

敷居値（200万円（現金振込みの場合10万円））以下の取引⇒取引時確認不要

⇒平成27年改正により「敷居値以下の分割した取引」・「顧客管理を行う上で特別の注意を要する取引」に該当する場合は取引時確認が必要となる。

取引記録等の作成・保存が不要（法7条1・2項、令15条、規則22条）
（例）1万円以下の取引、200万円を超える貴金属等の売買のうち、支払方法が現金以外のもの　等

※「顧客管理を行う上で特別の注意を要する取引は特定業務全般が対象範囲。

（出所）警察庁作成資料を修正

(7) 取引時確認を第三者に委託する方法

ア　他の特定事業者に委託して行う金融関係の特定取引で当該他の特定事業者が他の特定取引の際に既に取引時確認を行っている顧客との間で行うもの（令13条1項1号）

①特定事業者が他の特定事業者に委託して行う犯収法施行令7条1項1号イからオまでに定める金融関係の特定取引（預金口座の開設、送金、資金の貸付け、有価証券の売買等）で、かつ、②当該他の特定事業者が他の特定取引の際に既に取引時確認を行っている顧客等との間で行うもの（当該他の特定事業者がその確認記録の作成及び保存をしている場合に限る。）については、犯収法4条3項に規定する顧客等との取引（取引時確認済みの顧客等との取引）に準ずるものとして、犯収法4条1項に基づく通常の取引時確認を要しません。

イ　口座振替またはクレジットカードを使用する方法により決済される場合における取引時確認の特例（規則13条1項1号または2号）

(ア) 口座振替を使用する方法による取引時確認の特例（規則13条1項1号）

特定取引のうち、預貯金口座における口座振替方法により決済されるものについては、あらかじめ銀行等の他の特定事業者との合意により、(i)当該口座が開設されている当該他の特定事業者が預貯金契約の締結を行う際に、顧客等又は取引担当者の取引時確認を行い、かつ、(ii)当該取引時確認に係る確認記録を保存していることを確認している場合には、当該特定事業者は犯収法4条1項の規定による取引時確認を要しません。

ここでいう依拠元が「委託先の特定事業者が行った取引時確認により得られた情報を確認」する方法としては、委託先の特定事業者が行った取引時確認により得られた情報に係る記録を当該委託先の特定事業者から必ずしも取得する必要ないが、委託先の特定事業者が行った取引時確認により得られた情報を確認することが必要であります。単に委託先の銀行等と合意をするのみでは足りません。

例えば、依拠元と委託先の銀行があらかじめ締結している本特例を用いることに関する契約において、取引時確認を行う都度、①依拠元は、特定取引に際して顧客等から提供を受けた情報（例えば、氏名・預金の口座番号）を委託先に対して提供し、②委託先は、①で依拠元から提供を受けた情報と委託先が行った取引時確認により得られた情報とを照合し、対象となっている顧客等と委託先 が取引時確認を行った顧客等との同一性を確認し、③委託先は、当該顧客等について委託先が取引時確認を行っており、かつ、当該取引時確認による確認記録を保存していることを確認し、④委託先は、②・③の確認結果を依拠元に回答する、といった方法で確認すること、について合意する必要があります。

ただし、「取引の相手方が取引時確認に係る顧客若しくは取引担当者になりすましている疑いがある取引」又は「当該取引時確認若しくは相当する確認が行われた際に当該取引時確認若しくは相当する確認に係る事項を偽っていた疑いがある顧客若しくは取引担当者（その取引担当者が当該事項を偽っていた疑いがある顧客又は取引担当者を含む。）との間における取引」を行う場合は、この特例の適用は認められません。また、「顧客管理を行う上で特別に注意を要する取引」（「疑わしい取引」又は「同種の取引の態様と著しく異なる態様で行われる取引」）を行う場合にもこの特例の適用は認められません。

（イ）クレジットカードを使用する方法による取引時確認の特例（規則13条1項2号）

上記（ア）同様に、特定取引のうち、クレジットカードを使用する方法により決済されるものについては、あらかじめクレジットカード会社との合意によって、①クレジットカードを交付した他の特定事業者がクレジットカード契約の締結を行う際に当該顧客について取引時確認を行い、かつ、②当該確認記録を保存していることを確認している場合には、当該特定事業者は犯収法4条1項の規定による取引時確認を要しません。

ただし、「取引の相手方が取引時確認に係る顧客若しくは取引担当者になりすましている疑いがある取引」、「当該取引時確認若しくは相当する確認が行われた際に当該取引時確認若しくは相当する確認に係る事項を偽っていた疑いがある顧客若しくは取引担当者（その取引担当者が当該事項を偽っていた疑いがある顧客又は取引担当者を含む。）との間における取引」を行う場合、「顧客管理を行う上で特別に注意を要する取引」を行う場合は、この特例の適用が認められません。

ウ　上記イの方法により顧客等の取引時確認を行った他の特定事業者に委託して行う取引について、上記アの方法を適用することについて

上記ア及びイより、犯収法施行規則13条1項1号又は2号に規定する方法（上記イ（ア）または（イ）の方法）により、銀行等またはクレジットカード事業者が過去に行った顧客等の取引時確認を利用して、当該顧客等の取引時確認を行った他の特定事業者が、その確認記録の作成及び保存を適切に行っている限り、特定事業者が当該他の特定事業者に委託して行う犯収法施行令7条1項1号に定める特定取引（金融関係取引）について、犯収法施行令13条1項1号の規定を適用することは許容され得るものと解されます。

したがって、当該他の特定事業者において当該顧客等が既に取引時確認を行っている顧客等であることを確かめる措置をとれば、当該特定事業者は犯収法4条1項の規定による取引時確認を要しません。

これは、「規制改革実施計画」（令和元年6月21日閣議決定）を受けた「本人確認手続の効率化」に関する犯収法施行令第13条第1項第1号等の規定の解釈です。

エ　資金移動業者の決済サービスを通じた銀行口座からの不正出金に関する対応

2020年9月、悪意のある第三者が不正に入手した預金者の口座情報等をもとに当該預金者の名義で資金移動業者のアカウントを開設し、銀行口座と連携した上で、銀行口座から資金移動業者のアカウントへ資金をチャージすることで不正な出金を行う事象が複数発生しました。

これは、資金移動業者において上記イ（ア）で説明した犯収法施行規則13条1項1号に基づく確認を実施し、それに基づく銀行での取引時確認済みの確認及び口座振替契約（チャージ契約）の締結に際してキャッシュカードの暗証番号のみで認証するケースにおいて、被害の発生が確認されています。

令和2（2020）年9月15日の金融庁から全国銀行協会等への「資金移動業

者の決済サービスを通じた銀行口座からの不正出金に関する対応について（要請）」においては、銀行等の金融機関に以下の要請がなされました。

① 資金移動業者等との間で口座振替契約（チャージ契約）を締結している預金取扱金融機関においては、資金移動業者等における取引時確認の内容を踏まえ、資金移動業者等のアカウントと銀行口座を連携して口座振替を行うプロセスに脆弱性がないか確認すること。

（注） 例えば、上記口座振替契約（チャージ契約）に際して、預金取扱金融機関においてワンタイムパスワード等による多要素認証を実施していない場合など、不正に預金者の口座情報を入手した悪意のある第三者が、預金者の関与無しに資金移動業者等のアカウントへ資金をチャージ可能なケースは脆弱性があると考えられる。

② 上記確認により問題や脆弱性が見出だされた場合には、資金移動業者等のアカウントとの連携時における認証手続の強化（多要素認証の導入など）を含むセキュリティの強化、資金移動業者等における取引時確認の状況を確認するなどの堅牢な手続きの導入を検討すること。

また、その導入までの間、足許において被害を生じさせない態勢を整備する観点から、新規連携や資金移動業者等のアカウントへの資金のチャージを一時停止すること。

③ 本事案に関して、被害を心配される利用者から相談を受けた場合には、被害の有無に関わらず、利用者の不安を解消するべく、真摯な姿勢で迅速かつ丁寧に対応すること。

以上のとおり、前記イ（ア）の「口座振替を使用する方法による取引時確認の特例」（犯収法施行規則13条1項1号）のみに依拠する方法では、プロセスに脆弱性が認められるため、資金移動業者等のアカウントとの連携時における認証手続の強化（多要素認証の導入など）を含むセキュリティの強化をする必要があります。

5. 平成28(2016)年10月施行の改正で追加された特定取引

特定事業者が特定取引をする際には、取引時確認をし、確認記録を作成・保存することを要します（法4条1項、6条）。

特定取引については、特定事業者ごとに定められています（前記3参照）。

平成28（2016）年10月施行の改正後の犯収法においては、これらに加えて、すべての特定事業者に共通の特定取引として、新たに「顧客管理を行う上で特別の注意を要する取引」及び「明らかに敷居値以下に分割された取引」が追加されました。以下では、これらの特定取引について説明いたします。

(1) 顧客管理を行う上で特別の注意を要する取引

ア　改正の背景（令7条1項、規則5条）

FATFの第3次対日相互審査報告書においては、我が国においては、「マネー・ローンダリングが疑われる場合」や「明白な経済的又は法的な目的のないすべての複雑な又は異常な大口取引を認識した場合」に何らの顧客管理措置がとられていないことに関して問題であるとの指摘がなされました。

これに対して我が国は、FATFに対して、疑わしい取引の届出を行おうとすること又は行ったことを当該疑わしい取引の届出に係る顧客等又はその者の関係者に漏らしてはならない（法8条3項、いわゆる「内報の禁止」という）とされているところ、このような場合に顧客管理措置を講ずると、疑わしい取引の届出をしたことが顧客に気付かれてしまうとの回答をしてきました。また、異常な取引に関しては、「疑わしい取引の参考事例」の中に、「経済合理性から見て異常な取引」等が含まれることから、事実上の注意の対象になっているとしてきました。

しかしながら、これらの場合に顧客管理措置（日本では取引時確認等）をすることは、顧客に対して疑わしい取引の届出をしたことにはならないことから、法令による改正が求められていたところです。

○図表3-9：顧客管理措置が求められる場面

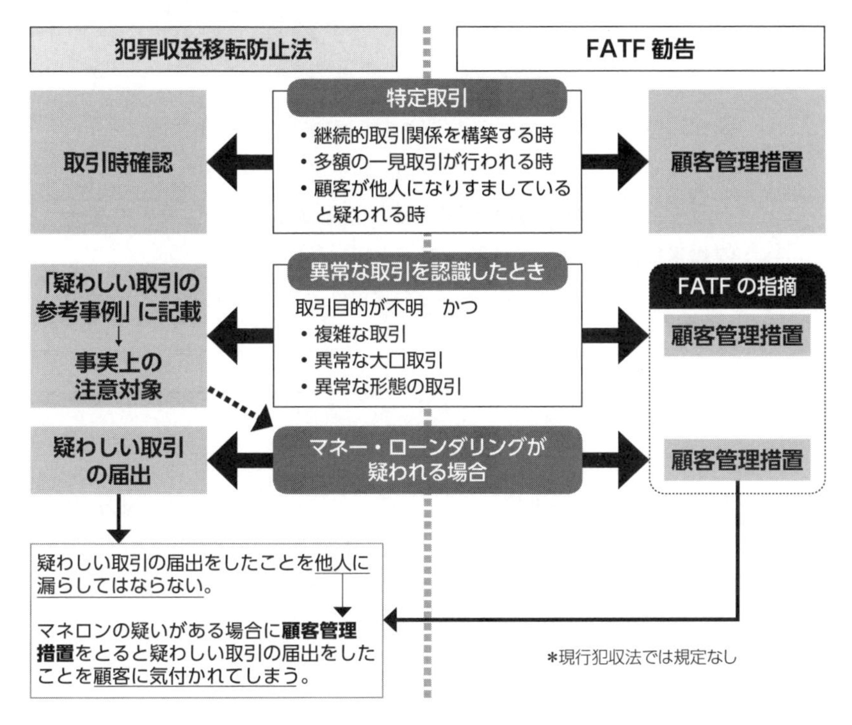

（出所）「懇談会」第1回配布資料12-14（平成22年2月5日）を修正

イ　内容

新たに特定取引として追加された「顧客管理を行う上で特別の注意を要する取引」は、「疑わしい取引」及び「同種の取引の態様と著しく異なる態様で行われる取引」が含まれます。

（ア）疑わしい取引（規則5条1号）

「疑わしい取引」とは、「取引において収受する財産が犯罪による収益である疑い」又は「取引に関し組織的犯罪処罰法10条の罪（犯罪収益等隠匿罪）若しくは麻薬特例法6条の罪（薬物犯罪収益等隠匿罪）に当たる行為を行っている疑いがあると認められる取引」のことです。

「疑わしい取引」の具体例としては以下のような特定事業者が有する一般的な知識や経験、商慣行から著しく乖離しているような取引が該当します。

- 顧客が風雪にさらされた形跡のある大量の小額硬貨を持参するような取引
- 一見中高生風の顧客が年齢不相応な高額自己宛小切手の換金を依頼するような取引
- テロリストが実効支配するといった政情が不安定な地域への送金を依頼するような取引

「疑わしい取引」に該当するか否かの判断については、規則26条各号に定められた項目に着眼しつつ、各所管官庁が作成・公表している疑わしい取引の届出に関する参考事例を参考としながら、各業界における一般的な知識と経験とを前提としてなされるものであり、現時点において、ガイドライン等が作成される予定はありません。

（イ）同種の取引の態様と著しく異なる態様で行われる取引（規則５条２号）

「同種の取引の態様と著しく異なる態様」とは、例えば、「疑わしい取引」に該当するとは直ちに言えないまでも、その取引の態様等から類型的に疑わしい取引に該当する可能性のあるもので、具体的には下記のような取引が該当します。

- 資産や収入に見合っていると考えられる取引ではあるものの、一般的な同種の取引と比較して高額な取引
- 定期的な返済はなされているものの、予定外に一括して融資の返済が行われる取引

これに該当するか否かの判断は、特定事業者が有する一般的な知識や経験、

商慣行を踏まえて行われるものであり、ガイドライン等が作成される予定はありません。

ウ　適用場面

「顧客管理を行う上で特別の注意を要する取引」として取引時確認の対象となる取引は、特定事業者の「特定業務」に係る取引一般です。

したがって、「敷居値以下の取引」（200万円以下の現金取引や外貨両替、10万円以下の現金送金等）や「簡素な顧客管理を行うことが許容される取引」（規則４条）に該当する場合も、「顧客管理を行う上で特別の注意を要する取引」に該当する場合は、取引時確認が必要となります。

また、「顧客管理を行う上で特別の注意を要する取引」に該当する場合は、令13条２項の規定により法４条３項の規定が適用除外とされるため、取引時確認済の顧客との間で特定取引を行う際も、「取引時確認済の確認」（法４条３項、令13条２項）ではなく、通常の取引時確認（法４条１項）が必要となります。

例えば、個別の預貯金の払戻し等についても、「顧客管理を行う上で特別の注意を要する取引」の可能性はあり、そのような場合には、取引時確認済の顧客に対しても再度、法４条１項に規定する取引時確認及び法６条の確認記録の作成・保存が必要となります。

エ　疑わしい取引の届出との関係

「疑わしい取引」として取引時確認を行い、その後の調査の結果、取引に正当な理由があることが確認できた場合は、「疑わしい取引の届出」を行う必要はありません。

また、取引時確認の対象でなかった取引が、その後の調査等によって、「疑わしい取引の届出」の対象となる取引であると判断したとしても、法４条の規定に基づく取引時確認は、「取引を行うに際して」行われなければならないこととされていることから、規則５条１号の「疑わしい取引」に該当するとして、遡及的に取引時確認の対象となるものではなく、罰則も科されません。

なお、「疑わしい取引」に該当するとして取引時確認をしても、顧客に対しては、疑わしい取引の届出を行おうとしていることなどを告げているわけではないので、内報の禁止（法８条３項）には抵触しません。

「顧客管理を行う上で特別の注意を要する取引」をする際に、「疑わしい取引の届出」をするか否か判断する場合において、当該取引及び顧客等又は代表者等に対する質問その他の当該取引に疑わしい点があるかどうかを確認するために必要な調査を行った上で、統括管理者（法11条３号参照）又はこれに相当する者に当該取引に疑わしい点があるかどうかを確認させる必要があります（規則27条３号）。

オ　統括管理者の確認・承認

「顧客管理を行う上で特別の注意を要する取引」をする際には、上記エのとおり、統括管理者又はこれに相当する者に当該取引に疑わしい点があるかどうか確認させることに加えて、統括管理者の承認を受けさせることが、「取引時確認等を的確に行うための措置」の１つとして求められています（規則32条４号）。

通常の特定取引に該当する取引についても、「顧客管理を行う上で特別の注意を要する取引」にも該当する場合は、取引時確認及び確認記録の作成に加えて、上記のとおり、統括管理者による確認及び承認が必要となります。

統括管理者の承認については「努力義務」ですが監督指針で態勢義務とされています。

なお、「マネー・ローンダリング及びテロ資金供与対策に関するガイドライン」では、マネロン・テロ資金供与リスクが高いと判断した顧客については、リスクに応じた厳格な顧客管理（EDD）として「当該顧客との取引の実施等につき、上級管理職の承認を得ること」が求められている（同ガイドラインII-2（3）(ii)【対応が求められる事項】⑦ロ）が、「上級管理職」と「統括管理者」は異なる概念であり、「統括管理者」は必ずしも「上級管理職」である必要はありません。

（2）明らかに敷居値以下に分割された取引（規則５条２号）

ア　改正の背景

１個の取引をあえて複数の取引に分割して行うことにより、当該１個の取引の金額が形式的に敷居値を下回ったとしても、このような行為はいわば脱法的に規制を免れるためのもの（ストラクチャリング）であることから、その取引の危険度は高くなります。

FATF旧勧告5及びその解釈ノートでは、一定の敷居値（15,000米ドル／ユーロ）を超える一見取引を行おうとする場合、事業者に対し、取引時確認を行うことを求めています。この場合において、敷居値の判断には、取引が単独で行われたときのほか、関連すると見られる複数の取引で行われたときを含むとされています。FATFからは、我が国の法令上、関連すると見られる複数の取引が行われた場合の取扱いが直接明文で規定されていないとの指摘を受けていました。

○図表3-10：敷居値を下回る関連する複数の取引

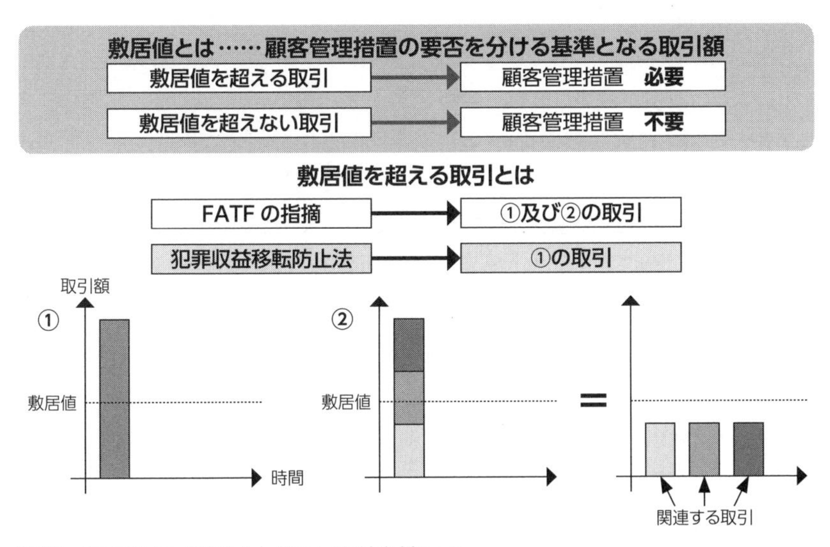

（出所）平成25年「懇談会」第2回配付資料16-3

イ　内容

特定事業者が同一の顧客等との間で二以上の以下の取引を同時に又は連続して行う場合において、当該二以上の取引が1回当たりの取引の金額を減少させるために一の当該各号に掲げる取引を分割したものの全部又は一部であることが一見して明らかである場合は、当該二以上の取引を一の取引とみなして、特定取引への該当性（令７条１項・３項、９条１項）が判断されます。

- 仮想通貨の交換等（移転させる行為）
- 現金等受払取引（敷居値は200万円超）
- 他の特定事業者が行う為替取引のために行う現金の支払いを伴わない預金又は貯金の払戻し（敷居値は金額が10万円を超）
- 本邦通貨と外国通貨の両替又は旅行小切手の販売もしくは買取り（敷居値は200万円超）
- 貴金属等の売買契約の締結（敷居値は200万円超）

「一の…取引を分割したものであることが一見して明らかであるもの」としては、以下のような取引が該当します。各特定事業者において、当該取引の態様や各事業者の知識や経験、商慣行をもとに適宜判断されることとなります。

- 顧客から12万円の振込を依頼されたため、取引時確認を実施しようとしたところ、顧客が６万円の振込を２回行うよう依頼を変更した場合における当該２回の取引
- 顧客から300万円を外貨に両替するように依頼されたため、取引時確認を実施しようとしたところ、150万円を２回に分けて両替するよう依頼を変更した場合における当該２回の両替

二以上の取引が連続したものか否かの判断は担当者や支店ごとに行われるものではなく、事業者ごとに行われるものであるため、例えば、顧客の言動等により複数のタイミングや複数の支店における一連の取引が「一の…取引を分割したものの全部又は一部であることが一見して明らかであるもの」であることが認められる場合も該当する場合があります。

また、明らかに同一の者が同一日の午前と午後に訪れ、当該顧客の取引が「一

の…取引を分割したものの全部又は一部であることが一見して明らかであるもの」であることに窓口の従業員が気付く場合等、一定の時間間隔がある場合も該当する場合があります。

その他、「明らかに同一の者が連日、敷居値をやや下回る取引を行う場合」も該当する可能性があります。

ウ　判断方法

個別の取引が「一の…取引を分割したものの全部又は一部であることが一見して明らかであるもの」に該当するか否かは、各特定事業者において、当該取引の態様や各事業者の一般的な知識や経験、商慣行をもとに適宜判断されるものであり、全取引時に顧客に事前申告を義務付けたり、こうした取引を網羅的に捕捉するためのシステムの整備を義務付けるものではありません。

なお、現時点において、ガイドライン等が作成される予定はありません。

エ　適用場面

明らかに敷居値以下に分割された取引については、敷居値以下の取引であっても、二以上の取引を一とみなしたときの当該取引の金額が敷居値を超える場合は、当該取引が特定取引に該当するため取引時確認が必要となります。

ただし、取引時確認済の顧客に関しては、「取引時確認済の確認」（法４条３項）を行えば足り、取引時確認は不要となります。

したがって、「明らかに敷居値以下に分割された取引」に関しては、取引時確認又は取引時確認済の確認のいずれかが必要となります。

6. 簡素な顧客管理を行うことが許容される取引

(1) 改正の背景

FATFメソドロジー5.9は、各加盟国に対して、リスクの低い取引について、事業者が簡素化された顧客管理を行うことを認めてよいとしています。この点、我が国は、「犯罪による収益の移転に利用されるおそれがない取引」（旧規則４条）

を定め、これに該当する場合は取引時確認を行わないこととしてきました。

これに対してFATFからは、簡素化された顧客管理措置の適用に当たっては、まず、マネー・ローンダリングに利用されるおそれの程度について国が行ったリスク評価が前提でなければならないと指摘されました。

また、国によるリスク評価結果に基づき、簡素化された顧客管理措置を講ずることは認められるものの、顧客管理措置を完全に適用除外とすることは、国がマネー・ローンダリングのリスクが本質的に低いことを証明できた場合など極めて例外的な場合に限られるとの指摘を受けました。

○図表3-11：リスクの低い分野の顧客・取引に対する顧客管理について

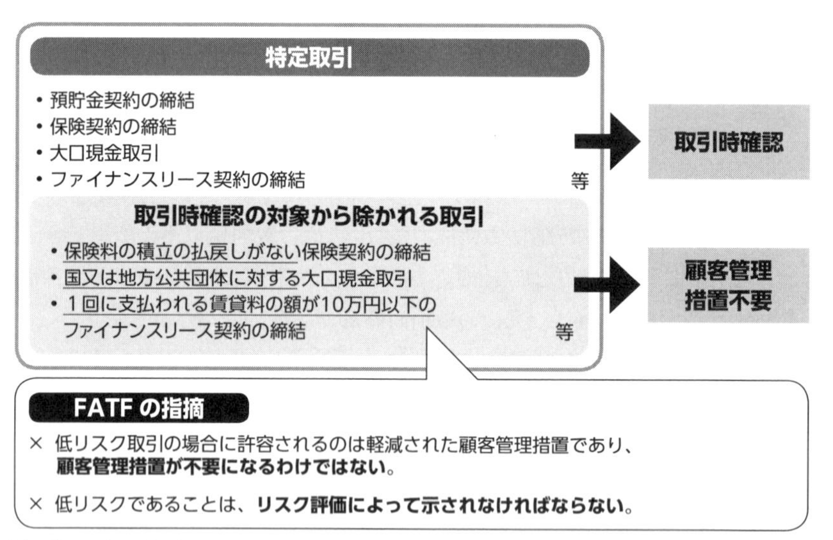

（出所）平成25年「懇談会」第３回配付資料19-3

平成26年懇談会報告書では、「このFATF指摘に対応するためには、まず、国としてしっかりとしたリスク評価を行うとともに、その結果についてFATFに対して十分な説明を行うことが必要である。また、リスク評価の結果を踏まえて、マネー・ローンダリングに利用されるおそれの有無、程度に応じ、引き続き取引時確認を不要とするか、一定の取引時確認を行うこととするかの整理を行う必要がある。」とされました。

平成28（2016）年10月施行の改正後の犯収法により、国による取引のリスク評価は、犯罪収益移転危険度調査書により行うこととされました（法3条3項）。平成29（2017）年11月30日に公表された第3回目の犯罪収益移転危険度調査書においては、マネー・ローンダリングの危険性（リスク）を低下させる要因としては以下の①～⑧が考えられるとしています。

① 資金の原資が明らかな取引
② 国又は地方公共団体を顧客等とする取引
③ 法令等により顧客等が限定されている取引
④ 取引の過程において、法令により国等の監督が行われている取引
⑤ 会社等の事業実態を仮装することが困難な取引
⑥ 蓄財性がない又は低い取引
⑦ 取引金額が規制の敷居値を下回る取引
⑧ 顧客等の本人性を確認する手段が法令等により担保されている取引

そして、「犯罪による収益の移転に利用されるおそれがない取引」（旧規則4条）の各取引について以下のとおり、上記①～⑧のいずれか又は複数に該当し、いずれもマネー・ローンダリングに利用される危険度（リスク）は低いと評価をしています。

もっとも、いずれの取引も「本質的にリスクが低い」との評価をしていませんので、簡素化された顧客管理措置として、題名を「犯罪による収益の移転に利用されるおそれがない取引」（旧規則4条）から「簡素な顧客管理を行うことが許容される取引」（規則4条）に改めました。

（1）金銭信託における特定の取引（規則4条1項1号）

イ：金融商品取引業者等との顧客分別金信託等、ロ及びニ：金融商品取引業者等との商品顧客区分管理信託等、ハ：金融商品取引業者等との顧客区分管理信託等、ホ：前払式支払手段発行者との発行保証

金信託等、ヘ：資金移動業者との履行保証金信託等、ト：商品先物取引業者との預かり資産保全のための信託等

⇒　危険度を低下させる要因を有する取引①、③、④及び⑧に該当することから、その危険度は低いと認められる。

(2)　保険契約の締結等（規則４条１項２号）

イ：満期保険金等の支払いがない保険契約

ロ：払戻総額が保険料払込総額の８割未満の保険契約

⇒　危険度を低下させる要因を有する取引⑥に該当することから、その危険度は低いと認められる。

(3)　満期保険金等の支払い（規則４条１項３号）

イ　満期保険金等の支払い（払戻総額が保険料払込総額の８割未満の保険の満期保険金等の支払い）

ロ　適格退職年金契約、団体扱い保険等の満期保険金等の支払い

⇒　危険度を低下させる要因を有する取引①、③、④及び⑧に該当することから、その危険度は低いと認められる。

(4)　有価証券市場（取引所）等において行われる取引（規則４条１項４号）

⇒　危険度を低下させる要因を有する取引③及び⑧に該当することから、その危険度は低いと認められる。

(5)　日本銀行において振替決済される国債取引等（規則４条１項５号）

⇒　危険度を低下させる要因を有する取引③及び⑧に該当することから、その危険度は低いと認められる。

(6)　金銭貸付け等における特定の取引（規則４条１項６号）

イ　日本銀行において振替決済がなされる金銭貸借

規則４条１項６号イに定める日本銀行において振替決済がなされる金銭貸借

⇒　危険度を低下させる要因を有する取引③及び⑧に該当することから、その危険度は低いと認められる。

ロ　保険料の積立の払戻しがない年金、保険契約等に基づく貸付等

規則４条１項６号ロに定める払戻総額が保険料支払総額の８割未

満の保険契約等に基づく貸付契約

⇒ 危険度を低下させる要因を有する取引①、③、④及び⑥に該当することから、その危険度は低いと認められる。

ハ 個別クレジット

⇒ 危険度を低下させる要因を有する取引⑧に該当することから、その危険度は低いと認められる。

(7) 現金取引等における特定の取引（規則4条1項7号）

イ 取引の金額が200万円を超える無記名の公社債の本券又は利札を担保に提供する取引

⇒ 危険度を低下させる要因を有する取引①及び⑧に該当することから、その危険度は低いと認められる。

ロ 国又は地方公共団体への金品の納付又は納入

⇒ 危険度を低下させる要因を有する取引⑧に該当することから、その危険度は低いと認められる。

ハ 預貯金の受払いを目的とした為替取引等（200万円以下に限る）

⇒ 危険度を低下させる要因を有する取引⑦及び⑧に該当することから、その危険度は低いと認められる。

ニ 取引時確認等に準じた確認等がなされた商品代金等の現金による受払いをする取引のうち為替取引を伴うもの（200万円以下に限る）

⇒ 危険度を低下させる要因を有する取引⑦及び⑧に該当することから、その危険度は低いと認められる。

※ 平成28（2016）年10月に施行された改正により以下の取引が追加されました。

電気、ガス、水道水の公共料金（一般電気事業者、特定電気事業者、特定規模電気事業者、一般ガス事業者、簡易ガス事業者、ガス導管事業者、大口ガス事業者、水道事業者、工業用水道事業者に対して支払われるものに限る）

入学金、授業料その他これらに類するものの支払いに係るもの（小学校、中学校、義務教育学校、高等学校、中等教育学校、特

別支援学校、大学、高等専門学校、専修学校等に対するもの）

(8) 社債、株式等の振替に関する法律に基づく特定の口座開設（規則４条１項８号）

⇒　危険度を低下させる要因を有する取引③及び⑧に該当することから、その危険度は低いと認められる。

(9) スイフト（SWIFT）を通して行われる取引（規則４条１項９号）

⇒　危険度を低下させる要因を有する取引③及び⑧に該当することから、その危険度は低いと認められる。

(10) 賃貸人が１回に受け取る賃貸料の額が10万円以下のファイナンスリース契約における特定の取引（規則４条１項10号）

⇒　危険度を低下させる要因を有する取引⑦に該当することから、その危険度は低いと認められる。

(11) 200万円を超える現金以外の支払方法による貴金属等の売買（規則４条１項11号）

⇒　危険度を低下させる要因を有する取引⑧に該当することから、その危険度は低いと認められる。

(12) 電話受付代行業者との特定の契約（規則４条１項12号）

イ：電話受付代行業であることを第三者に明示する旨が契約に含まれる電話受付代行業の役務提供契約

ロ：コールセンター業務等の契約

⇒　危険度を低下させる要因を有する取引⑤に該当することから、その危険度は低いと認められる。

(13) 国等を顧客とする取引等（規則４条１項13号）

イ　国等が法令上の権限に基づき行う取引

⇒　危険度を低下させる要因を有する取引①、②、③、④及び⑧に該当することから、その危険度は低いと認められる。

ロ　破産管財人等が法令上の権限に基づき行う取引

⇒　危険度を低下させる要因を有する取引①、③、④及び⑧に該当することから、その危険度は低いと認められる。

(14) 司法書士等の受任行為の代理等における特定の取引（規則4条3項）

イ　任意後見契約の締結

⇒　危険度を低下させる要因を有する取引④及び⑧に該当することから、その危険度は低いと認められる。

ロ　国等が法令上の権限に基づき行う取引等

⇒　危険度を低下させる要因を有する取引①、④及び⑧並びに②又は③に該当することから、その危険度は低いと認められる。

(2) 平成28（2016）年10月施行の改正後の犯収法における取扱い

平成28（2016）年10月施行の改正後の犯収法においては、「簡素な顧客管理を行うことが許容される取引」（規則4条）に題名が改められましたが、疑わしい取引の届出の対象となるなど一定の顧客管理の対象ではあるものの、新たに取引時確認の対象となる「顧客管理を行う上で特別の注意を要する取引」（令7条1項、規則5条各号）（前記5（1）参照）に該当しない限り、その取扱いは従前の「犯罪による収益の移転に利用されるおそれがない取引」と異なるものではありません。

(3) 公共料金・入学金等を現金納付する際の取引時確認の簡素化

ア　平成28（2016）年10月施行の犯収法の改正による取引の追加

新法においては、10万円を超える公共料金・入学金等を現金納付する場合が新たに「簡素な顧客管理を行うことが許容される取引」として追加されました（規則4条1項7号ハ・ニ）。

○図表3-12：現金納付取引の取扱い

<table>
<tr><th></th><th>税金等の国・地方公共団体への現金納付</th><th>公共料金・入学金等の現金納付</th><th>その他の取引</th></tr>
<tr><td rowspan="2">取引時確認、確認記録の作成・保存（法４条・６条）</td><td>不要
（新規則４条１項７号ロ）</td><td>不要とする
（新規則４条１項７号ハ・ニ）</td><td>10万円を超える場合は必要</td></tr>
<tr><td colspan="3">10万円以下の場合は不要（新令７条１項１号タ）</td></tr>
<tr><td rowspan="2">取引記録の作成・保存（法７条）</td><td colspan="3">１万円を超える場合は必要</td></tr>
<tr><td colspan="3">１万円以下の場合は不要（新令15条１項２号）</td></tr>
</table>

（出所）警察庁作成資料より作成

イ　犯罪収益移転危険度調査書における評価

平成29（2017）年11月30日に公表された犯罪収益移転危険度調査書においては、国等への納付・納入と同様、電気、ガス及び水道の使用料金の支払い並びに大学等の入学金等の支払いは、(i) 電気等が供給される場所に居住する者についての情報は、それらを供給する事業者によって契約締結時に把握されることが一般的である、(ii) 大学等への入学に関しては、学生の実在性が担保されている等として、資金に関する一定の事後追跡が可能であり、危険度を低下させる要因を有する取引⑧（顧客等の本人性を確認する手段が法令等により担保されている取引）に該当することから危険度が低いと認められるとしています。

また、これらの支払いは、使用量等に応じて料金が決定され、その支払いにより資産形成が図られるものでもないので、危険度を低下させる要因を有する取引⑥（蓄財性がない又は低い取引）にも該当すると認められるとしています。

ウ　10万円超の公共料金の現金納付

改正により、電気、ガス、水道水の公共料金（一般電気事業者、特定電気事業者、特定規模電気事業者、一般ガス事業者、簡易ガス事業者、ガス導管事業者、大口ガス事業者、水道事業者、工業用水道事業者に対して支払われるものに限る）の金融機関を通じた10万円超の現金納付が、取引時確認が必要な特定取引から除外され、「簡素な顧客管理を行うことが許容される取引」の扱いとなります。

これに対して、「NHKの受信料」や「固定電話の電話料金」は同様の扱いは受けず、10万円超の現金納付の場合、特定取引に該当し取引時確認が必要となります（令7条1項1号ツ）。

電気、ガス、水道はいずれも電線、ガス管、水道管が役務提供先に接続し、公益事業者が場所を定めて居住実態や事業実態に即して供給しているものです。一方で、NHKは、役務提供先に接続する設備を有さず、また、固定電話については転送が可能であるなど、これらは必ずしも場所を定めて居住実態や事業実態に即して供給されているものではありません。このため、本改正により、「NHKの受信料」や「固定電話の電話料金」については、簡素化措置の対象となる取引に追加することとはしていません。

エ　10万円超の入学金等の現金納付

平成28（2016）年10月施行の犯収法の改正により、小学校、中学校、義務教育学校、高等学校、中等教育学校、特別支援学校、大学、高等専門学校、専修学校等に対する入学金、授業料その他これらに類するものについて、金融機関を通じた10万円超の現金納付をする場合は、取引時確認が必要な特定取引から除外され、「簡素な顧客管理を行うことが許容される取引」の扱いとなりました（規則4条1項7号ニ）。

幼稚園、専修学校、各種学校、海外の学校の入学金や授業料等の10万円超の現金納付は、簡素な顧客管理措置が認められません。

「入学金、授業料その他これらに類するもの」の「その他これらに類するもの」とは、施設設備費、実験実習費、図書費、学生互助会等の各種諸会費、各種保険料、寄付金及び協賛金等、その費目にかかわらず、学校教育法1条に規定する小学校、中学校、義務教育学校、高等学校、中等教育学校、特別支援学校、大学又は高等専門学校、専修学校等に対して支払われるものであって、入学金、授業料と同時に支払われるものが挙げられます。このため、入学金、授業料と同時に支払われないものについては簡素な顧客管理は認められません。

（4）明らかに簡素な顧客管理を行うことが許容される取引に分割した取引

特定事業者が同一の顧客等との間で二以上の以下に掲げる取引を同時に又は連続して行う場合において、当該二以上の取引が１回当たりの取引の金額を減少させるために一の当該各号に掲げる取引を分割したものの全部又は一部であることが一見して明らかであるものであるときは、当該二以上の取引を一の取引とみなして、適用されます（規則４条２項）。

① 現金の受払いをする取引で為替取引又は自己宛小切手の振出しを伴うもののうち、顧客等の預金又は貯金の受入れ又は払戻しのために行うもの
② 現金の受払いをする取引で為替取引を伴うもののうち、商品もしくは権利の代金又は役務の対価の支払のために行われるものであって、当該支払を受ける者より、当該支払を行う顧客等又はその代表者等の、特定金融機関の例に準じた取引時確認並びに確認記録の作成及び保存に相当する措置が行われているもの
③ ファイナンスリース契約（１回に受けるリース料の額が10万円以下の取引）

これは、規則４条２項各号の取引であっても、敷居値以下に分割された取引であれば「明らかに敷居値以下に分割された取引」（規則５条２号）（前記５（2）参照）と同様に、取引時確認の実施が必要となることを規定したものです。

上記①は、「簡素な顧客管理措置が許容される取引」の１つである「預貯金の受払いを目的とした為替取引等」（規則４条１項７号ホ）が適用されるのは、200万円以下に限られるところ、300万円の預貯金の受払いを目的とした現金送金を行う際に取引時確認を避けるために、150万円ずつに分割して現金送金をする場合が該当すると考えられます。

上記②は、「簡素な顧客管理措置が許容される取引」の１つである「取引時確認等に準じた確認等がなされた商品代金等の現金による受払いをする取引のう

ち為替取引を伴うもの」（規則４条１項７号へ）が適用されるのは、200万円以下の場合に限られるところ、金融機関において300万円の現金送金をする際に取引時確認を避けるため、150万円ずつに分割して現金送金をする場合が該当すると考えられます。

上記③は、ファイナンスリース契約について、「簡素な顧客管理措置が許容される取引」に該当するのは、「賃貸人が１回に受け取る賃貸料の額が10万円以下のファイナンスリース契約における特定の取引」（規則４条１項10号）に限られるところ、取引時確認を避けるべくリース料を簡素な顧客管理が許容される10万円以下に分割する場合がこれに該当すると考えられます。

(5) 判決等による保険金の支払いの場合の留意点

保険会社と顧客（保険契約者や保険金受取人）との間で、保険金や解約返戻金の支払いに関して裁判で争われている場合に、判決や裁判上の和解が成立した場合、顧客の訴訟代理人である弁護士の預金口座に対して支払われるのが通常です。

保険金の支払いについては、犯罪による収益の移転に非効率的である貯蓄性の低いもの等は簡素な顧客管理を認めることとしていますが、裁判所の判決等に基づく支払いであっても、保険金そのものは、犯罪による収益の移転に利用されるおそれがあるため、簡素な顧客管理を認めることとはしていません。

保険契約者については取引時確認済であっても、保険契約者と保険金受取人が異なる場合は、保険金受取人の取引時確認が必要となります。また、訴訟代理人である弁護士は、代理人として保険金の支払いを受けるので、その本人特定事項の確認が必要となります。

「顧客等のために特定取引等の任に当たっていると認められる事由」（代理権）については、訴訟委任状により認められると考えられます。

(6) 「簡素な顧客管理（SDD）」と「簡素な顧客管理を行うことが許容される取引」の相違

平成28（2016）年10月施行の改正後の犯収法により、「犯罪による収益の移転に利用されるおそれがない取引」が「簡素な顧客管理を行うことが許容される取引」に改められることにより、低リスク取引について「簡易な顧客管理措置」を講ずることを求めるFATF勧告の要請を満たすことになりました。

第４次FATF勧告の解釈ノートでは、一定の能力を有すると評価された事業者については、顧客・取引のリスクの高低を法令で限定せず、特定事業者等の適切なリスク評価によって個別に判断させ、それに応じた顧客管理措置等を講ずることとしています。

平成28（2016）年10月施行の改正後の犯収法においては、通常の特定取引について、「簡素な顧客管理を行うことが許容される取引」とすることは認められていませんので、一定の能力のある特定事業者であっても通常の特定取引を「簡素な顧客管理を行うことが許容される取引」として扱うことはできません。

マネロン・テロ資金供与対策ガイドラインにおいては、マネロン・テロ資金供与リスクが低いと判断した顧客については、当該リスクの特性を踏まえながら、当該顧客が行う取引のモニタリングに係る敷居値を上げたり、顧客情報の調査範囲・手法・更新頻度等を異にしたりするなどのリスクに応じた簡素な顧客管理（SDD）を行うなど、円滑な取引の実行に配慮することとされています（同ガイドラインⅡ-2（3）（ii）⑨）。

簡素な顧客管理（SDD）は、犯収法上の「簡素な顧客管理」とは異なる概念です。SDDは、主として顧客情報の更新の場面を問題にしているものであり、継続的な顧客管理を行う上での実態把握やリスク評価の見直しの際に行う措置を意味しています。犯収法上の「簡素な顧客管理」のように、取引時確認等の場面に適用されるものではありません。（FAQ.P56 Q2）

	簡素な顧客管理（SDD）	簡素な顧客管理を行うことが許容される取引
根拠	マネロン・テロ資金供与対策ガイドラインⅡ−2（3）（ii）顧客管理（カスタマー・デュー・ディリジェンス：CDD）【対応が求められる事項】⑨	犯収法施行令第7条第1項柱書及び犯収法施行規則第4条第1項柱書
適用場面	主として顧客情報の更新の場面	取引時確認の場面
措置	継続的な顧客管理を行う上での実態把握やリスク評価の見直しの際に行う措置	取引時確認が「顧客管理を行う上で特別の管理を要する取引」（疑わしい取引・種の取引の態様と著しく異なる態様で行われる取引）に該当しない限り不要となる。

<table>
<tr>
<td>該当する場合</td>
<td>・なりすましや不正利用等のリスクが低いことが過去のデータを踏まえ合理的に説明できる顧客や口座(日々の生活に不可欠な口座(給与振込口座、住宅ローンの返済口座、公共料金等の振替口座その他営業に供していない口座)
・国や地方公共団体、又は国や地方公共団体が主体的に管理する公共性を有する団体(法律上の根拠に基づき設立・資金の運用が実施されている団体等)</td>
<td>・受益者に返還する財産を管理すること等を目的とする金銭信託
・満期保険金が保険料の8割未満の保険契約の締結
・有価証券市場(取引所)で行われる取引
・日本銀行において振替決済される国債取引
・日本銀行において振替決済がなされる金銭貸借
・払戻総額が払込総額より少ない保険契約に基づく貸付け
・個別クレジット
・無記名公社債を担保に提供する取引
・国・地方公共団体への金品の納付・納入
・公共料金の支払
・入学金・授業料等の支払
・預貯金の受け払いを目的とした為替取引
・取引時確認等に準じた確認等がなされた商品代金等の現金による受払い
・振替法に基づく特定口座の開設
・スイフトを介して行われる取引
・ファイナンスリース契約における特定取引
・現金以外の支払方法による貴金属等の売買
・電話受付代行における特定取引
・国等を顧客とする取引等
・・司法書士等の受任行為の代理等における特定取引</td>
</tr>
</table>

7. 本人特定事項の確認

(1) 本人特定事項

自然人については、氏名、住居、生年月日、法人(上場法人や外国上場法人を除く)については、名称及び本店又は主たる事務所の所在地が本人特定事項に該当し(法4条1項1号)、本人特定事項を本人確認書類で確認する必要があります。

法人であっても、上場法人や外国上場法人等については、本人特定事項を本人確認書類で確認することは不要です。また、人格のない社団・財団についても本人特定事項の確認は不要です。

上記に加えて、自然人の代理人（法定代理人・任意代理人）、法人、人格のない社団・財団、国等（上場会社や外国上場会社等を含む）の取引担当者（犯収法上は、これらの者を「代表者等」という）の本人特定事項とともに「代表者等が顧客等のために特定取引等の任に当たっていると認められる事由」についても確認をする必要があります（法4条4項）。本人特定事項の確認方法は、自然人の本人特定事項の確認方法と同じです。

(2) 本人確認書類と本人特定事項の確認方法

ア　自然人の本人確認書類・本人特定事項の確認方法

自然人の本人特定事項の確認方法は、本人確認書類の種類ごとに次のとおりです。対面の場合と非対面の場合で確認方法が異なります。対面取引は金融機関の職員と顔を合わせて取引が行われるのに対して、郵送やインターネット等の非対面取引による本人特定事項の確認は、面前で顧客の確認ができないことから、相対的に本人特定を偽ることが容易だと考えられます。このような趣旨から、非対面取引の場合にはより厳格な対応（二次的確認措置）が必要だとされています（図表3-14）。

平成28（2016）年10月施行の犯収法の改正前は、顔写真のない本人確認書類（B群）（健康保険被保険者証等）については、対面の場合、顔写真付きの本人確認書類（A群）と同様に、本人確認書類（原本）の提示のみで本人特定事項の確認が終了していました。

平成28（2016）年10月施行の犯収法の改正後は、本人確認書類の提示に加えて、(i) 他の本人確認書類又は公共料金の領収書等の提示、(ii) 他の本人確認書類又は公共料金の領収書等の送付、(iii) 取引関係文書を転送不要郵便等による送付のいずれかという二次的確認が必要となりました（詳細については下記（3）参照）。

なお、有効期限のある公的証明書については、事業者が提示又は送付を受ける日において有効なものである必要があります。また、有効期限のない公的証明書については、原則として、事業者が提示又は送付を受ける日の前6か月以内に作成されたものに限られます。

○図表3-13：本人特定事項確認の方法（自然人の場合）

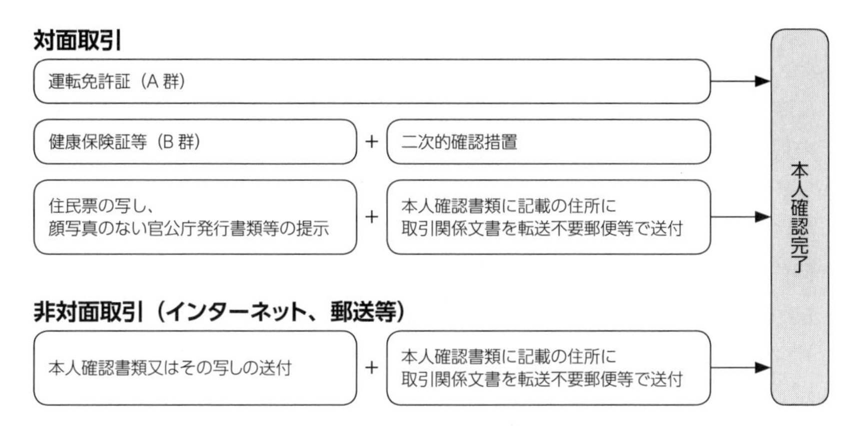

○図表3-14：自然人の本人確認書類及び本人特定事項の確認方法

対面取引	
本人確認書類	確認方法
（A群） 運転免許証・運転経歴証明書 在留カード、特別永住者証明書 個人番号カード、旅券等の顔写真付本人確認書類	本人確認書類の提示（規則6条1項1号イ）
（B群） 健康保険被保険者証、国民年金手帳、申込時に使用した印鑑登録証明書等	本人確認書類の提示に加えて、下記の①~③のいずれかの方法 ①取引関係書類を転送不要郵便等により送付するか（規則6条1項1号ロ） ②他の本人確認書類又は補完書類の提示を受けるか（規則6条1項1号ハ） ③他の本人確認書類又は補完書類の送付を受ける必要がある（規則6条1項1号二）
（C群） 戸籍謄本、住民票の写し、申込時に使用していない印鑑登録証明書等	本人確認書類の提示に加えて、取引関係書類の転送不要郵便等による送付（規則6条1項1号ロ）

非対面取引	
上記いずれかの本人確認書類の原本又は写し	本人確認書類の原本又は写しの送付に加えて、取引関係書類の転送不要郵便等による送付（規則６条１項１号チ）

「本邦内に住居を有しない短期在留者（観光客等）であって、旅券等の記載によって当該外国人の属する国における住居を確認することができないもの」については、外貨両替、宝石・貴金属等の売買（宝石・貴金属等の引渡しと同時にその代金の全額を受領するものに限る）等については、氏名、生年月日に加え、国籍、番号の記載のある旅券、乗員手帳の提示を受ける方法により取引可能です（法４条１項１号、規則８条１項１号）。「本邦内に住居を有している」か否かは、上陸許可の認印等によりその在留期間が90日を超えるか否かにより判断します。

また、本邦に在留しない外国人については、上記のほか、日本国政府の承認した外国政府又は国際機関の発行した書類等であって、本人特定事項の記載があるものも本人確認書類に該当します。

イ　法人の本人確認書類・確認方法

法人の本人特定事項の確認方法においては、以下のとおり、代表者等（犯収法では取引担当者のことを「代表者等」といいます）の本人特定事項の確認（自然人の本人特定事項における本人確認書類・確認方法と同じ）及び「代表者等が顧客等のために特定取引等の任に当たっていると認められる事由」（いわゆる取引担当者の代理権）も必要となります（代理権の確認については別途説明いたします）。また、対面の場合と非対面の場合で確認方法が異なります。法人に関しては、平成28（2016）年10月施行の犯収法の改正前後で確認方法の変更はありません（図表3-15）。

なお、有効期限のある公的証明書については、事業者が提示又は送付を受ける日において有効なものである必要があります。また、有効期限のない公的証明書については、原則として、事業者が提示又は送付を受ける日の前６か月以内に作成されたものに限られます。

○図表3-15：本人確認の方法（法人の場合）

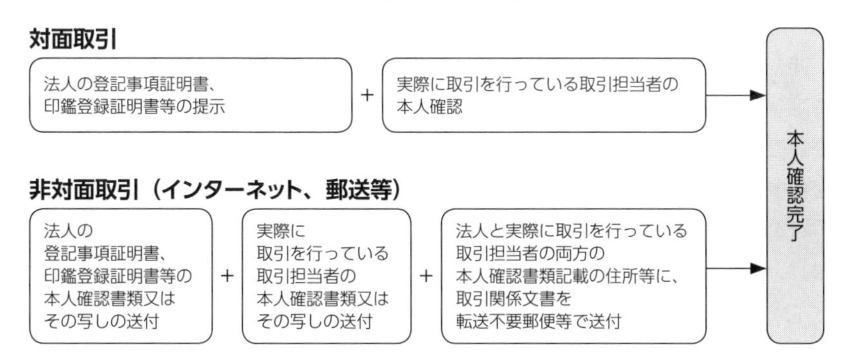

○図表3-16：法人の本人確認書類及び本人特定事項の確認方法

対面取引
① 法人の登記事項証明書又は印鑑登録証明書の提示を受ける（規則6条1項3号イ） ② 取引担当者の本人確認書類の提示等（方法は、個人顧客の対面取引と同じ）を受ける（規則12条1項）
非対面取引
① 法人の登記事項証明書又は印鑑登録証明書の原本又は写しの送付を受けると共に、法人の本店又は主たる事務所に宛てて取引関係書類を転送不要郵便等で送付する（規則6条1項3号ロ） ② 取引担当者の本人確認書類の原本又は写しの送付を受けると共に、取引担当者の住居に宛てて取引関係書類を転送不要郵便等で送付する（規則12条1項）

※法人顧客との取引については、代理権の確認（顧客等のために特定取引等の任に当たっていると認められる）が別途必要（規則12条4項）となる。

外国に本店又は主たる事務所を有する法人については、上記のほか、日本国政府の承認した外国政府又は国際機関の発行した書類であって、本人特定事項の記載があるものも本人確認書類に該当します（規則7条4号）。

ウ　本人限定受取郵便・受取人確認サポートによる本人特定事項の確認

非対面取引において、個人顧客（法人の取引担当者も同じ。）に関する本人特定事項の確認方法としては、郵便配達人や運送会社の担当者が、銀行等から委託を受けて、取引関係文書を顧客本人に限定して送付し、それを顧客本人に交付する際に、顧客本人から本人確認書類の提示を受け、確認した事項を当該銀行等に伝達するという方法が認められています（規則６条１項１号リ、12条１項）。

インターネットバンキングを中心に行う楽天銀行においては、かかる本人特定事項の確認方法を採用しています[1)]。

同行が採用している「受取人確認サポート」においては、配達時、送り状に記載されている荷受人本人の名前と住所を本人確認書類（運転免許証など）で確認し、公的証書の生年月日を端末機に入力して配達するサービスです。佐川急便の担当者が送り状の荷受人本人の名前とご住所が公的証書と一致しているかの確認を行うため、配送時、配達人に本人確認書類を提示することとされています。

また、同行が採用している「本人限定受取郵便（特定事項伝達型）」においては、日本郵便株式会社の配達郵便局より到着通知書が届き、自宅への配達・郵便窓口での受取りを選択することされています。自宅への配達の場合は、郵便配達員が本人確認書類の記号番号等を記録し、郵便窓口で受け取る場合は、承諾があればコピーを取ることとされています。

これらの方法は、顧客が本人確認書類を送付することを省略することができることや、転送不要郵便等による送付を省略することができますが、口座開設の完了が郵便配達人や運送会社の担当者による本人確認まで終了しないという問題点があります。また、本人特定事項の確認の委託手数料も銀行等にとってコストとなります。

1）　楽天銀行「受取人確認サポートまたは本人限定受取郵便（特定事項伝達型）について」（https://www.rakuten-bank.co.jp/guide/account/identification/postal.html）

エ　オンラインで完結する本人特定事項の確認（eKYC）

（ア）制度導入の背景

銀行等の金融機関は、預金口座の開設、資金の貸付け、送金（為替取引）に関する基本契約をするためには、犯収法に基づく取引時確認をする必要があります。

非対面取引では、本人確認書類の写しの送付は、スマートフォンのカメラによる本人確認書類の撮影及びアプリ等の電磁的方法を介した方法により行うことができるが、顧客の住居に宛てて転送不要郵便で取引関係文書の送付を要するので、オンラインで取引が完結しないという問題があります。諸外国のようなオンラインで完結する汎用的な本人確認方法が存在しないため、とりわけ、FinTechビジネスには支障をきたしていました。

そこで、犯収法施行規則の改正により、平成30（2018）年11月より、オンラインで完結する本人確認方法が認められることになりました。

以下では、金融庁が令和3（2021）年5月28日に公表（同年6月24日更新）した「犯罪収益移転防止法におけるオンラインで完結可能な本人確認方法に関する金融機関向けQ&A」を「FAQ」といいます。

(イ) オンラインで完結可能な本人確認方法

①　個人顧客向け

類型		方法	該当条項(注)
個人顧客向け	本人確認書類を用いた方法	「写真付き本人確認書類の画像」+「容貌の画像」を用いた方法	1号ホ
		「写真付き本人確認書類のICチップ情報」+「容貌の画像」を用いた方法	1号ヘ
		「本人確認書類の画像又はICチップ情報」+「銀行等への顧客情報の照会」を用いた方法	1号ト(1)
		「本人確認書類の画像又はICチップ情報」+「顧客名義口座への振込み」を用いた方法	1号ト(2)
	電子証明書を用いた方法	「公的個人認証サービスの署名用電子証明書(マイナンバーカードに記録された署名用電子証明書)」を用いた方法	1号ワ
		「民間事業者発行の電子証明書」を用いた方法	1号ヲ・カ
法人顧客向け		「登記情報提供サービスの登記情報」を用いた方法	3号ロ
		「電子認証登記所発行の電子証明書」を用いた方法	3号ホ

(出所) 金融庁「犯罪収益移転防止法におけるオンラインで完結可能な本人確認方法の概要」

(i)　本人確認書類を用いた方法

- 「写真付き本人確認書類の画像」+「容貌の画像」を用いた方法(規則6条1項1号ホ)
- 「写真付き本人確認書類のICチップ情報」+「容貌の画像」を用いた方法(規則6条1項1号ヘ)
- 「本人確認書類の画像又はICチップ情報」+「銀行等への顧客情報の照会」を用いた方法(規則6条1項1号ト(1))
- 「本人確認書類の画像又はICチップ情報」+「顧客名義口座への振込み」を用いた方法(規則6条1項1号ト(2))

(ii)　電子証明書を用いた方法

- 「公的個人認証サービスの署名用電子証明書(マイナンバーカードに記録された署名用電子証明書)」を用いた方法(規則6条1項1号ワ)
- 「民間事業者発行の電子証明書」を用いた方法(規則6条1項1号ヲ・カ)

② **法人顧客向け**

- 「登記情報提供サービスの登記情報」を用いた方法（規則6条1項3号ロ）
- 「電子認証登記所発行の電子証明書」を用いた方法（規則6条1項3号ホ）

(ウ)「写真付き本人確認書類の画像」＋「容貌の画像」を用いた方法（規則6条1項1号ホ）

［例］

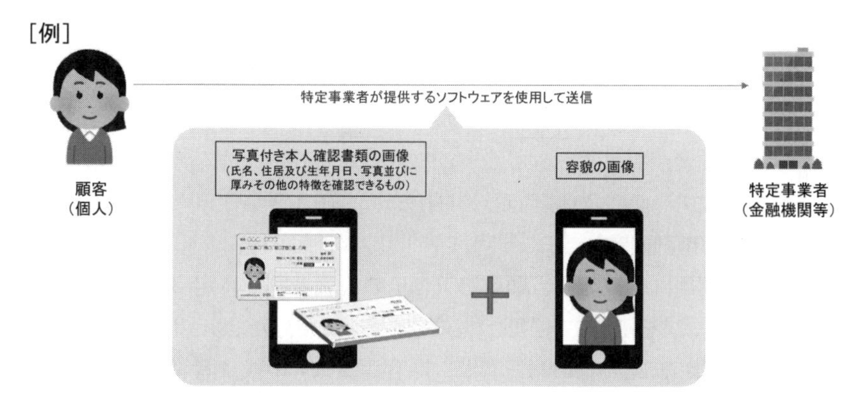

（出所）金融庁「犯罪収益移転防止法におけるオンラインで完結可能な本人確認方法の概要」

① **概要**

顧客から、特定事業者が提供するソフトウェアを使用して、当該ソフトウェアにより撮影された「写真付き本人確認書類の画像」（氏名、住居、生年月日及び写真並びに本人確認書類の「厚みその他の特徴」を確認できるもの）及び顧客の「容貌の画像」の送信を受ける方法です。

「厚みその他の特徴」とは、本人確認書類の外形、構造、機能等の特徴から本人確認書類の真正性の確認に資する部分をいいます。

② **特定事業者が提供するソフトウェア**

- 当該ソフトウェアの性能等は、例えば、他人へのなりすまし等の防止が特定事業者に求められるのは当然であるところ、画像が加工されないことを確実に担保するため、ソフトウェアは画像の加工機能がないものでなければなりません（FAQ-10）。

- 「特定事業者が提供するソフトウェア」には、スマートフォン向けのアプリケーションも含まれます。当該ソフトウェアを使用する端末については、特定事業者が提供する専用端末、一般人が所有している携帯端末又はパーソナルコンピュータのいずれも認められます（FAQ-12）。
- また、第三者が開発し特定事業者に提供したソフトウェアや特定事業者と他の特定事業者とで共用されているソフトウェアも含まれます（FAQ-13）。
- ウェブアプリケーション、クラウドアプリケーション等であっても、また、第三者が開発した既存アプリでも、本人確認用画像情報の撮影及び送信が特定事業者の提供するソフトウェアによって行われているのであればよいです（FAQ-14・15）。
- 特定事業者が提供するソフトウェアを使用して撮影及び送信が行われる必要があるところ、FAXの利用は認められません（FAQ-16）。

③　本人確認用画像情報

- 本人確認用画像情報は、顧客等又はその代表者等が特定事業者の提供するソフトウェアを使用して撮影したものに限られます。ただし、取引に実質的な影響を与えることのない第三者が、顧客等又はその代表者等の指示の下、単にスマートフォン等の撮影ボタンを押すだけの場合等は、顧客等又はその代表者等自身が撮影をしたものと評価できると考えられます（FAQ-19）。
- 本人確認用画像情報は、本人特定事項の確認に必要な情報が十分に判別できないものや、本人確認書類の真正性の判別が困難なものは認められません。例えば、容貌や本人確認書類の撮影内容が十分に判別できないような小さなものは認められません（FAQ-19・22）。
- 白黒画像はカラー画像に比べて本人特定事項の確認のために得られる情報量が少なく、本人特定事項の確認に支障が生じることから、認められません。また、解像度についても、本人特定事項の確認に支障が生じる場合は認められません（FAQ-21）。ただし、確認記録に添付する本人確認用画像情報は、事後的に取引時確認の適切性を確認できる程度の画像であることが確保されれば、白黒でも保存可能です（FAQ-23）。
- 本人確認用画像情報は、静止画に限らず動画も認められます（ただし録画フィルムは認められません。）（FAQ-24）。

- 本人確認のための専用ソフトウェアで撮影し、加工不可能なことが担保された画像であっても、事前に撮影した画像を送信することとしては認められません（FAQ-26・61）。
- 事前に撮影された画像でないことの確認の具体的な方法としては、例えば、本人特定事項の確認時にランダムな数字等を顧客等に示し、一定時間内に顧客等に当該数字等を記した紙と一緒に容貌や本人確認書類を撮影させて直ちに送信を受けることなどが考えられます。IDセルフィーについては、容貌と本人確認書類を一緒に撮影させることは認められます（FAQ-61）。
- 特定事業者は、送信を受ける画像が当該特定事業者の提供するソフトウェアを使用して撮影をさせたものであることを担保するため、撮影させた画像を加工可能な状態に置くことなく送信させることが求められ、撮影後「直ちに」送信させることが求められます（FAQ-27）。

④ 顧客の容貌の画像情報

- 「当該顧客等の容貌」を撮影するソフトウェアと、「写真付き本人確認書類の画像」を撮影するソフトウェアは同じものを想定しています（FAQ-28）。
- 顧客等の容貌の画像情報は、他人や架空の人物へのなりすましによる不正を防止し、的確な本人特定事項の確認を行うため、容貌に係る本人確認用画像情報を必要としており、写真付き本人確認書類の写真と同等の上半身又は首から上の顔の画像であれば足ります（FAQ-31）。

⑤ 本人確認書類の撮影方法（厚みその他の特徴等）

▷ 「厚みその他の特徴」は外形、構造、機能等の特徴から本人確認書類の真正性の確認を行うものです（FAQ-33）。

▷ 本人確認書類の券面と厚みは必ずしも同時に撮影する必要はありません。特徴として厚みを確認することができる部分を撮影させる場合、本人確認書類を斜めに傾けて、当該本人確認書類の記載の全部又は一部が写るようにして撮影させる必要がありますが、当該撮影に加え、本人確認書類の券面の画像のみを別途撮影させることも認められます（FAQ-34）。

▷ **令和2（2020）年2月3日以前の申請により発行された日本国旅券**の特徴として厚みを確認することができる部分を撮影させる場合は、「顔写真のページ」又は「所持人記入欄のページ」いずれか一方のページを斜めに傾けて、当該ページの記載の全部又は一部が写るようにして撮影させるなど、当該旅券の厚みであることが分かるようにする必要があります。**令和2（2020）年2月4日以降の申請により発行された日本国旅券**については、所持人記入欄がないため、旅券のほかに住居の記載がある他の本人確認書類等の送付等を受ける必要があります。当該旅券の特徴として厚みを確認することができる部分を撮影させる場合には、「顔写真のページ」を斜めに傾けて、当該ページの記載の全部又は一部が写るようにして撮影させるなど、当該旅券の厚みであることが分かるようにする必要があります（FAQ-36）。

▷　「その他の特徴」としては、例えば、カード型又は冊子型いずれの本人確認書類についても、それが光を当てた場合にのみ表面に模様等が浮かび上がる本人確認書類であれば該当します（FAQ-38）。

▷　免許証等については、裏面に変更後の住居が記載されることから、当該記載の有無及び記載がある場合は変更後の住居を確認するため、裏面の撮影も必要となります（FAQ-39）。

▷　これに対して、例えばマイナンバーカードに個人番号が記載されている裏面や、旅券の空白頁など、取得することが必ずしも適当ではない画像や、必ずしも取得する必要がない画像があり、本人確認書類の類型ごとに要求する画像を変更することに問題はありません（FAQ-40）。

⑥　「本人確認書類の真正性」・「容貌の画像と本人確認書類に貼り付けられた写真の画像が同一人物であること」の確認

- 本人確認書類の真正性の確認は、サンプルチェックでは認められません（FAQ-43）。
- 規則6条1項1号ホ、ヘ及びトについては、本人確認書類が真正なものであることの確認は、目視によるものに限らず、専ら機械（十分な性能を有しているものに限る。）を利用して行うことも許容されます。ただし、規則6条1項1号ホ及びトについては、現在の技術ではそのような性能を満たさないことから、現在の技術を前提とすれば目視による確認が必要と考えられます（FAQ-44）。
- FAQには記載はありませんが、「専ら機械（十分な性能を有しているもの）」

による確認を行う場合、顔照合についての機械は、誤受入率0.001%以下であって、目視であれば一目瞭然で識別可能なものを誤認しないものであることが求められると考えられます。この性能について、10万組以上の顔写真の組み合わせ（新たに10万組以上の者を募集してその顔写真を撮影することまで必要はなく、既存の顔写真を利用することで足りる。）により測定される必要があると考えられます。測定は、機械の製造元等の第三者によるものでも構いませんが、いずれにせよ、当該測定結果を特定事業者が責任を持っていることが必要と考えられます。

- 容貌、本人確認書類の厚み、本人確認書類の裏面の撮影時は、特定事業者は、容貌の撮影及び本人確認書類の撮影のそれぞれの場面において、顧客や本人確認書類の実物が撮影されることを担保するために必要な措置を講じる必要がありますが、ランダム要素を用いた撮影方法には限定されていません（FAQ-65）。ランダムな数字等を顧客等に示し、当該数字等を記した紙と一緒に撮影させて直ちに送信を受けることとする場合、当該数字等が表示されてから撮影までの間に、なりすましの写真等を準備されるおそれがあるため、一定時間が経過しても撮影がなされないときは、あらためて別のランダムな数字等を示すことが必要となります（FAQ-68）。
- 特定事業者より委託を受けて、ATM 等を介して特定事業者と顧客等の容貌の画像情報や本人確認書類情報の授受の仲介を実施することや本人確認用画像情報の確認をすることは、本人特定事項の確認業務の委託であり、委託した特定事業者の責任において受託者により確実に行われるのであれば可能です。また、本人確認用画像情報の保存を受託者が行うことも認められますが、委託した特定事業者が、自社の営業所で保存している場合と同様に、必要に応じて直ちに確認記録を検索できる状態を確保しておく必要があります。そして、当該措置が的確に行われない場合には、当該特定事業者が監督上の措置の対象となります（FAQ-53）。
- 金融機関等による顧客等の本人確認等及び預金口座等の不正な利用の防止に関する法律（平成14年法律第32号）の時代の平成14（2002）年7月23日のパブリックコメントにおいて、金融庁により、自動契約受付機コーナーにおける取引は「対面取引」と扱ってよいとの見解が示されていましたが、規則6条1項1号ホは、自動契約受付機コーナーを前提としない確認方法であり、規則改正後も上記見解は維持されています（FAQ-54)。

⑦　**確認記録**

- 犯収法6条2項では、取引時確認の確認記録は当該取引が終了した日から7年間保存しなければならないこととされていますが、規則19条1項2号柱書では、本人確認用画像情報についても、確認記録に添付し、取引終了から7年間保存しなければなりません（FAQ-115)。
- 規則6条1項1号ホに規定される方法によって通常の本人確認を実施した場合、特定事業者において「当該本人確認用画像情報」の保管が必要となりますが、この保管は自社内のサーバーへの保管ではなく、特定事業者の委託先のサーバーに保管することとしても可能です。その場合、特定事業者が、自らの責任の下、自らの事務所で保存している場合と同様に、直ちにその情報が検索できる状態になっている必要があります（FAQ-116)。
- 規則19条1項2号により確認記録に添付することとなる本人確認用画像情報は、「厚みその他の特徴」が確認できるものでなければなりません（FAQ-117)。
- 確認記録に添付する本人確認用画像情報は、事後的に取引時確認の適切性を確認できる程度の画像であることが確保されれば、白黒でも保存可能です（FAQ-23)。
- 本人確認用画像情報として動画の送信を受けた場合、規則19条1項2号により確認記録に添付するものが当該動画のすべてである必要はなく、当該動画から切り取った一部の動画や静止画で足ります。本人確認用画像情報としての要件を満たすものであることが必要です（FAQ-25)。

(エ)「写真付き本人確認書類のICチップ情報」＋「容貌の画像」を用いた方法（規則6条1項1号ヘ）

①　**概要**

- 顧客から、「写真付き本人確認書類に組み込まれたICチップ情報」（氏名、住居、生年月日及び写真の情報）の送信を受けるとともに、特定事業者が提供するソフトウェアにより、当該ソフトウェアを使用して撮影された顧客の

「容貌の画像」の送信を受ける方法です（FAQ-3)。

［例］

（出所）金融庁「犯罪収益移転防止法におけるオンラインで完結可能な本人確認方法の概要」

「特定事業者が提供するソフトウェア」、「本人確認用画像情報」、「顧客の容貌の画像情報」、『「本人確認書類の真正性」・「容貌の画像と本人確認書類に貼り付けられた写真の画像が同一人物であること」の確認』は上記（ウ）の『「写真付き本人確認書類の画像」＋「容貌の画像」を用いた方法（規則6条1項1号ホ)』の考え方が当てはまります（上記（ウ）②、③、④、⑥参照)。

② **写真付き本人確認書類のICチップ情報**

- 氏名、住居及び生年月日（規則第6条第1項第1号への場合は写真も必要）の情報が記録されたICチップが組み込まれている本人確認書類が該当します。現時点では、例えば**運転免許証、在留カード、マイナンバーカード**が想定されます（FAQ-55)。
- 特定事業者はICチップ情報が真正なものであることの確認が求められます。具体的には、秘密鍵で暗号化されている当該ICチップ情報に係る事項の送信を受け、これを公開鍵で復号することによって真正なものであることを確かめることが考えられます。日本国旅券のICチップは当該確認ができないため使うことができません（FAQ-55)。
- 公的個人認証を利用しない場合でも、ICチップの券面事項部分が、改正規則6条1項1号へ等に規定する「半導体集積回路に記録された当該情報」として本人特定事項の確認に利用できます。ただし、IC チップ情報は真正なものが送信されなければならないことは勿論であり、特定事業者には真正なものであることの確認が求められます。具体的には、秘密鍵で暗号化されている当該ICチップ情報に係る事項の送信を受け、これを公開鍵で復号することによって真正なものであることを確かめることが考えられます（FAQ-56）。

- 秘密鍵・公開鍵を用いることでIC チップに記録された情報の内容が真正なものであることを目視によらずに確認することも可能と考えられます（FAQ-57）。

（オ）「本人確認書類の画像又はICチップ情報」＋「銀行等への顧客情報の照会」を用いた方法（規則6条1項1号ト（1））

① 概要

- 顧客から、特定事業者が提供するソフトウェアを使用して、1枚に限り発行された本人確認書類の画像（氏名、住居及び生年月日並びに本人確認書類の「厚みその他の特徴」を確認できるもの）又はICチップ情報（氏名、住居及び生年月日の情報）の送信を受けるとともに、他の特定事業者（銀行等又はクレジットカード会社）が顧客から顧客しか知りえない事項等（ID・パスワード等）の申告を受けることにより、預貯金口座やクレジットカードの契約時の確認記録に記録されている顧客と同一であることを確認していることを確認する方法です。

［例］

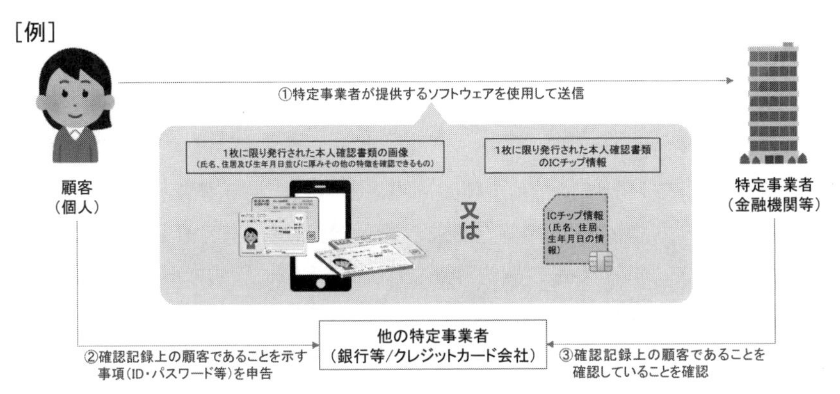

（出所）金融庁「犯罪収益移転防止法におけるオンラインで完結可能な本人確認方法の概要」

「特定事業者が提供するソフトウェア」、「本人確認書類の撮影方法（厚みその他の特徴等）」、『「本人確認書類の真正性」・「容貌の画像と本人確認書類に貼り付けられた写真の画像が同一人物であること」の確認』は前記（ウ）の『「写真付き本人確認書類の画像」＋「容貌の画像」を用いた方法（規則6条1項1号ホ）』の考え方が当てはまります（前記（ウ）②、⑤、⑥参照）。

② **本人確認用画像情報として想定される本人確認書類**

- 本人確認用画像情報については、**運転免許証**、**マイナンバーカード**、**国民健康保険**の被保険者証等が想定されます（顔写真付き本人確認書類の画像情報に限られない。）。ICチップが搭載されている本人確認書類については、**運転免許証**、**マイナンバーカード**、**住基カード**、**在留カード**等が想定されます（FAQ-70）。

③ **確認可能な特定取引の種類**

- 規則6条1項1号トは、規則13条1項1号（銀行への口座振替による取引時確認の委託）や2号（クレジットカード会社へのクレジットカード決済による取引時確認の委託）とは異なり、確認可能な取引の種類に制限がありません（FAQ-71）。
- 特定事業者は、他の特定事業者の確認記録に関する確認、振込先口座の名義人の確認等をする中で、顧客等になりすまし等の疑いがあることを把握することも予想されるところ、そのような場合には、規則6条1項1号トによる確認が認められません。他方、他の特定事業者が当該顧客等のなりすまし等の疑いの有無を確認することまでを求めるものではありません（FAQ-72）。

④　**想定される方法**

- 規則6条1項1号ト(1)では、特定事業者と他の特定事業者との間で本人確認方法についての契約の締結を求めていませんが、特定事業者と他の特定事業者との間で何らかの契約等がなされることが一般的であるものと想定しています（FAQ-75）。
- 規則6条1項1号ト(1)は、銀行やクレジットカード会社との間で連携する情報としてAPIを活用する方法が考えられますが、それ以以外の方法も、条文に規定される要件を満たすのであれば問題ありません（FAQ-76）。

⑤　**他の特定事業者（銀行等又はクレジットカード会社）**

- 銀行法との関連において、「特定事業者」が「他の特定事業者」に対し、APIを利用して「契約締結済み顧客かどうかの照会」を実施する行為は、「他の特定事業者」が銀行の場合、「特定事業者」が「電子決済等代行業に登録済」であることは必要ありません。また、「他の特定事業者」がクレジットカード会社の場合、「特定事業者」が「電子決済等代行業に登録済」であることは必要ありません（FAQ-77）。
- 「他の特定事業者」は犯収法2条2項1号から１５号及び第３９号に規定される特定事業者です（FAQ-78）。通常は、預金取扱金融機関及びクレジットカード会社が想定されます。
- 規則6条1項1号ト(1)が「他の特定事業者」による確認を根拠とする本人確認方法を認めているのは、顧客等との間に継続的な取引関係が構築されていることを前提としたものです。したがって、他の特定事業者に開設されている預貯金口座が解約されているなど、他の特定事業者と顧客等との間の継続的な取引関係が認められない場合に、規則6条1項1号ト(1)の方法を利用することは認められません（FAQ-79）。
- 他の特定事業者が、特定事業者の行う規則6条1項1号ト(1)又は(2)に応じることは、何ら義務が課せられるものではありません（FAQ-82）。

(カ)「本人確認書類の画像又はICチップ情報」+「顧客名義口座への振込み」を用いた方法(規則6条1項1号ト(2))

① 概要

- 顧客から、特定事業者が提供するソフトウェアを使用して、1枚に限り発行された本人確認書類の画像(氏名、住居及び生年月日並びに本人確認書類の「厚みその他の特徴」を確認できるもの)又はICチップ情報(氏名、住居及び生年月日の情報)の送信を受けるとともに、顧客の預貯金口座に振込みを行い、顧客からその振込金額が記載された預貯金通帳の写し等の送付を受ける方法です(FAQ-5)。

[例]

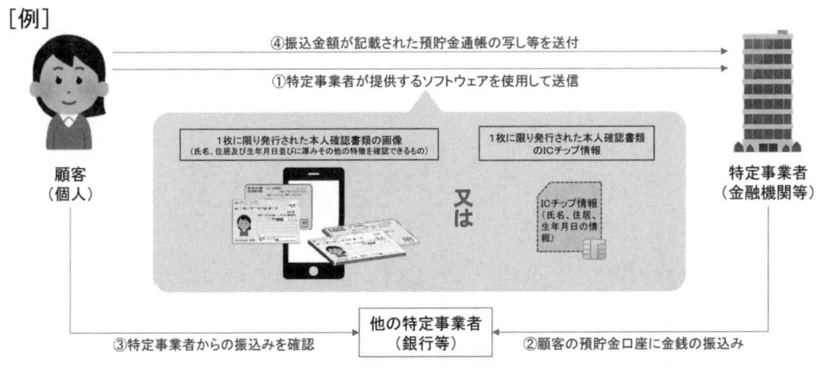

(出所)金融庁「犯罪収益移転防止法におけるオンラインで完結可能な本人確認方法の概要」

「特定事業者が提供するソフトウェア」、「本人確認書類の撮影方法(厚みその他の特徴等)」、『「本人確認書類の真正性」・「容貌の画像と本人確認書類に貼り付けられた写真の画像が同一人物であること」の確認』は前記(ウ)の『「写真付き本人確認書類の画像」+「容貌の画像」を用いた方法(規則6条1項1号ホ)』の考え方が当てはまります(前記(ウ)②、⑤、⑥参照)。

② 当該顧客等の預貯金口座

- 「当該顧客等の預金又は貯金口座」(規則6条1項1号ト(2))については顧客本人名義である必要があります(FAQ-94)。規則6条1項1号ト(2)は、特定事業者が、既存の顧客口座に振込をすることを想定しています

(FAQ-95)。

③　本人確認済みの特定取引

- 規則6条1項1号ト（2）は、「令第7条第1項第1号イに掲げる取引を行う際に」（預金又は貯金の受入れを内容とする契約の締結）とありますが、他の特定取引を行う際にした本人特定事項の確認は対象外です（FAQ-96)。

④　金銭の振込み

- 規則6条1項1号ト（2）の「金銭の振込み」については特に金額や通貨の種類の新規則上の指定はありません。その際、ATMからの振込は許容されます（FAQ-97)。
- 特定事業者による「金銭の振込み」（規則6条1項1号ト（2)）に係る金額の負担方法について、規則上制限なく、特定事業者と顧客の合意により例えば顧客側に当該金銭を負担させることも改正規則上は禁止されていません(FAQ-98)。
- 「金銭の振込み」は、規則6条1項1号ト（2）の確認方法は、特定取引に際して行われる必要があり、例えば、１０年前のような相当程度過去の振込は認められません（FAQ-99)。
- 「預貯金通帳の写し等の送付を受ける」（規則6条1項1号ト（2)）とありますが、送付を受けられなかった場合、入金した金額については返還等を求める必要はありません（事業者判断）(FAQ-100)。

⑤　当該振込みを特定するために必要な事項が記載された預貯金通帳の写し又はこれに準ずるもの

- 「預貯金通帳の写し又はこれに準ずるもの」（規則6条1項1号ト（2)）について下記①から③まではいずれも認められます。下記④については、振込を行う特定事業者が作成するものであり、認められません。下記⑤については、振込みを特定するために必要な事項が記載されないため、認められません(FAQ-105)。
  ①　通帳を写真撮影した画像
  ②　インターネットバンキングの画面スクリーンショットで撮影した画像（ソフトウェアによる自動的なスクリーンショットであるか顧客の手動によるスクリーンショットであるかを問わない)

③ インターネットバンキングの画面を印字した紙
④ 振込依頼書の写し、預金口座振替による振込金受付書の写し
⑤ キャッシュカード（クレジットカード一体型も含む。）の写し

- 「これに準ずるもの」（預貯金通帳の写しに準ずるもの）として想定しているものとしては、例えばインターネットバンキングの取引状況が分かる画面のスクリーンショットが挙げられます（FAQ-106）。

⑥ 確認事項等

- 規則6条1項1号ト（2）において、特定事業者は、顧客等から送信を受けた本人確認用画像情報により特定される個人と、顧客等の預貯金口座の名義人が一致することを確認する必要がありますが、当該口座が開設されている金融機関に保存されている確認記録との一致を確認する必要まではありません（FAQ-110）。
- 規則6条1項1号ト（2）においては、名義の一致の確認のほか、振込を特定する事項が記載された預貯金通帳の写し等の送付を受ける必要があります（FAQ-111）。

(キ)「公的個人認証サービスの署名用電子証明書（マイナンバーカードに記録された署名用電子証明書）」を用いた方法（規則6条1項1号ワ）

顧客から、「公的個人認証サービスの署名用電子証明書（マイナンバーカードに記録された署名用電子証明書）」及び「当該署名用電子証明書により確認される電子署名が行われた特定取引等に関する情報」の送信を受ける方法であります。

「特定取引等に関する情報」とは、例えば、口座開設申込書や契約書などが考えられます。

［例］

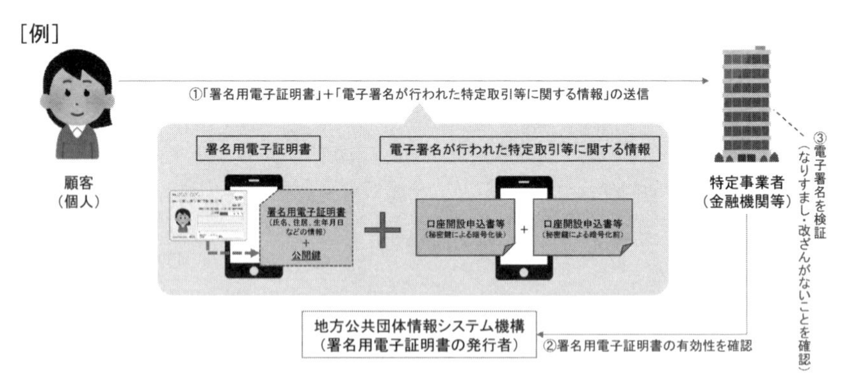

（出所）金融庁「犯罪収益移転防止法におけるオンラインで完結可能な本人確認方法の概要」

民間事業者が公的個人認証サービスを利用する場合、公的個人認証法17条1項6号の総務大臣の認定を受ける必要があるが、当該認定を受けた他の事業者（公的個人認証サービスのプラットフォームを提供する事業者）に、電子証明書の有効性の確認、電子署名の検証等に係る業務をすべて委託することにより、当該認定を直接受けずに公的個人認証サービスを利用することも可能です。

(ク)「民間事業者発行の電子証明書」を用いた方法（規則6条1項1号ヲ・カ）

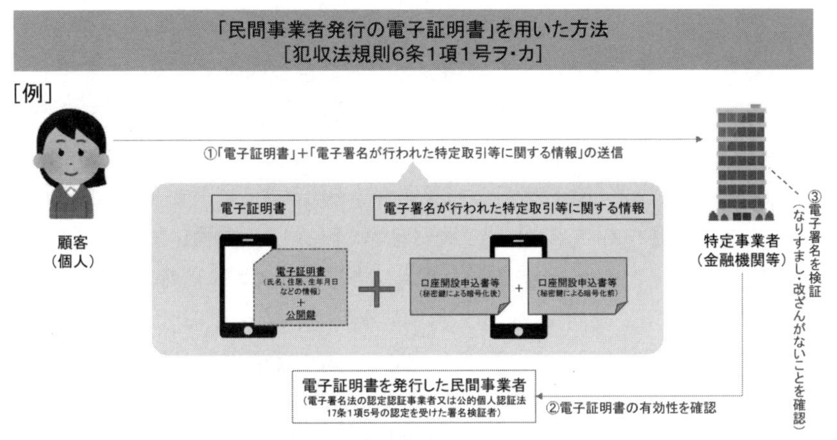

（出所）金融庁「犯罪収益移転防止法におけるオンラインで完結可能な本人確認方法の概要」

顧客から、「民間事業者発行の電子証明書」（氏名、住居及び生年月日の記録のあるもの）及び「当該電子証明書により確認される電子署名が行われた特定取引等に関する情報」の送信を受ける方法であります。「民間事業者」とは、電子署名法の認定認証事業者又は公的個人認証法17条1項5号の認定を受けた署名検証者が該当します。

「特定取引等に関する情報」とは、例えば、口座開設申込書や契約書などが考えらます。

(ケ) 法人の新たな本人確認方法（規則6条1項3号ロ・ハ）

2018（平成30）年11月30日施行の改正により、法人の本人特定事項（名称、主たる事務所・本店の所在地）の確認方法として、「一般財団法人民事法務協会・登記情報提供サービス」または「国税庁・法人番号公表サイト」を利用する方法（規則6条1項3号ロ・ハ）が新たに認められることになりました。

①　一般財団法人民事法務協会・登記情報提供サービス（規則6条1項3号ロ）

当該法人の代表者等から当該顧客等の名称及び本店又は主たる事務所の所在地の申告を受け、かつ、電気通信回線による登記情報の提供に関する法律3条2項に規定する指定法人から登記情報の送信を受ける方法（当該法人の代表者等（当該顧客等を代表する権限を有する役員として登記されていない法人の代表者等に限る。）と対面しないで当該申告を受けるときは、当該方法に加え、当該顧客等の本店等（本店、主たる事務所、支店又は日本に営業所を設けていない外国会社の日本における代表者の住居をいう。）に宛てて、取引関係文書を書留郵便等により、転送不要郵便物等として送付する方法）

②　国税庁・法人番号公表サイトを利用する方法（規則6条1項3号ハ）

当該法人の代表者等から当該顧客等の名称及び本店又は主たる事務所の所在地の申告を受けるとともに、行政手続における特定の個人を識別するための番号の利用等に関する法律39条4項の規定により公表されている当該顧客等の名称及び本店又は主たる事務所の所在地（「公表事項」）を確認する方法（当該法人の代表者等と対面しないで当該申告を受けるときは、当該方法に加え、当該顧客等の本店等に宛てて、取引関係文書を書留郵便等により、転送不要郵便物等として送付する方法）

○登記情報提供サービスの登記情報を用いた方法

［例］

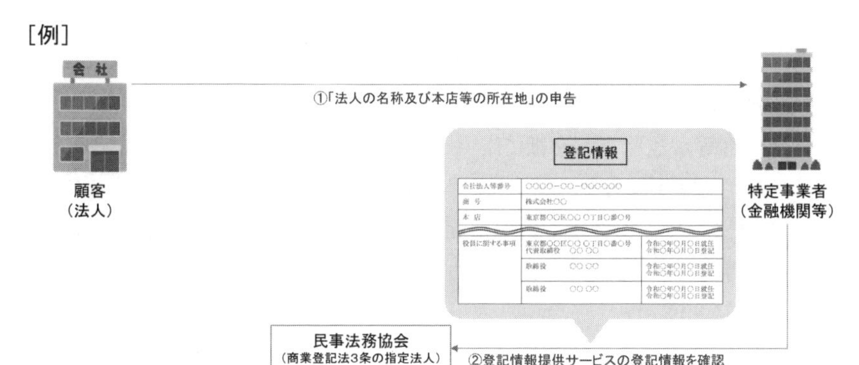

（出所）金融庁「犯罪収益移転防止法におけるオンラインで完結可能な本人確認方法の概要」

○電子認証登記所発行の電子証明書を用いた方法

［例］

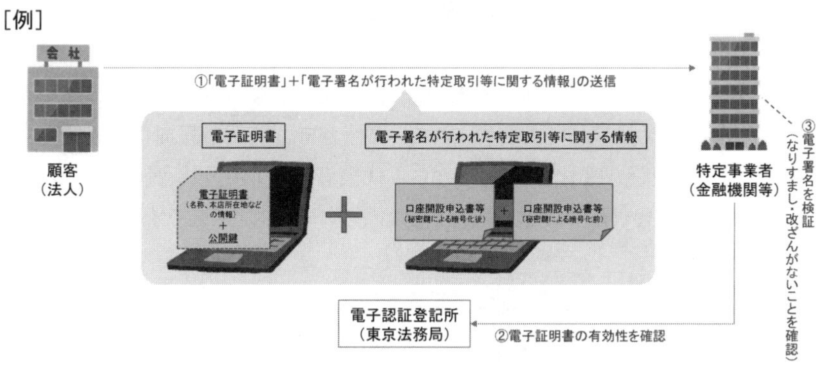

（出所）金融庁「犯罪収益移転防止法におけるオンラインで完結可能な本人確認方法の概要」

①　登記情報提供サービス・法人番号公表サイトを利用する方法

▷　これらの確認方法は、特定事業者が自ら一般財団法人民事法務協会の登記情報提供サービス又は国税庁の法人番号公表サイトを利用して顧客等である法人の情報を取得（オンライン上に限定されず、窓口又は郵送を含む。）するのであれば、本人確認書類の送付を受けることを要しない、というものです（FAQ-126）。

▷　規則6条1項3号ロは、特定事業者が一般財団法人民事法務協会から登記情報の送信を受ける方法です（FAQ-127）。

②　登記情報の送信（登記情報提供サービスを利用する方法）

▷　顧客等が登記情報を紙に出力したものは本人確認書類とは認められません。特定事業者が指定法人から登記情報の送信を受けることが必要です。したがって、顧客等が民事法務協会から入手した登記情報を印字し、特定事業者に宛てて郵送したものは本人確認書類とは認められません（FAQ-127）。

③　転送不要郵便等による取引関係文書の送付の要否（登記情報提供サービス・法人番号公表サイトを利用する方法）

▷　「一般財団法人民事法務協会から登記情報の送信を受ける」場合であって、代表者等（取引担当者）が当該法人を代表する権限を有する役員の場合には、当該法人の本店等に宛てた取引関係文書の郵送は不要です（FAQ-129）。

▷　法人番号公表サイトは、法人の役員を確認できないことから、転送不要郵便物の送付が要件として課されている一方で、登記情報提供サービスは、法人の役員も確認できることから、代表者等（取引関係者）が代表権を保有する役員については転送不要郵便を不要としたものです（FAQ126）。

オ　現行の個人の非対面の本人確認方法の厳格化

2020年4月1日より非対面取引における本人特定事項の確認方法が厳格化し、従前のように本人確認書類の写し（顔写真付きの運転免許証のような本人確認書類でも）の送付を受けて顧客の住居に宛てて取引関係文書を転送不要郵便で送付する方法は認められなくなりました。

（ア）転送不要郵便を送付する方法

令和２（2020）年3月31日までは、顧客から本人確認書類（種類限定なし／原本のほか写し可）の送付を受けるとともに、顧客に転送不要郵便を送付する方法によっていました（改正前規則６条１項１チ）。

令和２（2020）年4月1日以降は、顧客から、(i）本人確認書類の原本（住民票の写し、印鑑登録証明書等）の送付、(ii）本人確認書類のICチップ情報の送信、または（iii）インターネット上のリアルタイムで本人確認書類（1枚に限り発行されるもの）の画像の送信、を受けるとともに、顧客に転送不要郵便を送付する方法によることになりました（規則6条1項1号チ）。

また、顧客から、(a）2以上の本人確認書類の写しの送付、(b）本人確認書類の写しに加えて、現在の住居の記載がある補完書類（同居の家族宛の公共料金の領収書は可）の原本または写しの送付、を受けるとともに、顧客に転送不要郵便を送付する方法も認められます（規則6条1項1号リ）。

なお、給与支払口座の開設やマイナンバーの取得を受けている有価証券取引については、リスクが低いものとして、従前どおり、1つの本人確認書類の写しの送付を受けるとともに、顧客に転送不要郵便を送付する方法も認められます（規則6条1項1号ヌ）。

(イ) 本人限定受取郵便を送付する方法

令和２（2020）年3月31日以前は、本人限定受取郵便において、利用される本人確認書類（原本）は種類に限定がありませんが、令和2（2020）年4月1日以降は顔写真付きのものに限定されることになりました（規則6条1項1号ル）。

カ　本人確認書類に記載されている住居等が現在のものでないとき又は住居等の記載がないとき（補完書類）

本人特定事項の確認を行う場合において、顧客又は代表者等の現在の住居等が本人確認書類と異なる場合又は住居等の記載がないときは、他の本人確認書類や補完書類（納税証明書、社会保険料領収書、公共料金領収書等（領収日付の押印又は発行年月日の記載のあるもので、提示又は送付を受ける日前6か月以内のものに限る））の提示を受け、又はこれらの書類もしくはその写しの送付を受け、現在の住居等を確認する必要があります（規則6条2項）。

「補完書類」とは、以下の書類のうち、領収日付の押印又は発行年月日の記載があるもので、その日付が特定事業者がこれらの書類の提示又は送付を受ける日から６か月以内のものです（規則６条２項）。

- 国税又は地方税の領収証書又は納税証明書
- 所得税法74条２項に規定する社会保険料の領収証書
- 公共料金（日本国内において供給される電気、ガス及び水道水その他これらに準ずるものに係る料金をいう。）の領収証書
- 当該顧客等が自然人である場合は原則官公庁から発行され、または発給された書類その他これに類するもので、当該顧客等の氏名および住居の記載があるもの
- 日本国政府の承認した外国政府又は権限ある国際機関の発行した書類その他これに類するもので、自然人又は法人の本人確認書類に準ずるもの（当該顧客等が自然人である場合にあってはその氏名及び住居、法人の場合にあってはその名称及び本店又は主たる事務所の所在地の記載があるものに限る。）

また、同一住所の領収証書であっても本人宛のものでないもの、例えば、妻の本人確認書類が必要である場合には、夫宛の補完書類は使えません。

なお、外国の公共料金領収書等は、犯収法上の補完書類としては認められていません。

(3) 顔写真付きでない本人確認書類の取扱いの厳格化

ア 改正の背景

平成28（2016）年10月施行の改正前の犯収法においては、対面での取引時確認において、運転免許証や旅券などの顔写真が付いている証明書のみならず、申込時に使用した印鑑登録証明書、健康保険被保険者証、国民年金手帳等の顔写真付きでない証明書も単にこれらを提示することのみで確認が完了する本人確認書類として認められていました（規則7条1項1号イ・ハ・ニ、6条1項1号イ)。

これに対して、FATFからは第3次対日相互審査において、顔写真付きでない証明書を本人確認書類として用いる場合には、事業者が顧客の住所に宛てて転送不要郵便により取引関係文書を送付するなどの二次的確認措置を行うことが必要との指摘を受けました。

平成26年懇談会報告書では、「写真なし証明書を利用する場合には補完的な確認措置」が必要であるとして、「顧客の住所に宛てて転送不要郵便で取引関係文書を送付すること」、又は、「異なる本人確認書類や公共料金の領収書などの追加書類を求めること」が「補完的な確認措置」として考えられるとしています。

○図表3-17：写真付きでない証明書類（健康保険証等）による本人特定事項の確認について

犯罪収益移転防止法上の本人確認書類

写真付きのもの	写真付きでないもの
運転免許証、住民基本台帳カード、在留カード、特別永住者証明書 等	健康保険証、年金手帳、母子健康手帳、私立学校教職員共済加入者証、療育手帳 等

➡ **幅広な書類**を本人確認書類として一律に認めている。

FATF の指摘

× 依拠することが許されている**本人確認書類の質が不明**である。

× 自然人の場合、**写真付きの書類を使用することが求められていない。**（又は、写真付きの書類でない場合に、**リスクを軽減する二次的措置が求められていない。**）

（出所）平成25年「懇談会」第１回配付資料18-1

イ　改正内容

FATFの指摘を受けて、平成28（2016）年10月施行の改正後の犯収法では、本人確認書類として申込時に使用した印鑑登録証明書、健康保険被保険者証、国民年金手帳等の顔写真付きでない証明書の提示を受けた場合には、二次的確認措置として、①取引関係文書の転送不要郵便等による送付（規則６条１項１号ロ）、②他の本人確認書類（運転免許証、旅券等の写真付き証明書を除く）又は補完書類の提示（同号ハ）、③他の本人確認書類又はその写しの送付（同号ニ）、④補完書類又はその写しの送付（同号ニ）が認められました（規則７条１号ハ、６条１項１号ロ・ハ・ニ）。

現住所の記載のない健康保険証の提示を受けた場合であって、補完書類の提示を受けた場合には追加の補完書類の提示を求めることを要しません。

なお、顔写真付きでない証明書のうち、住民票の写しや戸籍謄本等の本人確認書類については、その提示に加えて、二次的確認措置として、取引関係文書を転送不要郵便等により送付することが必要です（規則７条１号ロ・ニ・ホ、２号ロ）。

○図表3-18：写真なし証明書による本人特定事項の厳格化

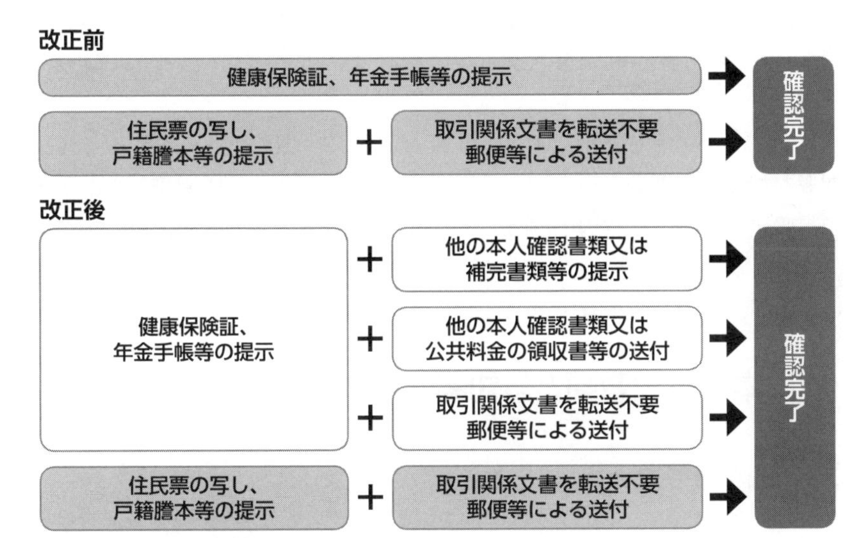

※自然人の非対面取引の場合の確認方法、法人の確認方法については変更なし

（出所）警察庁作成資料より作成

ウ　実務上の問題点

平成28（2016）年10月施行の改正後の犯収法により、健康保険証や年金手帳の提示に関しては、二次的確認の手段として、上記イのとおり4つの手段が認められました。もっとも、近時、高齢者には住民票のある住所ではなく、老人ホーム等を居所としている者もいます。他の本人確認書類や補完書類の提示等も難しく、住民票のある住所には家族が居住していない場合には、新法で認められることになる二次的確認手段のいずれも講ずることができないという事態も考えられます。

このような場合には、老人ホーム宛に転送不要郵便で取引関係文書を送付することも考えられますが、厳密には新法が要求する二次的確認手段は満たしていません。もっとも、他に講じる手段がない以上、かかる手段を講じている場合は、態勢整備義務違反とは言えないように思われます。

エ　「写真付きでない身分証明書を用いる顧客」の危険度

平成27年及び平成28年の犯罪収益移転危険度調査書においては、「写真付でない身分証明書を用いる顧客」については、危険度が高いと評価されていました。

しかしながら、平成29（2017）年11月30日に公表された、平成29年の犯罪収益移転危険度調査書においては、平成28（2016）年10月施行の改正後の犯収法においては、健康保険証などの顔写真付でない本人確認書類について、二次的な確認措置が設けられたため、危険度が低下したものとして、危険度の高い顧客とは位置付けられないこととなりました。

(4)　本人確認書類と告知制限事項

ア　個人番号カード

個人番号カードは、「行政手続における特定の個人を識別するための番号の利用等に関する法律」（以下「番号利用法」という）２条７項に基づき認められる、表面に顔写真と基本４情報（氏名、住所、生年月日、性別）が、裏面に個人番号が記載されたカードです。

平成28（2016）年１月以降、希望者についてのみ、通知カードや住民基本台帳カードと引き換えに市区町村より交付されています。

平成28（2016）年１月１日以降、運転免許証と同様に、写真付き証明書である本人確認書類の１つとして認められています（規則７条１項１号イ）。

個人番号の収集等は番号利用法20条に基づき原則として禁止されていることから、個人番号カードの写しの送付を受けることにより本人特定事項の確認を行う場合、個人番号カードの表面の写しのみの送付を受けることで足り、個人番号が記載されている個人番号カードの裏面の写しの送付を受ける必要はありません。仮に個人番号カードの裏面の写しの送付を受けた際には、当該裏面の部分を復元できないようにして廃棄したり、当該書類の個人番号部分を復元できない程度にマスキングを施した上で、当該写しを確認記録に添付することが必要です。

なお、確認記録には「記号番号その他の当該本人確認書類又は補完書類を特定するに足りる事項」（規則20条１項17号）を記載する必要がありますが、個人番号の収集制限違反となるので、個人番号を記録することができません。もっとも、単に「個人番号カード」と記載しただけでは、「特定するに足りる」とは言えないことから、「個人番号カード」との名称に加えて、発行者及び有効期限についても記録する必要があります。

イ　住民票の写し

市役所等で住民票の写しの交付を受ける際には選択式で個人番号を記載しているものを受け取ることができます。

番号利用法に基づく個人番号の収集制限があることに鑑み、本人確認書類として取り扱うことは適当ではありませんが、個人番号部分を復元できない程度にマスキングすれば、本人確認書類として取り扱うことは可能です。

実務上は、顧客に対して、個人番号の記載がない住民票の写しの提出を求め、個人番号が記載された住民票の写しが提出された場合は、その個人番号部分を復元できない程度にマスキングして本人確認書類として扱うことになります。

なお、住民票コードも選択式で住民票の写しに記載しているものを受け取ることができますが、住民基本台帳法30条の38により、住民票コードも告知を求めてはならないとされているので、住民票コードについてもその記載のないものの提出を求め、住民票コードが記載されたものが提出された場合は、住民票コード部分をマスキングして本人確認書類として扱うことになります。

住民票に「本籍」、「国籍」、「出生地」の記載がある場合は、これらは機微情報に該当し得るので、これらの部分もマスキングをすべきでしょう。

ウ　法人番号通知書面

法人番号（番号利用法2条15項）は、国税庁から通知される書面により法人等に通知されますが、同書面も「官公庁から発行され、又は発給された書類その他これに類するもので、当該法人の名称及び本店又は主たる事務所の所在地の記載があるもの」（規則7条1項2号ロ）として本人確認書類として認められると考えられますが、こちらも有効期間が定められていないので、取引時確認に使用できるのは、6か月以内に作成されたものに限られます。

確認記録の記録事項である「当該本人確認書類又は補完書類の名称、記号番号その他の当該本人確認書類又は補完書類を特定するに足りる事項」について、番号利用法上、法人番号は収集等が制限されていないため、法人番号を記録することで足ります。

エ　基礎年金番号

国民年金手帳は、犯収法における顧客等の本人特定事項の確認の際に本人確認書類として用いることができます（規則７条１号ハ）。

この点、国民年金法108条の４により同法14条に規定する基礎年金番号の告知を求めること等が禁止されているところ、犯収法の規定のとおり事務を処理している場合には、直ちにこれらの規定に反するものではないと考えられますが、基礎年金番号の取扱いについてはこの規定の趣旨を踏まえた対応が必要です。

犯収法における顧客等の本人特定事項の確認に際して、本人確認書類として国民年金手帳の提示を受けた場合、当該年金手帳の基礎年金番号を書き写すことがないようにする必要があります。この場合において、当該年金手帳の写しをとる際には、当該写しの基礎年金番号部分を復元できない程度にマスキングを施した上で確認記録に添付する必要があります。

国民年金手帳が本人確認書類として用いられた場合における、確認記録の記録事項である「記号番号その他の当該本人確認書類又は補完書類を特定するに足りる事項」（規則20条１項17号）としては、基礎年金番号以外の事項（例えば、交付年月日等の国民年金手帳に記載されている事項）を記載すれば足ります。

オ　健康保険証

（ア）健康保険証等の「被保険者等記号・番号等」の告知要求制限がなされる背景

令和３（2021）年3月から、保険医療機関等で療養の給付等を受ける場合の被保険者資格の確認について、個人番号カード（マイナンバーカード）によるオンライン資格確認を導入されます。すなわち、マイナンバーカードが、健康保険証として使えることになりました（「マイナポータル」でマイナンバーカードを健康保険証として利用することの事前登録が必要)。

オンライン資格確認では、マイナンバーカードのICチップまたは健康保険証の記号番号等により、オンラインで資格情報が確認できます。

(イ) 告知要求制限の具体的内容

健康保険法では、以下の告知制限が設けられましたた(健康保険法194条の2)。

何人も、業として行う行為に関し、取引の契約の締結した相手方又は当該相手方以外の者に係る被保険者等記号・番号等を告知することを求めてはなりません(同条3項)。

業として、被保険者等記号・番号等の記録されたデータベースを構成することも禁止されます(同条4項)。

厚生労働大臣は、これらの規定に違反した者が更に反復してこれらの規定に違反する行為をするおそれがあると認めるときは、当該行為をした者に対し、当該行為を中止することを勧告し、又は当該行為が中止されることを確保するために必要な措置を講ずることを勧告することができます(同条5項)。

(ウ) 本人確認等のために被保険者証の提示等を求める際の留意事項

総務省、財務省、文部科学省、厚生労働省は共同で、令和2(2020)年7月8日に「医療保険の被保険者等記号・番号等の告知要求制限について」と題する事務連絡(「事務連絡」)を発出しました。この事務連絡は、同年10月5日付の事務連絡「医療保険の被保険者等記号・番号等の告知要求制限について」で更新されています。

これらの事務連絡では、犯収法などで求められる本人確認等のために被保険者証の提示等を求める際の留意事項として以下の点について留意することとされています。

① 被保険者証の提示を受ける場合には、当該被保険者証の被保険者等記号・番号等を書き写すことのないようにすること。また、当該被保険者証の写しをとる際には、当該写しの被保険者等記号・番号等を復元できない程度にマスキングを施すこと。

② 被保険者証の写しの送付を受けることにより本人確認等を行う場合には、あらかじめ申請者や顧客等に対し被保険者等記号・番号等にマスキングを施すよう求め、マスキングを施された写しの送付を受けること。また、被保険者等記号・番号等にマスキングが施されていない写しを受けた場合には、当該写しの提供を受けた者においてマスキングを施すこと。

③ 被保険者等記号・番号等の告知を求めているかのような説明を行わないこと。例えば、ホームページ等において、「被保険者証の記号・番号が記載された面の写しを送付してください」といった記載を行わないよう留意すること。

④ なお、これらの取扱いは、令和2（2020）年10 月1日の改正法施行以降に被保険者等記号・番号等の告知を求める場合に適用されるものであり、改正法施行前に取得した被保険者証の写し等について、改めてマスキングを施す等の対応を求めるものではないこと。

上記②のとおり、非対面で健康保険証の写しを本人確認書類として送付を受ける場合には、事前に顧客に対して被保険者等記号・番号等にマスキングを施すよう求め、マスキングを施された写しの送付を受けることが必要となります。

また、仮に顧客が被保険者等記号・番号等をマスキングしないで健康保険証の写しを送付してきた場合には、事業者側においてマスキングを施すことが必要となります。

(エ) 健康保険証のQRコード（※QRコードは(株)デンソーウェーブの登録商標）

協会けんぽが発行する保険証には平成27（2015）年からQRコードが券面に表示されています。

これをスマートフォンのQRコード読み取りアプリで読み取ると当該被保険者の記号・番号が分かる。

「事務連絡」には記載がありませんが、厚生労働省のウェブページ『医療保険の被保険者等記号・番号等の告知要求制限について』の『3. 本人確認等のために被保険者証の提示等を求める際の留意事項』において、以下の健康保険証上のQRコードの取扱いについての記載がなされました。

『※被保険者証等にQRコードがある場合について、そのQRコードを読み取ると2. の記号・番号等がわかるものについては、2. の記号・番号等同様にマスキングを施す必要があります』

これにより、令和2（2020）年10月以降に金融機関等が本人確認書類として受領した健康保険証に、QRコードで記号・番号等がわかるものについては、QRコードをマスキングすることが必要となりました。

（オ）確認記録への記録事項

犯収法では確認記録に「記号番号その他の当該本人確認書類又は補完書類を特定するに足りる事項」（規則20条1項17号）を記録することが求められます。

この点、健康保険証については、今後は「被保険者等記号・番号等」を確認記録に記録することが許されなくなるので、代わりに何を記録すればよいか問題となります。

この点、同様に告知要求制限が設けられている国民年金手帳の基礎年金番号（国民年金法108条の4）については、基礎年金番号以外の事項（例えば、交付年月日等の国民年金手帳に記載されている事項）を記載することとされています。

この取扱いを参考にすると、健康保険証の「保険者名称」「交付年月日」を記録することが考えられます。

本人確認書類の種類	告知制限事項	金融機関の扱い	確認記録への記録事項
個人番号カード（マインバーカード）	個人番号（裏面）	①個人番号を確認記録に記録しない。 ②個人番号が記載された個人番号の記載分をマスキングする等により、個人番号を確認記録に記録しない。	個人番号以外の事項（例えば、発行者や有効期間
住民票の写し	個人番号（※） 住民票コード（※） （※）任意	①個人番号・住民票コードの記載されていない住民票を求める。 ②記載されているものの提出を受けた場合は個人番号・住民票コード部分をマスキングした上で確認記録に添付	個人番号・住民票コード以外の発行者・発行日

年金手帳	基礎年金番号	①基礎年金番号を確認記録に記録しない。 ②当該写しの基礎年金番号部分を復元できない程度にマスキングした上で確認記録に添付。	基礎年金番号以外の事項（例えば、交付年月日等の国民年金手帳に記載されている事項）を記載
健康保険証	記号・番号 QRコード（記号・番号が読み取れる）	健康保険証の提示を受けた場合は、記号・番号、QRコードをマスキングした上で確認記録に添付	発行者である保険者名

カ　各種本人確認書類の利用の際の留意点

①　機微（センシティブ）情報の取扱い

平成29（2017）年5月30日に施行された改正前の個人情報保護法においては、機微情報に関する規定はありませんが、金融庁の「金融分野における個人情報保護に関するガイドライン」においては、「政治的見解、信教（宗教、思想及び信条をいう。）、労働組合への加盟、人種及び民族、門地及び本籍地、保健医療及び性生活、並びに犯罪歴に関する情報」を「機微（センシティブ）情報」と定義し、原則として取得、利用、提供を禁止していました。

金融庁の「金融分野における個人情報保護に関するガイドライン」においては、運転免許証の「眼鏡等」の条件欄の記載や臓器提供意思確認欄の記載は「機微（センシティブ）情報」に該当すると考えられ、これを取得する場合にはマスキングをしてコピーを取る必要がありました。

平成29（2017）年5月30日に施行された改正後の個人情報保護法においては、本人の人種、信条、社会的身分、病歴、犯罪の経歴、犯罪により害を被った事実等を「要配慮個人情報」と定義し、これを取得する場合には原則として本人の同意を要することとなりました。

また、平成29（2017）年5月30日に施行された改正により、各省庁のガイドラインは個人情報保護委員会が定めるガイドラインに一元化されています。なお、金融分野に関しては、別途、改正前と同様、「金融分野における個人情報保護に関するガイドライン」が定められています。同ガイドラインにおいては、「機微

(センシティブ情報)」に関して、「要配慮個人情報」並びに労働組合への加盟、門地、本籍地、保健医療及び性生活（これらのうち要配慮個人情報に該当するものを除く。）に関する情報（本人、国の機関、地方公共団体、法第76条第1項各号若しくは施行規則第6条各号に掲げる者により公開されているもの、又は、本人を目視し、若しくは撮影することにより取得するその外形上明らかなものを除く。）と定義されており、改正前の金融庁の「金融分野における個人情報保護に関するガイドライン」における「機微（センシティブ）情報」と実質的に変更はありません。また、「機微（センシティブ）情報」に関しては、原則、取得、利用、提供が禁止されている点も変更ありません。

運転免許証の「眼鏡等」の条件欄の記載や臓器提供意思確認欄の記載は、個人情報保護法上の「要配慮個人情報」には該当しません。また、個人情報保護委員会・金融庁の「金融分野における個人情報保護に関するガイドライン」上の「機微（センシティブ）情報」には該当しないとされています。

もっとも、金融機関によっては、運転免許証の「眼鏡等」の条件欄の記載や臓器提供意思確認欄の記載についても「機微（センシティブ）情報」として扱っているところもあり、これらの金融機関においては、マスキングをしてコピーしています。

住民票の写しに記載された「本籍」についても、「機微（センシティブ）情報」に該当するので、同様に、マスキングをしてコピーを取る必要があります。

② 本人確認書類の有効期間

本人確認書類は、有効期間又は有効期限のあるものについては、提示又は送付の日において有効なものでなければならず、有効期間や有効期限のない本人確認書類については提示又は送付を受ける日前6か月以内に作成されたものでなければなりません（規則7条1項本文)。

この点に関して、特定事業者は、特に在留カードの在留期間（有効期間）内であるかどうかについて留意をする必要があります。

定期的なモニタリング（継続的な顧客管理）においても、在留期限について確認をしていくことが求められます。

(5) 2020年旅券の取扱い

令和２（2020）年２月４日以降、国内旅券事務所及び在外公館において受理する旅券（パスポート）については、所持人記載欄がなくなりました。

本人特定事項のうち、2020年旅券は本人特定事項のうち、氏名・生年月日はありますが、住居の記載がないことになりました。

「旅券」については、犯収法施行規則6条1項2号により、「顧客等の氏名及び生年月日の記載があるもの」に限定されていますが、当該顧客等の住居の記載があることは要件とされていません。そこで、当局は、2020年旅券についても、従来の日本国旅券と同様に、本人確認書類として認められるとしています。

なお、犯収法4条に規定された本人特定事項の確認を行う場合において、本人確認書類に顧客等又は代表者等の現在の住居等の記載がないときは、他の本人確認書類や補完書類（納税証明書、社会保険料領収書、公共料金領収書、官公庁発行書類等（領収日付の押印又は発行年月日の記載のあるもので、その日付が提示又は送付を受ける日の前6ヶ月以内のものに限る。））の提示を受け、又はこれらの書類若しくはその写しの送付を受け、現在の住居等を確認する必要があるとされています。

金融機関の中には、上記の当局見解にかかわらず、所持人記載欄のない2020年旅券を本人確認書類として認めないところもあります。

(6) 代表者等の本人特定事項の確認

前記（1）でも説明したとおり、自然人の代理人（法定代理人・任意代理人）、法人、人格のない社団・財団、国等（上場会社や外国上場会社等を含む）の取引担当者（犯収法上は、これらの者を「代表者等」という）の本人特定事項とともに「代表者等が顧客等のために特定取引の任に当たっていると認められる事由」（後記８参照）についても確認をする必要があります（法４条４項）。

代表者等の本人特定事項の確認方法は、自然人の本人特定事項の確認方法と同じです。

○図表3-19：「代表者等」に関する確認

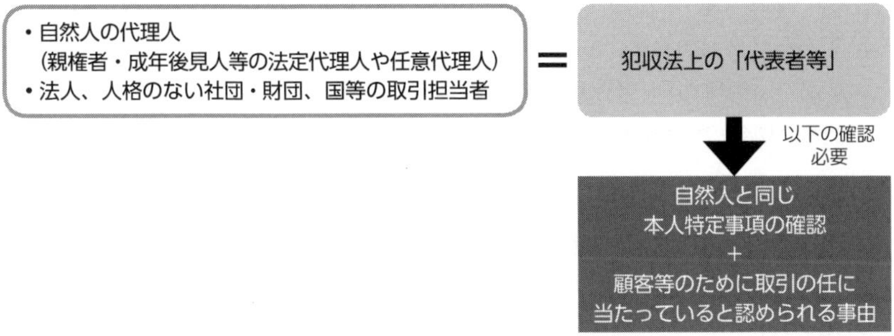

・自然人の代理人 （親権者・成年後見人等の法定代理人や任意代理人） ・法人、人格のない社団・財団、国等の取引担当者	＝	犯収法上の「代表者等」

↓ 以下の確認必要

自然人と同じ本人特定事項の確認
＋
顧客等のために取引の任に当たっていると認められる事由

ここで、顧客本人について取引時確認済である場合に、事後的に代表者等が追加された場合に、①顧客本人について取引時確認済の確認をすれば足りるのか、又は②顧客本人について取引時確認済の確認をするとともに、当該代表者等に関しては本人特定事項の確認が必要となるかが問題となります。

この点については、未成年者の父母（親権者）、後見人、未成年者の父母、遺言相続時の遺言執行者等の法定代理人と取引を行う場合には、顧客が取引時確認済である場合であって事後的に（法定）代理人が追加された場合には、当該代理人の本人特定事項の確認が必要になると考えられます。

これに対して、法人の代表者等に関しては、以下のとおり、顧客及び代表者等の両方について本人確認（取引時確認）を行った後に、代表者等が変更された場合には法人について本人確認済の確認のみすれば足り、新しい代表者等については再度本人特定事項の確認をする必要はないとするパブリックコメントがあります。

○ 「犯罪による収益の移転防止に関する法律施行令案等に対する意見の募集結果について」（平成20年1月）25頁

「本人確認済みの顧客等との取引」では、「顧客等」が本人確認済みであるか否かの確認で足ります。つまり、法人との取引においては、原則として最初、法人の取引担当者（代表者等）と顧客等に当たる法人の両方の本人確認を行うこととなりますが、その後に再度当該法人と

> 取引を行うに際しては、当該法人についてのみ本人確認を行っていることが確認できれば足り、新たな取引担当者が最初の取引担当者と同一である必要はありません。
> 　また、取引担当者が顧客等とみなされる場合（人格のない社団又は財団が顧客等である場合は除きます。）も同様です。

そもそも、法人について、法人の本人確認（取引時確認）のほか代表者等（取引担当者）の本人確認（本人特定事項の確認）が必要であるのは、法人取引において実際に取引の任に当たるのは自然人であるところ、ペーパーカンパニーを用いたマネー・ローンダリングのおそれがあるところ、予防的に取引担当者についても確認するものです（犯罪収益移転防止制度研究会編著『逐条解説 犯罪収益移転防止法』（東京法令出版：2009年、77頁）。一度、法人及び取引担当者について本人確認をすれば、取引担当者が変更しても、法人の財産であることが確認できればマネー・ローンダリングに利用されるおそれは低いので、新しい取引担当者の本人確認は不要としているものと考えられます。

他方、個人の代理人による取引について、代理人の本人確認をするのは、マネー・ローンダリング事案においては、真に本人の財産なのか、代理人の財産であるのか実際には不明瞭な場合も多いことからです（上記『逐条解説 犯罪収益移転防止法』77頁）。事後的に代理人の財産についての取引を顧客本人の取引と仮装して行われることもありうることから、新たな代理人についての本人確認が必要であるとも考えられます。

筆者の知る限り、特定事業者である銀行によって取扱いが異なるため注意が必要です。

8. 代表者等が顧客等のために特定取引等の任に当たっていると認められる事由

(1) 概要

代表者等（取引担当者）が顧客等のために特定取引等の任に当たっていると認められる事由の確認は、FATFが事業者に対して、法人顧客を代理しようとする者が権限を与えられていることを確認し、当該代理人の身元を確認することを求めていたことから、平成25（2013）年4月1日に施行された改正で設けられたものです。

代表者等については、本人特定事項の確認に加えて、代表者等が顧客等のために特定取引等の任に当たっていると認められる事由の確認について、①顧客等が自然人である場合と②顧客等が自然人以外の場合（人格のない社団又は財団を除く）に分けて規定しています。

「取引の任に当たっていると認められる事由の確認」は、厳密には、取引時確認事項ではなく、「代表者等」の定義を限定するものです（規則12条4項）。

平成28（2016）年10月に施行された改正後の犯収法では、顧客等が自然人以外の場合（人格のない社団・財団を除く）の代表者等の顧客等のために特定の取引等の任に当たっていると認められる事由の確認として、社員証による確認が認められなくなるとともに、役員として登記されていることも、代表者等が法人等を代表する権限を有する役員として登記されていることに限定されることになりました。

これは、FATFから、社員証等の身分証明書を有していることや当該法人顧客の役員として登記されていることは、取引の任に当たっていると認められる事由を確認できるものではなく、代表者等と法人顧客の間の関係を示すものに過ぎないとの指摘を受けたことに伴う改正です。

なお、すでに代理権限を確認した既存顧客については、そもそも法4条3項の規定により取引時確認済の顧客として扱われ、改めて取引時確認を行うことを要しないため、再度、代表者等への権限の委任の有無を確認する必要はありません。

○図表3-20：代表者等が顧客等のために特定取引等の任に当たっていると認められる事由

顧客等が自然人である場合（1号）	①　顧客等と一定の関係（同居の親族または法定代理人）であること ②　当該顧客が作成した委任状を有していること ③　電話をかける方法その他これに類する方法により、顧客のために取引の任に当たっていることが確認できること ④　顧客と取引担当者の関係をよく認識していること
顧客等が自然人以外の場合（人格のない社団・財団を除く）（2号）	①　委任状その他取引担当者が顧客等のために取引の任に当たっていることを証する書面を有していること ②　取引担当者が法人を代表する権限を有する役員として登記されていること ③　顧客の本店や営業所等に電話をかけることその他これに類する方法により、取引担当者が法人のために取引の任にあたっていることが確認できること ④　顧客等と取引担当者との関係を認識していることその他の理由により取引担当者が法人のために取引の任に当たっていることが明らかであること
人格のない社団・財団（3号）	不要

（2）代理権の確認の際の留意点

ア　任意代理人による取引

預金口座を開設したいというお客様の代理人が窓口に来た場合には、「預金名義人の取引時確認、代理人の本人確認および代理人がその任に就いていることの確認」が必要となります。

預金名義人の取引時確認については、代理人から預金名義人の本人確認書類の提示を受けると共に、その職業および取引の目的の申告を受ける必要があります。

代理人の本人特定事項の確認については、代理人の本人確認書類の提示を受ける必要があります。

預金名義人または代理人から健康保険証のような顔写真のない本人確認書類の提示を受けた場合には、その住居に宛てて取引関係書類を転送不要郵便により送付するか、または、他の本人確認書類または公共料金の領収書のような補完書類の提示を受ける必要があります。

任意代理人についての「代理人が取引の任に当たっている事由の確認」については、(i) 本人が作成した委任状等を所有していること、(ii) 本人に電話をかけることなどの方法により代理人が本人のために取引の任に当たっていることが確認できること、または (iii) 金融機関が本人と代理人との関係を認識しているため、当該代理人が本人のために取引の任に当たっていることが明らかであること、といった方法で確認をする必要があります。

実務的には、自行庫所定の委任状の書式に基づく委任状の提出を求めることになります。

イ　親権者による取引

母親が、未成年の息子を預金名義人とする預金口座の開設の申込をしてきた場合には、「預金名義人の取引時確認、および代理人の本人特定事項の確認と、両者が親子であることを確認する」ことが必要となります。

預金名義人の取引時確認については、代理人から預金名義人の本人確認書類の提示を受けると共に、その職業および取引の目的の申告を受ける必要があります。

代理人の本人特定事項の確認については、代理人の本人確認書類の提示を受ける必要があります。

親権者が未成年者の子のために取引をする場合の「代理人が取引の任に当たっている事由の確認」については、「本人と一定の関係があること（同居の親族または法定代理人であること)」により、確認をする必要があります。

具体的には、本人（未成年者）の住所・氏名・生年月日の記載があり、かつ、親権関係の確認のため、親権者との続柄（「子」など）が記載されている本人確認書類（住民票の写し、戸籍謄本（全部事項証明書）と附票、各種健康保険証）の提出を求めることになります。

いずれも、本人と親権者２人（父･母）の記載があり、親権者との続柄（「子」など）が記載されていることが必要となります。各種健康保険証については、続柄として「家族」と記載されている場合がありますが、これでは不十分です。

ウ　法人の取引担当者の確認

法人の代表者等（取引担当者）の確認のために、社員証が認められなくなったため、「法人と取引担当者との関係を認識していることその他の理由により取引担当者が法人のために取引の任に当たっていることが明らかであること」による確認をする場面が増えると考えられます。具体的には、名刺のコピーを保存したり、当該取引担当者と面談をした折衝記録などを残しておくことが重要となります。

(3) FATF第4次対日相互審査報告書における評価

令和３（2021）年8月30日に公表されたFATF第4次対日相互審査報告書では、代理権の確認に関して、犯収法施行規則12条５項に列挙されているの多くのシナリオでは確認方法は信頼できない（具体例：顧客自身又はその本社に電話をかける同項1号ハおよび2号ハ）と評価されました。また、金融機関自身の知識に基づく確認（同項2号二）は、この知識の文書化された証拠の作成によって実証されるべきであると評価されました。

本報告書の指摘に基づき、「特定事業者が当該顧客等と当該代表者等との関係を認識していることその他の理由により当該代表者等が当該顧客等のために当該特定取引等の任に当たっていることが明らかであること」（犯収法施行規則12条5項1号二・2号二）については書面に記録をすることが求められる改正がなされる可能性が高いです。

「電話をかける方法による確認」は、その結果を書面化すれば代理権の確認として認められるように改正されるのか、改正により認められなくなるのかは注視しておく必要があります。

9. 取引を行う目的の確認

「取引を行う目的」の確認は、FATFの指摘に基づき、平成25（2013）年4月１日に施行された改正で設けられたものです。

(1) 確認事項

顧客等が自然人、（上場法人等を除く）法人、人格のない社団・財団の場合について、「取引を行う目的」の確認が必要となります（法4条1項2号）。

(2) 確認方法

「取引を行う目的」の確認方法は、当該顧客等又はその代表者等（取引担当者）から「申告を受ける方法」（規則9条）によります。

「申告を受ける方法」としては、「口頭で聴取する方法」のほか、「電子メール、FAX等を用いる方法」、「書面の提出を受ける方法」が想定されます。

「取引を行う目的」の確認については、特定事業者があらかじめ分類した目的から顧客が選択するという方法でも構いません。すなわち、「チェックリストを設けてチェックを受ける方法」が含まれます。同様に、インターネット取引である場合は、「インターネット画面上のプルダウンメニューの選択をさせる方法」も考えられます。チェックリスト中の複数の目的を選択することも許されます。

取引の内容から取引を行う目的が明らかである取引については、取引を行ったことをもって、取引を行う目的の確認を行ったものと評価できると考えられます。

厳格な取引時確認が求められる取引（法4条2項）であっても申告による確認方法に変更はありませんが、マネロン・テロ資金供与対策ガイドラインにおいては、リスク低減措置としての顧客管理を行う際、リスクが高いと判断した顧客等については、取引の目的等の確認に当たって「信頼に足る証跡」や「追加的な情報」を取得することが求められています（同ガイドラインⅡ-2（3）（ⅱ）③・⑦イ）。

(3)「取引を行う目的」の類型

金融庁「犯罪収益移転防止法の留意事項について」（以下「留意事項」という）では、「預貯金契約の締結」と「大口現金取引」という特定取引に関する「取引を行う目的」の具体例が示されています。多くの金融機関では預金口座の申込書等を改訂し、下記の「取引を行う目的」の類型を記載したチェックリストをチェックさせることにより対応することになります。

なお、「取引を行う目的」について、複数の目的がある場合は、「複数選択可」とした上で、すべて選択させることになっています。該当するものがない場合には、「その他」の項目に具体的に記載させることになります。

○図表3-21：預貯金契約の締結

自然人	法人／人格のない社団又は財団
□　生計費決済 □　事業費決済 □　給与受取／年金受取 □　貯蓄／資産運用 □　融資 □　外国為替取引 □　その他（　　　　　　　　　　）	□　事業費決済 □　貯蓄／資産運用 □　融資 □　外国為替取引 □　その他（　　　　　　　　　　）

（出所）金融庁総務企画局企画課調査室「犯罪収益移転防止法に関する留意事項について」（平成24年10月）

○図表3-22：大口現金取引（為替取引）

自然人	法人／人格のない社団又は財団
□　商品・サービス代金 □　投資／貸付／借入返済 □　生活費 □　その他（　　　　　　　　　　）	□　商品・サービス代金 □　投資／貸付／借入返済 □　その他（　　　　　　　　　　）

（出所）金融庁総務企画局企画課調査室「犯罪収益移転防止法に関する留意事項について」（平成24年10月）

（4）実務対応上の留意点

「取引を行う目的」については、特定取引の類型に応じて変わらざるを得ません。

日本証券業協会の投資勧誘規則に規定する顧客カードにおける「投資目的」（各社が独自に設定する区分）は「取引を行う目的」に該当します（日証協Ｑ＆Ａ８番）。貸金業については、「生計費融資」と「事業費融資」の類型が設けられます。

もっとも、申込書や契約書等により、当該内容が確認できる場合は、「取引を行う目的」は明白であることから、改めて確認する必要はありません。

クレジットカード取引については、①生計費決済、②事業費決済、③融資

(キャッシング）といった「取引を行う目的」の類型が考えられます。キャッシング機能付きのクレジットカード契約の締結に際しては、キャッシング以外の取引の目的に照らし、キャッシングの目的が生計費融資、事業費融資のいずれか（又は両方）に該当することが明らかな場合は、「融資」という類型により確認を行っても差し支えありません。

生命保険契約については、保険契約の締結については保険会社各社において、以下のような類型が採用されています。

同じく、①特定取引である「年金・満期保険金の支払い」については「満期日・支払日の到来」、②「解約返戻金の支払い」については「解約」、③保険金額の変更については「保障内容の変更」、④保険契約者の変更については「保険契約の相続・譲渡」しか通常考えられませんが、別途「その他（　）」の類型も設けられ、チェックリストで選択することになります。契約者貸付については、「生活費・事業費等」か「その他（　）」のチェックリストの項目として設けられることになります。

信託契約については、信託契約書や信託約款に、通常、「信託の目的」が記載されています（例えば、「本信託は、信託財産の管理及びそれを有価証券に運用することを目的とします。」）ので、「取引を行う目的」を別途確認する必要はないと考えられます。

顧客が「取引を行う目的」の類型のチェックリストのうち、「その他」の項目をチェックしながら、具体的にその内容を記載しない場合は、疑わしい取引の届出を行うべきかどうかの判断ができないので、それのみでは「取引を行う目的」を確認したものとは言えません。顧客に対して記載するように促し、顧客がこれを記載しない場合は取引を拒むべきでしょう（法５条）。

「その他」にチェックを入れた上で具体的な内容を記入してもらうのは、たった数文字であっても営業店での負担が大きいので、留意事項で示された参考例にいくつか選択肢を追加して利用する銀行もあります。

また、「その他」のチェックボックスを設けず、より細分化した取引目的を列挙して、必ずどれかを選択させるようにするなど、現場の負担軽減を図る銀行もあります。

10. 職業・事業内容の確認

「職業・事業内容」の確認は、FATFの指摘に基づき、平成25（2013）年4月1日に施行された改正で設けられたものです。

(1) 確認事項

当該顧客等が自然人である場合は「職業」、当該顧客が法人（上場会社以外）である場合は「事業内容」の確認が追加で必要となります（法４条１項３号）。また、人格のない社団・財団等についても「事業内容」の確認が必要となります（法４条５項）。

(2) 確認方法

「職業」や「事業内容」の確認方法は、確認事項ごとに下表のとおり定められています（規則10条）。

「申告を受ける方法」としては、「取引を行う目的」の確認の方法と同様の方法（すなわち、チェックリストをチェックさせる方法など）が考えられます。

厳格な取引時確認が求められる取引（法４条２項）の場合でも確認方法に変更はありませんが、マネロン・テロ資金供与対策ガイドラインにおいては、リスク低減措置としての顧客管理として、リスクが高いと判断した顧客等については、職業・地位等について「信頼に足る証跡」や「追加的な情報」を取得することが求められています（同ガイドラインⅡ-２（３）（ⅱ）③・⑦イ）。

○図表3-23：当該顧客等の職業・事業内容の確認方法

確認事項	確認方法
自然人の職業	当該顧客等又は代表者等から申告を受ける方法（１号）
人格のない社団・財団の事業内容	代表者等から申告を受ける方法（１号）
（上場法人等を除く）法人の事業内容	①定款、②法令の規定により法人が作成することとされる書類で当該法人の事業内容の記載があるもの（有価証券報告書、事業報告書等）、③登記事項証明書（確認前の６か月以内に作成されたもの）、④官公庁から発行された書類等で法人の事業内容の記載があるもの（有効期限があるものは有効期限内のもの）の書類又は写しを確認する方法（２号）

外国法人の 事業内容	（上場法人等を除く）法人の確認方法のほか、日本国の承認した外国政府又は権限ある国際機関の発行した書類その他これに類するもので、同号に定めるものに準ずるもの（当該法人の事業の内容の記載があるものに限り、かつ、有効期間又は有効期限があるものにあっては特定事業者が確認する日において有効なものに、その他のものにあっては特定事業者が確認する日前6か月以内に作成されたものに限る）又はその写しを確認する方法（3号）

（上場法人等を除く）法人の「事業内容」は、上記の表のとおり一定の書類を「確認する方法」によります。この確認方法としては、定款や登記事項証明書を顧客等から提示・交付を受ける方法のほか、特定事業者が閲覧してその内容を確認する方法も認められると考えられます。したがって、「公的機関が運営しているオンライン登記所などの登記情報」や「EDINETで有価証券報告書」を確認（閲覧）する方法も認められると考えられます。これに対して、帝国データバンク等の民間会社のデータの参照は認められないと考えられます。

なお、事業内容の確認のためにはオンライン登記情報も認められますが、法人の本人特定事項の確認に用いられる本人確認書類としての「法人の登記事項証明書」などは公的証明書の原本が要求されます。

(3)「職業」「事業の内容」の分類

ア 「職業」の分類

留意事項には、下記ウのとおり具体例が示されています。複数の職業を有している者（例：会社員兼学生）については、それらの職業すべてについて確認をする必要があります。ただし、一の職業を確認した場合において、他の職業を有していないかについて積極的に確認することまで求めるものではないと考えられます。

確認事項はあくまで「職業」とされているため、勤務先の名称等から職業が明らかである場合を除き、勤務先の名称等の確認をもって職業の確認に代えることはできないと考えられます。

イ 「事業の内容」の分類

申告による方法は、「取引を行う目的」と同様の方法が想定されます。職業や事業内容の分類の具体的な方法は、「取引を行う目的」同様、留意事項で示されていますが、産業分類の大分類も許容されます。例えば、「製造業」「建設業」「金融業」等が考えられます。

法人が複数の事業を営んでいる場合には、それらの事業すべてについて確認する必要があります。ただし、営んでいる事業が多数である場合等は、取引に関連する主たる事業のみを確認することも認められると考えられます。

ウ　留意事項で示された「職業・事業内容」の類型

留意事項では以下のような「職業・事業内容」の類型が示されています。

○図表3-24：職業・事業内容の分類

職業	事業の内容
□　会社役員／団体役員	□　農業／林業／漁業
□　会社員／団体職員	□　製造業
□　公務員	□　建設業
□　個人事業主／自営業	□　情報通信業
□　パート／アルバイト／派遣社員／契約社員	□　運輸業
□　主婦	□　卸売／小売業
□　学生	□　金融業／保険業
□　退職された方／無職の方	□　不動産業
□　その他（　　　　　　　　）	□　サービス業
	□　その他（　　　　　　　　）

（出所）金融庁総務企画局企画課調査室「犯罪収益移転防止法に関する留意事項について」

「職業・事業内容」の類型については、参考例とはいえ、多くの金融機関では、このままチェックリストに用いることを検討するでしょう。しかし、疑わしい取引の届出に役立てるという本来の趣旨に鑑み、各金融機関の判断により、これに「法律事務所・会計事務所・税務事務所」のように他の類型を適宜追加していくことが望ましいと考えられます。

なお、顧客が「職業・事業内容」の類型のチェックリストのうち、「その他」の項目をチェックしながら、具体的にその内容を記載しない場合は、それのみでは疑わしい取引の届出を行うかどうかの判断ができず、「職業・事業内容」を確認したものとは言えません。そのような場合は、顧客に対して記載するように促し、顧客がこれを記載しない場合は取引を拒むべきでしょう（法５条）。

11. 実質的支配者の本人特定事項の確認

(1) 平成28(2016)年10月施行の改正前の犯収法における実質的支配者の本人特定事項の確認

「実質的支配者の本人特定事項」の確認は、FATFの第３次対日相互審査において、我が国においては、事業者に対し、法人である顧客の実質的支配者（BeneficialOwner）を確認することが求められていないとの指摘に基づき、平成25（2013）年４月１日に施行された改正により設けられたものです（旧法４条１項４号、旧規則10条）。

平成28（2016）年10月施行の改正前の犯収法では、顧客が資本多数決法人（株式会社や投資法人等）の場合は、その25％超の議決権を直接保有する者（他に過半数の議決権を直接保有する者がいる場合を除く）が実質的支配者に該当し、自然人ではなく法人であっても実質的支配者に該当することになりました（旧規則10条２項１号）。

資本多数決法人以外の法人（一般社団法人や医療法人等）については、その代表権限を有する者が実質的支配者に該当することになりました（同項２号）。

実質的支配者の本人特定事項の確認方法は、当該顧客等の代表者等から申告を受ける方法によりました（旧規則10条１項）。高リスク取引である場合は、書面による確認によりました。

旧法においては、資本多数決法人については、実質的支配者がいない場合もあったので、「実質的支配者の有無」についても確認をし、確認記録に記録をする必要がありました（旧規則17条１項18号）。

◯図表3-25：改正前における実質的支配者の本人特定事項の確認

会社の種類	確認対象	確認方法
資本多数決の原則を採る法人（旧規則10条2項1号） （具体例） 株式会社、投資法人、特定目的会社 （対象とならない法人） 株式会社のうち上場会社	○4分の1（25%）を超える議決権を有する者の本人特定事項（他に2分の1超の議決権を有している場合を除く） ○会社経営に関与する役員の選任に関する議案において行使できる議決権を基本的に対象 ○間接支配者は対象としない。 ○法人も実質的支配者に該当する。 ○議決権割合については、基本的には取引時の保有割合によるが、直近の株主総会開催時、取引と合理的に近接した時点での保有割合により判断することも認められる。	○顧客等の代表者等から申告を受ける方法（旧規則10条1項） ※高リスク取引の場合は書面による確認
上記以外の法人（旧規則10条2項2号） （具体例） 一般社団・財団法人、学校法人、宗教法人、医療法人、社会福祉法人、特定非営利活動法人、持分会社	当該法人を代表する権限を有している者の本人特定事項	

(2) 改正前の問題点・第3次対日相互審査における FATFの指摘

平成28（2016）年10月施行の改正前の犯収法における実質的支配者の確認は、顧客が資本多数決法人である場合は、法人が実質的支配者に該当する場合（図表3-26）があり、また、実質的支配者が存在しない場合（図表3-27）もありました。

○図表3-26：法人が実質的支配者に該当する場合

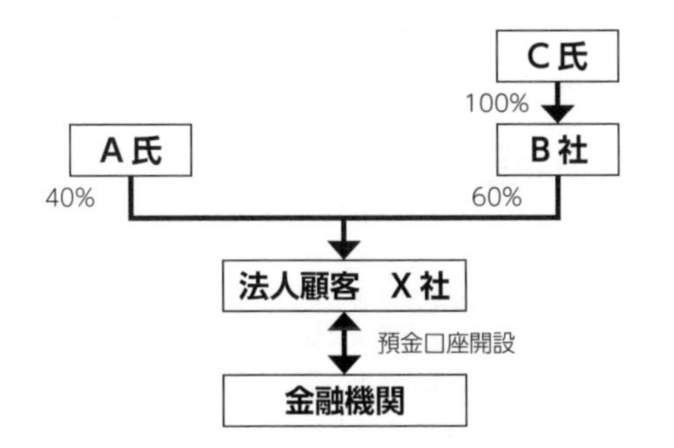

- A氏は、X社の25%超の議決権を保有しているが、他にX社の過半数の議決権を保有しているB社がいるので、X社の実質的支配者に該当しない。
- B社はX社の過半数の議決権を保有しているので、実質的支配者に該当する。
- C氏は、B社の100%の議決権を保有しているが、間接的な議決権保有者は実質的支配者に該当しない。

これに対しては、FATFが意図する「実質的支配者はあくまで自然人であるとする」との指摘がありました。

また、資本多数決以外の法人においては、当該法人を代表する権限を有する者が実質的支配者となりますが、「法人を代表する権限を有している者」は、FATF基準の「最終的に法人を所有・支配する者」とは異なると指摘しています。法人が実質的支配者になり得る点も問題として指摘していました。

さらに、改正前の実質的支配者の確認においては、顧客の所有及び管理構造を把握する義務がない点も問題点として指摘されていました。

このようなFATFの指摘に伴い、平成28（2016）年10月施行の改正後の犯収法では、実質的支配者の定義が全面的に改められました。

○図表3-27：実質的支配者が存在しない場合

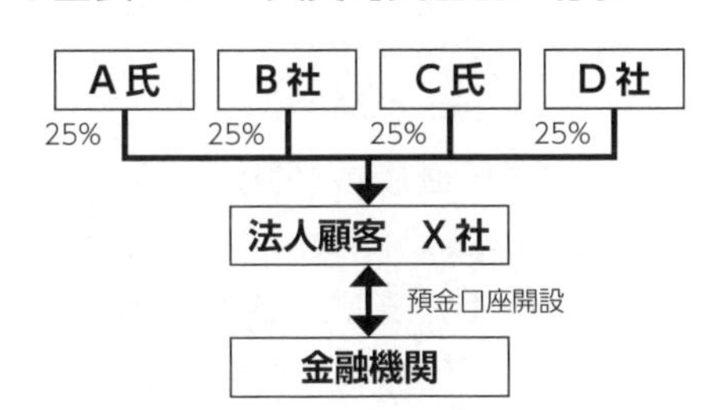

- A氏、B社、C氏、D社はいずれも顧客X社の25%の議決権を保有しているが、25%超の議決権を保有していないので、いずれもX社の実質的支配者に該当しない。

○図表3-28：真の受益者を自然人まで遡る確認について

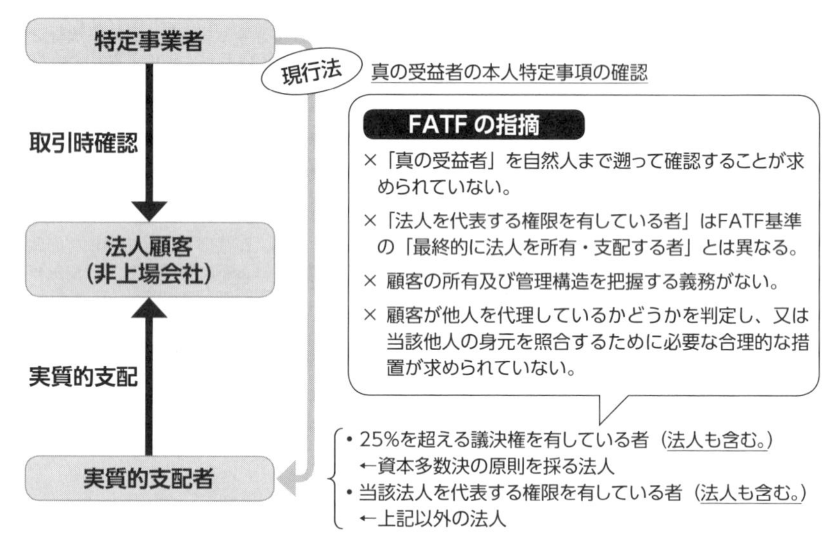

（出所）平成25年「懇談会」第１回配付資料17-2

(3) 平成28(2016)年10月施行の改正後の犯収法における実質的支配者の定義

平成28（2016）年10月施行の改正後の犯収法においては、実質的支配者の定義が変更され、必ず自然人にさかのぼる確認が必要となります（規則11条2項)。

ア　顧客が資本多数決法人の場合

顧客が資本多数決法人の場合は、以下の①⇒②⇒③⇒④の順に実質的支配者が判定されます。まず、①その過半数の議決権を直接的・間接的に保有する自然人（当該法人の事業経営を実質的に支配する意思又は能力を有していないことが明らかな場合を除く）が実質的支配者に該当し（規則11条2項1号)、②①がいない場合は、その議決権の25%超の議決権を直接的・間接的に保有する自然人が実質的支配者（当該法人の事業経営を実質的に支配する意思又は能力を有していないことが明らかな場合を除く）に該当し（同号）、③①・②がいない場合は、出資、融資、取引その他の関係を通じて当該法人の事業活動に支配的な影響力を有すると認められる自然人がいる場合は、当該自然人が実質的支配者に該当し（同項２号）、④①～③がいない場合は、当該法人を代表し、その業務を執行する自然人が実質的支配者に該当します（同項４号）。

国、地方公共団体、上場会社等の「国等」及びその子会社は実質的支配者の判断との関係で自然人とみなされ（規則11条４項）、実質的支配者に該当することになります。国等及びその子会社が実質的支配者に該当する場合には、それらの本人特定事項（名称及び本店又は主たる事務所の所在地）について申告を受けることとなり、生年月日（設立年月日）の申告は不要です（法４条１項１号）。

○図表3-29：資本多数決法人の「実質的支配者」の判断方法

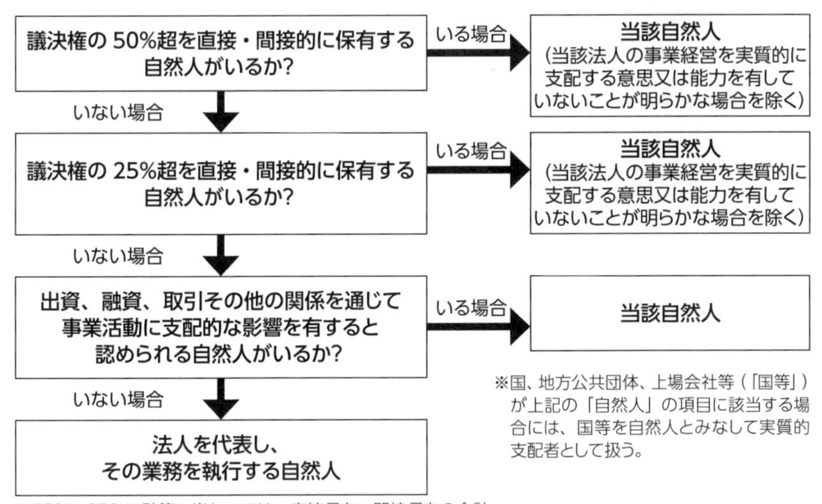

「50%超・25%超の議決権を直接的・間接的に保有する自然人」が実質的支配者に該当する場合（上記②）における例外である「当該法人の事業経営を実質的に支配する意思又は能力を有していないことが明らかな場合」とは、例えば、

信託銀行が25%を超える議決権等を保有する場合や、25%を超える議決権を有する者が病気等により支配意思を欠く場合のほか、25%を超える議決権を有する者が、名義上の保有者に過ぎず、他に株式取得資金の拠出者等がいて、当該議決権等を有している者に議決権行使に係る決定権等がないような場合が考えられます。

「出資、融資、取引その他の関係を通じて当該法人の事業活動に支配的な影響力を有すると認められる自然人がいる場合」（前記③）とは、例えば、法人の意思決定に支配的な影響力を有する大口債権者や取引先、法人の意思決定機関の構成員の過半数を自社から派遣している上場企業、法人の代表権を有している者に対して何らかの手段により支配的な影響力を有している自然人が考えられます。

資本多数決法人において、当該自然人が当該資本多数決法人の議決権の総数の25%又は50%を超える議決権を直接又は間接に有するかどうかの判定は、以下に掲げる割合を合計した割合により行います（規則11条3項）。

① 当該自然人が有する当該資本多数決法人の議決権が当該資本多数決法人の議決権の総数に占める割合
② 当該自然人の支配法人（当該自然人がその議決権の総数の50%を超える議決権を有する法人をいいます。この場合において、当該自然人及びその一若しくは二以上の支配法人又は当該自然人の一若しくは二以上の支配法人が議決権の総数の50%を超える議決権を有する他の法人は、当該自然人の支配法人とみなします）が有する当該資本多数決法人の議決権が当該資本多数決法人の議決権の総数に占める割合

具体的には、図表3-30のように、間接的な議決権保有者が実質的支配者に該当するか判断されます。

この点、EUの国々等においては、法令上は明らかではありませんが外資系金融機関のAML担当者に聞く限り、実質的支配者の該当性の判定において、自

然人の支配法人が有する議決権の保有分については、自然人が当該支配法人に対して議決権を有する持分を乗じて算出しています。

例えば、自然人Aが支配法人Bの60%の議決権を保有しており、支配法人Aが法人顧客の30%の議決権を保有している場合、自然人Aは法人顧客Xの30%の議決権を保有しており実質的支配者に該当することになりますが、議決権を乗じる方法では18%(=60%×30%)の議決権を保有していることになり実質的支配者に該当しないことになります。

我が国では、ある自然人が法人の2分の1を超える議決権を有する場合、その保有割合が60%か70%であるか等を問わず、当該自然人は、役員の選任・解任の権限を通して、当該法人が保有する他の法人の議決権を事実上行使できることとなるため、自然人が支配法人に対して有する持分と、当該支配法人が法人顧客に対して有する持分を乗じて計算して保有割合を算出する方法はとらないのです。

図表3-31のように、50%超の議決権保有により、複数の会社の支配・被支配の関係が認められる場合には、最終的に支配する自然人(Z氏)が実質的支配者に該当します。議決権保有の階層には、金融商品取引法上の公開買付制度における「特別関係者」のような制限はありません。

○図表3-30：間接的な議決権保有者

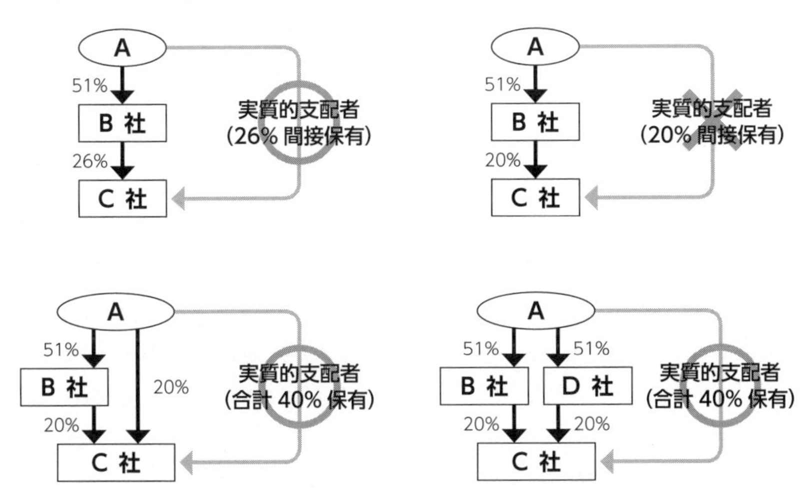

○図表3-31：50%超の議決権保有により、複数の会社の支配・被支配の関係が認められる場合

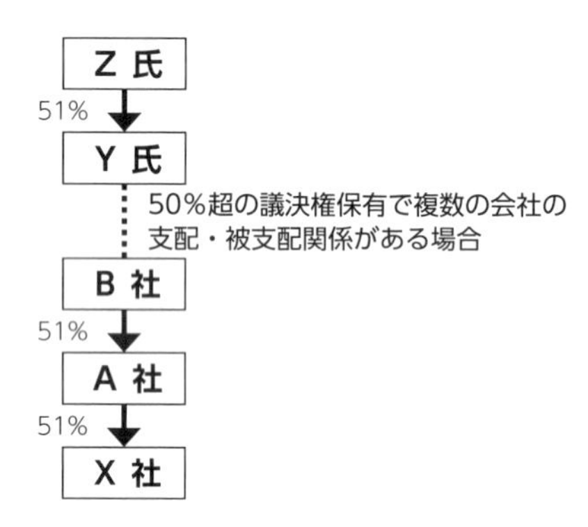

イ　顧客が資本多数決法人以外の法人の場合

顧客が資本多数決法人以外の法人の場合は、［(a) ⇒ (b)］又は［(c)］⇒ (d) の順に実質的支配者が判定されます。(a) (b) と (c) は独立に判定されます。まず、(a) 過半数の収益の配当又は財産の分配を受ける権利を有している自然人（当該法人の事業経営を実質的に支配する意思又は能力を有していないことが明らかな場合を除く）がいると認められる場合はその自然人が実質的支配者に該当し（規則11条２項３号イ)、(a) に該当する者がいると認められない場合は、(b) 当該法人の事業から生ずる収益又は当該事業に係る財産の総額の25%超の収益の配当又は財産の分配を受ける権利を有していると認められる自然人（当該法人の事業経営を実質的に支配する意思又は能力を有していないことが明らかな場合を除く）(同号イ) が実質的支配者と判断されます。これとは独立に、(c) 出資、融資、取引その他の関係を通じて当該法人の事業活動に支配的な影響力を有すると認められる自然人（同号ロ）がいると認められる場合には当該者が実質的支配者に該当します。(a) ～ (c) に該当する者がいずれもいない場合は、(d) 当該法人を代表し、その業務を執行する自然人が実質的支配者に該当します（同項４号)。

「権利を有していると認められる」（上記 (a) (b)）としているのは、取引時確認の時点において、収益の配当又は財産の分配を受ける権利を有する者が確定していない場合があることから、規定したものです。

資本多数決法人以外の法人は、収益の配当等の帰属のみでは実質的支配者の判定が困難であることから、「出資、融資、取引その他の関係を通じて当該法人の事業活動に支配的な影響力を有すると認められる自然人」（上記（c））についても、実質的支配者として規定しています。この「支配的な影響力」については、意思決定権限の支配の程度を重視することになります。

○図表3-32：資本多数決法人以外の法人の「実質的支配者」の判断方法

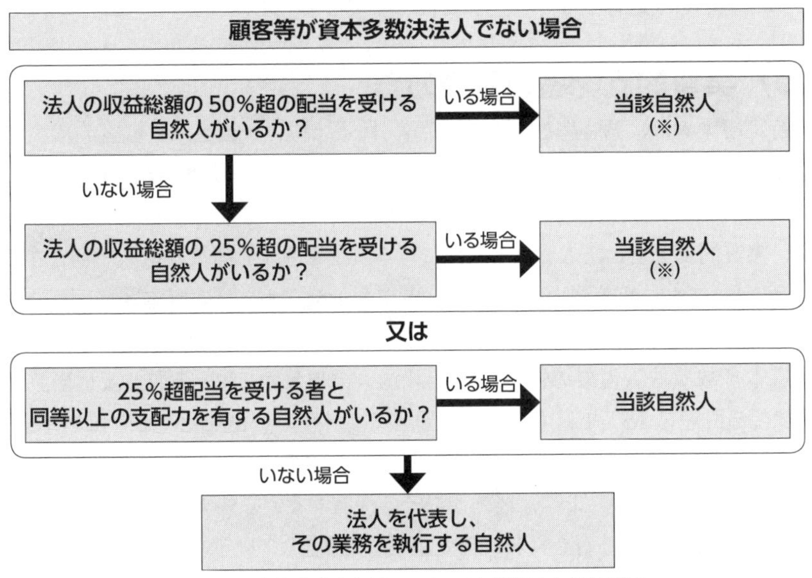

（※）事業経営を実質的に支配する意思又は能力を有していないことが明らかな場合を除く。

（4）確認事項

特定事業者が確認をする必要があるのは、法人の実質的支配者である自然人の本人特定事項（氏名、住居、生年月日）です（法4条1項4号）。

国、地方公共団体、上場会社等及びその子会社は実質的支配者の判断との関係で自然人とみなされ実質的支配者に該当する場合（規則11条4項）には、それらの者の本人特定事項（名称及び本店又は主たる事務所の所在地）について申告を受けることとなり、生年月日は不要です（法4条1項1号）。

また、FATFが求める「顧客の所有権及び管理構造の把握」として、確認記録に「実質的支配者と顧客の関係」（規則20条1項24号）について記載することが必要となりますので、「実質的支配者と顧客の関係」についても確認することを要します。

なお、平成28（2016）年10月施行の改正前の犯収法では、資本多数決法人についても必ず自然人の実質的支配者がいることになるので、改正前に必要であった「実質的支配者の有無」の確認は不要となりました。

(5) 実質的支配者の確認方法

特定事業者は、顧客等との間で特定取引を行う際は、当該法人顧客の代表者等（取引担当者のこと）から申告を受ける方法によります（規則11条1項）。

確認記録に「実質的支配者と顧客の関係」について記録することになりますが、実質的支配者と法人顧客との間に資本関係を有する複数の法人が存在する場合であっても、当該法人の本人特定事項や企業グループの資本関係図についてまで確認をする必要がありません。

資本多数決法人以外の法人の「当該法人の事業から生ずる収益又は当該事業に係る財産の25%を超える収益の配当又は財産の分配を受ける権利を有していると認められる」という点についても、代表者等の申告によることになります。ただし、特定事業者の知識、経験及びその保有するデータベースに照らして合理的でないと認められる者を実質的支配者として申告している場合には正確な申告を促す必要があります。

代表者等がしかるべき確認をしてもなお、資本関係が複雑であるなどのやむを得ない理由により顧客に係る規則11条2項1号・2号に該当する者を把握できない場合には、法人を代表し、その業務を執行する者を実質的支配者（同項4号）として申告を受けることは認められます。

実質的支配者の申告を求める方法としては、下記の図表3-33のような図表を設け、申告書において申告させることが考えられます。

「間接保有」に関しては、図表3-33のように図表を示して伝えないと顧客は完全に理解することはできないと思われます。いい加減な確認をすると、ほとんどの場合、「法人を代表し、その業務を執行する自然人」が実質的支配者となりかねません。

また、法人顧客の実質的支配者が外国PEPsである場合（12（3）ウ参照）の確認については、実質的支配者の確認の際に行うのがよいと考えられるため、

○図表3-33：実質的支配者の確認の記載例

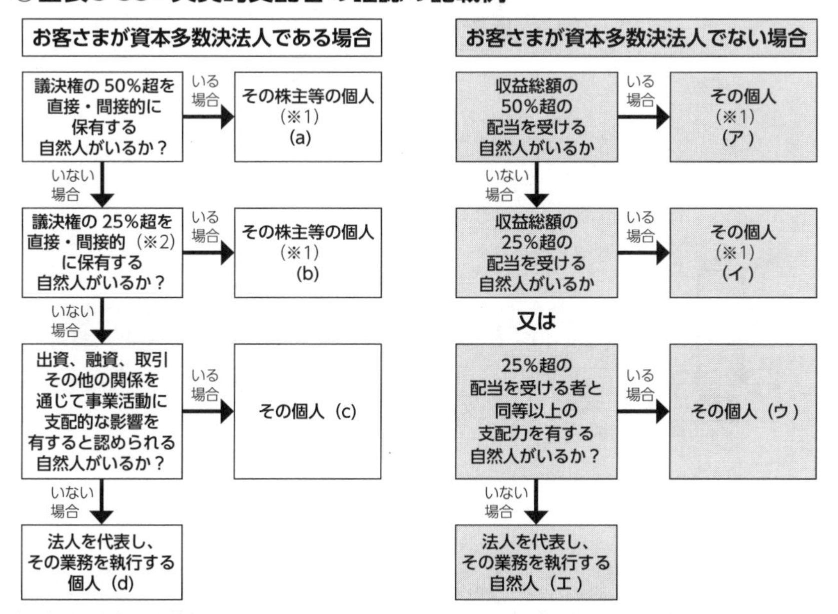

（※1）事業経営を実質的に支配する意思又は能力を有していないことが明らかな場合を除く。
（※2）他の法人の議決権を50%超有している場合はその法人の有している議決権を保有しているものとみなします。詳しくは次頁をご覧ください。

お客さまが資本多数決法人である場合（株式会社、有限会社等）は、左図に従って、お客さまが資本多数決法人でない場合（一般社団法人、一般財団法人、医療法人、学校法人等）は、右図に従って、実質的支配者をご判断いただき、その個人の方の氏名、住居、生年月日をご記載頂くとともに、関係性について、資本多数決法人の場合は (a) ～ (d)、資本多数決法人でない場合は（ア）～（エ）をお選びください。（国、地方公共団体、上場会社等（「国等」）又はその子会社が上記のいずれかに該当する場合は、国等を自然人とみなして下記を記載してください。）

お名前	住所	生年月日	関係性		外国の重要な公人該当性	
エミリオ・ベンゲル	東京都港区西麻布 ○-○-○-○○○	1960.4.2	(b)	30%の議決権を間接保有	○	X国の大使

(※2) 議決権を「間接保有」している場合とは以下の場合をいいます。

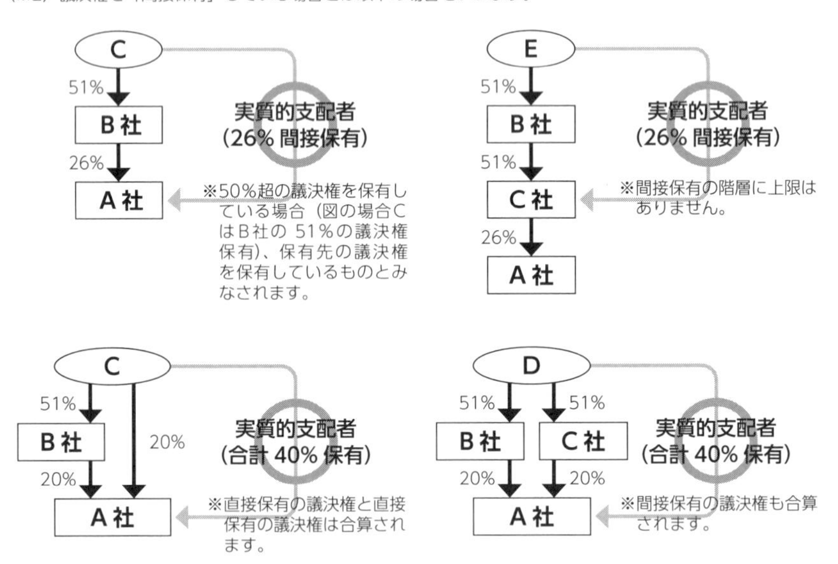

(※3)「**外国の重要な公人**」とは以下に該当する者のことをいいます。

1　以下の『外国の重要な公的地位にある者』に該当する方または過去にこれらの者であった方

- □ 国家元首
- □ 我が国における内閣総理大臣その他の国務大臣及び副大臣に相当する職
- □ 我が国における衆議院議長、衆議院副議長、参議院議長又は参議院副議長に相当する職
- □ 我が国における最高裁判所の裁判官に相当する職
- □ 我が国における特命全権大使・特命全権公使、特派大使、政府代表又は全権委員に相当する職
- □ 我が国における統合幕僚長、統合幕僚副長、陸上幕僚長、陸上幕僚副長、海上幕僚長、海上幕僚副長、航空幕僚長又は航空幕僚副長に相当する職
- □ 中央銀行の役員
- □ 予算について国会の議決を経、又は承認を受けなければならない法人の役員

2　上記１に掲げる者の家族（配偶者（事実婚含みます)、父母、子、兄弟姉妹、並びに、これらの者以外の配偶者の父母および子）（下記の頁の図をご覧ください。）

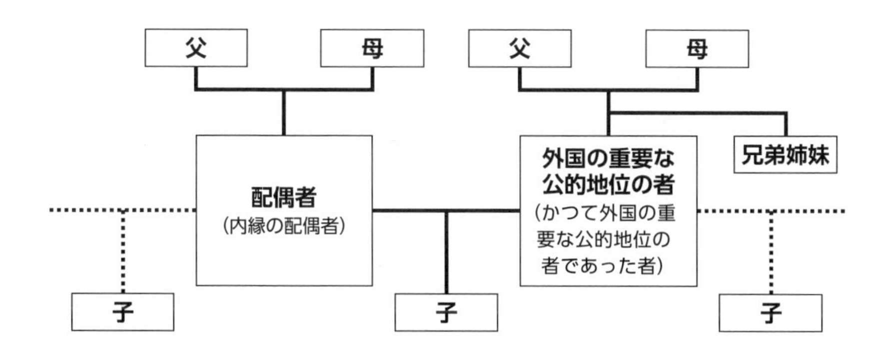

図表3-33のとおり、外国PEPsの概念も示しながら説明をしています。

なお、特定事業者の中には、約款や契約書に解約事由として、「法令で定める取引時確認事項等の確認について偽りがあるとき、又は、その疑いがあるとき」を定めている場合があります。これにより、顧客が取引時確認において虚偽の申告をすることを防ぐことを予防する効果もあります。

間接的な議決権保有者等が実質的支配者に該当する場合、法人顧客の取引担当者では、実質的支配者の本人特定事項を知らない場合もあり得ます。このような場合、特定事業者としては当該取引担当者に確認を求めるべきでしょう。当該取引担当者が確認しても実質的支配者の本人特定事項の全部又は一部が分からない場合は、その事項が空欄でも取引時確認としては許容されるのではないかと思われます。

(6) 厳格な取引時確認を行う場合の実質的支配者の確認方法

高リスク取引を行う際には厳格な取引時確認が行われますが（法4条2項）、実質的支配者の本人特定事項の確認に関しては、下記の①又は②の書類の確認を求めるとともに、当該法人顧客の代表者等からの申告を受ける方法によります（規則14条3項）。

> ①　資本多数決法人については、株主名簿、有価証券報告書その他これらに類する書類又はこれらの写し
> ②　資本多数決法人以外の法人については、登記事項証明書等又はこれらの写し

平成28（2016）年10月施行の改正後は、顧客の実質的支配者を自然人まで遡って確認することとなったため、当該実質的支配者の本人確認書類を顧客が迅速に入手することには困難を伴うことが想定され、取引実務に甚大な影響を与えることが懸念されることから、厳格な取引時確認を行う場合における実質的支配者の本人特定事項の確認の際において、本人確認書類の確認を必要とする規定を削り、申告を受ける方法に変更されました。

もっとも、マネロン・テロ資金供与対策ガイドラインにおいては、リスク低減措置としての顧客管理として、リスクが高いと判断した顧客等については、実質的支配者の本人特定事項の確認について「信頼に足る証跡」や「追加的な情報」を取得することが求められています（同ガイドラインⅡ-2（3）（ii）③・⑦イ）。

(7) 確認記録への記載

旧法では、①顧客等（国等を除く）が法人であるときは、実質的支配者の有無並びにその確認を行った方法及び（高リスク取引については）書類の名称その他の当該書類を特定するに足りる事項、②実質的支配者があるときは、当該実質的支配者の本人特定事項並びにその確認を行った方法並びに本人確認書類及び補完書類の名称、記号番号その他の当該本人確認書類及び補完書類を特定するに足りる事項を記録することとされていました（旧規則17条1項18号・19号）。

新法では、顧客等（国等を除く）が法人であるときは、実質的支配者の本人特定事項及び当該実質的支配者と当該顧客等との関係並びにその確認を行った方法（当該確認に書類を用いた場合には、当該書類の名称その他の当該書類を特定するに足りる事項を含む）のみ記録することとされています（新規則20条1

項24号)。

新法では、実質的支配者である自然人がいないという事態は想定されないため、「実質的支配者の有無」の記録欄が削除されています(平成27年パブコメ154番)。

(8) FATF第4次対日相互審査報告書

ア 報告書の評価

令和3(2021)年8月30日に公表されたFATFの第4次対日相互審査報告書では、勧告24(法人の透明性及び実質的支配者)について、以下の指摘事項を挙げて「PC(一部履行)」の評価となっております。

特に、法人の実質的支配者の本人特定事項の確認が代表者等(取引担当者)からの申告制(犯収法施行規則11条1項)となっており、商業登記において実質的支配者情報が利用できない点が問題視されています。

下記イの平成30(2018)年11月30日に設けられた公証人による定款認証の際の実質的支配者の確認は不十分であるとされています。

イ 公証人による定款認証の際の実質的支配者の確認

平成30(2018)年11月30日から、改正公証人法施行規則が施行される、新たに同法13条の4が追加され定款認証の方式が変更されました。

これは法務省の有識者会議「株式会社の不正使用防止のための公証人の活用に関する研究会」において提言された制度です。①株式会社を隠れ蓑とする詐欺被害防止の必要性、②反社会的勢力排除の必要性、③FATF勧告24の観点で、法人の実質的支配者を把握する必要性から設けられました。

対象となる法人は、**株式会社、一般社団法人及び一般財団法人**で、合同会社は対象外です。

これらの法人を設立する際に、公証役場における定款認証手続きにおいて、「実質的支配者となるべき者の申告書(又は写し)」を提出することになりました。

同書面には、犯収法の実質的支配者の基準に該当する者の①**氏名**、②**住居**、③**生年月日**、④**国籍等**、⑤**性別を記載するとともに**、⑥**暴力団等に該当するか**

否かも記載することが求められます。

「暴力団等」は、①暴力団員による不当な行為の防止等に関する法律第2条第6号所定の暴力団員、および、②国際連合安全保障理事会決議第1267号等を踏まえ我が国が実施する国際テロリストの財産の凍結等に関する特別措置法第3条第1項の規定により公告されている者（現に同項に規定する名簿に記載されている者に限る。）又は同法第4条第1項の規定による指定を受けている者をいいます。

令和３（2021）年６月までは、申告書の「暴力団員等該当性」欄にある「該当」・「非該当」の選択肢を○で囲んでもらう取扱いをしていたが、令和３（2021）年7月からは、同欄の記入に代えて、実質的支配者となるべき者が作成した「表明保証書」を申告書に添付して頂く扱いでも差し支えないことになりました。

定款認証手続をした場合には、「申告受理及び認証証明書」が無料で交付されます。

実質的支配者となるべき者が暴力団員等に該当しないと認められる場合には定款の認証を行うこととなりますが、その認証文言は、従来のものに、「嘱託人は、『実質的支配者となるべき者である○○○○は暴力団員等に該当しない。』旨申告した。」旨の文言が付加されます。

したがって、新規に設立した法人顧客については「申告受領及び認証証明書」が交付されるので、法人の新設を依頼した司法書士に申請書の受理印付の実質的支配者となるべき者の申告書の写しおよび「申告受理および認証証明書」を金融機関に提示することが考えられます。

本制度は、公証人に提出する「実質的支配者となるべき者の申告書」は、公正証書となり、虚偽の実質的支配者情報は公正証書不実記載罪（刑法157条）の対象となるので一定程度真実性は担保できる点は意義があります。

しかしながら、①新設法人にしか適用されず実質的支配者の更新情報としては使えないこと、②株式会社、一般社団法人及び一般財団法人に適用対象が限られていること、③金融機関が公証人に対して直接交付を求めることはできず、法人顧客の側で「申告受理および認証証明書」を取得した場合に利用することができるに過ぎないことなど限界があります。

ウ　商業登記所における実質的支配者情報一覧の保管

本報告書の勧告24に対する評価を受け、政府の「マネロン・テロ資金供与・拡散金融対策に関する行動計画」においては、「株式会社の申出により、商業登記所が実質的支配者情報を保管し、その旨を証明する制度を今年度中に開始するとともに、実質的支配者情報を一元的に管理する仕組みの構築に向け、関係省庁が連携して利用の促進等の取組みを進める。」（期限：令和4年秋、担当官庁：法務省、警察庁、特定事業者所管行政庁）としています。

政府は、法務省の有識者会議「商業登記所における法人の実質的支配者情報の把握促進に関する研究会」における検討を経て、「商業登記所における実質的支配者情報一覧の保管等に関する規則」が令和3（2021）年9月17日に公布され（法務省告示）、令和4（2022）年1月31日に施行されます。

同制度は、株式会社からの申出により、登記所が、その実質的支配者に関する情報を記載した書面を保管し、その写しを交付する制度です（同規則1条）。

株式会社は、その本店の所在地を管轄する商業登記所の登記官に対し、当該株式会社に係る「実質的支配者情報一覧」の保管及び実質的支配者情報一覧の写しの交付の申出をすることができます（同規則2条）。

申出を受けた登記官は、株主名簿の写し等の添付書面及び商業登記所の保有する情報等に基づき「実質的支配者情報一覧」の内容を調査します。

登記官は、調査が終わると「実質的支配者情報一覧」をスキャンして保管するとともに、申出法人について、「実質的支配者情報一覧」が保管されている旨を登記簿に付記します。これにより、「実質的支配者情報一覧」を届け出ている信用性の高い会社と評価され得ます。

なお、実質的支配者情報は、申出日から1か月以内の情報を記載しなければなりません。

その上で、登記官は、当該法人に対し,「実質的支配者情報一覧」の写し（登記官が写しであることの認証を付したもの）を交付します。

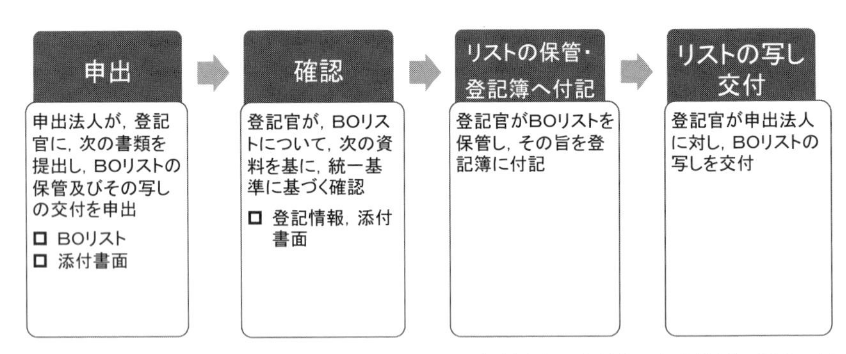

（出所）法務省民事局「商業登記所における法人の実質的支配者情報の把握促進に関する研究会」取りまとめ概要（令和２年７月）

商業登記所（法務局）は犯収法上の実質的支配者基準のうち、形式審査可能な①②を対象とします。実質的な審査に及ぶ「支配的影響力有する者」「代表者」が実質的支配者となる場合は審査の対象としません。

> ①　当該法人の議決権の総数の2分の1を超える議決権を直接又は間接に有していると認められる自然人（この者が当該会社の事業経営を実質的に支配する意思又は能力がないことが明らかな場合を除く。）：犯罪収益移転防止法施行規則第11条第２項第１号参照
>
> ②　①の者がいない場合には，当該法人の議決権の総数の4分の1を超える議決権を直接又は間接に有していると認められる自然人（この者が当該会社の事業経営を実質的に支配する意思又は能力がないことが明らかな場合又はｉの場合を除く。）：同規則第11条第２項第１号参照

○実質的支配者情報一覧

別紙書式
（日本産業規格Ａ列４番）

実質的支配者情報一覧

（商号）＿＿＿＿＿＿＿＿＿＿　（会社法人等番号）＿＿＿＿＿＿＿＿＿＿

（本店）＿＿＿＿＿＿＿＿＿＿＿＿＿＿＿＿＿＿＿＿

（作成年月日）＿＿＿＿＿＿＿＿＿＿　（作成者（代表者））＿＿＿＿＿＿＿＿＿＿

以下の情報は，＿＿＿＿＿＿＿＿現在の実質的支配者情報である。

実質的支配者の該当事由（①又は②のいずれかの左側の□内に✔印を付してください。）（※1）

□　①　会社の議決権の総数の５０％を超える議決権を直接又は間接に有する自然人（この者が当該会社の事業経営を実質的に支配する意思又は能力がないことが明らかな場合を除く。）：犯罪による収益の移転防止に関する法律施行規則（以下「犯収法施行規則」という。）第１１条第２項第１号参照

□　②　①に該当する者がいない場合は，会社の議決権の総数の２５％を超える議決権を直接又は間接に有する自然人（この者が当該会社の事業経営を実質的に支配する意思又は能力がないことが明らかな場合又は他の者が会社の議決権の総数の５０％を超える議決権を直接又は間接に有する場合を除く。）：犯収法施行規則第１１条第２項第１号参照

実質的支配者の本人特定事項等（※2，※3）

1番	住居		国籍等	日本・その他　（※4） （　　　　）	議決権割合	% （間接保有）有・無（※5） ※有の場合は別紙に支配関係図を記載
	氏名（※6）	フリガナ	生年月日	（昭和・平成・西暦） 年　月　日生		
			実質的支配者該当性の添付書面			
			実質的支配者の本人確認の書面			
2番	住居		国籍等	日本・その他　（※4） （　　　　）	議決権割合	% （間接保有）有・無（※5） ※有の場合は別紙に支配関係図を記載
	氏名（※6）	フリガナ	生年月日	（昭和・平成・西暦） 年　月　日生		
			実質的支配者該当性の添付書面			
			実質的支配者の本人確認の書面			
3番	住居		国籍等	日本・その他　（※4） （　　　　）	議決権割合	% （間接保有）有・無（※5） ※有の場合は別紙に支配関係図を記載
	氏名（※6）	フリガナ	生年月日	（昭和・平成・西暦） 年　月　日生		
			実質的支配者該当性の添付書面			
			実質的支配者の本人確認の書面			

※1　①の５０％及び②の２５％の計算は，次に掲げる割合を合計した割合により行う（犯収法施行規則第１１条第３項）。
(1)　当該自然人が有する当該会社の議決権が当該会社の議決権の総数に占める割合
(2)　当該自然人の支配法人（当該自然人がその議決権の総数の５０％を超える議決権を有する法人をいう。この場合において，当該自然人及びその一若しくは二以上の支配法人又は当該自然人の一若しくは二以上の支配法人が議決権の総数の５０％を超える議決権を有する他の法人は，当該自然人の支配法人とみなす。）が有する当該会社の議決権が当該会社の議決権の総数に占める割合

※2　「住居，氏名」欄には，①の場合は，該当する者１名を記載し，②の場合は，該当者全員を記載する。

※3　犯収法施行規則第１１条第４項によって，上場企業等及びその子会社は自然人とみなされるので，上記自然人の「住居，氏名」欄に，その「住所，名称」を記載する。

※4　「国籍等」欄は，日本国籍の場合は「日本」を○で囲み，日本国籍を有しない場合は「その他」を○で囲んで具体的な国名等を（　）内に記載する。

※5　議決権の全部又は一部を間接保有する場合には「有」を，全部直接保有する場合には「無」を○で囲む。

※6　外国人の氏名は，アルファベットで表記（漢字圏の外国人の氏名については漢字との併記可）し，フリガナをカタカナで表記する。

（出所）商業登記所における実質的支配者情報一覧の保管等に関する規則の施行に伴う事務の取扱いについて（通達）〔令和３年９月17日法務省民商第159号〕

○実質的支配者情報一覧の別紙

別紙書式

（別紙）

（日本産業規格Ａ列４番）

実質的支配者の番号　　番
（支配関係図）

実質的支配者の番号　　番
（支配関係図）

（出所）商業登記所における実質的支配者情報一覧の保管等に関する規則の施行に伴う事務の取扱いについて（通達）〔令和３年９月17日法務省民商第159号〕

商業登記所への提出情報が虚偽であれば公正証書不実記載罪（刑法157条）の対象となるので一定程度真実性は担保できます。

もっとも、同制度においては、実質的支配者の申出を行うか否かは任意の制度となっており、実質的支配者情報の更新も含め、EU加盟諸国等のように義務化が望まれます。また、実質的支配者情報へのアクセス権者は個人情報を含むプライバシー性の高い情報であるとして、申出法人のみができるが、関係当局・提出先の金融機関等の特定事業者を含めるなど拡大することが望まれます。また、手続のオンライン化も望まれます。

○欧州各国・米国の実質的支配者（BO）の登録制度

	イギリス	ドイツ	フランス	アメリカ
機関	商業登記を担う機関（Companies House）	商業登記を担う機関とは別機関	商業登記を担う機関（商事裁判所登記課）	連邦，州いずれのレベルにおいても，BO情報登録制度は存在しないようである。
対象	上場企業を除く会社	全ての会社	上場会社を除く会社等	
申告・登録	実質的支配者を記載した名簿（PSC名簿）の備付け，登録機関へも申告して登録	実質的支配者情報を登録機関に申告して登録	実質的支配者情報を登録機関に申告して登録	
更新	変更が生じれば更新義務	変更が生じれば更新義務	変更が生じれば更新義務	
正確性確保	BOの確認義務者には，自己の情報と登録情報との齟齬を発見した場合の登録機関への報告義務	BOの確認義務者には，自己の情報と登録情報との齟齬を発見した場合の登録機関への報告義務	自己の情報と登録情報との齟齬が発見された場合の報告の仕組みあり	
情報へのアクセス	何人も住所以外の登録情報にアクセス可	BOの基本情報（氏名，出生年月日，居住国，国籍，BOの類型）について，何人もアクセス可	BOの基本情報（氏名，出生年月日，居住国，国籍，BOの類型）について，何人もアクセス可	
制裁	PSC名簿の備付義務，更新義務，申告・登録義務等に違反すると，刑罰による制裁	申告義務，更新義務等に違反すると，刑罰による制裁	申告義務，更新義務等に違反すると，刑罰による制裁	
第4次FATF審査	R24:LC, IO5:Substantial (Dec 2018)	未評価	未評価	R24:NC, IO5:Low (Dec 2016)

（出所）法務省民事局「商業登記上における法人の実質的支配者情報の把握促進に関する研究会」取りまとめ概要（令和2年7月）

エ　既存顧客の実質的支配者の確認

本報告書では特に、平成28（2016）年10月施行の犯収法の改正以前の既存顧客については経過措置により、実質的支配者の本人特定事項の確認が求められていないことが問題視されています。

これを受け、政府の「マネロン・テロ資金供与・拡散金融対策に関する行動計画」では、「全ての特定事業者が、期限を設定して、既存顧客の実質的支配者情報を確認するなど、実質的支配者に関する情報源を強化する。」（期限：令和６年春、担当官庁：法務省、警察庁、特定事業者所管行政庁）とされています。

この取組みが法令の改正により義務として求められることになるのか、または、各特定事業者の監督官庁のガイドライン等で義務付けられるのか注目されます。

12. 高リスク取引についての厳格な取引時確認

（1）厳格な取引時確認を要する高リスク取引の種類

平成25（2013）年４月に施行された改正により、下記の①~③が高リスク取引として定められ、厳格な取引時確認が必要となりました（法４条２項）。

これは、FATF勧告において、リスクベース・アプローチ（取引を、マネー・ローンダリングに利用される危険性の高い取引、中程度の取引、低い取引に分類をし、危険性の高い取引について厳格な顧客管理措置を講ずること）が定められているところ、平成25（2013）年４月施行の改正前までは、特定取引に該当するか否かの区分しかなかったために、置かれたものです。

平成28（2016）年10月に施行された改正により、④の外国PEPsである顧客等との間で行う特定取引が追加されました（詳細については下記（3）参照）。

高リスク取引の種類

① 継続的取引である特定取引（に基づく取引）について「なりすましの疑いがある場合」（法４条２項１号イ、令12条１項１号）

② 継続的取引である特定取引（に基づく取引）について「契約時確認事項に偽りがある疑いがある場合」（その代表者等が当該事項を偽っていた疑いがある顧客等を含む）（法４条２項１号ロ、令12条１項２号）

③ 特定取引のうち、イラン・北朝鮮（「特定国等」）に居住し又は所在する顧客等との間におけるものその他特定国等に居住し又は所

在する者に対する財産の移転を伴うもの（法4条2項2号、令12条2項）

④ 外国PEPsである顧客等との間で行う特定取引（法4条2項2号、令12条3項）

上記のうち、①・②は、「取引」というよりも、すでに継続的取引である特定取引（預金口座の開設等）に関する契約を締結した後に、「なりすましの疑いがある場合」や「契約時確認事項に偽りのある疑いがある場合」という状態が生じた場合です。これらの場合は、平成25（2013）年4月の改正前は、通常の特定取引として取引時確認を行う場合として定められていました。

これに対して、③・④は「特定取引」を行うに際して問題となる事項です。「特定取引」以外の取引を行う際には該当しません。

(2) 確認方法

ア 二段階の高リスク取引

高リスク取引の取引時確認については、以下のとおり、2段階の厳格な顧客管理について定められています（法4条2項）。（下記図表3-34参照）

① 「高リスク取引」でかつ「200万円以下の財産の移転を伴う場合」は、通常の取引時確認と取引時確認事項（本人特定事項、取引を行う目的、職業・事業内容、法人の実質的支配者の本人特定事項）は同じですが、本人特定事項の確認方法と実質的支配者の本人特定事項の確認方法が異なります。

② 「高リスク取引」でかつ「200万円超の財産の移転を伴う場合」は、上記①に加えて、疑わしい取引の届出に必要な限度で「資産及び収入の状況」の確認が必要となります。

○図表3-34：通常の特定取引と高リスク取引の取引時確認方法の比較

確認事項	通常の特定取引の場合の確認	高リスク取引の場合の確認
本人特定事項	本人確認書類・補完書類・写しの確認	２種類以上の本人確認書類・補完書類・写しで確認。少なくとも１つは、継続的取引の開始の際において用いた本人確認書類・補完書類・写し以外の本人確認書類・補完書類・写しにより確認 ＊継続的な契約の締結の際の本人特定事項の確認において用いていない書類で確認
取引目的・職業	申告による方法	同右
事業内容	定款、法令の規定により法人が作成することとされる書類で当該法人の事業内容の記載があるもの登記事項証明書等の書類又は写しを確認する方法	同右
法人の実質的支配者の本人特定事項	申告による方法	（旧法） 法人顧客に関する下記①・②の書類又は写しにより、法人顧客の「実質的支配者」の有無を確認し、「実質的支配者」がいる場合は当該実質的支配者の本人特定事項を本人確認書類又はその写し（当該本人確認書類又はその写しに当該実質的支配者の現在の住居又は本店若しくは主たる事務所の所在地の記載がないときは、当該本人確認書類又はその写し及び当該記載がある当該実質的支配者の補完書類又はその写し）で確認する。 （新法） 法人顧客について、下記①・②の書類又は写しを確認するとともに、代表者等から法人顧客の「実質的支配者」の本人特定事項について申告を受ける。 ①資本多数決原則の取られる法人（株式会社等）⇒株主名簿、有価証券報告書その他これらに類する書類 ②上記①以外の法人（持分会社や一般社団法人又は一般財団法人）⇒登記事項証明書

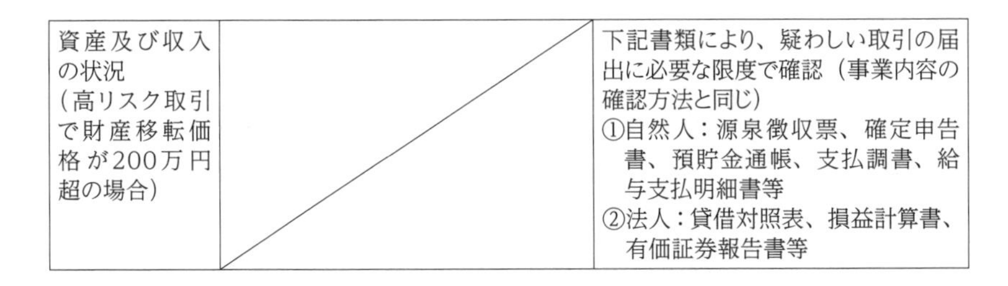

資産及び収入の状況（高リスク取引で財産移転価格が200万円超の場合）		下記書類により、疑わしい取引の届出に必要な限度で確認（事業内容の確認方法と同じ） ①自然人：源泉徴収票、確定申告書、預貯金通帳、支払調書、給与支払明細書等 ②法人：貸借対照表、損益計算書、有価証券報告書等

高リスク取引を行う際には、顧客等又は代表者等に対する質問その他の当該取引に疑わしい点があるかどうかを確認するために必要な調査を行った上で統括管理者（法11条3号）又はこれに相当する者に、疑わしい取引の届出をする際に当該取引に疑わしい点があるかどうか確認をさせるとともに、統括管理者の承認を受けさせる必要があります（規則27条3号、32条4号）。（後記カ参照）

イ　通常の特定取引の確認方法との比較

本人特定事項については、通常の特定取引における確認方法と異なる方法により確認をする必要があります（規則14条1項）。「なりすましの疑いがある場合」及び「契約時確認事項を偽っていた疑いがある場合」といった継続的取引を前提とした場合については、継続的な契約の締結の際の本人特定事項の確認において用いていない本人確認書類、補完書類、写しにより確認をする必要があります。

「取引目的」「職業」「事業内容」の確認方法は通常の特定取引の場合と同じです（規則14条2項）。もっとも、マネロン・テロ資金供与対策ガイドラインにおいては、リスク低減措置としての顧客管理として、リスクが高いと判断した顧客等については、取引目的や職業・地位等について「信頼に足る証跡」や「追加的な情報」を取得することが求められています（同ガイドラインⅡ-2（3）（ii）③・⑦イ）。

「法人の実質的支配者の本人特定事項」は通常の特定取引の場合は、「申告を受ける」ことによります。これに対して、平成28（2016）年10月施行の改正後の犯収法において「実質的支配者」の定義が変更されたことに伴い（前記11参照）、高リスク取引の場合の確認方法が変更されています。改正前は、実質的支配者の有無を確認するとともに、当該法人顧客の実質的支配者の本人特定事項について「書類で確認する」こととされていました。これに対して、改正後は、当該法人顧客の所有構造について「書類で確認する」とともに、当該法人顧客の代表者等から実質的支配者の本人特定事項について「申告を受ける」ことになりました（規則14条３項）。もっとも、マネロン・テロ資金供与対策ガイドラインにおいては、リスク低減措置としての顧客管理として、リスクが高いと判断した顧客等については、実質的支配者の本人特定事項の確認について「信頼に足る証跡」や「追加的な情報」を取得することが求められています（同ガイドラインⅡ-2（3）（ii）③・⑦イ）。

「資産及び収入の状況」は、通常の特定取引においては確認の対象となりませんが、高リスク取引のうち、200万円超の財産の移転を伴う場合は、疑わしい取引の届出に必要な限度で、「書類で確認する」ことになります（規則14条４項）。

ウ　本人特定事項の確認方法（規則14条１項）

高リスク取引においては、以下のとおり、２つ以上の本人確認書類等の提示又は送付を受けることが必要となります。

「なりすましが疑われる取引」及び「契約時確認事項に偽りが疑われる取引」については、通常行う本人確認に加え、追加的に別の本人確認書類（その写しを用いたものを含む）もしくは補完書類（その写しを用いたものを含む）の提示又は送付を受け、より厳格な確認が必要となります。

なお、上記書類のうち少なくとも１つは、最初の本人特定事項の際に用いた本人確認書類及び補完書類とは異なる本人確認書類（その写しを用いたものを含む）もしくは補完書類（その写しを用いたものを含む）の提示又は送付を受けることになります。例えば、①初回の特定取引で本人確認を行い、②なりすましの疑いを持った場合、③初回の本人確認で用いた書類又はその写しと、初回の本人確認で用いなかった本人確認書類もしくは補完書類又はその写しで再確認をすることになります。

他方、「特定取引のうち、イラン・北朝鮮に居住する顧客等との取引等」及び「外国PEPsである顧客等との間で行う特定取引」については、通常行う本人確認に加え、追加的に別の本人確認書類（その写しを用いたものを含む）又は補完書類（その写しを用いたものを含む）を求め、より厳格に確認を求めることになります。

エ　法人の実質的支配者の有無・本人特定事項の確認（規則14条3項）

平成28（2016）年10月施行の改正前の犯収法では、通常の特定取引の場合、「法人顧客の実質的支配者の有無」及び「法人顧客の本人特定事項」について代表者等から申告を受けておりました（旧規則10条1項）。改正後は、実質的支配者の定義の変更により、必ず実質的支配者がいることになるので、「法人顧客の実質的支配者の有無」の確認は不要となり、「法人顧客の本人特定事項」についてのみ、代表者等から申告を受けることになりました（規則11条1項）。

高リスク取引の場合は、資本多数決の原則を採る法人とそれ以外の法人に分け、以下の書類（下記（ア）・（イ）に列挙されている書類）を確認するとともに、代表者等から当該実質的支配者の本人特定事項の申告を受けることにより確認します。

これは、実質的支配者として、間接的な議決権保有者も対象となるため、これらの書類では、支配構造を証明するに足り得ない場合が生じ得ますが、マネー・ローンダリング対策上、実質的支配者が記載されていない場合でも、これらの書類を受け取るのは有効であるため、当該規定は存置したものです。

もっとも、マネロン・テロ資金供与対策ガイドラインにおいては、リスク低減措置としての顧客管理として、リスクが高いと判断した顧客等については、実質的支配者の本人特定事項の確認について「信頼に足る証跡」や「追加的な情報」を取得することが求められています（同ガイドラインⅡ-2（3）（ⅱ）③・⑦イ）。「信頼に足る証跡」としては、顧客である法人の企業グループの資本関係図を徴求することまで求めるものではありませんが、証跡の一つとして有益なものと考えられます。

（ア）資本多数決法人（株式会社、投資法人等）
株主名簿、有価証券報告書その他これらに類する当該法人の議決権の保有状況を示す書類
（イ）資本多数決法人以外の法人（持分会社や一般社団法人又は一般財団法人等）
次に掲げる書類（有効期間又は有効期限のあるものについては、特定事業者が確認する日において有効なものに、その他のものについては特定事業者が確認する日前６か月以内に作成されたものに限る。）
①当該法人の設立の登記に係る登記事項証明書（当該法人が設立登記をしていないときは、当該法人を所轄する行政機関の長の当該法人を代表する権限を有している者を証する書類）、②官公庁から発行され、又は発給された書類その他これに類するもので、当該法人を代表する権限を有している者を証するもの、③外国に本店又は主たる事務所を有する法人については、①・②に掲げるもののほか、日本国政府の承認した外国政府又は権限のある国際機関の発行した書類その他これに類するもので、当該法人を代表する権限を有している者を証するもの。

オ　資産及び収入の状況の確認

（ア）確認が必要な場面

FATF旧勧告に基づく第３次対日相互審査報告書の指摘及び平成22年懇談会報告書を受けて、高リスク取引のうち、取引の価額が200万円超の財産の移転をともなう場合に、「資産及び収入の状況」の取得を義務付けたものです。

「資産及び収入の状況」の確認が必要となる「200万円超」の財産の移転の評価方法は、時価評価が原則となりますが、時価評価が著しく困難であるなどやむを得ない事情があり、かつ、時価による評価額と簿価による評価額に有意な

差がないと認められる場合には、簿価評価とすることができる場合もあると考えられます。

「200万円超」はそれぞれの取引1件当たりの金額です。ただし、ごく短期間に同種の取引が多数行われた場合等で、それらの取引全体が実質的に1つの取引と認められることもあります。

外貨取引の場合は日本円に換算した金額となります。保険契約の締結が「200万円」を超える財産の移転を伴うものであるかは、支払事由が発生した際の保険金額や将来的に支払う保険料の金額ではなく、契約の締結の際に支払う手数料等の額により判断します。なお、保険料や保険金の支払いが、保険契約に基づく取引として法4条2項1号に掲げる取引に該当する場合には、当該支払いの額により判断します。

クレジットカード契約の締結が「200万円」を超える財産の移転を伴うものであるかは、利用限度額ではなく、当該契約の締結に当たり支払う手数料等の額により判断します。なお、クレジットカード決済等の取引が、クレジットカード契約に基づく取引として法4条2項1号に掲げる取引に該当する場合には、当該取引の金額（一取引の利用金額）により判断します。

「財産の移転」には、財産の権利者の変更のほか、財産の保有、保管、管理の状況の変動によりその追跡における経路を複雑化させる行為全般が含まれます。例えば、「同一顧客の異なる口座間での振替」「貸金庫への預入れ・引出し」「被仕向送金により顧客口座に入金されること」も含まれると考えられます。

令和3（2021）年8月30日に公表されたFATFの第4次対日相互審査報告書においては、「金融機関は、財産の出所と資金源の確認を行う必要があるが、取引金額が200万円（15,837ユーロ/ 19,261米ドル）を超える財産の移転が含まれる場合に限られる。」との評価がなされています。

もっとも、正確には、「厳格な取引時確認を要する場合」であて、「200万円を超える財産の移転がある場合」に「疑わしい取引の届出を行うべき場合に該当するかどうかの判断に必要な限度」で「資産及び収入の状況」の確認をすることとされています（犯収法4条2項、同法施行令11条）。

法改正としては、①厳格な取引時確認の場合に財産の移転価格にかかわらず、一律に「資産及び収入の状況」の確認が必要となるのかどうか、②「資産及び収入の状況」だけでなく、「財産の出所や資金源」についても調査することが求められるようになる可能性があります。

(イ) 確認方法

以下の書類により、疑わしい取引の届出を行うべき場合に該当するかどうかの判断に必要な限度で確認を行います。

必ずしも「資産」及び「収入」の両方の状況を確認する必要があるわけではありません。基本的には確認の対象となる取引の時点又はその直近のものが想定されますが、疑わしい取引の届出を行うかどうかの判断は個別の取引に応じて行われるものであることから、確認に用いることができる書類の作成時期等を一律に定めることはしていません。

特定事業者が保有している顧客等の預金残高の情報により確認することも認められます。

1　自然人である顧客等

イ　源泉徴収票

ロ　確定申告書

ハ　預貯金通帳

ニ　イからハに類する当該自然人の資産及び収入の状況を示す書類

ホ　当該自然人の配偶者（婚姻の届出をしていないが、事実上婚姻関係と同様の事情にある者を含む）に係るイからニまでに掲げるもの

＊　「残高証明書」、「支払調書」、「給与の支払明細書」、「納税通知書」、「納税証明書」、「所得証明書」等を想定しています。

＊　顧客等自身の書類が用意できない場合に限られません。

2　法人である顧客等

イ　貸借対照表

ロ　損益計算書

ハ　イ及びロに掲げるもののほか、これらに類する当該法人の資産及び収入の状況を示す書類

＊　「有価証券報告書」、「正味財産増減計算書」、「損益計算書」、「預貯金通帳」、「法人税申告書別表二（同族会社等の判定に関する明細書）」等を想定しています（パブコメ回答102番）。

カ　統括管理者等による確認・承認

高リスク取引（法4条2項）をする際に、「疑わしい取引の届出」をするか否か判断する場合において、当該取引及び顧客等又は代表者等（犯収法上、取引担当者のことを「代表者等」といいます）に対する質問その他の当該取引に疑わしい点があるかどうかを確認するために必要な調査を行った上で、統括管理者（法11条3号参照）又はこれに相当する者に当該取引に疑わしい点があるかどうかを確認させる必要があります（規則27条3号）。

また、高リスク取引をする際には、統括管理者の承認を受けさせることが、努力義務として求められています（規則32条4号）。統括管理者の承認は必ずしも取引の前に受ける必要はありません。

なお、「マネー・ローンダリング及びテロ資金供与対策に関するガイドライン」では、マネロン・テロ資金供与リスクが高いと判断した顧客については、リスクに応じた厳格な顧客管理（EDD）として「当該顧客との取引の実施等につき、上級管理職の承認を得ること」が求められている（同ガイドラインII-2（3）(ii)【対応が求められる事項】⑦ロ）が、「上級管理職」と「統括管理者」は異なる概念であり、「統括管理者」は必ずしも「上級管理職」である必要はありません。

FATFの第4次対日相互審査報告書では、承認の主体である統括管理者が上級管理者である必要がないことが問題点として指摘されています。犯収法上の「統括管理者」の定義は「取引時確認等の措置の的確な実施のために必要な監査その他の業務を統括管理する者」（犯収法11条3号）とされていますが、上級管理職である必要がある旨の改正がなされる可能性があります。

キ　マネロン・テロ資金供与対策ガイドラインにおける厳格な顧客管理措置（EDD）

マネロン・テロ資金供与対策ガイドラインにおいては、「顧客管理」に関して、以下の厳格な顧客管理措置（EDD）を講ずることを「対応が求められる事項」としています（同ガイドラインⅡ-2（3）（ii）⑦、第５章を参照）。

○図表3-35：犯収法・ガイドライン上のリスク分類

	リスク分類	取引時確認	その他の顧客管理措置
高リスク取引	①継続的な特定取引について、なりすまし・契約時確認事項に偽りの疑いのある場合 ②イラン・北朝鮮に居住する者との間の特定取引 ①外国PEPsである顧客等との間で行う特定取引	厳格な取引時確認	①統括管理者・これに相当する者による疑わしい点があるかの確認 ②統括管理者（上級管理者（※3））による取引実行の承認 ③資産・収入の状況、取引の目的、職業・地位、資金源等についてリスクに応じ追加的情報の入手（※3） ④敷居値の厳格化等の取引モニタリングの強化・定期的な顧客情報の調査頻度の増加（※3）
	顧客管理を行う上で特別の注意を要する取引	取引時確認（取引時確認済みの顧客についても）	
	調査書の内容を勘案して犯罪収益のリスクが高いと認められるもの	顧客管理を行う上で特別の注意を要する取引として取引時確認が必要となる場合が多い	
中リスク取引	上記以外の特定取引	取引時確認必要	•リスクが低いと評価した取引については、取引モニタリングの敷居値の緩和（※3）
低リスク取引	上記以外の取引（「敷居値以下の取引」、「簡素な顧客管理を行うことが許容される取引」を含む）	取引時確認不要（※1）	

（※1）「顧客管理を行う上で特別の注意を要する取引」に該当する場合は、取引時確認必要。
（※2）「顧客管理を行う上で特別の注意を要する取引」に該当する場合は、必要。
（※3）マネロン・テロ資金供与対策ガイドラインにより求められる事項

ク　取引の謝絶

特定事業者が特定取引を行うに際し、取引時確認を行うことが義務付けられていますが（犯収法４条１項、２項、４項、５項）、顧客等に対しては取引時確認に応ずることを法的義務として規定していません。そこで、金融機関が特定取引の履行を行わないことについて、顧客等から債務不履行として損害賠償責任（民法415条）等を追及されるおそれがあります。

この点、犯収法５条は、顧客等または取引担当者等の取引時確認を行う際、顧客等または取引担当者等が取引時確認に応じないときは、当該顧客等または取引担当者等がこれに応じるまでの間、当該特定取引等に係る義務の履行を拒むことができると規定しており、金融機関は特定取引等の履行を求められても、債務不履行責任や不法行為責任は生じないこととなります（特定事業者の免責規定）。

なお、特定事業者が新規の特定取引をする際に、顧客等または取引担当者が取引時確認を拒んだ場合には、契約締結自由の原則により取引を開始する必要はなく、また債務不履行責任や不法行為責任を負うこともありません。また、厳格な取引時確認を要する高リスク取引に該当する場合（法４条２項）でも、契約締結前に取引を謝絶する場合には、厳格な取引時確認をする必要はありません。

犯収法５条が適用されるのは、預金取引のような継続的な特定取引において、顧客等になりすましている疑いがある場合や契約時確認事項を偽っている疑いがある場合です。

犯収法５条の「応じないとき」とは、①顧客等または取引担当者等が、当該取引が取引時確認取引であることを認識しており、②取引時確認に応じない意思を明らかにしているか、応じない意思を有していることが合理的に推定される場合を指します。

多くの金融機関では、顧客が取引時確認に応じない場合、取引停止のみならず口座解約も可能とする預金取引約款等の改訂を行っているところであり、犯収法５条のほか、当該約款も免責の根拠となるところです。

また、顧客が特定の情報の開示を拒むなど、取引時確認の拒絶について不審な事実がある場合には、疑わしい取引の届出も検討する必要があります。

マネロン・テロ資金供与対策ガイドラインにおいては、「必要とされる情報の提供を利用者から受けられないなど、自らが定める適切な顧客管理を実施できないと判断した顧客・取引等については、取引の謝絶を行うこと等を含め、リスク遮断を図ることを検討すること。その際、マネロン・テロ資金供与対策の名目で合理的な理由なく謝絶等を行わないこと」が求められています（同ガイドラインⅡ-2

(3) (ii) ⑪)。

令和３（2021）年8月30日に公表されたFATFの第4次対日相互審査報告書では、勧告10（顧客管理）の評価において、犯収法5条は、「顧客等又は代表者等が特定取引等を行う際に取引時確認に応じないとき」に「当該特定取引等に係る義務の履行を拒むことができる。」として、特定取引を継続することも許容するような規定となっている点が問題であると指摘されています。また、同報告書では、犯収法5条は「拒むことができる」として、契約解除のように「取引を終了」することまでは不要で、「義務の履行の拒絶」として「取引を制限・停止」のような措置も許容している点も問題であると指摘されています。

もっとも、犯収法5条は、「当該特定取引等に係る義務の履行を拒むことができる。」として特定事業者に私法上の権限を与えた規定であるのでそのまま存置される可能性があります。

上記の取引謝絶に関するマネロン・テロ資金供与対策ガイドラインII-2（3）(ii)（顧客管理）【対応が求められる事項】⑪と同様の規定が犯収法に置かれる可能性はあります。顧客が取引時確認に応じない場合、特定事業者に「義務の履行の拒絶」を超えた「契約の解除権」といった私法上の権限まで与えるような法改正がなされるか注目されます。

取引約款については、約款の変更により、適切な顧客管理を実施できない場合には取引関係を解消することができる旨の条項を定めることが考えられます。令和２（2020）年4月1日に施行された改正民法においては、「定型約款の変更」の規律が定められています（民法548条の4)。約款に該当しない契約については、変更合意がなければかかる条項を定めるのは困難です。

平成31（2019）年3月29日に一般社団法人全国銀行協会が公表した『**金融庁「マネー・ローンダリング及びテロ資金供与対策に関するガイドライン」を踏まえた普通預金規定・参考例について**』は、マネロン・テロ資金供与対策ガイドラインの求めるリスクの遮断に関して、預金規定に以下のような条項を追加することを「参考例」として掲げていますが、以下のような条項を追加した金融機関が多いです。特に、在留期限経過後に口座売買をする留学生や技能実習生を念頭に置いた規定にしている金融機関が多いです。

A条（取引等の制限）

1　預金者が当行からの各種確認や資料の提出の依頼に正当な理由なく別途定める期日までに回答しない場合には、払戻し等の預金取引の一部を制限する場合があります。

2　1年以上利用のない預金口座は、払戻し等の預金取引の一部を制限する場合があります。

3　日本国籍を保有せず本邦に居住する預金者は、当行の求めに応じ適法な在留資格・在留期間を保持している旨を当行所定の方法により届け出るものとします。当該預金者が当行に届け出た在留期間が超過した場合、払戻し等の預金取引の一部を制限することができるものとします。

4　当行が別途定める「当行金融サービスに対する濫用防止方針」を踏まえ、第1項の各種確認や資料の提出の依頼に対する預金者の対応、具体的な取引の内容、預金者の説明内容、およびその他の事情を考慮して、当行がマネー・ローンダリング、テロ資金供与、もしくは経済制裁への抵触のおそれがあると判断した場合には、次の取引について制限を行うことができるものとします。

①　不相当に多額または頻繁と認められる現金での入出金取引

②　外国送金、外貨預金、両替取引、貿易取引等外為取引全般

③　当行がマネー・ローンダリング、テロ資金供与、または経済制裁への抵触のリスクが高いと判断した個別の取引

5　第1項から第4項に定めるいずれの取引等の制限についても、預金者から合理的な説明がなされたこと等により、マネー・ローンダリング、テロ資金供与、または経済制裁への抵触のおそれが解消されたと認められる場合、当行は速やかに前 4項の取引等の制限を解除します。

B条（本口座の解約、利用停止・強制解約）

1　（略）

2　次の各号のいずれかに該当した場合には、当行はこの預金取引を停止し、または預金者に通知することによりこの預金口座を解約することができるものとします。なお、通知により解約する場合、到達のいかんにかかわらず、当行が解約の通知を届出のあった氏名、住所にあてて発信した時に解約されたものとします。

①・②　（略）

③　この預金が本邦または外国の法令・規制や公序良俗に反する行為に利用され、またはそのおそれがあると認められる場合

④　法令で定める本人確認等における確認事項、および第A条（「取引等の制限」）第１項で定める当行からの通知等による各種確認や提出された資料が偽りである場合

⑤　この預金がマネー・ローンダリング、テロ資金供与、経済制裁に抵触する取引に利用され、またはそのおそれがあると当行が認め、マネー・ローンダリング等防止の観点で当行が預金口座の解約が必要と判断した場合

⑥　第A条（「取引等の制限」）第1項から第4項に定める取引等の制限に係る事象が１年以上に渡って解消されない場合

⑦　第１号から第６号の疑いがあるにも関らず、正当な理由なく当行からの確認に応じない場合

上記規定では、①マネロンの厳格な顧客管理（EDD）としての追加の情報確認に応じない場合（A条第1項）、②1年以上利用のない預金口座（A条2項）、③適法な在留資格・在留期間を保持している旨を顧客に届出させ、在留期限を確認し、在留期限が経過している場合（A条3項）、④マネー・ローンダリング、テロ資金供与、もしくは経済制裁への抵触のおそれがあると判断した場合（A条第4項）といったマネー・ローンダリング等のリスクがある場合には、預金取引を制限することとしています。

ただし、預金者から合理的な説明がなされたり、マネー・ローンダリング等への定食のおそれが解消された場合は取引制限を解除することとしています（A条第

5項)。

そして、(a) 本人確認書類や銀行から提供を求めた書類に偽りがある場合 (B条第2項1号)、(b) マネー・ローンダリングが強く疑われて、預金口座解約が必要な場合 (B条第2項2号)、(c) 取引制限に係る事象が1年以上応じない場合 (B条第2項第5号)、(d) 顧客が解約事由の疑いがあるにもかかわらず正当な理由なく金融期間からの応じない場合 (B条第2項第6号) に預金取引を解約することとしています。

(3) 外国PEPsである顧客等との間で行う特定取引

ア 改正の背景

平成28 (2016) 年10月施行の改正後の犯収法においては、「外国PEPsである顧客等との間で行う特定取引」が新たに高リスク取引として位置付けられました (法4条2項3号、令12条3項)。

(外国) PEPs (Politically Exposed Persons) とは、外国の国家元首、高位の政治家、政府高官、司法官、軍当局者のことをいいます。

FATF旧勧告6は、事業者に対し、顧客がPEPsに該当するか否かを判断し、該当する場合は、厳格な顧客管理を求めています。

平成20 (2008) 年の第3次対日相互審査報告書におけるFATFからの指摘を受けて、日本においてもPEPsに関する取扱いを定めることが検討されました。しかしながら、平成22年懇談会報告書においては、「事業者が独自にPEPsのリストを作成することは非常に難しい。また、各事業者が市販されているPEPsのデータベースを導入することは、特に小規模事業者にとってはコストが過大である上、我が国においてこのようなデータベースを導入することの効果には疑問がある。そのため、事業者がPEPsに関する情報を取得することは望ましいものの、その取得を義務付けることは適当でないものと考えられる。」として、PEPsとの取引について厳格な取引時確認をすることに対して否定的な見解が示されました。これを受けて、平成25 (2013) 年4月に施行された犯収法の改正においては、PEPsとの取引は高リスク取引としては位置付けられませんでした。

これに対しては、FATFのフォローアップにおいて、①顧客がPEPsであるか否かを判断することが義務付けられていないこと、②PEPsとの取引でのリスク軽減措置（上級管理者の承認等）が義務付けられていないことについて、指摘を受けることになりました。

この点について、平成26年懇談会報告書においては、「FATFは、PEPsとマネー・ローンダリングとの関係について、PEPsはその立場の故にマネー・ローンダリング等の犯罪に巻き込まれる潜在的なおそれがあるとしており、個々のPEPsの事情に関わらず常にリスクの高いものとして取り扱わなければならないとするなど、各国に対し厳格な措置をとることを強い姿勢で求めている。従って、FATFの指摘に対応するため、PEPsに関する規定の整備を行うことが必要である。その際には、事業者において個々の顧客がPEPsであるかどうかの判断が難しいことを踏まえ、対象となるPEPsの範囲が明確になるよう配意が必要である。」と考えを改めております。

イ　犯罪収益移転危険度調査書

平成29（2017）年11月30日に公表された「犯罪収益移転危険度調査書」においては、「顧客の属性に着目したリスク評価」項目の１つとして、「外国の重要な公的地位を有する者」が掲げられています。

調査書は、「FATFは、事業者に対し、顧客がPEPsに該当するか否かを判断し、該当する場合は資産・収入の確認を含む厳格な顧客管理措置を講じることを求めている。また、平成25（2013）年１月には、重要な公的地位を有する者に関するガイドラインを策定し、重要な公的地位を有する者は、その立場故にマネー・ローンダリング等や公金横領・収賄を含む前提犯罪を敢行する潜在的なおそれがあるとして、個々の者の事情に関わらず、そのような者との取引は、常に危険度の高いものとして取扱わなければならないなどの認識を示した」と現状分析をしています。

もっとも、「現在までのところ、わが国で外国の重要な公的地位を有する者がマネー・ローンダリングに関与した具体的な事例は認められない」、としております（不正競争防止法違反（外国公務員等への不正な利益供与）の事例は数件あり）。

そして、評価として、「外国の重要な公的地位を有する者が犯罪による収益の移転に悪用し得る地位や影響力を有することのほか、その本人特定事項等の十分な把握が制限されること、腐敗対策に関する国ごとの取組の差異等から、外国の重要な公的地位を有する者との取引は危険度が高いと認められる。」としています。

ウ　外国PEPsに該当する者

新法においては、以下に掲げる者が外国PEPsに該当することとされています(令12条3項、規則15条)。

1　外国の重要な公的地位にある者
　①　外国の元首
　②　我が国における内閣総理大臣その他の国務大臣及び副大臣に相当する職
　③　我が国における衆議院議長、衆議院副議長、参議院議長又は参議院副議長に相当する職
　④　我が国における最高裁判所の裁判官に相当する職
　⑤　我が国における特命全権大使・特命全権公使、特派大使、政府代表又は全権委員に相当する職
　⑥　我が国における統合幕僚長、統合幕僚副長、陸上幕僚長、陸上幕僚副長、海上幕僚長、海上幕僚副長、航空幕僚長又は航空幕僚副長に相当する職
　⑦　中央銀行の役員
　⑧　予算について国会の議決を経、又は承認を受けなければならない法人の役員

2　かつて上記1に掲げる外国の重要な公的地位にあった者

3　上記1又は2に掲げる者の家族
上記1又は2に掲げる者の配偶者（事実婚含む)、父母、子、兄弟姉妹、並びに、これらの者以外の配偶者の父母及び子

4　上記1から3までに掲げる者が実質的支配者である法人
法人であって、上記1から3までに掲げる者がその事業経営を実質

的に支配することが可能となる関係にある実質的支配者が上記の者であるもの

上記１①の「外国の元首」には、国王や公国における大公が含まれます。

上記１⑧の「予算について国会の議決を経、又は承認を受けなければならない法人の役員」における法人は、必ずしも会社法上の会社に相当する組織に限られないため、会社法329条に定める「役員」に該当する者のみが同号に定める「役員」となるものではありませんが、当該法人において、同条に定める「役員」と同等の権限を有する者を、「役員」として扱うこととして差し支えありません。また、法人が民営化した場合は、その法人の役員は外国PEPsではなくなります。

上記１の外国の重要な公的地位にある者には、国連、IMF、FATF、OECD等の国際機関の重要な地位にある者は含まれません。

上記２の「外国の重要な公的地位にあった者」については、形式的にこれに該当する場合にはすべて一律に厳格な顧客管理が必要となります。

上記３の「これらの者以外の配偶者の父母及び子」には、配偶者の父母、内縁の配偶者の父母及び子、実子以外の配偶者の子が含まれます。これに対して、祖父母や孫は含まれません。なお、「外国の重要な公的地位にある者」やあった者が死亡した場合には、その親族は外国PEPsには該当しなくなります。

○図表3-36：外国PEPsに該当する家族の範囲

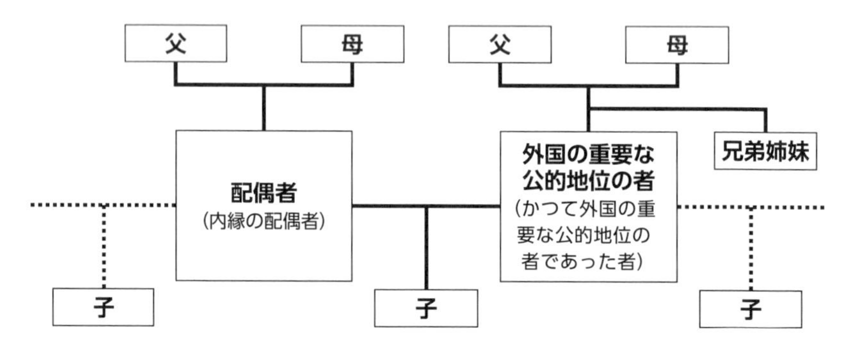

上記4の「上記の者が実質的支配者である法人」に関しては、「国等」に該当する者は、法4条5項の規定により取引時確認において実質的支配者の確認が不要とされていることからも明らかなように、犯収法上、実質的支配者が観念されないものであり、したがって「国等」に含まれる外国政府、外国中央銀行や大使館、外国上場会社等が外国PEPsに該当することはありません。

外国PEPsが顧客等である場合においては、当該顧客等の居住国にかかわらず一律同じ取扱いがなされることとなります。

なお、新法では、外国PEPsの対象として、FATFが定義する「外国PEPsの近しい間柄にある者（Close Associate)」（顧問弁護士・税理士等）は含んでおりません。なお、PEPsに関するFATFガイダンスには、弁護士等はClose Associatesの例としては出てきません。

エ　外国PEPsであるか否かの確認方法

(ア) 確認方法の種類

外国PEPsとの特定取引は、取引時確認済の確認（法4条3項）は認められず、取引の都度ごとに、厳格な取引時確認が必要となります（法4条2項)。

この点、その前提となる「外国PEPsであるか否か」の確認をどのようにするかについては、法令上は明らかではありませんが、次の3つの方法が認められています。

① 商業用データベースを活用して確認する方法
② インターネット等の公刊情報を活用して確認する方法
③ 顧客等に申告を求める方法（申込用紙にチェック欄を設けて記入を求めることも認められる)

特定事業者がその事業規模や顧客層を踏まえて、各事業者において合理的と考えられる方法により行い、確認ができた範囲内において厳格な取引時確認を行うことになります。

国による外国PEPsのリストの作成は、PEPsに関するFATFガイドラインにおいても推奨されておらず、日本においても作成される予定はありません。

商業用データベースを活用して確認する方法（①）を用いる場合には、必ずしも取引成立前に確認を求めるものではなく、事後的にデータベースその他で確認を行い、該当する場合は、法令で求められる追加確認を行うことも認められます。外国PEPsであると認識していなかった顧客等が、事後的に外国PEPsに該当することが判明したとしても、これを認識できなかったことを処罰する規定はありません。

また、「外国の重要な公的地位にあった者」を網羅的に捕捉するシステムの整備までが義務付けられるものではありません。

日本に居住する日本人が外国PEPsである可能性もあるので、顧客が日本人である場合であっても、確認の対象を日本に居住していない日本人に限定することは適切ではありません。

（イ）申告と商業用データベースは相互補完関係

以下のとおり、申告と商業用データベースには、それぞれ長所と課題があります。筆者は、申告と商業用データベースは「相互補完関係」にあると考えます。

①　申告の長所

申告は、申込書に外国PEPsに該当するか否かの確認欄を設ければ足り、商業用データベースに比べれば導入にコストがかかりません。

顧客の虚偽の申告や認識漏れがなければ新法に基づく外国PEPsを網羅的に捕捉できる可能性が高いです。

②　申告の課題

外国PEPsに該当するにもかかわらず虚偽の申告をする顧客がいる可能性があります。対処方法としては、外国PEPsの虚偽の申告については契約解除する旨の規定を契約書や約款に設けることが考えられます。

また、外国PEPsの定義は広範であり、自分が外国PEPsに該当していることを認識していない場合もあり得ます。とりわけ、外国PEPsは外国の公的地位にある者（かつてこれらであった者も含む）の親族も含まれ、親族関係が遠くなればなるほど認識漏れが起こる可能性があります。この点については、日本の元内閣総理大臣（死去）の娘が外国の元大使と結婚しており、元内閣総理大臣も生存していれば外国PEPsに該当していたということが果たして本人は把握できたか、ということがよく事例として挙げられます。

申告による場合には、営業担当者が外国PEPsに関する説明をする必要があり、事務に負荷がかかる可能性もあります。

個人顧客向けの申告書を新たに改訂しなければならない（法人顧客向けの申告書はいずれにせよ実質的支配者の本人特定事項の確認の欄を改訂する必要がある。）という課題もあります。

さらに、平成28（2016）年10月以前からの顧客についてどのようにして外国PEPsであるか否かの確認をするのかという課題があります。

③　商業用データベースの長所

商業用データベースには業務の効率化を図れるという利点があります。

また、営業担当者が顧客に説明を要さず負荷がかかりません。

申告と併用する場合、虚偽の申告者を捕捉でき、また、本人の認識漏れも防げます。

④　商業用データベースの課題

申告に比べると導入にコストがかかる可能性があります。もっとも、申告書を改訂していない場合は、商業用データベースの導入の方がコストはかからない可能性もあります。

また、いかに高度な商業用データベースであっても、新法に基づく外国PEPsを完全に拾い切れていません。特に、商業用データベースに登録されている外国の公的地位にある者の親族に関しては、外国の公的地位にある者の配偶者が多く、その他の親族は完全に把握できていないというのが実態のようです。

さらに、商業用データベースも各ベンダーごとに質が違うことに留意する必要があります。

	申告	商業用データベース
長所	• 導入に多額のコストがかからない。 • 虚偽や認識漏れがなければ外国PEPsを網羅的に捕捉できる可能性が高い。	• 業務の効率化を図ることができる。 • 営業担当者が顧客に説明を要さず負荷がかからない。 • 虚偽の申告者を防げる。 • 本人の認識漏れを防げる。 • 既存顧客に関しても照合をし易い。
課題	• 外国PEPsに該当するにもかかわらず虚偽の申告をする可能性がある。⇒虚偽の申告については契約解除する旨約款に規定 • 外国PEPsの定義は広範であり、自分が外国PEPsに該当していることを認識していない場合があり得る。⇒外国PEPsの範囲を理解してもらうためには、図などで説明を要する。 • 営業担当者が顧客に説明を要することになり、負荷がかかる。 • 個人顧客向けの申込書を新たに改訂する必要がある。 • 既存顧客に対する確認はどうするのかという問題がある。	• 導入にコストがかかる。 • 高度な商業用データベースであっても完全に外国PEPsを拾い切れていない（特に親族）。 • 商業用データベースも各ベンダーごとに質が違う。 • 商業用データベースによっては、精度や鮮度が低いものもある。

(ウ) 申告と商業用データベースの導入パターン

上記（イ）のとおり、筆者は、申告と商業用データベースは相互補完関係にあると考えます。以下のとおり、各特定事業者によって導入方法が異なるようです。

以下ではそれぞれの導入パターンの課題について検討します。

①　申告のみ

国内の居住者のみを顧客とする特定事業者は申告のみを用いるところが多いようです。

申告のみによった場合の課題は上記（イ）でも説明したとおりです。特に、虚偽や過失による申告漏れが生じやすい点が課題です。

② 申告＋商業用データベース（外国PEPsであると申告を受けた場合のみ商業用データベースで照合）

この方法も申告のみの場合と同様、申告で捕捉できなかった虚偽や過失による申告漏れが生じやすい点が課題です。

③ 申告＋商業用データベース（申告と共に商業用データベースの照合を行う）

この方法が、申告と商業用データベースの強みをいずれも兼ね備える一番望ましい方法と考えられます。

④ 申告＋商業用データベース（商業用データベースでヒットした顧客についてのみ申告を受ける）

この方法は、どちらかというと商業用データベースに依拠した方法で、商業用データベースのみの場合と同様に、商業用データベースでカバーされていない外国PEPsが漏れてしまうという課題があります。

⑤ 商業用データベースのみ

商業用データベースでカバーされていない外国PEPsが漏れてしまうという課題があります。申告は求めないものの、「職業」の欄で外国PEPsである兆候がある場合（例えば、「その他」の記載欄で「外国の大使」といった申告を受けた場合）には外国PEPsであるか確認をするという特定事業者もあります。

方法	課題
申告のみ	虚偽・過失による申告漏れの可能性
申告＋商業用データベース（外国PEPsであると申告を受けた場合のみ商業用データベースで照合）	虚偽・過失による申告漏れの可能性
申告＋商業用データベース（申告と共に商業用データベースの照合を行う）	一番望ましい。
申告＋商業用データベース（商業用データベースでヒットした顧客についてのみ申告を受ける）	商業用データベースでカバーされていない外国PEPsが漏れてしまう。
商業用データベースのみ	商業用データベースでカバーされていない外国PEPsが漏れてしまう。

(エ) 商業用データベースを活用して確認する方法の論点

①　商業用データベースのみの活用は許されるか

上記（イ）で説明したとおり、商業用データベースだけでは、外国の重要な公的地位にある者及びその親族（特に親族）が完全には捕捉できないので、外国PEPsの確認として「完全」であるとは言えません。この点、申込書等に外国PEPsに関する申告欄を設けるスペースがないとして、商業用データベースの活用のみを考えている特定事業者もいるようです。たしかに、上記（ア）によれば、商業用データベースのみでの照合も許容されそうですが、当局から、申込書等においても外国PEPsに関する申告欄を設けることを奨励される可能性はあると思われます。特に、金融機関は金融庁の水平的レビューにおいて商業用データベースだけでは不十分と言われる可能性があります。

商業用データベースを活用して確認する場合は、定期的なスクリーニングとして、特定取引が終了した後の事後的なものになることが多いと考えられます。この点、上記（ア）のとおり、商業用データベースによる場合は、事後的な照合であっても許容されるものとされています。

もっとも、（厳格な）取引時確認は、「取引を行う際」（法４条１項、２項）になされるとされています。これは、取引の性質に応じて合理的な期間内に本人確認を完了するべきという意味です（FATFは更に、原則取引前の事前の顧客管理を求めております）。この点で、事後的に（厳格な）取引時確認を行うというのは、「外国PEPsとの間で行う特定取引」の確認として不十分ではないかと思われます。

なお、新法施行直後に、申込書の様式の変更等が間に合わない場合には、商業用データベースのみによる照合もやむを得ない対応として、体制整備として問題視されることはないものと考えられます。

②　日本居住の外国PEPsに限定した商業用データベースによる照合でも許されるのか

保険会社やクレジットカード業者のように、日本国内の居住者のみを相手に取引をしている特定事業者の場合には、日本居住の外国PEPsに限定した商業用データベースによる照合を行うことも合理的であると考えられます。

(オ) 顧客等に申告を求める方法

顧客等に申告を求める方法としては、下記の図表3-37のように、申込用紙にチェック欄を設けるとともに、具体的に記載をさせることが考えられます。

○図表3-37：外国PEPsの申告様式

お客さまは、以下の1から3の「外国の重要な公人」に該当しますか?

□いいえ　□はい	「はい」とお答えになったお客さまは、下記のいずれに該当するか具体的にお答えください。 [　　　　　　　　]

1　以下の『外国の重要な公的地位にある者』に該当する方

- □ 国家元首
- □ 我が国における内閣総理大臣その他の国務大臣及び副大臣に相当する職
- □ 我が国における衆議院議長、衆議院副議長、参議院議長又は参議院副議長に相当する職
- □ 我が国における最高裁判所の裁判官に相当する職
- □ 我が国における特命全権大使・特命全権公使、特派大使、政府代表又は全権委員に相当する職
- □ 我が国における統合幕僚長、統合幕僚副長、陸上幕僚長、陸上幕僚副長、海上幕僚長、海上幕僚副長、航空幕僚長又は航空幕僚副長に相当する職
- □ 中央銀行の役員
- □ 予算について国会の議決を経、又は承認を受けなければならない法人の役員

2　過去に上記1のいずれかであった方

3　上記1または2に掲げる方の家族（配偶者（事実婚含みます）、父母、子、兄弟姉妹、並びに、これらの者以外の配偶者の父母および子）（次の図をご覧ください。）

外国PEPsに該当する家族の範囲

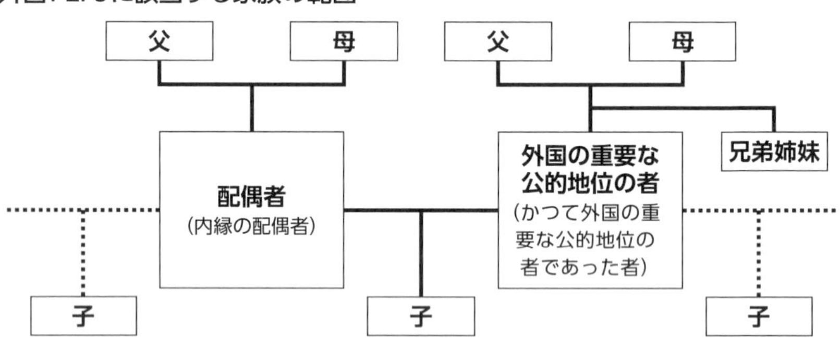

※外国の重要な公的地位の者の祖父母や孫は外国 PEPs に該当しません。
※外国の重要な公的地位の者の配偶者が日本人の場合もあるので、日本人も外国 PEPs に該当し得ます。

(カ) 約款・契約書における規定

特定事業者の中には、約款や契約書に解約事由として、「法令で定める取引時確認事項等の確認について偽りがあるとき、又は、その疑いがあるとき」を定めている場合があります。これにより、顧客が取引時確認において虚偽の申告をすることを予防する効果もあります。

外国PEPsについて申告を求める場合において、顧客が故意に外国PEPsであることを申告しない場合も上記の解約事由に該当する可能性があります。

もっとも、外国PEPsであることの申告をより促すために、新たに「顧客が外国の重要な公人であるか否かに関する申告において虚偽の申告又は申告すべき事項を申告しない場合」といった解約事由を設けることが考えられます。

オ　確認記録への記録

顧客等が外国PEPsである場合は、確認記録に、「その旨及び外国PEPsであると認めた理由」について記録する必要があります（規則20条1項28号）。

カ　FATF第4次対日相互審査報告書

令和3（2021）年8月30日に公表されたFATFの第4次対日相互審査報告書では、勧告12（重要な公的地位を有する者（PEPs））に関して「PC」（一部履行）の評価をしています。

特に犯収法上のPEPsの範囲に、国内PEPs、重要な役割を委嘱された者が含まれず、また、国内PEPsの家族若しくは密接関係者、又は国際機関から重要な役割を委嘱されている人にPEPsに関する厳格な顧客管理措置（EDD）が講じることとされていないことが指摘されています。

改正により、国内PEPsや国際機関の上級役職者が犯収法上のPEPsとして指定される可能性が高い。また、「PEPs」の「密接関係者」（顧問弁護士や顧問会計士）なども指定されるかどうかも注目されるところです。

13. 確認記録の作成・保存

特定事業者が取引時確認を行った場合は、直ちに確認記録を作成し、通常の取引等に係る契約が終了した日から7年間保存しなければなりません（法6条）。

添付資料を確認記録に添付するとき又は本人確認書類の写しを確認記録に添付するときには、当該書類又はその写しに記載がある事項については、確認記録への記載を省略することができます。

また、提示を受けた本人確認書類の写しを確認記録とともに7年間保存するときには、本人確認書類の提示を受けた時刻の記載も省略することができます。

確認記録の内容に変更又は追加があることを知った場合には、当該変更・追加事項を確認記録に付記する必要があります。その際、すでに確認記録に記載されている内容を消去してはなりません。確認記録に付記することに代えて、変更・追加事項を別途記録し、当該記録を確認記録とともに保存することもできます。

平成28（2016）年10月施行の改正後の犯収法においては、「実質的支配者と当該顧客等との関係」（規則20条1項24号）及び「顧客等が外国PEPsに該当するときは、その旨及び外国PEPsと認めた理由」（規則20条1項28号）について新たに確認を要することとなりました。

これに対して、平成28（2016）年10月施行の改正前の犯収法において確認が必要であった「実質的支配者の有無」（旧規則17条1項18号）及び「実質的支配者があるときは、当該実質的支配者の本人特定事項並びにその確認を行った方法並びに本人確認書類及び補完書類の名称、記号番号その他の当該本人確認書類及び補完書類を特定するに足りる事項」（同項19号）の確認は不要となりました。

「実質的支配者の有無」の確認が不要となったのは、新法においては、規則11条2項1号又は2号に該当する自然人がいない法人であって代表者が業務を執行していないということは考えられないため、新法ではすべての法人に実質的支配者が存在することになるためです。

「実質的支配者があるときは、当該実質的支配者の本人特定事項並びにその確認を行った方法並びに本人確認書類及び補完書類の名称、記号番号その他の当該本人確認書類及び補完書類を特定するに足りる事項」の確認は削除されますが、これは旧法では高リスク取引の場合に必要であったものです。新法では、高リスク取引であっても実質的支配者の本人特定事項の確認は申告により行われます。

その代わりに、高リスク取引を行う際には（法４条２項）、実質的支配者の本人特定事項の確認に関しては、①資本多数決法人については、株主名簿、有価証券報告書その他これらに類する書類又はこれらの写しの確認、②資本多数決法人以外の法人については、登記事項証明書等又はこれらの写しの確認を求めるとともに、当該法人顧客の代表者等からの申告を受ける方法による（規則14条３項）ことになったため、「実質的支配者の本人特定事項及び当該実質的支配者と顧客等との関係」の確認について書類を用いた場合には、当該書類の名称その他の当該書類を特定するに足りる事項についても記録することとされています（規則20条１項24号）。

「顧客等が外国PEPsに該当するときは、その旨及び外国PEPsと認めた理由」としては、申告やデータベースにより確認した旨、どの国のいかなる職にあるために外国PEPsであるか記録として残すことになります。

【確認記録の記載事項】

○確認事項等

- 顧客等の本人特定事項（自然人：氏名・住居・生年月日、法人：

名称・所在地）
- 代表者等による取引のときは、当該代表者等の本人特定事項、当該代表者等と顧客等との関係及び当該代表者等が顧客等のために取引の任に当たっていると認めた理由
- 顧客等が国、地方公共団体、人格のない社団又は財団、上場企業等（国等）であるときは、当該国等を特定するに足りる事項
- 取引を行う目的
- 職業又は事業の内容
- 顧客等が法人である場合は、実質的支配者の本人特定事項、実質的支配者と顧客等との関係

○確認のためにとった措置等

- 本人特定事項の確認を行った方法
- 本人確認書類又は補完書類の提示を受けたときは、名称、記号番号その他の当該書類を特定するに足りる事項
- 本人確認書類に現在の住居等の記載又は記録がないため、他の本人確認書類又は補完書類の提示を受けることにより住居等の確認を行ったときは、当該確認に用いた本人確認書類又は補完書類の名称、記号番号その他の当該書類を特定するに足りる事項
- 顧客等が法人である場合に、本人確認書類又は補完書類に記載のある営業所等に取引関係文書を送付したとき又は当該営業所等に赴いて取引関係文書を交付したときは、営業所の名称、所在地その他の当該場所を特定するに足りる事項及び当該場所の確認の際に提示を受けた本人確認書類又は補完書類の名称、記号番号その他の当該書類を特定するに足りる事項
- 顧客等が法人であるときは、事業の内容の確認を行った方法及び確認をした書類の名称その他の当該書類を特定するに足りる事項
- 顧客等が法人であるときは、実質的支配者の確認を行った方法（ハ

イリスク取引のときは、確認をした書類の名称その他の当該書類を特定するに足りる事項
- 資産および収入の状況の確認を行ったときは、その確認を行った方法及び確認をした書類の名称その他の当該書類を特定するに足りる事項
- 顧客等が本邦に住居を有しない旅行者等の短期在留者であって、上陸許可の証印等により在留期間の確認を行ったときは、当該確認に用いた旅券等の名称、日付、記号番号その他の当該旅券等を特定するに足りる事項

○ 確認のための措置をとった日付等

- 本人確認書類又は補完書類の提示を受けたとき（ハイリスク取引に際して追加の書類として提示を受けたときを除く。）は、その日付及び時刻
- 本人確認書類若しくは補完書類又はその写しの送付を受けたときは、その日付
- 取引関係文書を送付したときは、その日付
- 本人確認用画像情報の送信を受けたときは、その日付・ICチップ情報の送信を受けたときは、その日付
- 他の特定事業者が預貯金契約又はクレジットカード契約の締結を行った際に当該顧客等の本人特定事項の確認を行い、その確認に係る確認記録を保存し、かつ、当該顧客等又は代表者等から本人しか知り得ない事項の申告を受けることにより、当該顧客等が当該記録に記録されている顧客等と同一であることを確認していることの確認を行ったときは、その日付
- 顧客等の本人特定事項の確認済みの預貯金口座に金銭を振り込み、預貯金通帳の写し等の送付を受けたときは、その日付
- 一般財団法人民事法務協会が運営している登記情報提供サービス

から登記情報の送信を受けたときは、その日付
- 国税庁・法人番号公表サイトを利用し本人特定事項の確認を行ったときは、その日付
- 特定事業者の役職員が顧客等又は代表者等の住居等に赴いて取引関係文書を交付したときは、その日付
- ハイリスク取引に際して追加で書類の提示又は送付を受けたときは、その日付
- 取引を行う目的、職業・事業の内容、実質的支配者（法人のみ）又は資産及び収入（ハイリスク取引の一部のみ）の確認を行ったときは、その日付

○その他

- 取引時確認を行った者の氏名その他の当該者を特定するに足りる事項
- 確認記録の作成者の氏名その他の当該者を特定するに足りる事項
- 取引時確認を行った取引の種類
- 顧客等が自己の氏名及び名称と異なる名義を取引に用いるときは、当該名義並びに異なる名義を用いる理由
- 顧客等が外国 PEPsであるときは、その旨及び外国 PEPsであると認めた理由
- 取引記録を検索するための口座番号その他の事項
- なりすまし又は偽りが疑われる取引のときは、関連取引時確認に係る確認記録を検索するための事項

【確認記録の添付書類】

○本人確認書類若しくは補完書類又はその写しの送付を受けたとき

当該本人確認書類若しくは補完書類又はその写し

○本人確認用画像情報の送信を受けたとき

当該本人確認用画像情報又はその写し

○ICチップ情報の送信を受けたとき

当該ICチップ情報又はその写し

○電子署名法、公的個人認証法、商業登記法の規定により電子署名が行われた特定取引等に関する情報の送信を受けたとき

当該方法により本人特定事項の確認を行ったことを証明するに足りる電磁的記録

○一般財団法人民事法務協会が運営している登記情報提供サービスから登記情報の送信を受けたとき

当該登記情報又はその写し

○国税庁・法人番号公表サイトを利用し本人特定事項の確認を行ったとき

当該公表事項又はその写し

マネロン・テロ資金供与対策ガイドラインにおいては、リスク低減措置である「記録の保存」として、金融機関等は、「本人確認資料等の証跡のほか、顧客との取引・照会等の記録等、適切なマネロン・テロ資金供与対策の実施に必要な記録を保存すること」が「対応が求められる事項」とされています（同ガイドラインⅡ-2（3）（iv））。

同ガイドラインにおいては、リスク低減措置としての「データ管理（データ・ガバナンス）」が「対応が求められる事項」として求められています（同ガイドラインⅡ-2（3）(vii)、第5章を参照)。

14. 取引記録等の作成・保存

特定事業者は、特定業務に係る取引を行った場合もしくは特定受任行為の代理等を行った場合には、直ちにその取引等に関する記録を作成し、当該取引又は特定受任行為の代理等の行われた日から7年間保存しなければなりません（法7条)。

取引記録等の作成・保存が必要なのは特定業務に係る取引についてであるため、特定取引等に当たらない取引も、特定業務に含まれるものであれば、取引記録等の作成・保存が必要となり得ます。

士業者を除く新規特定事業者は、「財産の移動を伴わない取引（残高照会など)」及び「1万円以下の財産の移転に係る取引」については、取引記録等の作成・保存は不要です。この点、2021年8月30日に公表されたFATF第4次対日相互審査報告書では、取引記録等の作成・保存義務から、「その価額が1万円以下の財産の財産移転に係る取引」が除外されていることについて問題点として指摘しています。この点については、犯収法施行令の改正でこのような適用除外が廃止される可能性があります。

また、宝石・貴金属等取扱事業者は、「代金の支払が現金で200万円を超える宝石・貴金属等の売買取引以外のもの」について、取引記録等の作成・保存は不要です。郵便物受取サービス業者・電話受付代行業者・電話転送サービス事業者は、「現金を内容とする郵便物の受取及び引渡しに係る取引以外のもの」については、取引記録等の作成・保存は不要です。

司法書士等の士業者は、「現金、有価証券等の財産の管理又は処分に係る特定受任行為の代理等のうち、当該財産の価額が200万円以下のもの」及び「任意後見人の事務として行う特定受任行為の代理等」は取引記録等の作成・保存は不要です。

取引記録等の記載事項は以下のとおりです。

- 口座番号その他の顧客等の確認記録を検索するための事項（確

認記録がない場合には、氏名その他の顧客等又は取引等を特定するに足りる事項）
- 取引又は特定受任行為の代理等の日付、種類、財産の価額
- 財産の移転を伴う取引又は特定受任行為の代理等にあっては、当該取引等及び当該財産の移転元又は移転先の名義その他の当該移転元又は移転先を特定するに足りる事項

15. 疑わしい取引の届出

犯収法は、司法書士等の士業者を除く特定事業者について、①特定業務に係る取引について、当該取引において収受した財産が犯罪による収益である疑いがあると判断した場合、又は②顧客等が当該取引に関し組織的犯罪処罰法10条の罪（犯罪収益隠匿罪）もしくは麻薬特例法６条の罪（薬物犯罪収益隠匿罪）に当たる行為を行っている疑いがあると判断した場合には、速やかに疑わしい取引の届出を行政庁に行うこととされています（法８条）。

新法においては、疑わしい取引の届出をする際の判断基準が明確化・追加されました（新法８条２項）。（後記（2）参照）

○図表3-38：疑わしい取引の届出について

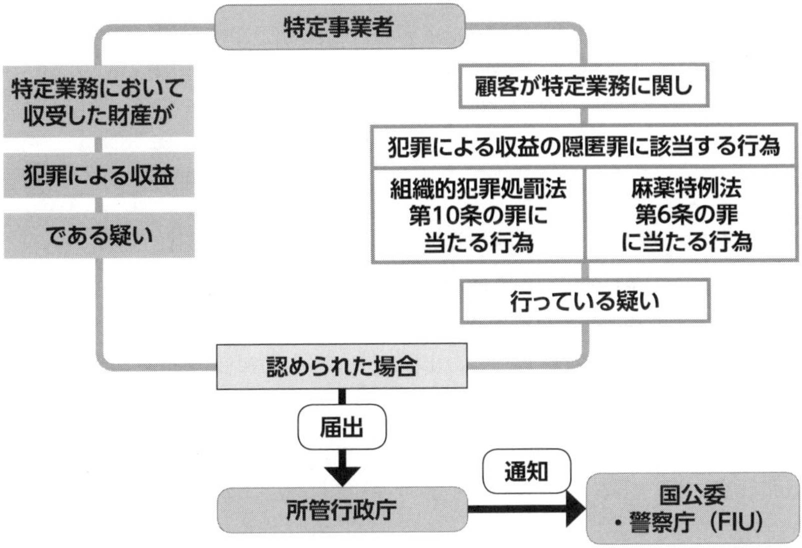

特定事業者
特定業務において収受した財産が
犯罪による収益
である疑い
顧客が特定業務に関し
犯罪による収益の隠匿罪に該当する行為
組織的犯罪処罰法第10条の罪に当たる行為
麻薬特例法第6条の罪に当たる行為
行っている疑い
認められた場合
届出
所管行政庁
通知
国公委・警察庁（FIU）

（出所）平成25年「懇談会」第1回配付資料5

（1）疑わしい取引の届出をすべき場合（法8条1項）

ア　特定業務に係る取引について、当該取引において収受した財産が犯罪による収益である疑いがあると判断した場合

特定事業者が、顧客等と特定業務に係る取引について、当該取引に使用された財産が「犯罪による収益」であるとの疑いがあると判断した場合に疑わしい取引の届出の対象となります。

「犯罪による収益」とは、以下のような場合が該当します。使用される「財産」は必ずしもお金に限りません。

- 詐欺や恐喝などの犯罪により得たお金で不動産や宝石を購入する場合

- 詐欺によりだまし取った現金の受取窓口として郵便物受取サービス業者を利用する場合
- 窃盗や強盗によって奪った宝石を古物商で売却する場合や、詐欺によりだまし取った不動産を宅地建物取引業者に売却するような場合

「犯罪による収益」とは、「犯罪収益等」（組織的犯罪処罰法２条４項）又は「薬物犯罪収益等」（麻薬特例法２条５項）のことを指します。

「犯罪収益等」（組織的犯罪処罰法２条４項）とは、「犯罪収益」、「犯罪収益に由来する財産」又は「これらの財産とそれ以外の財産とが混和した財産」をいいます。

「犯罪収益」とは、組織的犯罪処罰法２条２項１号に規定する別表に掲げる犯罪行為により生じ、もしくは当該犯罪行為により得た財産又はその報酬として得た財産のことです。ここでいう「財産」とは、社会通念上経済的価値が認められる利益一般のことであり、動産、不動産といった有体物に限りません。

「別表に掲げる犯罪行為」には、例えば殺人、強盗、恐喝、詐欺、貸金業法違反（無登録営業等）などの重大な犯罪や暴力団等の資金源となる犯罪などが含まれています。これらの犯罪は組織的に行われたか否かは問いません。

また、平成13（2001）年9月11日の米国同時多発テロ事件を受けて制定された「公衆等脅迫目的の犯罪行為のための資金の提供等の処罰に関する法律」に規定するテロ資金についても「犯罪収益」に該当するため、テロに関連する資金を収受した疑いがある場合も届出の対象となります。

「犯罪収益に由来する財産」とは、犯罪収益の果実として得た財産、犯罪収益の対価として得た財産や犯罪収益の保有又は処分に基づき得た財産などをいいます。例えば、犯罪収益を預金した際の利息や、窃盗により奪った犯罪収益である宝石を売却して得た代金などが該当します。

「混和財産」とは、「犯罪収益」、「犯罪収益に由来する財産」とこれらの財産以外の財産が混和した財産をいいます。

イ　顧客等が特定業務に関し組織的犯罪処罰法10条の罪もしくは麻薬特例法6条の罪に当たる行為を行っている疑いがあると判断した場合

組織的犯罪処罰法及び麻薬特例法では、犯罪収益を得た前提となる犯罪（前提犯罪といいます）とは別に、犯罪収益等の取得又は処分について事実を仮装したり、犯罪収益等を隠匿する行為自体を処罰の対象としています。

「組織的犯罪処罰法10条の罪」とは「犯罪収益隠匿罪」、「麻薬特例法第6条の罪」とは「薬物犯罪収益隠匿罪」をいいます。要するに、犯罪によって財産（お金に限らない）を得た事実を隠すことや、犯罪によって得た財産を隠すこと自体を処罰の対象としています。この規定は、顧客との取引が成立したことは必ずしも必要ではなく、未遂に終わった場合や契約の締結を断った場合でも届出の対象となります。

例えば、詐欺や恐喝で奪ったお金を偽名や第三者名義の預金口座に預け入れたり、偽名や第三者名義を用いて宝石や不動産を購入しようとしている場合などが届出の対象となりますが、特定事業者において顧客がマネー・ローンダリングを行っているとの疑いを持ち、それを理由に取引を断ったとしても届出の対象となります。

(2) 疑わしい取引の届出の判断基準（法8条2項）

ア　平成28（2016）年10月前の判断基準

平成28（2016）年10月の改正の施行前までは、「取引時確認の結果その他の事情を勘案」するということを除いて、疑わしい取引の届出をする判断基準は法令上定められていませんでした。

実務上は、特定事業者の従業員が、当該事業者の業界等における一般的な知識と経験を前提として、取引の形態や顧客の属性、取引時の状況等を踏まえて総合的に勘案して判断することと考えられていました。これは、特定の犯罪の存在まで認識している必要はなく、犯罪収益等であるという疑いを生じさせる程度の何らかの犯罪の存在の疑いで足りると考えられていました。

画一的な基準はありませんでしたが、各行政庁が所管事業者ごとに公表する、

「疑わしい取引の届出の参考事例」を参照することとされていました。

もっとも、「疑わしい取引の届出の参考事例」に形式的に合致するものがすべて疑わしい取引に該当するものではない一方、これに該当しない取引であっても、特定事業者が疑わしい取引に該当すると判断したものは届出の対象となり得るものです。

イ　平成28（2016）年10月以降の判断基準

平成28（2016）年10月施行の改正後は、疑わしい取引の判断基準が明確化されました。

○図表3-39：疑わしい取引の判断基準

取引の種類	共通判断基準	追加的判断基準
新規顧客との特定業務に係る取引	○取引時確認の結果、当該取引の態様その他の事情を勘案すること ○犯罪収益移転危険度調査書の内容を勘案すること ○一般的な取引の態様との比較 ○当該顧客との過去の取引との比較（新規顧客との特定業務に係る取引には適用されず）	
既存顧客との特定業務に係る取引		○当該顧客等の確認記録、当該顧客等に係る取引記録等、特定事業者作成書面等による情報収集・分析等により得た情報その他の当該取引に関する情報を精査すること
高リスク取引	○取引時確認事項等との整合性	○当該顧客等の確認記録、当該顧客等に係る取引記録等、特定事業者作成書面等による情報収集・分析等により得た情報その他の当該取引に関する情報を精査すること（既存顧客との特定業務に係る取引のみ） ○顧客等又は代表者等に対する質問その他の当該取引に疑わしい点があるかどうかを確認するために必要な調査を行った上で統括管理者・これに相当する者に疑わしい点があるかの確認

(ア) 共通の判断基準

以下はいずれの取引についても共通に勘案されることになります（但し、新規顧客との特定業務に係る取引については下記②の確認は必要ありません。）（法8条2項、規則26条）。

> ① 当該特定業務に係る取引と他の顧客等との間で通常行う特定業務に係る取引の態様との比較（規則26条1号）
> ② 当該特定業務に係る取引と当該顧客等との間で行った他の特定業務に係る取引の態様との比較（同条2号）
> ③ 取引時確認の結果その他特定事業者が当該取引時確認の結果に関して有する情報との整合性（同条3号）

特定事業者の業種及び規模はまちまちであるため、上記①から③までの判断基準について、一律の基準を設けることはできません。そのため、取引に疑わしい点があるかどうかを確認するに当たっては、当該特定事業者の業種及び規模に応じて必要と考えられる範囲で判断することになります。この観点で、従前どおり、各行政庁が所管業者ごとに公表する「疑わしい取引の届出の参考事例」が参考になると考えられます。

「当該特定業務に係る取引と他の顧客等との間で通常行う特定業務に係る取引の態様との比較」（①）は、その業界における一般的な商慣習（＝他の顧客等との間で通常行う取引の態様）に照らして、マネー・ローンダリングの疑いがあるかどうか判断します。

「当該特定業務に係る取引と当該顧客等との間で行った他の特定業務に係る取引の態様との比較」（②）は、過去の顧客等との取引（＝顧客等との間で行った他の特定業務に係る取引の態様）と比較して、マネー・ローンダリングの疑いがあるかどうか判断します。新規顧客との特定業務に係る取引の場合（下記（イ））は、そもそも当該取引を行おうとする顧客等と行った取引が存在しないため、この項目の適用はありません。

「取引時確認の結果その他特定事業者が当該取引時確認の結果に関して有す

る情報との整合性」（③）の「その他……情報」とは、例えば、取引時確認をした事項に係る情報を最新の内容に保つための措置を講じた結果把握した情報、当該顧客等について取引時確認が終了しているか否かに係る情報が該当します。取引モニタリングシステムにより、上記①及び②の比較を行い、異常な取引を抽出している方法を採用している場合であっても満たす必要があります。

なお、疑わしい取引の届出に関する確認は、そのすべてを統括管理者又はこれに相当する者が行うものではありません。

（イ）新規顧客との特定業務に係る取引

新規顧客との特定業務に係る取引は、上記（ア）の共通の判断基準に従い、当該取引に疑わしい点があるかどうかを判断します（規則27条１号）。

ただし、上記（ア）で説明したとおり、新規顧客との特定業務に係る取引の場合は、そもそも当該取引を行おうとする顧客等と行った取引が存在しないため、「当該特定業務に係る取引と当該顧客等との間で行った他の特定業務に係る取引の態様との比較」（②）の項目の適用はありません。

（ウ）既存顧客との特定業務に係る取引

「既存顧客」とは、すでに確認記録又は取引記録等を作成し、及び保存している顧客等のことです。

既存顧客との特定業務に係る取引については、前記（ア）の共通の判断基準に加えて、当該顧客等の確認記録、当該顧客等に係る取引記録、規則32条１項２号及び３号に掲げる措置により得た情報その他の当該取引に関する情報を精査することにより、当該取引に疑わしい点があるかどうかを確認することになります（規則27条２号）。

「規則32条１項２号に掲げる措置」とは、特定事業者作成書面等（各特定事業者が自ら行う取引についてリスクを評価した書面等のこと。（規則32条１項１号））の内容を勘案し、取引時確認等の措置（取引時確認、取引記録等の保存、疑わしい取引の届出等の措置）を行うに際して必要な情報を収集するとともに、当該情報を整理し、及び分析することをいいます。

「規則32条１項３号に掲げる措置」とは、特定事業者作成書面等の内容を勘案し、確認記録及び取引記録等を継続的に精査することをいいます。

「その他の当該取引に関する情報」の例示として、規則32条1項2号及び3号に掲げる措置が規定されていますが、現在それ以外に想定されるものはありません。

これらの書面等の「精査」は、各事業者が自ら行う取引についてリスクを評価した書面等の内容を勘案して行われることとなるため、全顧客一律ではなく、リスクベースで考えて行うことがむしろ好ましいです。

「確認記録の精査」とは、例えば、顧客の確認記録に基づき、属性の変化（外国PEPsや反社会的勢力等への該当性）がないかの確認をすることです。確認方法については、顧客との取引の都度、精査をする必要まではなく、新たな情報を得た場合にすべての顧客と照合することや、定期的な既存顧客のスクリーニングを行う方法が考えられます（日本証券業協会「犯罪による収益の移転防止に関する法律及び同政省令に関するQ＆A【改訂案】」59番）。

「取引記録等の精査」とは、顧客の取引記録等に基づき、疑わしい点がないかのモニタリングによる確認です。確認方法としては、顧客の取引に関して、一定の抽出基準で抽出し、顧客へのヒアリング等を通じて確認を行うことや、休眠顧客等（取引が頻繁でない顧客）が急に頻繁に取引を行う等、取引頻度が急激に変化した顧客等を抽出しその売買理由等の確認を行うこと等が考えられます。

疑わしい取引に該当するか否かの判断は、すべての取引について一律に同じ深度でチェックすることが義務付けられるものではなく、リスクに応じた事業者の判断により、取引ごとのチェックの深度が異なることも当然に許容されます。また、どのような頻度でこれを行うかについても、取引の内容等を勘案し、特定事業者において個別に判断することとなります。

（エ）特定業務に係る高リスク取引

①　特定業務に係る高リスク取引の内容

「特定業務に係る高リスク取引」とは、以下のいずれかに該当する取引です。厳格な取引時確認を要する高リスク取引（法4条2項）よりも広い概念です。

i　法４条２項に掲げる厳格な取引時確認を要する高リスク取引
- 継続的取引である特定取引（に基づく取引）について「なりすましの疑いがある場合」
- 継続的取引である特定取引（に基づく取引）について「契約時確認事項に偽りのある疑いがある場合」（その代表者等が当該事項を偽っていた疑いがある顧客等を含む）
- 特定取引のうち、イラン・北朝鮮（「特定国等」）に居住し又は所在する顧客等との間におけるものその他特定国等に居住し又は所在する者に対する財産の移転を伴うもの
- 外国PEPsである顧客等との間で行う特定取引

ii　顧客管理を行う上で特別の注意を要する取引
- 疑わしい取引
- 同種の取引の態様と著しく異なる態様で行われる取引

iii　犯罪収益移転危険度調査書において犯罪による収益の移転防止に関する制度の整備の状況から注意を要するとされた国若しくは地域に居住し若しくは所在する顧客等との間で行うものその他の犯罪収益移転危険度調査書の内容を勘案して犯罪による収益の移転の危険性の程度が高いと認められるもの

「犯罪収益移転危険度調査書において犯罪による収益の移転防止に関する制度の整備の状況から注意を要するとされた国若しくは地域」（(iii)）は、イラン及び北朝鮮が、法４条２項に掲げる厳格な取引時確認を要する高リスク取引（(i)）に該当するため、それ以外の国・地域となります。

平成27（2015）年６月26日付のFATF声明において、マネー・ローンダリング等への対策上の欠陥があり、当該欠陥への対応に顕著な進展が見られず、又は策定したアクションプランに沿った取組が見られない国・地域としては、イラン及び北朝鮮のほか、アルジェリア及びミャンマーが記載されています。同年９月に公表された「犯罪収益移転危険度調査書」においても、当該２か国との取引は、

「イラン及び北朝鮮ほどではないものの、外国との取引の中でも、危険度が高いと認められる。」とされていました。もっとも、両国とも現在はFATF声明から削除されています。

「所在」とは、法人に限らず、自然人であっても、そこに居るという意味で用いられています。したがって、本邦に居住している顧客等が、注意を要する国又は地域に短期的に渡航した場合についても、規則27条3号の対象となり得ます。

日本の法人が、犯罪収益移転危険度調査書において犯罪による収益の移転防止に関する制度の整備の状況から注意を要するとされた国又は地域に支店や駐在事務所を設けたとしても、当該日本の法人との取引を直ちにリスクの高い取引として位置付ける必要はありません。もっとも、登記上の本店が日本国内にあるものの、ほぼすべての事業の拠点が注意を要するとされた国又は地域に存在し、そのような国もしくは地域において大半の事業活動が行われている法人等、特段の事情がある法人との取引については、「特定業務に係る高リスク取引」に位置付けられることはあります。

② 判断方法

「特定業務に係るリスクの高い取引」に該当した場合は、新規顧客か既存顧客かに応じて、「新規顧客との特定業務に係る取引」（前記（イ））又は「既存顧客との特定業務に係る取引」（前記（ウ））に掲げる方法により、疑わしい取引の届出の要否を判断するとともに、以下の２つの判断方法が加わります（規則27条3号）。

- 顧客等又は代表者等に対する質問その他の当該取引に疑わしい点があるかどうかを確認するために必要な調査を行う方法
- （必要な調査を行った上で）統括管理者又はこれに相当する者に当該取引に疑わしい点があるかどうかを確認させる方法

「顧客等又は代表者等に対する質問その他の当該取引に疑わしい点があるかどうかを確認するために必要な調査を行うこと」とは、顧客等又は代表者等に対する質問のほか、例えば、取引時確認の際に顧客等から申告を受けた職業等の真偽を確認するためにインターネット等を活用して追加情報を収集することなどが考えられます。

「統括管理者又はこれに相当する者」とされているのは、統括管理者の選任（法11条３号）が努力義務規定であり、必ずしも同項に規定する者が選任されている者ではないことを踏まえ、義務である規則27条３号については「これに相当する者」による確認も許容する趣旨です。

統括管理者の選任は、必ずしも一の特定事業者に１人に限るものではなく、例えば、各支店・各事業所ごとに統括管理者を選任することもあり得ます。また、取引時確認等の措置を的確に行う上で効果的かつ十分であると認められるのであれば、統括管理者の権限を委任することも認められます。

また、顧客との取引が「特定業務に係る高リスク取引」に該当する場合には、「取引時確認等を的確に行うための措置」として、以下の措置が求められます（法11条、規則32条１項各号）。犯収法上は努力義務ですが、平成30（2018）年２月６日のマネロン・テロ資金供与対策ガイドラインの適用開始に伴い、監督指針が改訂され、態勢整備義務となりました。

- 当該取引を行うに際して、当該取引の任に当たっている職員に当該取引を行うことについて統括管理者の承認を受けさせること（規則32条１項４号）
- 当該取引について、特定事業者作成書面等（自らの取引のリスク評価に関する書面等）の内容を勘案し、取引時確認等の措置を行うに際して必要な情報の収集、整理及び分析を行ったときは、その結果を記載し、又は記録した書面又は電磁的記録を作成し、確認記録又は取引記録等と共に保存すること（同項５号）

（オ）マネロン・テロ資金供与対策ガイドラインで求められるリスク低減措置としての疑わしい取引の届出

金融庁の「マネー・ローンダリグ及びテロ資金供与対策に関するガイドライン」

では、リスク低減措置としての疑わしい取引の届出として、「対応が求められる事項」が示されています（同ガイドラインII-2（3）(v)、第5章を参照)。

犯収法・施行規則に規定されている事項に加えて、(i) 疑わしい取引の届出の状況等を自らのリスク管理態勢の強化（同ガイドライン該当部分①)、(ii) ITシステム・マニュアルの活用（②)、(iii) 疑わしい取引の届出を直ちに行う態勢の構築（⑤)、(iv) 疑わしい取引の届出を行った取引についてのリスク低減措置の実効性の検証・見直し（⑥)、(v) 疑わしい取引を契機にリスクが高いと判断した顧客について、リスクに見合った低減措置を講ずること、が求められています。

同ガイドライン該当部分③の「疑わしい取引の該当性について、国によるリスク評価の結果のほか、疑わしい取引の参考事例、自らの過去の疑わしい取引の届出事例等も踏まえつつ、外国 PEPs 該当性、顧客属性、当該顧客が行っている事業、顧客属性・事業に照らした取引金額・回数等の取引態様、取引に係る国・地域その他の事情を考慮すること」及び上記④の「既存顧客との継続取引や一見取引等の取引区分に応じて、疑わしい取引の該当性の確認・判断を適切に行うこと」は既に犯収法上求められている事項です。

金融庁が公表している「疑わしい取引の参考事例」は、③の「外国PEPs 該当性、顧客が行っている事業等の顧客属性、取引に係る国・地域、顧客属性に照らした取引金額・回数等の取引態様その他の事情を考慮すること」を判断する際に参考となるものです。

上記⑤の「疑わしい取引の届出を直ちに行う態勢を構築すること」について、どの程度の期間で届出をするかについては、取引の複雑性等に応じて必要な調査機関も踏まえつつ、個別取引ごとに判断されることになります。もっとも、既に疑わしい取引に該当すると判断している取引について、例えば、その判断から届出をするまでに「1か月程度」を要する場合、「直ちに行う態勢を構築」しているとは言えないものと考えられます。

(3) 届出様式

届出様式には、大きく分けて下記の事項を記載することとされています（規則25条、別記様式第1号)。

- 届出を行う事業者の名称及び所在地
- 届出対象取引が発生した年月日及び場所
- 届出対象取引が発生した業務の内容
- 届出対象取引に係る財産の内容
- 特定事業者において知り得た対象取引に係る取引時確認に係る事項
- 届出を行う理由

上記（2）のとおり、新法により規定された判断項目・方法の届出様式（規則25条、別記様式第１号）への記載を義務付けることはされませんが、どのように判断して届出に至ったのかはこれまで同様、届出理由欄に記載されることになります。

届出様式については、「実質的支配者の有無の確認方法」の欄が「実質的支配者と顧客等との関係及びその確認を行った方法」の欄に改められたほか、条ずれに伴う所要の改正がなされています。

（4）内報の禁止

特定事業者（その役員及び使用人を含む）は、疑わしい取引の届出を行おうとすること又は行ったことを当該疑わしい取引の届出に係る顧客等又はその関係者に漏らしてはならないこととされています（いわゆる「内報の禁止」、法８条３項）。

新法により、「顧客管理を行う上で特別の注意を要する取引」の１つとして「疑わしい取引」が追加されていますが、この場合、顧客に対しては、疑わしい取引の届出を行おうとしていることなどを告げているわけではないので、内報の禁止には抵触しません。

（5）国家公安委員会への通知

行政庁は、所管業務に属する特定事業者から疑わしい取引の届出又は通知を受けた場合は、速やかに、当該疑わしい取引の届出又は通知に係る事項を国家公安委員会に通知することを要します（法8条5項）。

(6) FATFの第4次対日相互審査報告書

令和3（2021）年8月30日に公表されたFATFの第4次対日相互審査報告書においては、勧告20（疑わしい取引の届出）に関して、「LC（概ね履行）」の評価がなされましたが、①実行未遂の取引を届け出る要件は明示的に規定されてない、②疑わしい取引の届出の範囲は、環境犯罪の前提犯罪カテゴリーのわずかなギャップ（違法伐採、違法漁業、野生生物の密輸に関する犯罪）の影響を受けるとの指摘がなされています。

特定事業者は、現状でも契約の成立に至らなかった取引について疑わしい取引の届出をしていますが、法文上（犯収法8条1項）においても、例えば「特定業務に係る取引（契約の成立に至らなかった場合も含む）」等のように明確化される可能性があります。

環境犯罪のうち、違法伐採、違法漁業、野生生物の密輸に関する犯罪などが新たに設けられ、収益の没収の対象となる可能性があります。

また、「組織的犯罪処罰法」及び「麻薬及び向精神薬取締法」では、特定の環境犯罪の収益及び逃亡した犯罪人、死亡した犯罪人又はその所在が不明な犯罪人が犯した犯罪の収益については没収を行うこととされていないので、この点については改正がなされる可能性があります。

16. 取引時確認等を的確に行うための措置

犯収法は、特定事業者に対して、以下の取引時確認、取引記録等の保存、疑わしい取引の届出等の措置（以下「取引時確認等の措置」といいます）を的確に行うため、「取引時確認をした事項に係る情報を最新の内容に保つための措置」（下記（1））及び「内部管理体制の整備」（下記（2））を努力義務として求めております（法11条）。この規定は、FATFの第3次対日相互審査報告書における指摘に基づき、平成25（2013）年4月に施行された改正により新たに設けられたものです。

「内部管理体制の整備」は、「努力義務」ではありますが、平成30（2018）

年2月6日のマネロン・テロ資金供与対策ガイドラインの適用開始に伴い、監督指針や事務ガイドラインが改訂され、金融庁所管の金融機関については態勢整備義務となりました。

(1) 取引時確認をした事項に係る情報を最新の内容に保つための措置（法11条前段）

ア　犯収法上求められる措置

なりすましの疑い等を的確に判断するために、顧客等の最新の本人特定事項等を把握していることが必要であることから、特定事業者は、確認をした事項について、最新の内容に保つための措置が求められています（法的義務）。

「最新の内容に保つための措置」とは、本人特定事項等の変更があった場合に顧客等が特定事業者にこれを届け出る旨を約款に盛り込むこと等を想定しています。

一回的取引については、継続的な関係が想定されず、確認した内容を更新する機会がないことから、基本的には、最新の情報に保つための措置を講ずる必要はありません。

イ　マネロン・テロ資金供与対策ガイドラインで求められる「リスクの低減」のための「継続的な顧客管理」

マネロン・テロ資金供与対策ガイドラインにおいては、「リスクの低減」の「顧客管理（カスタマー・デュー・ディリジェンス：CDD）」の「対応が求められる事項」の一つとして、「継続的な顧客管理」が求められています（同ガイドラインII-2（3）(ii)【対応が求められる事項】⑩、第5章を参照）。

(2) 内部管理体制の整備義務（法11条後段）

ア　改正の背景

平成25（2013）年4月1日に施行された犯収法の改正により、「顧客の取引時確認事項に係る情報を最新のものに保つ措置」と「使用人に対する教育訓練の実施その他の必要な体制の整備」が努力義務として定められました（旧法10条）。

もっとも、旧法では、特定事業者は疑わしい取引の届出の必要性を判断するために取引に注意を払う義務を負うこととされていますが、法令上の明文はなく、犯収法8条で疑わしい取引の届出義務が規定されていることの反社的効果として認められているに過ぎません。

FATFは、疑わしい取引の届出義務があることにより間接的に継続的顧客管理が行われているとするのでは不十分であり、継続的顧客管理（顧客との取引関係が継続している限り、事業者が保有している顧客に関する情報に照らして、実際の取引に不審な点がないか精査を継続すること）ということが明確に法令に義務付けられなければならない、と指摘しています。

平成26年懇談会報告書は、「FATFの指摘に対応するためには、継続的顧客管理を法令に明記することが必要である。ただし、継続的顧客管理を法令に位置づけるに当たっては、すべての取引について一律の規定を置くのではなく、リスクベース・アプローチの考え方を踏まえてマネー・ローンダリングの危険性に応じた措置が講じられるものとすることが適当である」、としております。

そこで、下記イのとおり、継続的な顧客管理を可能とする内部管理体制の構築を求めることとしております。その内容は、リスクベース・アプローチの考え方を踏まえたものとなっております。

イ　内容

犯収法においては、下記の体制整備義務は、努力義務とされています（犯収法11条、同法施行規則32条1項各号）が、平成30（2018）年2月6日のマネロン・テロ資金供与対策ガイドラインの適用開始に伴う、監督指針や事務ガイドラインの改正により、金融庁所管の金融事業者は、取引時確認等の措置及びマネロン・テロ資金供与対策ガイドライン記載の措置を的確に行うための一元的な管理態勢として位置付けられ、態勢整備が義務化さました。

①　使用人に対する教育訓練の実施（法11条1号）
②　取引時確認等の措置（取引時確認、取引記録等の作成・保存、

疑わしい取引の届出）の実施に関する規程の作成（同条２号）

③　取引時確認の措置の的確な実施のために必要な監査その他の業務を統括管理する者の選任（同条３号）

④　自らが行う取引（新たな技術を活用して行う取引その他新たな態様による取引を含む）について調査・分析し、及び、当該取引による犯罪による収益の移転の危険性の程度その他の当該調査・分析の結果を記録し、又は記録した書面・電磁的記録（「特定事業者作成書面等」）を作成し、必要に応じて見直しを行い、必要な変更を加えること（同条４号、規則32条１項１号）

⑤　特定事業者作成書面等の内容を勘案し、取引時確認等の措置を行うに際して必要な情報を収集するとともに、当該情報を整理・分析すること（同条４号、規則32条１項２号）

⑥　特定事業者作成書面等の内容を勘案し、確認記録及び取引記録等を継続的に精査すること（同条４号、規則32条１項３号）

⑦　顧客等との取引が規則27条３号に規定する「特定業務に係る高リスク取引」に該当する場合には、当該取引を行うに際して、当該取引の任に当たっている職員に当該取引を行うことについて統括管理者の承認を受けさせること（同条４号、規則32条１項４号）

⑧　⑦に規定する「特定業務に係る高リスク取引」について、⑤に規定するところにより情報の収集、整理及び分析を行ったときは、その結果を記載し、又は記録した書面又は電磁的記録を作成し、確認記録又は取引記録等と共に保存すること（同条４号、規則32条１項５号）

⑨　取引時確認等の措置の的確な実施のために必要な能力を有する者を特定業務に従事する職員として採用するために必要な措置を講ずること（同条４号、規則32条１項６号）

⑩　取引時確認等の措置の的確な実施のために必要な監査を実施すること（同条４号、規則32条１項７号）

「AML/CFTシステムの実効性の審査のためのメソドロジー」では、FATF基準では、「Law又はEnforceable Means」（法令または執行可能な手段）において所要の規定を設けることが求められており、「執行可能な手段」（Enforceable Means）については一定のガイドライン等も含まれることから、金融庁の「マネロン・テロ資金供与対策ガイドライン」も、法令等に定められた監督権限に基づき、各金融機関等に「対応が求められる事項」等を明確化しているため、FATFの定義する「執行可能な手段（Enforceable Means）」に該当するものと考えられます。

令和3（2021）年8月30日に公表されたFATFの第4次対日相互審査報告書においては、犯収法11条の「取引時確認等を的確に行うための措置」は努力義務とされており、この点についての指摘が予想されましたが本報告書においてはこの点についての指摘はありませんでした。

他方、令和3（2021）年8月30日FATFの第4次対日相互審査報告書においては、「金融庁の監督下にない（マネロン・テロ資金供与対策ガイドラインの適用がない）金融機関が、リスクが高いと評価された状況で厳格な顧客管理措置を適用するための規定がない。」との評価がなされています。

この点、一部の特定事業者については、マネロン・テロ資金供与対策ガイドラインに倣った『商品先物取引業におけるマネー・ローンダリング及びテロ資金供与対策に関するガイドライン』（2019年8月14日・経産省・農林水産省）、『クレジットカード業におけるマネー・ローンダリング及びテロ資金供与対策に関するガイドライン』（2019年8月・経産省）などを公表しています。『クレジットカード業におけるマネー・ローンダリング及びテロ資金供与対策に関するガイドライン』については、令和3（2021）年9月16日に、令和3（2021）年2月のマネロン・テロ資金供与対策ガイドラインの改正に倣った改正案（リスクに応じた顧客管理措置が新たに規定）がパブリックコメントとして公表されています。また、宝石・貴金属業者についても、令和3（2021）年10月に経済産業省から金融庁ガイドラインとほぼ同じ内容の『宝石・貴金属等取扱事業者におけるマネー・ローンダリング及びテロ資金供与対策に関するガイドライン』のパブリックコメントが公表されています。

外国為替両替業者は許認可・免許業者ではありませんが、犯収法上の特定事業者（同法2条2項37号）として、200万円を超える現金での外貨両替は特定取引に該当し（犯収法施行令7条1項1号ツ）、取引時確認義務等を負うとともに、外為法上も本人確認義務を負います（同法22条の3の準用する同法18条から18条の3まで）。外貨両替業者は、財務省の「外国為替検査ガイドライン」により、「取引時確認等及び本人確認義務等を履行するための内部管理態勢」の整備義務を負います（同ガイドライン第2章3−1（1））。令和3（2021）年7月の同ガイドラインの改正により、外貨両替業者は、「特定事業者作成書面等（リスク評価書）の整備」をすることについて、「努力義務」から「態勢整備義務」となりました（同ガイドライン第2章3−1（3））。特定事業者作成書面等（リスク評価書）の作成にあたっては、①国のリスク評価を勘案しながら、自らが提供している商品・サービスや取引、形態、取引に係る国・地域、顧客の属性等のリスクを包括的かつ具体的に検証すること、②リスク評価の過程に経営陣が関与し、リスク評価の結果を経営陣が承認すること、③ 定期的に見直すほか、マネー・ローンダリング等対策に重大な影響を及ぼし得る新たな事象の発生等に際し、必要に応じ、リスク評価を見直すことが求められています。

（3）外国子会社・外国所在営業所の体制整備（法11条4号、規則32条2項）

ア　内容

特定業務に相当する業務を営む特定事業者の子会社又は外国において営業所を有する場合であって、法、令、規則に相当する当該外国の法令に規定する取引時確認等の措置に相当する措置が取引時確認等の措置より緩やかなときは、以下の措置を講ずることが努力義務として求められます。

なお、平成30（2018）年2月6日にマネロン・テロ資金供与対策ガイドラインの公表に伴い改訂された監督指針においては、以下の措置を含む措置が態勢整備義務とされました（主要行等向けの総合的な監督指針Ⅲ-3-1-3-1-2（4））。

① 当該外国会社及び当該外国所在営業所における犯罪による収益の移転防止に必要な注意を払うとともに、当該外国の法令に違反しない限りにおいて、当該外国会社及び当該外国所在営業所による取引時確認の措置に準じた措置の実施を確保すること（1号）。
② 当該外国において、取引時確認等の措置を講ずることが当該外国の法令により禁止されているため当該措置を講ずることができないときにあっては、その旨を行政庁に通知すること（2号）。

これは、FATFの第3次対日相互審査報告書において、「海外支店又は海外子会社は、本国と現地でマネロン・テロ資金対策の義務が異なる場合、より高い方の基準を適用することを明示的に義務付けられていない。」と指摘を受けたことに基づき、新法において新たに設けられた措置です。

規則32条2項の趣旨は、特定事業者に対し、支配下にある外国所在の子法人を含め、グローバルに整合性のとれた犯罪収益の移転防止に係る体制整備を求めることにあります。これにより、特定事業者が外国に所在する営業拠点に由来する犯罪収益の移転に関与するリスクの抑制が期待できるとともに、特定事業者を含む企業集団が当事者となる取引に係る追跡可能性がグローバルベースで確保され、特定事業者による疑わしい取引の届出を含む取引時確認等の措置の的確な実施にもつながります。

規則32条2項1号では、我が国の犯罪収益移転防止法令に基づく措置より緩やかな措置しか義務付けられていない外国においては、犯罪収益の移転に関与するリスクが相対的に高くなることに伴い、当該外国に所在する外国会社又は営業所における犯罪収益の移転防止に注意を払うこと等が求められます。「必要な注意」が払われているかどうかについては、当該外国に所在する外国会社又は営業所における犯罪収益移転防止に係る取組全般から判断されることとなります。

海外拠点において、FATFのPEPsに関するガイダンスに基づき、外国PEPsに該当する顧客を高リスク先と評価し、継続的（最低年に1回）に顧客管理を実施し、資産及び収入は、ガイダンスどおりSource of Funds（資金源）とSource of Wealth（富の源泉）を含む情報を取得し、業務関係確立の際には拠点長の承認を得ている場合、こうした海外拠点における取扱いは、外国における取引時確認等の措置に準じた措置と評価して差支えありません。

イ　グループベースの管理態勢（マネロン・テロ資金供与対策ガイドライン）

金融庁の「マネロン・テロ資金供与対策ガイドライン」においては、「グループベースの監理態勢」（III-4）として金融機関が「対応すべき事項」を示し、「先進的な取組み事例」を掲げています。

①　対応が求められる事項

マネロン・テロ資金供与対策ガイドラインでは、グループベースの管理態勢としての措置が「対応が求められる事項」とされています（第５章を参照）。

②　グループの範囲・海外拠点

グループの範囲については、本ガイドラインがグループベースの管理態勢の構築を求めている趣旨に鑑み、グループ各社のリスク等に応じて、個別具体的に判断する必要があり、（連結）子会社や持分法適用会社といった持分割合によって機械的に判断されるものではありません。この点、上記アで説明した犯収法が求める外国子会社・外国所在営業所の体制整備（犯収法11条、同法施行規則32条２項）の範囲よりも広いものと言えます。

同様に、「海外拠点等」には、一般的に、現地法人、支店、駐在員事務所等が含まれるものと考えられますが、各海外拠点等のリスク等に応じて、個別具体的に判断する必要があります。

例えば、外資規制のために過半数の議決権を有していない海外現地法人であっても、実質的に支配・運営しているような場合は、子会社同様にグループの範囲に含まれると考えるべきです。

また、グループを形成する各事業者に求められる水準についても、グループ各社のリスク等に応じて、個別具体的に判断する必要があります。

③　金融機関に適用される情報共有規制との関係

(i) 個人情報保護法

個人情報保護法23条1項では、個人データの第三者提供には、原則として本人の同意が必要と規定されています。ただし、例外として「人の生命、身体又は財産の保護のために必要がある場合であって、本人の同意を得ることが困難であるとき」（同項2号）に該当する場合には、あらかじめ本人の同意を得ることなく個人データを第三者に提供することができるとされています。

上記例外的な場合に該当するか否かは、個別具体的な事例に即して総合的な利益衡量により判断されるところ、個人情報保護委員会の「個人情報の保護に関する法律についてのガイドライン（通則編）」3-1-5（2）では、これに該当し得る例示として、「暴力団等の反社会的勢力情報、振り込め詐欺に利用された口座に関する情報、意図的に業務妨害を行う者の情報」が挙げられており、犯収法に基づく疑わしい取引の届出をした顧客情報・取引情報も同様に上記例外的な場合に該当し得るものと考えられます。

なお、上記例外的な場合に該当しない個人データについては、本人の同意に基づく提供又は共同利用（同法第23条第5項第3号）によることが考えられます。

(ii) 金融商品取引法

金融商品取引法上、金融商品取引業者等がグループ内において顧客等に関する非公開情報を授受することは原則として制限されています（金融商品取引業等に関する内閣府令第153条1項7号）が、本ガイドラインの「対応が求められる事項」である「マネロン・テロ資金供与対策の実効性確保等のために必要なグループ内での情報共有態勢を整備すること」は、法令遵守のために必要なものであり、こうした制限の適用除外規定（同上3項1号等）に該当するものと考えられます。

17. コルレス契約締結に際して行う確認義務・コルレス先と取引を行う際の体制整備義務

(1) コルレス契約締結に際して行う確認義務等（法９条）

銀行等が、外国銀行（法令上は「外国所在為替取引業者」、以下、「コルレス先」という）とコルレス契約を締結するに際して、相手方が以下の措置を講じていることを確認することが法的義務として求められます（法９条、規則28条、29条）。

① 当該コルレス先が、犯収法４条（取引時確認等）、６条（確認記録の作成義務等）、７条（取引記録の作成義務等）、８条（疑わしい取引の届出等）、10条（外国為替取引に係る通知義務）の規定による措置に相当する措置（以下併せて「取引時確認等相当措置」という。）を的確に行うために必要な営業所その他の施設並びに取引時確認等相当措置の実施を統括管理する者を当該コルレス先の所在する国又は当該所在する国以外の外国に置いていること、取引時確認相当措置の実施に関し、犯罪収益移転防止法15条から18条までに規定する行政庁の職務（報告、立入検査、指導等、是正命令）に相当する職務を行う当該所在する国又は当該外国の機関の適切な監督を受けている状態（「監督を受けている状態」）にあること、その他の取引時確認等相当措置を的確に行うために必要な基準として主務省令で定める基準に適合する体制を整備していること（１号）。

② 当該コルレス先が、業として為替取引を行う者であって監督を受けている状態にないものとの間で為替取引を継続的に又は反復して行うことを内容とする契約を締結していないこと（２号）。

外国銀行とコルレス契約を締結する際に、コルレス先に求められる「取引時確認等相当措置」を的確に行うために必要な基準（上記①の「主務省令で定める基準」）は以下のとおりです（法9条1項、規則29条）。

> 犯収法4条（取引時確認等）、6条（確認記録の作成義務等）、7条（取引記録の作成義務等）、8条（疑わしい取引の届出）、10条（外国為替取引に係る通知義務）の規定による措置に相当する措置（「取引時確認等相当措置」）の実施を統括管理する者を当該コルレス先の所在する国又は当該所在する国以外の外国に置き、かつ、取引時確認等相当措置の実施に関し、当該所在する国又は当該外国の機関の適切な監督を受けている状態にあること。

原則として、コルレス先の監督当局の国籍に限定はありません。いずれの国であれ、コルレス先を監督する権限を有している機関から適法に免許を付与されている等、監督を受けている状態にあることが確認できればよいこととされています。

「当該コルレス先が、業として為替取引を行う者であって監督を受けている状態にないものとの間で為替取引を継続的に又は反復して行うことを内容とする契約を締結していないこと」（上記②）は、コルレス先のコルレス先に関しても確認することを求めるものです。これはシェルバンクとの取引を禁止する趣旨で、従来の監督指針にはなく新法において求められることになったものです。

銀行等が、コルレス先が上記の①・②の体制整備を講じているか確認する方法としては、以下の方法が認められています（法9条、規則28条）。

> (a) コルレス先から申告を受ける方法
> (b) コルレス先又は外国の所管行政庁によりインターネットを利用して公衆の閲覧に供されている当該コルレス先に係る情報を閲覧して確認する方法

コルレス先から申告を受ける方法（(a)）としては、コルレス先からWolfsbergのQuestionnaire等の回答の提出を求めることが考えられます。

インターネットでの確認（(b)）については、通常の注意をもって確認したならば、仮に、事実に反するものがあったとしても、確認に不備があったこととはなりません。また、インターネットで公衆の閲覧に供される通常の注意をもって、コルレス先又は外国の機関が閲覧に供していると判断できる情報を閲覧することで差支えありません。

確認方法には、Accuity社のBankers Almanacなどのインターネット上のデータベースに当該コルレス先が掲示しているWolfsbergのQuestionaire等の回答内容を確認する方法も含まれると考えられます。コルレス先が自身のウェブサイトに掲載している情報を閲覧することも認められます。

また、SWIFTのRMA（Relationship Management Application）機能を利用して相互にSWIFTネットワーク上で資金移動の指図・信用状の開設等のメッセージのやり取りを許容し合う関係を構築する場合も含まれます。

(2) コルレス先と取引を行う際の体制整備義務（法11条4号、規則32条4項）

コルレス先と外国送金等の為替取引をする際には、コルレス先における犯罪による収益の移転防止に係る体制の整備の状況等の情報を収集し、それを評価すること等の体制整備が努力義務として求められます（規則32条4項）。

なお、平成30（2018）年2月6日にマネロン・テロ資金供与対策ガイドラインの公表に伴い改訂された監督指針においては、以下の措置を含む措置が態勢整備義務とされました（主要行等向けの総合的な監督指針Ⅲ-3-1-3-1-2（4））。

① コルレス先における犯罪による収益の移転防止に係る体制の整備の状況、当該コルレス先の営業の実態及び行政庁の職務に相当する職務を行う当該外国の機関が当該外国の法令の規定に基づき、当該コルレス先に必要な措置をとるべきことを命じているかどうかその他の当該外国の機関が当該コルレス先に対して行う監督の実態について情報を収集すること（1号）。

② 上記で収集した情報に基づき、当該コルレス先の犯罪による収益の移転防止に係る体制を評価すること（2号）。

③ 統括管理者の承認その他の契約の締結に係る審査の手順を定めた規程を作成すること（3号）。
④ 当該金融機関（特定金融機関）が行う取引時確認等の措置及びコルレス先が行う取引時確認等相当措置の実施に係る責任に関する事項を文書その他の方法により明確にすること（4号）。

「当該コルレス先に必要な措置」（①）とは、外国の機関が、コルレス先の取引時確認等に係る義務違反を是正するために必要なものとして命じる措置を指しており、例えば、業務改善計画の策定・実行等が考えられます。

「情報の収集」（①）の方法としては、例えば、コルレス先に定期的な顧客デュー・ディリジェンスなどの際の業者からの申告を含みますが、これらに限るものではなく、金融機関において適切と判断する方法で情報収集すればよいとされています。

社内規程の策定（③）としては、統括管理者の承認及び契約締結に係る審査手続を定める必要があります。

「当該金融機関（特定金融機関）が行う取引時確認等の措置及びコルレス先が行う取引時確認等相当措置の実施に係る責任」（④）とは、例えば、コルレス契約の当事者である金融機関のどちらが顧客に係る取引時確認の実施や確認記録の保存を行うか、といった事項です。

「その他の方法」（④）の例としては、コルレス先が国際的な実務慣行にのっとりマネー・ローンダリング防止体制に係る質問回答書を作成し、公表している場合に、当該質問回答書の内容を確認することが考えられます。

(3) 金融機関等における送金取引等についての確認事項等について

金融庁が平成30（2018）年3月30日に公表した「金融機関等における送金取引等についての確認事項等について」によれば、金融庁は、金融機関等における実効的なマネロン・テロ資金供与対策の実施を確保し、更に促進する観点から、マネロン・テロ資金供与対策ガイドラインの項目のうち、送金取引に重点を置いて基本的な確認事項等を取りまとめ、各金融機関等に発出したとのことです。

［確認事項の概要］

○　送金取引を受け付けるに当たって、営業店等の職員が、個々の顧客及び取引に不自然・不合理な点がないか等につき、下記その他自らの定める検証点に沿って、確認・調査することとしているか。

（検証点の例示（抄））

- 送金申込みのあった支店で取引を行うことについて、合理的な理由があるか
- 顧客又はその実質的支配者は、マネロン・テロ資金供与リスクが高いとされる国・地域に拠点を置いていないか
- 短期間のうちに頻繁に行われる送金に当たらないか
- 顧客の年齢や職業・事業内容等に照らして、送金目的や送金金額に不合理な点がないか
- 口座開設時の取引目的と送金依頼時の送金目的に齟齬がないか
- これまで資金の動きがない口座に突如多額の入出金が行われる等、取引頻度及び金額に不合理な点がないか

等

○　上記の検証点に該当する場合その他自らが定める高リスク類型に該当する取引について、営業店等の職員において、顧客に聞き取りを行い、信頼に足る証跡を求める等により、追加で顧客・取引に関する実態確認・調査をすることとしているか。また、当該確認・調査結果等を営業店等の長や本部の所管部門長等に報告し、個別に取引の承認を得ることとしているか。

○　その他、防止体制等、ITシステムによる取引検知、疑わしい取引の届出、他の金融機関等を通じた送金取引、教育・研修等

(4) マネロン・テロ資金供与対策ガイドライン

マネロン・テロ資金供与対策ガイドラインにおいては、海外送金等を行う場合の留意点として、以下のとおり「対応が必要な事項」、「対応が期待される事項」、「先進的な取組み事例」が規定されています（同ガイドラインⅡ-2（4）、第5章を参照）。

(5) 監督指針

主要行等向けの総合的な監督指針においては、平成30（2018）年2月6日のマネロン・テロ資金供与対策ガイドラインの施行に伴い、コルレス契約について、犯収法第9条、第11条及び犯収法施行規則第28条、第32条並びにマネロン・テロ資金供与対策ガイドラインに基づき、以下の態勢が整備されていることが求められます。改正前は「体制整備の努力義務」でしたが、改正後は「態勢整備義務」となりました。

イ．コルレス先の顧客基盤、業務内容、テロ資金供与やマネー・ローンダリングを防止するための体制整備の状況及び現地における監督当局の当該コルレス先に対する監督体制等について情報収集し、コルレス先を適正に評価した上で、統括管理者による承認を含め、コルレス契約の締結・継続を適切に審査・判断すること。

ロ．コルレス先とのテロ資金供与やマネー・ローンダリングの防止に関する責任分担について文書化する等して明確にすること。

ハ．コルレス先が営業実態のない架空銀行（いわゆるシェルバンク）でないこと、及びコルレス先がその保有する口座を架空銀行に利用させないことについて確認すること。

また、確認の結果、コルレス先が架空銀行であった場合又はコルレス先がその保有する口座を架空銀行に利用されることを許容していた場合、当該コルレス先との契約の締結・継続を遮断すること。

18. 犯罪収益移転危険度調査書の作成・公表

国家公安委員会は、毎年、犯罪による収益の移転に係る手口その他の犯罪による収益の移転の状況に関する調査及び分析を行った上で、特定事業者その他の事業者が行う取引の種別ごとに、当該取引による犯罪による収益の移転の危険性の程度その他の当該調査及び分析の結果を記載した「犯罪収益移転危険度調査書」を作成し、公表するものとされています（法３条３項）。

国家公安委員会は、かかる情報の集約、整理及び分析並びに調査及び分析を行うため必要があると認めるときは、関係行政機関、特定事業者その他の関係者に対し、資料の提出、意見の表明、説明その他必要な協力を求めることができるものとされています（法３条４項）。

これは、FATF第４次勧告におけるリスクベース・アプローチでは、各国に対して事業者のリスク評価を行うことを明示的に求めていることに基づくものです。

犯罪収益移転危険度調査書の内容は、疑わしい取引の届出をする際に勘案されることになります（法８条２項）。また、各特定事業者が、自己が行う取引のリスクの評価・分析し、「特定事業者作成書面等」を作成する場合や高リスク取引に関して統括管理者の承認を得る際にも参考にされます（法11条４号、規則32条１項各号）。

犯罪収益移転危険度調査書は、平成27（2015）年から毎年公表されています。令和2（2020）年11月に公表された第6回目の犯罪収益移転危険度調査書においては、以下のようなリスク（危険度）評価がなされています。

○図表3-40：令和2年犯罪収益移転危険度調査書におけるリスク評価

危険性が著しく高い	[国・地域] イラン、北朝鮮
危険性が高い	[国・地域] 該当なし [顧客] • 反社会的勢力 • 国際テロリスト • 非居住者 • 外国PEPs • 実質的支配者が不透明な法人 [取引形態] • 非対面取引、現金取引
危険性がある ※取引時の状況や顧客の属性等に関して他の要素が伴う取引は危険性が増す	[預金取扱金融機関の商品・サービス] • 口座、預金取引、為替取引、貸金庫ならびに手形および小切手 [保険会社の商品・サービス] • 貯蓄性のある保険商品 [金融商品取引業者・商品先物取引業者の商品・サービス] • 株式、債券、投資信託等の金融商品への投資、鉱物や農産物等に係る商品先物取引への投資 [信託銀行・信託会社の商品サービス] • 信託 [貸金業者等のサービス] • 金銭貸付け [資金移動業者のサービス] • 資金移動サービス [外貨両替業者のサービス] • 外貨両替 [ファイナンスリース事業者のサービス] • ファイナンスリース [クレジットカード事業者のサービス] • クレジットカード [宅地建物取引業者の商品・サービス] • 不動産 [宝石・貴金属等取扱事業者の商品] • 宝石及び貴金属 [郵便物受取サービス業者のサービス] • 郵便物受取サービス

令和3（2021）年8月30日に公表されたFATFの第4次対日相互審査報告書においては、勧告1（リスク評価とリスクベース・アプローチ）に関する評価として

「LC（概ね履行）」の評価を受けましたが、NRA（National Risk Assessment：日本で言えば犯罪収益移転危険度調査書）については、以下のとおり方法論的な限界があると指摘されています。

- NRAでは、犯罪収益のリスク評価は、STRや確認事例を含む広範なインプットに依拠している。疑わしい報告の提出は、NRAで特定された主なマネロン・テロ資金供与リスクの概要に基づき、基本的なシナリオに基づいて行われる。すべてのDNFBPs（指定非金融業者および職業専門家）がSTR（IO.4を参照）を提出する義務を負うわけではない。これにより、NRAがリスクを特定し、義務主体がリスクを確認する義務を負うリスクが生じる可能性がある。
- 評価は、国境を越えるリスクと、犯罪の実行と収益の洗浄に非公式の地下チャンネルがどの程度使用されているかに十分に焦点を当てるために、さらに改善される可能性がある。このことは、暴力団の犯罪行為と特に関連があり、その主たる洗浄手段は現金であることに留意する必要がある。例えば、覚せい剤の販売は暴力団にとって最も収益性の高い犯罪の一つである。法執行機関は麻薬の密輸と流通を追跡しているが、それに対応する現金の流れ、特に国境を越えての現金の流れを追跡することには同じように積極的ではない。これは、暴力団がどのようにして国外から薬物を調達しているのか、どのような国際犯罪組織と取引しているのか、AML/CFTシステムがどのようにしてこれらのリスクにさらされているのかを理解するための法執行機関にとっての課題となる。
- NRAは、一部の法人を高リスクの法人（例えば、「透明性のない」法人）とし、マネロンリスクの高い一部のカテゴリー（例えば、株式会社）を特定しているが、異なるタイプの企業構造に関連する脆弱性については十分に理解されていないようである（IO.5参照）。法的措置に伴うリスクの包括的な評価は行われていない（IO.5も参照）。

これらの指摘を受けて、令和３（2021）年8月30日に政府が公表した「マネロン・テロ資金供与・拡散金融対策に関する行動計画」では、「国のリスク評価書の刷新（令和3年末）」として、「マネロン、テロ資金供与及び拡散金融に対する理解を向上させるため、リスク評価手法の改善等によって、国のリスク評価書である犯罪収益移転危険度調査書を刷新する」としています。

第4章

リスクベース・アプローチとリスクの特定・評価・低減

平成24（2012）年に改訂されたFATF勧告では「リスクベース・アプローチ」が全面的に採用され、現在では世界中の金融機関におけるAML/CFTの実務の中に取り込まれています。もっとも、AML/CFT分野におけるリスクベース・アプローチは、それ以前から金融機関の実務では用いられてきており、むしろ実務に合わせてFATF勧告をアップデートしたと言ったほうが正確かもしれません。

日本国内においては、平成28（2016）年10月に施行された改正犯収法においてリスクベース・アプローチが採用され、その後平成30（2018）年に金融庁が公表した「マネー・ローンダリング及びテロ資金供与対策に関するガイドライン」（「マネロン・テロ資金供与対策ガイドライン」）においては全面的に、リスクベース・アプローチに基づいた態勢整備が求められるようになりました。同ガイドライン策定以降、国内の金融機関でも、リスクベース・アプローチへの対応が進んできましたが、FATF第4次相互審査の指摘事項を踏まえ、より高度化を進めていく必要があると思われます。そこで本章では、マネロン・テロ資金供与対策ガイドラインや先進的な金融機関の実務を参考に、具体的なリスクベース・アプローチの手法を紹介するとともに、それらをAML/CFTの防止態勢の中に、どのように組み込んでいくべきかについて解説します。

1. リスクベース・アプローチとは何か

「リスクベース・アプローチ」は、様々な分野で利用される考え方ですが、一般に、リスクの高い分野に経営資源をより多く投入し、管理の費用対効果を高める手法のことを指します。例えば会計監査の分野でも、監査を効果的・効率的に行うために利用されており、監査を実施する際に、まず全体的な「リスクの評価」を実施することにより、会計的な誤り（ないし不正）が相対的に発生する可能性が高い部分と、そうではない部分を色分けすることによって、よりリスクの高い部分について重点的な監査手続を行い、逆にリスクの低い部分については可能な限り手続を簡素化するなどして、全体として効果的・効率的に監査を実施することに役立てられています。このようなリスクベース・アプローチの利用は、今日では企業におけるリスク管理、内部監査など、様々な分野に広まっています。

また1990年代頃から、リスクベース・アプローチは、各国の金融監督当局が金融機関に対する監督・検査を実施する際にも活用されるようになっています。例えば、金融検査においては、大規模で複雑な金融グループに対しては、当局の検査チームが常駐するなどして厳格なチェックを行うのに対し、小規模・単純な金融機関に対しては、簡素なチェックを適用することなどの方法で活用されています。

2. AML/CFTにおけるリスクベース・アプローチ

(1) AML/CFTにおけるリスクベース・アプローチ

リスクベース・アプローチは、マネロン・テロ資金供与対策の分野においても、各国当局による金融機関の監督と、個別金融機関内におけるマネロン・テロ資金供与対策の両面で用いられています。こうした背景には、FATFがリスクベース・アプローチを全面的に支持していることが大きく影響していると言えます。

FATF勧告の直近の改訂(2012年2月)の際には、リスクベース・アプローチを全面的に採用し、勧告1に「リスクの評価及びリスク・ベース・アプローチの適用」を新たに設けました。同勧告では、各国に対し、マネロン・テロ資金供与対策においてリスクベース・アプローチを導入し、自国におけるリスクを特定、評価及び把握し、当該リスクを効果的に低減するために行動し、資源を割り当てることを求めています。また、各国の金融機関及び特定非金融業者及び職業専門家(DNFBPs)に対しても、マネー・ローンダリング、テロ資金供与に関するリスクを特定、評価及び低減させるための効果的な行動をとらせるようにすることを求めています。また近年、金融機関及びその他の業種、各国当局に対するリスクベース・アプローチのガイダンスを順次公表するなどして、各国政府と個別の金融機関両方に対して、リスクベース・アプローチへの対応を積極的に促しています。

(2) FATF勧告におけるリスクベース・アプローチの仕組み

FATF勧告1「リスクの評価及びリスク・ベース・アプローチの適用」におい

ては、金融機関及び特定非金融業者及び職業専門家（DNFBPs）に対し、資金洗浄及びテロ資金供与のリスクを特定、評価及び低減するための効果的な行動をとることを求めるべきであるとしています。すなわち、リスクを評価し、評価されたリスクに合わせた管理策を実行することがリスクベース・アプローチの基本的な仕組みになります。

ア　リスクの評価

リスクベース・アプローチはリスクに応じた対応を行うものである以上、金融機関がマネロン・テロ資金供与に関する「リスク」を適切に把握し、評価できることが前提条件となります。しかし、個々の金融機関が置かれている環境や状況によっても、リスクの高低の判断は異なります。すべての金融機関に共通の判断基準は存在しないため、マネロン・テロ資金供与に関するリスクの基本的な考え方をベースにして、各金融機関が、自社に合わせた評価を行う必要があります。

この点、FATF勧告１の解釈ノートにおいては、リスクベース・アプローチに関する金融機関等の義務として、以下の記載があります。

> 8. リスクの評価 - 金融機関及びDNFBPsは、（顧客、国、地政学的な地域；商品、サービス、取引又はデリバリー・チャネルに係る）自らの資金洗浄及びテロ資金供与のリスクを特定し、評価するための適切な手段をとらなければならない。金融機関及びDNFBPsは評価の根拠を証明し、評価を更新し続け、リスク評価の情報を権限ある当局や自主規制機関へ提供するための適切なメカニズムを持つことができるよう、それら評価を書面化しなければならない。資金洗浄・テロ資金供与リスクの性質と範囲は、事業の本質や規模に相応しいものであるべきである。セクター特有の個別のリスクが明らかに特定され把握されている場合、個別のリスク評価を実証することが権限ある当局や自主規制機関に求められていない場合であっても、金融機関及びDNFBPsは常に自らの資金洗浄及びテロ資金供与のリスクを把握しなければならない。

イ　リスクの管理・低減

上記のようなリスクの評価を実施した結果、金融機関等の事業者が自らのマネロン・テロ資金供与のリスクを適切に把握できたら、そのリスクの高低に合わせた適切な管理策が必要となります。例えば上述の「外国送金取引」を高リスクな取引であると考えた場合には、そのリスクの高さに応じた厳格な管理策（例えば、取引を受け付ける際の送金目的等の確認を入念に実施するなど）が必要になります。この点について、FATF勧告1の解釈ノートにおいては、以下のとおりの記載があります。

> 13. リスクの管理と低減 - 金融機関及びDNFBPsは、（国、金融機関又はDNFBPsによって）特定されたリスクを効果的に管理し低減することができるよう、方針、管理機能及び手続を持たなければならない。金融機関及びDNFBPsは、それらコントロール機能が履行されていることを監視し、必要に応じて強化しなければならない。方針、管理機能及び手続は上級管理者によって承認されるべきであり、（高低にかかわらず）リスクを管理し低減するためにとられる措置は国が定める義務と権限ある当局及び自主規制機関のガイダンスに整合的なものでなければならない。

なお、リスクを低減する方法の1つとして「そもそも取引を行わない（謝絶する)」という考え方もあります。例えば、リスク評価の結果、高リスクと判断したある種の商品・サービスや顧客種別については、当該金融機関等の自主的な判断として一律取引を実施しないというもので、このような動きは「デ・リスキング(De-risking)」と呼ばれます。そのような判断自体は、各社におけるビジネス上の判断としてやむを得ない面がありますが、そのような動きが行き過ぎることで、金融システムにアクセスできない人たちが発生するなどの弊害も指摘されており、FATFを中心に対応策が検討されているところです[1]。

1）　de-riskingの動きについては、FATFのウェブページを参照のこと（http://www.fatf-gafi.org/publications/fatfrecommendations/documents/fatf-action-to-tackle-de-risking.html)。

またFATFでは、規制対象となるセクターごと（例：銀行、証券、生命保険会社、資金移動業者、カジノ等）に、リスクベース・アプローチに関するガイダンスを公表していますので、こうした情報についても参考にするとよいでしょう。

3. 日本国内におけるリスクベース・アプローチ

(1) 犯罪収益移転防止法における規定

平成28（2016）年10月施行の犯収法においては、以下のようなリスクベース・アプローチに関する規定が置かれました[2)]。

- 特定事業者による疑わしい取引の届出の要否の判断は、当該取引に係る取引時確認の結果、当該取引の態様その他の事情のほか、犯罪収益移転危険度調査書の内容を勘案して行わなければならない（犯収法第8条第2項）。
- 高リスク取引（注）については、疑わしい取引の届出の要否の判断に際して統括管理者による確認等の厳格な手続を行わなければならない（犯収法第8条第2項、同法施行規則第27条第3号）。
- 特定事業者は、犯罪収益移転危険度調査書の内容を勘案し、以下の措置を講ずるように努めなければならない（犯収法第11条第4号、同法施行規則第32条第1項）。
  - ✓ 自らが行う取引について調査・分析した上で、その結果を記載した書面等（特定事業者作成書面等）を作成し、必要に応じて見直し、必要な変更を行うこと
  - ✓ 特定事業者作成書面等の内容を勘案し、必要な情報を収集・分析すること、並びに保存している確認記録及び取引記録等を継続的に精査すること

2)　平成25（2013）年の改正においても一部「高リスク取引」の概念が導入されましたが、金融機関が自らのリスクを特定・評価し、リスクに応じた低減措置を実施するといったような、本来の意味でのリスクベース・アプローチを求めるものではありませんでした。

✓ 高リスク取引（注）を行う際には、統括管理者が承認を行い、また、情報の収集・分析を行った結果を記載した書面等を作成し、確認記録又は取引記録等と共に保存すること
✓ 必要な能力を有する従業員を採用するために必要な措置を講ずること
✓ 必要な監査を実施すること

（注）高リスク取引とは、①犯収法４条２項の厳格な取引時確認を要する取引（(a) なりすまし・偽りのおそれのある取引、(b) イラン・北朝鮮に居住する者との特定取引、(c) 外国PEPsとの特定取引）、②疑わしい取引・同種の取引の態様と著しく異なる態様で行われる取引、③犯罪収益移転危険度調査書を勘案してリスクが高いと認められる取引をいう。

改正前の犯収法においても、「イラン・北朝鮮に居住する者との特定取引」など、高リスク取引に関する規定は設けられていましたが、上記改正では、特定事業者が自ら、自社のマネロン・テロ資金供与に関するリスクについて評価し、その評価結果を文書化したうえで実務に活用することが求められるようになった点が、従来の規定からの最大の変更点であるといえます。こうした枠組みは、前述のFATF勧告および解釈ノートの内容を犯収法に取り入れたものですが、すべての犯収法上の特定事業者を対象とした「努力義務」の扱いとなっており、特定事業者側において犯収法の規定にもとづいたリスクベース・アプローチに基づく対応は十分に進んでいなかったのが実情です。

なお、FATF勧告に基づき実施が求められている各国のリスク評価（ナショナル・リスク・アセスメント）に相当するものとして、平成26（2014）年12月には「犯罪による収益の移転の危険性の程度に関する評価書」が、平成27（2015）年９月には国家公安委員会より「犯罪収益移転危険度調査書」（以下「NRA」）が公表されました。NRAは犯収法により毎年の公表が規定されていることから、以後毎年、最新のNRAが公表されています。（第３章P.268）

なお、FATF第４次相互審査報告書においては、「NRA等の評価をさらに改善できる分野がいくつかある」として、「日本の当局は、リスクの特定と評価を拡大し、追加的な統計や法執行機関によって調査された事例など、その他の重要

な情報源をより包括的に考慮する必要がある。」としています。これを受けて「マネロン・テロ資金供与・拡散金融対策に関する行動計画」においては、令和3（2021）年中に国のリスク評価書であるNRAを刷新する旨が表明されています。

（2） マネロン・テロ資金供与対策ガイドラインにおけるリスクベース・アプローチ

平成30（2018）年2月6日に金融庁が『マネー・ローンダリング及びテロ資金供与対策に関するガイドライン』を公表し、適用が開始されました。このガイドラインは、マネー・ローンダリングおよびテロ資金供与対策がわが国および国際社会にとって喫緊の課題となっていることや、令和元（2019）年のFATFによる第4次対日相互審査において、リスクベース・アプローチによるマネロン・テロ資金供与防止対策の導入が必要であるところ、犯罪収益移転防止法に基づくリスクベース・アプローチでは不十分であること等を背景に整備されたものです。マネロン・テロ資金供与対策ガイドラインは、特定事業者の中でも金融庁所管の金融機関等に適用されるもので、ガイドラインの策定・公表に合わせて、各業態向けの監督指針も改正されました。前述のとおり、犯収法上のリスクベース・アプローチ（リスク評価）は、すべての特定事業者共通の努力義務とされていましたが、このガイドラインによって、金融機関等にとっては、リスクベース・アプローチによるマネロン・テロ資金供与防止管理態勢の整備が事実上義務化されることになりました。また、クレジットカード会社向けなど、金融庁以外が所管する特定事業者向けのガイドラインも、順次整備されています。

マネロン・テロ資金供与対策ガイドラインにおいては、金融機関等に対して、リスクベース・アプローチに基づくマネロン・テロ資金供与防止管理態勢の構築・維持を求めています。具体的には、リスクの「特定」「評価」「低減」の3つの段階での対応が求められています。

ア　リスクの特定

「リスクの特定」は、自らが提供している商品・サービスや、取引形態、取引に係る国・地域、顧客の属性等のリスクを包括的かつ具体的に検証し、直面するマネロン・テロ資金供与リスクを特定するもので、ガイドラインでは「リスクベース・アプローチの出発点である」とされています。

リスクの検証に際しては、国によるリスク評価の結果（NRA）を踏まえる必要があるほか、外国当局や業界団体等が行う分析等についても適切に勘案していくことが重要であるとされていますが、金融機関等においては、これらを参照するにとどまらず、自らの業務の特性とそれに伴うリスクを包括的かつ具体的に想定して、直面するリスクを特定しておく必要があるとされています。

イ　リスクの評価

ガイドラインでは「リスクの評価」について、「リスクの特定」により特定されたマネロン・テロ資金供与リスクの自らへの影響度等を評価し、低減措置等の具体的な対応を基礎付け、リスクベース・アプローチの土台となるものであり、自らの事業環境・経営戦略の特徴を反映したものである必要があると解説されています。また、「リスクの評価」は、「リスク低減措置」の具体的内容と資源配分の見直し等の検証に直結するものであることから、経営陣の関与の下で、全社的に実施することが必要であるとされています。

ウ　リスクの低減

リスクベース・アプローチにおいては、特定・評価されたリスクを前提としながら、実際の顧客の属性・取引の内容等を調査し、調査の結果をリスク評価の結果と照らして、講ずべき低減措置を判断した上で、当該措置を実施することとなります。マネロン・テロ資金供与対策ガイドラインでは、リスク低減措置の中核的事項として「顧客管理（カスタマー・デュー・ディリジェンス：CDD）」を掲げるとともに、「取引モニタリング・フィルタリング」、「記録の保存」、「疑わしい取引の届出」、「ITシステムの活用」、「データ管理（データ・ガバナンス）」の各措置を講ずることを求めています。

エ　リスクの特定・評価・低減とAML/CFT管理態勢

マネロン・テロ資金供与対策ガイドラインが求めるリスクベース・アプローチの各段階、すなわちリスクの特定・評価・低減の内容は前述のとおりですが、ガイドラインⅢ「管理態勢とその有効性の検証・見直し」も含めガイドライン全体で金融機関に求められることを、実務的な観点で再整理すると図表4-1のように表すことができます。

○図表4-1：AML/CFT管理態勢

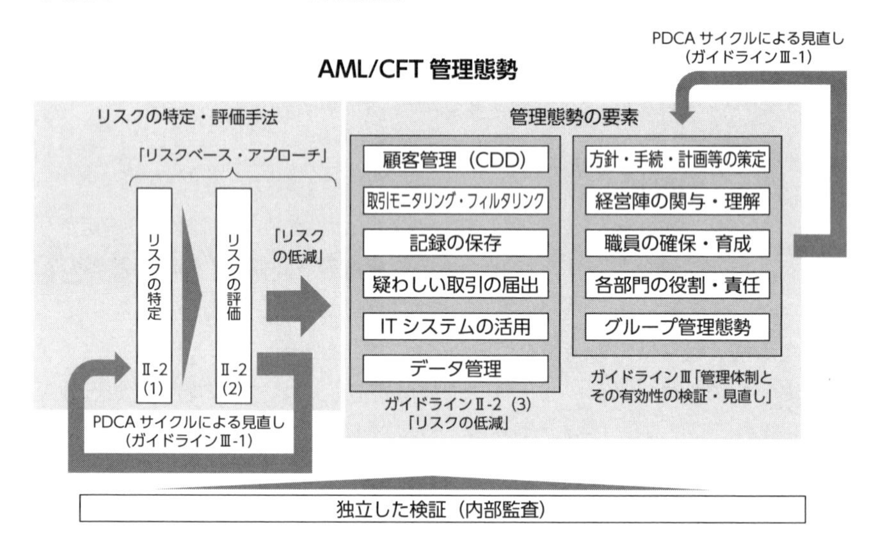

図表の左側が示すのはリスクの特定・評価・低減の各段階で、右側は金融機関が整備すべきAML/CFT防止態勢とその各要素（一つ一つの箱）を示しています。リスクベース・アプローチ全体としては、金融機関はリスクの特定・評価により、自社のマネー・ローンダリングおよびテロ資金供与に関するリスクとその程度（例えば高・中・低）を認識し、右側のAML/CFT管理態勢の各要素に、そうしたリスクの程度に応じた対応を反映させていくことが求められていると考えられます。このとき、ガイドラインの「リスクの低減」で掲げる「顧客管理（カスタマー・デュー・ディリジェンス：CDD）」、「取引モニタリング・フィルタリング」、「記録の保存」などの各項目は、リスクの程度により対応に差をつけるべき対象を示していると考えられることから、これらはAML/CFT管理態勢の各要素を表していると理解した方が分かりやすいと思います。つまり、「特定・評価」したリスクに応じた対応を、リスクを管理する「態勢」に反映させることが「低減」にあたるということになります。さらに、左側のリスクの特定・評価・低減のサイクル

や、右側の「態勢」全体については、PDCAサイクルによる定期的な見直しが行われ、そうしたサイクルを含む全体が、内部監査部門（第三線）による独立した検証を受けるというのが、リスクベース・アプローチによるマネロン防止態勢の全体像となっています。

なおガイドラインにおける、リスクの「特定」と「評価」の関係は必ずしも明らかではなく、実務的な手順としても、この二つを厳密に区分する必要はないと思われます。強いて言えば「特定」とは、FATF勧告が示すような「国・地域」「商品・サービス」などのリスク要素や、疑わしい取引の届出の経験等に基づき自社が独自に認識するリスク要素（例えば「口座を開設して間もない顧客は、長く取引のある顧客に比べて疑わしい取引の届出につながることが多い」など）を、項目として特定・列挙することを指しており、「評価」とは、それら特定したリスク要素の一つ一つが、どの程度リスクが高いのかを評価することを指していると考えられます。ガイドラインにおける「リスクの評価」の範囲には必ずしも含まれないかもしれませんが、一般的にはリスクの「評価」には、こうした各リスク要素に対する評価だけでなく、リスクの評価結果の利用方法に合せて、顧客ごとのリスク評価手法や、金融機関内部のリスク評価手法などの複数のリスクの評価手法があります。実務的においてはそれらも含めた「リスク評価」を実施する必要があると考えられます。

4. リスクベース・アプローチの実務

(1) リスクベース・アプローチの３つの段階(実務上のフレームワーク)

リスクベース・アプローチに関しては、具体的にこのように実施しなければならないという決まりごとはありません。しかし、多くの金融機関のリスクベース・アプローチに関する取組みを参考にすると、図表4-2のような３つの階層によって構成されるフレームワークで整理することができます。

○図表4-2：リスクベース・アプローチの構造

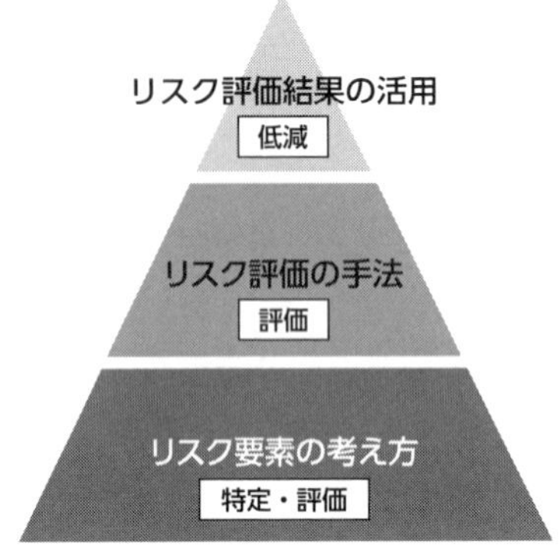

※上図のテキストボックスは、ガイドラインでの
リスクの「特定・評価・低減」のとの対応関係を表す

評価結果の活用

評価したリスクの高低に応じたマネー・ローンダリング対策の実務（AMLプログラム）実施。

リスク評価の手法

自社内に所在するマネー・ローンダリングに関するリスク／コントロールの評価や、取引先ごとのリスク評価など。（個別のリスク要素を組み合わせて実施）

リスク要素の考え方

「高リスクな国・地域」、「高リスクな業種・ビジネス」などの、個別のリスク要素に対する基本的な考え方。

一番下の階層は「リスク要素の考え方」です。マネロン・テロ資金供与のリスクに影響を与えるリスク要素としては、「地理的要素」や、「顧客の職業・業種」などが挙げられますが、こうしたリスク要素に関する、各金融機関における基本的な考え方のことを指します。具体的には、リスク要素にはどのような種類があるのか、それぞれのリスク要素についてどのような場合にリスクが高いと考えるのか、などが考え方として整理すべき内容になります。マネロン・テロ資金供与対策ガイドラインに当てはめて整理すると、どのようなリスク要素があるかを「特定」し、それぞれのリスク要素について、自社にどの程度のリスクがあるのかを「評価」することまでが、この段階に含まれると考えられます。

２段目の階層は「リスク評価の手法」です。個別のリスク要素については適切な考え方を持っていたとしても、現実の業務においては、何らかのリスク評価の対象に対して複数のリスク要素を組み合わせて判断することが求められます。例えば、ある顧客のリスクの高低を判断する際には、その顧客が持つ複数のリスク要素（例：地理的要素、職業等）を考慮し、総合的にリスクを評価しますので、そのような評価手法を整備することが必要になります。マネロン・テロ資金供与対策ガイドラインでいえば「リスクの評価」にあたりますが、ガイドラインの「リスクの評価」は、「特定」した個別のリスク要素がどの程度のリスクの大きさであるかを

「評価」すること等も含む、幅広い概念であると思われるのに対して、ここでの「リスク評価手法」は、個々の顧客のリスク評価を含むもう少し具体的なリスク評価の方法論をイメージしています。

最上段の階層は、リスクを評価した結果をいかに活用するかという「評価結果の活用」です。1段目・2段目において、いかに適切にリスクが認識・評価されたとしても、その結果が実際の業務に活用されなければ意味がありません。リスクベース・アプローチの目的は、リスクの高低に応じた効果的・効率的なマネロン・テロ資金供与対策を実現することですので、評価結果が具体的なマネロン・テロ資金供与対策に適切に反映されることが重要です。マネロン・テロ資金供与対策ガイドラインでいえば「リスクの低減」に相当する部分であるといえます。

以上のような、リスクの認識・評価からAML/CFT対応の実務における活用までを含めた「ピラミッド」の全体が一体となって「リスクベース・アプローチ」を構成しています。なお、このときに注意すべき点として、土台となるリスク要素の考え方（1段目）が整理されていなくては、2段目のリスク評価の手法は成り立ちません。また、リスク評価の手法が適切でなければ、最上段の評価結果の活用は成り立たないという関係があります。それが、フレームワークをピラミッド型で図示した理由です。

実務的な観点からは、上記のようなフレームワークでリスクベース・アプローチを説明した方が分かりやすいと思いますが、マネロン・テロ資金供与対策ガイドラインにおいてはリスクの「特定」「評価」「低減」の3段階で整理しています。以降では、マネロン・テロ資金供与対策ガイドラインの区分に従って、各段階のガイドライン上の要件と実務上の考え方を解説します。

(2) リスクの特定

ア　リスクの特定に関するガイドライン上の要件

「リスクの特定」の段階では、以下の「対応が求められる事項」「対応が期待される事項」が挙げられています。

Ⅱ−2（1）リスクの特定

【対応が求められる事項】

① 国によるリスク評価の結果等を勘案しながら、自らが提供している商品・サービスや、取引形態、取引に係る国・地域、顧客の属性等のリスクを包括的かつ具体的に検証し、自らが直面するマネロン・テロ資金供与リスクを特定すること

② 包括的かつ具体的な検証に当たっては、自らの営業地域の地理的特性や、事業環境・経営戦略のあり方等、自らの個別具体的な特性を考慮すること

③ 取引に係る国・地域について検証を行うに当たっては、FATF や内外の当局等から指摘を受けている国・地域も含め、包括的に、直接・間接の取引可能性を検証し、リスクを把握すること

④ 新たな商品・サービスを取り扱う場合や、新たな技術を活用して行う取引その他の新たな態様による取引を行う場合には、当該商品・サービス等の提供前に、当該商品・サービスのリスクの検証、及びその提供に係る提携先、連携先、委託先、買収先等のリスク管理態勢の有効性も含めマネロン・テロ資金供与リスクを検証すること

⑤ マネロン・テロ資金供与リスクについて、経営陣が、主導性を発揮して関係する全ての部門の連携・協働を確保した上で、リスクの包括的かつ具体的な検証を行うこと

【対応が期待される事項】

a. 自らの事業環境・経営戦略等の複雑性も踏まえて、商品・サービス、取引形態、国・地域、顧客の属性等に関し、リスクの把握の鍵となる主要な指標を特定し、当該指標についての定量的な分析を行うことで、自らにとって重要なリスクの高低及びその変化を適時・適切に把握すること

ガイドラインにおいて詳細な説明はありませんが、ここで求められているリスクの「特定」とは、金融機関に対してリスクをもたらすリスクの要因・要素にどのようなものがあるのかを洗い出すことを指していると考えられます。例えば、「反社会的勢力」という属性が、金融機関に対してマネロン・テロ資金のリスクをもたらすことは明らかですが、他にも特定の国・地域との取引もリスクをもたらすと考えられます。このような要素を①にあるように「包括的かつ具体的」に検証することが必要です。なお、リスクの「包括的かつ具体的な検証」の方法については、金融庁が令和3（2021）年3月に公表した「マネロン・テロ資金供与対策ガイドラインに関するよくあるご質問（FAQ）」（以下「FAQ」）においては、個々の金融機関等によって異なり得るとしながら、自らの提供している商品・サービス、取引形態、取引に係る国・地域、顧客の属性等について、漏れがないよう包括的に洗い出しを行い、その上で、「項目として大まかで抽象性のあるものではなく、実務に即して具体的なリスク項目を特定するための検証を行うことが求められます。」と解説しています（FAQ p.20-Q2）。

（③④の国・地域、商品・サービスのリスクの「特定」についての考え方は、それぞれの「リスクの評価」のところで説明します。）

イ　リスクの特定のための情報源（NRAなど）

ガイドラインにおける「Ⅱ−2（1）リスクの特定」の柱書には、「検証に際しては、国によるリスク評価の結果を踏まえる必要があるほか、外国当局や業界団体等が行う分析等についても適切に勘案することで、各業態が共通で参照すべき分析と、各業態それぞれの特徴に応じた業態別の分析の双方を十分に踏まえることが重要である。」との記載があります。ここでの「各業態が共通で参照すべき分析」について、FAQでは「NRA やFATF の公表しているリスクベース・アプローチに関するガイダンス等、いずれの業態においても参照すべきものが考えられる」としています。また、「業態別の分析」については、「FATF のセクターごと（銀行、暗号資産等）のガイダンスのほか、例えば、国際機関や海外当局が公表している業態別の分析や業界団体が会員向けに共有・公表している事例集等が考えられます。」としています（FAQ p.19-Q）。

上記の柱書、および「対応が求められる事項」①にあるように、検証にあたっては国によるリスク評価の結果、すなわちNRAを勘案することになります。NRAでは、商品・サービス、取引形態、国・地域、顧客属性の区分で国としてのマネロン・テロ資金供与リスクを評価しており、ここで挙げられている項目が「リスクの特定」の出発点になりますが、上記FAQで挙げられるような各種情報源も参考にした上で、リスクの特定を行う必要があります。なお、上記の情報源を複数考慮したとしても、それらはあくまでも一般的な情報にすぎませんので、各金融機関等の固有の事情も加味したリスクの特定が必須となります。

ウ　自社の分析を踏まえた「リスクの特定」

ガイドラインの「対応が求められる事項」②では、リスクの検証にあたっては、「自らの営業地域の地理的特性等の自らの個別具体的な特性を考慮すること」を求めています。FAQでは、例えば自社の営業地域が貿易の盛んな地域に所在している場合に、取引先の取扱商品や輸出・輸入先の把握を通じた経済制裁への対応等、地理的特性から精緻に検証し、リスク項目を洗い出すことが必要であるとしています（FAQ p.22-Q）。また、このような取り組みの一環として、自社が過去に届けた「疑わしい取引」を分析し、その分析結果を踏まえてリスクの特定を行うことも有益だと考えられます。

FATF相互審査報告書においても「その他の金融機関は、自らのマネロン・テロ資金供与リスクの理解がまだ限定的である。一般に、これらの金融機関は、主にNRAの評価に基づく、監督当局が指摘するリスクカテゴリーについて、例えこれらのリスクが自らの業務に関連しない場合であっても参照している。[3)]」との指摘を受けていることから、今後はさらに、「自らの特性の考慮」を踏まえた対応が重要になると考えられます。

(3) リスクの評価（リスク要素の評価）

ア　リスクの評価に関するガイドライン上の要件

「リスクの評価」の段階では、以下の「対応が求められる事項」「対応が期待

3)　第４次対日相互審査報告書　IO.4（金融機関等における予防的措置）仮訳　P.3
https://www.fsa.go.jp/inter/etc/20210830/02.pdf

される事項」が挙げられています。

> Ⅱ−2（2）リスクの評価【対応が求められる事項】
>
> ① リスク評価の全社的方針や具体的手法を確立し、当該方針や手法に則って、具体的かつ客観的な根拠に基づき、前記「(1) リスクの特定」において特定されたマネロン・テロ資金供与リスクについて、評価を実施すること
>
> ② 上記①の評価を行うに当たっては、疑わしい取引の届出の状況等の分析等を考慮すること
>
> ③ 疑わしい取引の届出の状況等の分析に当たっては、届出件数等の定量情報について、部門・拠点・届出要因・検知シナリオ別等に行うなど、リスクの評価に活用すること
>
> ④ リスク評価の結果を文書化し、これを踏まえてリスク低減に必要な措置等を検討すること
>
> ⑤ 定期的にリスク評価を見直すほか、マネロン・テロ資金供与対策に重大な影響を及ぼし得る新たな事象の発生等に際し、必要に応じ、リスク評価を見直すこと
>
> ⑥ リスク評価の過程に経営陣が関与し、リスク評価の結果を経営陣が承認すること
>
> 【対応が期待される事項】
>
> a. 自らが提供している商品・サービスや、取引形態、取引に係る国・地域、顧客属性等が多岐にわたる場合に、これらに係るリスクを細分化し、当該細分類ごとにリスク評価を行うとともに、これらを組み合わせて再評価を行うなどして、全社的リスク評価の結果を「見える化」し（リスク・マップ）、これを機動的に見直すこと

リスクの評価についてガイドラインの柱書「(2) リスクの評価」では、「前記(1) において特定されたマネロン・テロ資金供与リスクの自らへの影響度等を評

価し、低減措置等の具体的な対応を基礎付け、リスクベース・アプローチの土台となるもの」と説明しています。すなわち、リスクの特定は「何が」当該金融機関等にマネロン・テロ資金供与のリスクをもたらすかを検証するのに対して、リスクの評価では、特定したリスクの項目・要素が「どの程度」リスクをもたらすのかを検証します。

リスクがどの程度であるかを表すためには、一般的には「高・中・低（H/M/L)」の3段階の評価が用いられます。これに加えて、受け入れがたいリスクを表す「特高（VH：Very High)」や、中間的な評価（中-高、低-中）なども追加して用いられることもあります。何段階の評価とするかは各金融機関等において判断すれば良いですが、それぞれの評価の基準は明確にしておく必要があります。リスクの高低の評価基準は、定性的な判断基準に加えて、上記「対応が求められる事項」②③にあるように、疑わしい取引の届出の状況等の定量情報を分析した結果等も反映することが求められています。

なお、「リスクの特定」における「対応が期待される事項」には、「リスクの把握の鍵となる主要な指標を特定し、当該指標についての定量的な分析を行うことで、自らにとって重要なリスクの高低及びその変化を適時・適切に把握する」との項目がありますが、どの程度の定量的な分析を行うかはさておき、金融機関内部、あるいは外部の公的機関等の情報を指標として、それらの指標に基づいて客観的にリスクの高低を判断する方法も考えられます。（この具体的な例としては、国・地域リスクの評価で後述します。）

以下では、商品・サービスや、取引形態、国・地域、顧客属性の類型別にリスク評価の考え方について整理します。

イ　商品・サービスの性質によるリスク

金融機関等が提供する商品やサービスには、その性質により、マネロン・テロ資金供与に悪用される可能性が高いと考えられる商品・サービスが存在します。

例えば、価値を第三者に移転することを目的とするようなサービス（例：電信送金取引）や、匿名性を提供する商品（例：銀行振出小切手）等が、該当すると考えられます。

逆に流動性が低く、特定の顧客から資金を当該顧客に対してのみ払戻しがされるような商品（例：定期預金）は、相対的にリスクが低いと言えるでしょう。

各金融機関においては、こうしたいくつかの観点から、自社の取り扱う商品・サービスで、高いリスクをもたらしうるものと、そうでないものに区分しておく必要があります。NRAにおいては、特定事業者の業態毎に「危険性の認められる主な商品・サービス」を分析していますので、こうした情報も参考にすると良いでしょう。

なお、リスクの特定に関するものではありますが、FAQにおいてはリスクの包括的かつ具体的な検証の例として、「例えば、自ら提供している商品・サービスを特定する場合、「○×普通預金」、「××定期預金」、「△△ドル建普通預金」、「○○建定期預金」など、提供している商品・サービス1つ1つについて検証し、リスクを特定する必要があります。」との説明があります（FAQ p.20-Q2）。確かに、自社が取り扱う商品・サービスについて網羅的な検証を行う必要がありますが、商品・サービスには名称が若干異なるだけのものもあると思われます。このような場合、商品名が異なっていても、マネロン・テロ資金供与リスクの観点で特性が同じものについては、あわせて1つの商品・サービスとして評価することが適切であると考えられます。

ウ　取引形態によるリスク

金融機関と顧客が、どのような形態で取引を行うかによっても、マネロン・テロ資金供与のリスクは異なると考えられます。代表的な区分としては、金融機関等の窓口等で行う「対面取引」に対して、インターネット取引やメールオーダー、ATM等の「非対面取引」は、（金融機関の職員と顔を合わせる必要がないため）相対的にリスクが高いと考えられています。そのほかにも、金融機関等が顧客と直接取引を行う場合と、代理店等を経由して取引を行う場合には、後者の方が直接的なコントロールが効きにくいとして、リスクが高いとする考え方もあります。

このように、金融機関が顧客と取引を行う際、同じ顧客と同一の取引を実施しても、取引チャネルが異なればリスクの評価が変わってくる可能性があります。金融機関としては、自社が顧客と取引を行う経路を整理し、それぞれのマネロン・テロ資金供与のリスクの高低を認識しておくべきでしょう。なお、NRAにおいては、上記の非対面取引のリスクのほか「現金取引」及び「外国との取引」のリスクについて言及しています。

エ　国・地域リスク（地理的なリスク）

①　国・地域リスク

マネロン・テロ資金供与対策においては、「地理的なリスク」が重視されます。代表的な地理的なリスクの観点は「どこの国・地域が高リスクであるか」というものです。（もちろん、このときのリスクの高低は、「マネロン・テロ資金供与の観点から」ということになります。）

例えばFATFが公表する高リスクな国・地域は、マネロン・テロ資金供与対策の観点からは、最も重視されている情報であると言ってもよいでしょう。現在FATFは、「資金洗浄、テロ資金供与及び拡散金融の対策体制に重大な戦略上の欠陥を有する国、地域に係る声明（行動要請対象の高リスク国・地域）」（ブラックリスト）、「強化モニタリング対象国・地域」（グレーリスト）を、年3回のFATF全体会合のタイミングで見直し、公表しています。これらは、FATFがAMLへの取組みが不十分であると評価している国・地域であることから、個々の金融機関においてもそのリスクを認識せざるを得ないでしょう。

犯収法においても政令で高リスク国が指定されており、令和3（2021）年9月時点では、北朝鮮（朝鮮民主主義人民共和国（DPRK））及びイランの２か国のみが指定されています。犯収法上の高リスク国がこれらの２か国のみであることから、逆に言えばそれ以外の国はリスクが高くないように思われるかもしれません。しかし、この北朝鮮・イランの２か国は、FATFによって「行動要請対象の高リスク国・地域」として指定される[4)]、特別にリスクの高い２か国であり、それ以外の国・地域についても、リスクベース・アプローチの観点からは、リスクの高低を評価すべきだと考えられます。

---

4)　2021年6月時点では、新型コロナウイルスのパンデミックに照らして、2020 年2月以降、FATF は行動要請対象の高リスク国・地域のリストの国々に対するレビュープロセスを一時休止しており、2020年2月に採択されたこれらの国・地域に対する声明が引き続き有効であるとされています。

なお、実務的には、FATFによる「強化モニタリング対象国・地域」(グレーリスト) やその他の様々な機関が公表する情報を指標として勘案し、世界中のすべての国・地域のリスクを（高・中・低などで）評価する例も多く見られますが、どこまで外国の国・地域リスク評価に力を入れるべきかについては、当該金融機関等の業務内容・特性等によっても異なると考えられます。

具体的な指標の例としては、NGOのトランスペアレンシー・インターナショナル (Transparency International)[5] が公表する、CPI (Corruption Perceptions Index) と呼ばれる指標も、リスクの判断に多く用いられます。これは、汚職・腐敗がはびこる国・地域ではマネロン・テロ資金供与のリスクが高いという考え方に基づくものです。また、国連安全保障理事会決議による制裁対象国、あるいは米国のOFACや、日本の外務省などが公表する制裁リストの対象国なども、参考指標となります。これらの指標への該当状況をスコアリングするなどして、当該金融機関の国・地域リスクを判断しています。なお、このようなリスクの高い国・地域に関する情報は随時更新されるものです。金融機関側としても、このように刻々と変化する情報を、自社の高リスクな国・地域の定義にタイムリーに反映させていくことが必要です。

② その他の地理的リスク

上記のような、日本以外の国・地域のリスクを評価することも必要ですが、ガイドラインでは日本国内における地理的な特性を考慮することも求められています。リスクの特定の「対応が求められる事項」② では、「包括的かつ具体的な検証に当たっては、自らの営業地域の地理的特性や、事業環境・経営戦略のあり方等、自らの個別具体的な特性を考慮すること」としており、この「自らの営業地域の地理的特性」の意味についてFAQでは、「当該地域の地理的な要素の特性を意味しています。例えば、自らの営業地域が、貿易が盛んな地域に所在するといった場合や、反社会的勢力による活発な活動が認められる場合、反社会的勢力の本拠が所在している場合に、当該地域の独自の特性を考慮する必要があると考えます。」と解説しています (FAQ p.22-Q)。日本国内における地域別の

---

5) https://www.transparency.org/

マネロン・テロ資金供与リスクについては、NRAでも言及はされていませんが、自社がビジネスの基盤を置く地域の特性を分析し、上記FAQが示される切り口も参考にして、自社の地理的リスクを検証することが望ましいと考えられます。

オ　顧客の属性によるリスク

①　NRAにおける「顧客属性リスク」の整理

マネロン・テロ資金供与についてのリスクの高低を評価するときに、金融機関の取引する相手方が持つ属性により、リスクがもたらされるという考え方があります。この点について、NRAでは（1）反社会的勢力（暴力団等）、（2）国際テロリスト（イスラム過激派等）、（3）非居住者、（4）外国の重要な公的地位を有する者、（5）実質的支配者が不透明な法人の５つの属性について評価の対象としています。これら５つの顧客属性はマネロン・テロ資金供与においてリスクが高いといえますが、それぞれのリスクの程度については、かなり差があると考えられますので、そうしたリスクの程度を踏まえて実務を検討する必要があります。なお、FATF第4次相互審査報告書においては、NRAは、テロ資金供与リスクについて十分に詳細ではない旨の指摘がなされており、さらにIO.4では「金融機関は、紛争地域への近接性に基づき、テロ資金供与リスクを理解しているようであり、金融セクターにおける他の類型のテロ資金供与については、報告も調査もされていない可能性を示している。」との指摘がされていることから、今後、官民ともにテロ資金供与リスクの評価を強化していく必要があると考えられます。

②　外国の重要な公的地位を有する者（外国PEPs）

外国PEPsは、FATF勧告においても特段の注意を要する者という扱いになっています（第１章参照）。これは、政府・軍の高官などは、国家の財産にアクセスすることができる立場にあり、また、その地位を利用して汚職などにより不正な蓄財を行うことができる人たちであると考えられているからです[6)]。

世界中の金融機関におけるマネロン・テロ資金供与対策の実務においても、外

---

6)　https://star.worldbank.org/resources/politically-exposed-persons

国PEPsはマネロン・テロ資金供与に関するリスクが非常に高い分類であるとする考え方が定着しており、それぞれの社内手続上特別な対応をとることになっています。

実務的には、外国PEPsの主な確認方法は、「データベースによる照合」です。外国PEPsのデータベースとは、世界各国の政治家、軍高官、高級官僚等をリスト化したものであるということになりますが、個々の金融機関がこのようなリストを自前で作成することは現実的ではありません。このような外国PEPsデータを提供する民間の情報サービス業者が複数ありますので、実務上は、それらの会社と契約してデータベースの提供を受けることになります。

データベースの提供方式は様々で、ウェブベースでの検索サービスを提供するものもあれば、金融機関のモニタリングシステム等に取り込む外国PEPsリストを、データとして提供するようなサービスもあります。方式はともあれ、各金融機関においては、自社の顧客がこうしたデータベースに登録されているかどうか、確認作業を行うことになります。

また、外国PEPsはマネロン・テロ資金供与のリスクが高いと考えられていますが、仮に顧客がリストに該当したからといって、一律に取引を行うべきでないということではありません。(また疑わしい取引とみなす必要もありません。)

あくまでも、通常の顧客に比べて厳格なデュー・ディリジェンスの実施が求められているだけですので、各金融機関においては具体的な外国PEPsの確認手順に加え、外国PEPsであった場合の受入可否の判断基準、及び判断プロセス（誰が承認するのか）等を、あらかじめ整備しておく必要があるでしょう。なお、本来FATF勧告におけるPEPsには、外国PEPsの他にも国内PEPsと国際機関PEPsを含むものとされており、FATF第4次対日相互審査報告書においては、日本は「主に国内 PEPs と国際機関 PEPs（international PEPs）およびその家族・親しい間柄にある者の概念が国レベルで認識されていない」との指摘を受けています。

現状では、日本の犯収法上もガイドライン上も、明示的に対応を求めているのは外国PEPsのみであり、国内PEPs についてはFAQで「口座開設時、継続的顧客管理等の過程において得た情報等に基づき、他の顧客と同様に顧客リスク評価を行い、リスクに応じた対応を行うことが重要と考えます。」と述べるにとどまっています（FAQ p.51-Q8）。今後、FATF審査を踏まえた対応において、どのような扱いになるのか注目されるところです。

③　職業・ビジネスの種別によるリスク

マネロン・テロ資金供与防止の観点からは、ある種の業種・職業が、高いリスクをもたらすという考え方があります。

例えば、その業務の中で現金を多く取り扱う事業においては、売上げ等の現金の中に犯罪行為から得た収益（現金）を紛れ込ませることができるため、リスクが高いと考えられています。このような事業の代表格が「カジノ」ですが、海外の金融機関では同様の観点から、ガソリンスタンドや小売業者等も高リスクであるとする例もあります。

もう１つ例を挙げると、非常に高価な、あるいは客観的に価値を評価しにくい商品を取り扱う業者はリスクが高いとする考え方があり、宝石・貴金属商や美術品を扱う業者などがこれらに該当すると言えるでしょう。こうした物品の売買の際に、本来の価値と異なる価格での売買を行うことにより売主・買主間で容易に価値を移転する、あるいはいったん高価な物品を購入した後で売却することにより、容易にマネー・ローンダリングを行うことができるとされています。

このような「業種・職業」に関する考え方は、海外におけるマネロン・テロ資金供与対策の考え方がもとになっているため、日本の商慣習から見れば違和感があるかもしれません。例えば、現金を多く取り扱う業種であることは、小切手やカードによる決済が主流の国においては、高いリスクを示す兆候であるかもしれませんが、我が国においては商取引の際に、現金による支払いが行われることはさほど珍しいことではなく、観点としての重要度は相対的に低いかもしれません。このように、たとえFATFのガイダンスや、海外の金融機関で採用される考え方であっても、日本の実情にそぐわないものはそのまま採用する必要はありません。本来の趣旨を理解した上で、自社が置かれる環境に置き換えて判断し、独自の「高リスクな業種・職業の認識」を整理すればよいでしょう。なお、NRAにおいては、「業種・ビジネスの種別によるリスク」については直接分析の対象としていません。しかし、このような観点をリスク高低の判断に活用することは、海外の金融機関の実務ではごく一般的であり、自主的に検討することは有益であると考えられます。

カ　リスクの低い取引

上記のような「リスクの高い」取引や顧客属性とは逆に、ある種の取引や顧客属性は、通常よりもリスクが低いと考えられることもあります。NRAにおいては、リスクが低いものを「危険度の低い取引」として14項目を列挙しており、これらは、犯収法上も「簡素な顧客管理を行うことが許容される取引」として定められています。もっとも、本来のリスクベース・アプローチの観点からは、上記のような法令上指定される取引にかぎらず、自社の判断によりリスクが低いと考えられる取引等に対しては、（法令上必要な管理は行う前提で）通常よりも簡素な顧客管理手続きを適用するなどの対応も考えられます。

（4）各種のリスクの評価手法

ア　（組み合わせによる）リスク評価の手法とは

金融機関等においてリスクベース・アプローチを実施するためには、上記のようなマネロン・テロ資金供与対策における基本的なリスクの考え方を踏まえて、さらに用途に応じたリスク評価の手法が必要になることがあります。

具体的なリスク評価の手法は、各金融機関が工夫して作り上げるべきものであり、必ずこの方法で実施すべきというものはありませんが、以下では金融機関の実務で一般的に用いられる手法を紹介します。なお、このようなリスク評価手法は、すでに述べた国・地域、商品・サービスといった個別のリスク要素の評価結果を組み合わせて、何らかの評価対象のマネロン・テロ資金供与リスクを評価する（例：金融機関の顧客のリスクを評価する）取り組みとなります（図表4-3）。

○図表4-3：（組み合わせによる）リスク評価手法

（組み合わせによる）リスク評価手法

顧客リスク評価（格付）
地理的要素　商品・サービス　顧客属性　取引形態

全社的リスク評価
固有リスク　コントロール　残存リスク

国・地域
・高リスク国・地域 XXX,YYY,ZZZ…
・中リスク、低リスクな国・地域

商品・サービス
・高リスクな商品・サービス AAA,BBB,CCC…
・中リスク、低リスクな商品・サービス

顧客属性
・高リスク属性 例）反社、一定の高リスク業種 ,etc..
・中リスク、低リスクな顧客属性

取引形態
・高リスクな取引形態 例）非対面取引 etc..
・中リスク、低リスクな取引形態

各リスク要素の評価結果

イ　顧客リスク評価

①　顧客リスク評価の概要

「顧客リスク評価」とは、金融機関がすでに取引を行っている、あるいはこれから取引を開始する予定の顧客に関して、当該顧客のリスクの高低を評価するための手法です。（もちろん、このときの「リスク」は、マネロン・テロ資金供与に関するリスクです。）

金融機関の顧客は、それぞれ多くの「リスク要素」を持っています。例えば、顧客の属性を見たときに、顧客の職業が「会社員」と「カジノの経営者」では、一般に後者の方がリスクが高いと考えられています。また、保有資産が少ない人よりも、多い人の方がリスクは高いとされます。それでは、資産の多い会社員と、資産の少ないカジノ経営者では、どちらのリスクが高いと考えるべきなのでしょうか。おそらく、人によって答えは異なると思います。

○図表4-4：顧客のリスク評価のイメージ

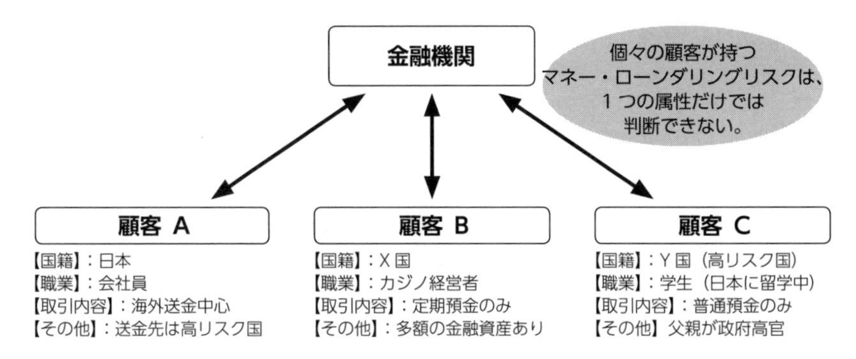

図表4-4のように、各顧客は様々な属性を持っていますので、金融機関として顧客のリスクの高低を判断するためには、各リスク要素を組み合わせて総合的に判断するための評価手法を整備しておく必要があります。

なお、マネロン・テロ資金供与対策ガイドラインにおいても、(ii) 顧客管理（カスタマー・デュー・ディリジェンス：CDD）の「対応が求められる事項」⑥において、「商品・サービス、取引形態、国・地域、顧客属性等に対する自らのマネロン・テロ資金供与リスクの評価の結果（Ⅱ－2（2）で行うリスク評価）を踏まえて、全ての顧客について顧客リスク評価を行うとともに、講ずべき低減措置を顧客リスク評価に応じて判断すること」として、すべての顧客に対してリスク評価を行うことが求められています。さらにFAQにおいては、顧客リスク評価の手法について、金融機関等の規模・特性や業務実態等を踏まえて様々な方法があり得るとして、個別の「顧客ごと」にリスクを評価する方法のほか、利用する商品・サービスや顧客属性等が共通する「顧客類型ごと」にリスク評価を行う方法を例示しています（FAQ p.48-Q2）。

② 顧客ごとのリスク評価（顧客リスク格付）

「顧客ごと」のリスク評価は、金融機関等の顧客（あるいは取引見込み客）一人ひとりに対してリスクの高低を評価していく評価方法であり、一般に「顧客リスク格付」と呼ばれています。評価した各顧客のリスクは、「高」「中」「低」（あるいは、「H」「M」「L」）のような「格付」で表されます。このような、顧客リスク格付の際によく用いられるのが、「スコアリングモデル」です。先ほどの例の「職業」や「保有資産」をはじめ、商品・サービス、取引形態、国・地域、顧客属性等の様々なリスク要素の組合せによって顧客のリスクは決定されるので、顧客ごとのリスクの高低を総合的に、かつ客観的な基準に基づいて評価できるように、リスクを点数（スコア）で表すモデルが用いられます。

具体的な例を挙げると、「職業」をリスク要素（ファクター）の１つに含むスコアリングモデルであれば、顧客が高リスクな職業に該当すれば「＋５点」、そうでなければ「０点」などの配点が決まっており、「評価項目：職業」の点数が算出されます。同様にして他のファクターの点数も算出し、すべての要素を合算すると当該顧客のリスクスコアが算出される仕組みです。なお、このときに、単に個別のファクターの点数を足し上げるのではなく、各ファクターの重要度に応じて、重み付けをする仕組みとなっているモデルが多いようです。

このようなモデルを用いて計算することで、顧客ごとのリスクは数値（点数）によって表されますので、あらかじめ格付ごとのスコアの区分（例：XX点以上であれば高リスク）を定めておき、最終的に高リスク・中リスク・低リスクの３段階などで顧客リスク格付を付与します。なお、このようなスコアリングモデルを、すべての顧客に対して手作業で運用することは困難ですので、基本的には自動的に計算をするためのシステムを導入することになります。

○図表4-5：顧客リスク評価のための「スコアリングモデル」のイメージ

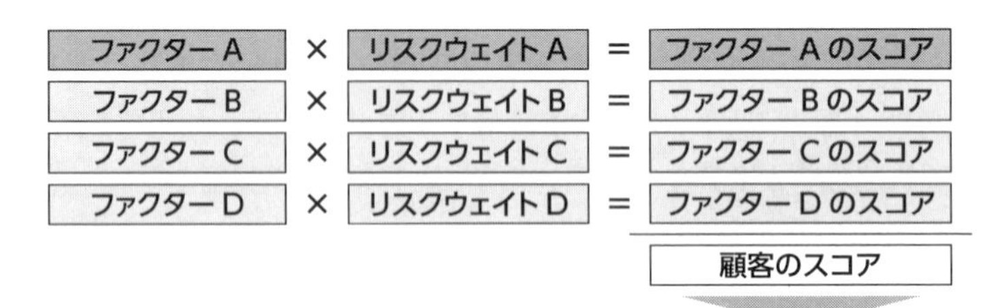

図表4-5のようなスコアリングモデルに採用される「リスク要素」は金融機関によって異なり、どのようなリスク要素を採用するか、あるいは重み付けをどうするか

といった点について、試行錯誤しながら自社向けのモデルを構築しています。

また金融機関によっては、より精緻なモデルとするために、顧客のカテゴリーに応じて複数の評価モデルを持つこともあります。例えば、個人顧客向けモデルと法人顧客向けモデルを分ける、あるいは法人向けのモデルをさらに一般事業法人向けモデルと金融機関向けモデルに分けるなどです。通常は金融機関の規模が大きくなるほど、複数のモデルを持つ傾向があると思われますが、複数のモデルを持つことは当該金融機関のマネロン・テロ資金供与対策業務を複雑にし、メンテナンスのコストを増加させることにもつながります。金融機関等はそのようなマイナス面も考慮した上で、導入するモデルを決定すべきです。

顧客リスク格付は、上記のとおりスコアリングモデルを前提とすることが多いですが、スコアリングモデルによらない顧客リスク評価手法も考えられます。例えば、「国・地域リスク」や、「商品・サービスリスク」などのリスク要素のうち、あらかじめ自社が高リスクであると考える要素を一つ、ないし複数を組み合わせて評価基準とすることによって、そのような属性を持つ顧客は高リスクであると評価することも可能です。例えば、「高リスク国の国籍」を有し、「高リスク商品・サービス」の取引を行う顧客は「高リスク顧客」であると判断するといった方法であり、これも顧客リスク格付の一種であるといえるでしょう。

③　顧客類型ごとのリスク評価

上述の顧客リスク格付では個別の顧客ごとにリスク評価を行うのに対して、顧客類型ごとのリスク評価は、ある種の類型ごとに、当該類型に属する顧客をひとまとめに評価するものです。FAQには、一例として、以下のような類型の考え方が示されています（FAQ p.50-Q6）。

類型	具体例
原則取引不可	✓　反社会的勢力・制裁対象者
高リスク	✓　過去に疑わしい取引の届出対象となった顧客 ✓　不正に口座を利用している疑いのある顧客 ✓　不芳情報を把握した顧客 ✓　高リスクと評価した商品・サービスを利用している顧客 ✓　本人確認法施行以前に開設された既存顧客の口座 ✓　個人の顧客名義であるものの法人により利用されている口座 ✓　不正に利用されている口座
低リスク	✓　休眠口座、長期不稼働口座（これらの口座が稼働するまで） ✓　国・地方公共団体 ✓　国・地方公共団体が運営する団体等（ただし、設立経緯、その取引内容、国・地方公共団体との親密度や業務内容を勘案した上で判断が必要）

また、別のFAQにおいては、地域や職域、事業体等で構成された会員・組合員の相互扶助を目的とした小規模の協同組織金融機関などにおいて、「金融機関等の規模・特性や業務実態等に照らしたリスク評価を踏まえ、リスクが限定されるといえる場合には、組合員と非組合員、法人と個人、生活口座として利用する顧客とそれ以外の目的で口座を利用する顧客といった観点で類型化し顧客リスク評価を行うことが可能である場合も考えられます。」と解説しています(FAQ p.49-Q4)。類型ごとの顧客リスク評価を行う場合に、具体的にどのような類型で評価を行うかについては、上記のFAQの例なども参考にしつつ、自社の特性等を踏まえて決定する必要があります。なお、類型ごとの顧客リスク評価を採用する場合であっても、当該リスク評価にもとづく顧客管理を行う前提として、個々の顧客がどの類型に属しているかを継続的に管理する必要があると考えられます。

ウ　全社的リスク評価

金融機関等が、リスクに応じたマネロン・テロ資金供与対策を推進しようとする場合には、自社がどのようなリスクに、どの程度さらされているかといった、自らの(マネロン・テロ資金供与に関する) リスクについての評価を行う必要があります。また、そのように評価したリスクと、自社があらかじめ設定したリスク許容度、リスク・アペタイトを踏まえて、さまざまな施策を実施することになります。

この点についてマネロン・テロ資金供与対策ガイドライン「Ⅱ−2 リスクの特定・

評価・低減（2）リスクの評価」の柱書においては、「リスクの評価は、リスク低減措置の具体的内容と資源配分の見直し等の検証に直結するものであることから、経営陣の関与の下で、全社的に実施することが必要である。」とし、「対応が求められる事項」として「① リスク評価の全社的方針や具体的手法を確立し、当該方針や手法に則って、具体的かつ客観的な根拠に基づき評価を実施すること」を挙げています。

さらに、対応が期待される事項においては、

> a. 自らが提供している商品・サービスや、取引形態、取引に係る国・地域、顧客属性等が多岐にわたる場合に、これらに係るリスクを細分化し、当該細分類ごとにリスク評価を行うとともに、これらを組み合わせて再評価を行うなどして、全社的リスク評価の結果を「見える化」し(リスク・マップ)、これを機動的に見直すこと

との項目を挙げています。

全社的リスク評価は、当該金融機関（あるいは金融機関グループ）が負っているリスクを全体的に分析したものであることから、上記ガイドラインが示すように、商品サービスや取引形態などの要素を組み合わせて評価されるべきで、定量的な観点、定性的な観点の両方に基づいて評価を行うべきです。

なお、マネロン・テロ資金供与対策ガイドラインやFAQには、全社的リスク評価の具体的な方法や、結果を見える化した「リスク・マップ」の詳細についての説明は見られませんが、実務的には、次に説明する「ビジネスライン／グループリスク評価」の結果も踏まえた、当該金融機関等のリスクの「総合評価」と位置付けられると思われます。

エ　ビジネスライン／グループリスク評価

①　ビジネスライン／グループリスク評価の概要

金融機関（グループ）内部のリスク評価に用いられる手法です。

金融機関にとってマネロン・テロ資金供与対策は重要かつ全社的に取り組むべき課題ですが、経営資源は有限であり、そのために無尽蔵に人員や予算を費やすことはできません。予算や人員に上限があることを前提とした場合には、当該金融機関内（あるいは金融グループ内）において、どのように経営資源を割り当てるかという問題が生じます。このときリスクベース・アプローチの観点から言えば、リスクが高いところに優先して割当てを行うべきであるということになりますが、そのためには、社内・グループ内のどの部分がリスクが高いのかを特定しなければなりません。主にそのような意思決定のための参考情報として用いられるのが、ビジネスライン／グループリスク評価です。

②　評価単位

これらのリスク評価手法においては、社内・グループ内の任意の評価単位における、マネロン・テロ資金供与のリスクの高低を評価します。基本的には、各評価単位に対して同じリスクの評価基準を適用しますので、リスクの評価結果は、評価単位間で比較することが可能です。評価単位についてはさまざまな考え方がありますが、「リテール」、「コーポレート」、「プライベートバンク」などのビジネスラインごとに評価を行う方法や、金融グループ内のエンティティ（法人）単位で評価を行う方法などが一般的です。

③　評価実施上の留意点

このようなリスク評価を行う際に重要なことは、「固有リスク」と「コントロール（統制）」とに分けて評価し、最終的なリスクの高低は、それらを総合した「残存リスク」で評価することです。「固有リスク」とは（この場合にはマネロン・テロ資金供与に関する）リスクをもたらす各種の要素から判断される危険度であり、リスクに対する対応策などを勘案する前のリスクを指します。他方、「コントロール」とは、そうしたリスクに対する対応策などのことを指します。

例えば、評価対象となるグループ会社Ａ社とＢ社を想定した場合、Ａ社のほうがＢ社よりも多くの高リスク顧客を抱えている場合には、通常はＡ社のほうが、Ｂ社よりも高い固有リスクがあると考えられます。しかし、Ａ社は、しっかりとしたマネロン・テロ資金供与防止態勢を構築済（すなわち、コントロールが強い）であるのに対して、Ｂ社のマネロン・テロ資金供与態勢は脆弱（コントロールが弱い）であったらどうでしょうか。そうしたコントロールの状況を考慮に入れたリスク（残存リスク）で比較すると、どちらのリスクが高いとは一概にはいえないと思います。このように、マネロン・テロ資金供与対策のビジネスライン／グループリスク評価においては、その評価単位における固有リスクの状況はどうか、コントロールの状況はどうか、といった具合に、それぞれを別々に評価し、最後に両者を踏まえた残存リスクで比較可能なように評価を行います。

なお、固有リスクの評価にあたっては、上記の例では高リスクな顧客が多いか、少ないかという観点を示しましたが、そのほかにも高リスクな商品・サービスを取り扱うかどうか、地理的条件（例：高リスク国・地域で業務を行うか）など、複数の項目を総合的に判断することになります。

最終的なリスクの高低は、固有リスクとコントロールを勘案した「残存リスク」によって評価されるため、金融機関はリスクとコントロールがどのような組み合わせであれば、残存リスクがどのように評価されるのかといったことを、あらかじめリスク評価手法として決めておく必要があります。最終的には、あくまで残存リスクでリスク高低を判断しますので、例えば、固有リスクが大きいと評価されるビジネスラインでも、それに合わせた適切な統制環境がすでに存在するのであれば、残存リスクはさほど大きくないかもしれません。他方、固有リスクが中程度であったとしても、統制環境が脆弱なビジネスラインがあるとすれば、残存リスクは相対的に大きいことになります（図表4-6）。

○図表4-6：リスク評価の考え方

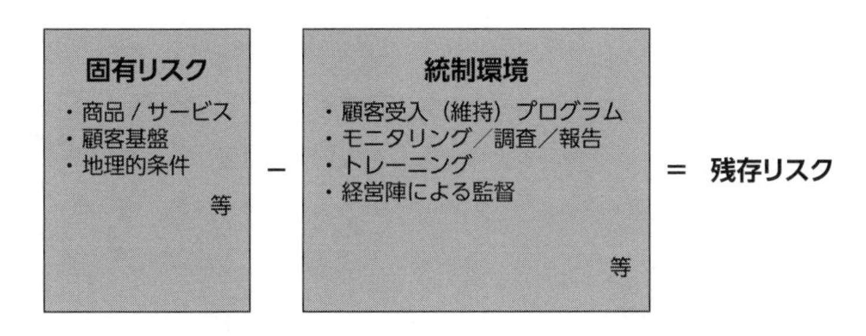

④　評価の実施方法

上記の評価にあたっては、評価単位毎に質問票への回答を求めたり、インタビューを実施したりすることによって、AMLコンプライアンス部門は各評価単位のリスクの状況を把握していくことになります。固有リスク、コントロールの評価項目の中には、定量的な項目が含まれることもありますので、その場合は評価者がシステムから直接情報を収集することもあります。

通常は、収集した情報に基づきスコアリングを実施するか、あらかじめ定めた定義に基づいて固有リスク・コントロール、および残存リスクの判定を行います。評価した結果は、図表4-7のような形で、リスク、コントロール別に赤・黄色・緑に色分けするなどして、どの部分のリスクが高いか（あるいは、コントロールが脆弱か）、一目でわかりやすい形式であらわされます（なお、図表4-7では、各ラインのリスクの総合点としての、全社的リスク評価の結果も示されています）。推測ではありますが、前述のマネロン・テロ資金供与対策ガイドラインにおける「全社的リスク評価の結果を「見える化」し（リスク・マップ）」との記述は、おそらく上記のような成果物をイメージしたものであると考えられます。

○図表4-7：ビジネスラインリスク評価のマトリクス+全社的リスク評価

評価対象	評価結果		
	固有リスク	コントロール	残存リスク
リテール部門	High	Adequate	High
法人部門	Moderate	Strong	Low
市場部門	Low	Adequate	Low
投資銀行部門	Moderate	Weak	Moderate
国際部門	High	Weak	High
全社	High	Adequate	High

なお、マネロン・テロ資金供与対策ガイドラインの「Ⅲ－4グループベースの管理態勢」においては、以下のような取り組みを「先進的な取組み事例」として紹介しています。

> 具体的には、海外拠点等を含む全社的なマネロン・テロ資金供与対策プログラムを策定し、これに基づき、本部のマネロン・テロ資金供与対策主管部門において、拠点別の口座数、高リスク顧客数等の情報を一括管理し、海外拠点等も含む各部門・拠点のリスクを共通の目線で特定・評価している。
> その上で、部門・拠点ごとの低減措置につき、職員の人数、研修等の実施状況、IT 等のインフラの特異性等も踏まえながら、各拠点と議論した上で低減措置の有効性を評価している。

> さらに、低減措置を踏まえてもなお残存するリスクについては、必要に応じて本部のマネロン・テロ資金供与対策主管部門が実地調査等を行い、残存するリスクが高い拠点については監視・監査の頻度を上げるなど、追加の対策を講じ、全社的な対策の実効性を高めている。

ここに紹介されている事例は、上記のようなビジネスライン／グループリスク評価を実施し、リスクベースのマネロン・テロ資金供与対策に活用している例といえるでしょう。

オ　OFAC（制裁）リスク評価

前述のビジネスライン・グループリスク評価は、AML/CFT全般のリスク／コントロールを対象に評価を行うものでしたが、特に制裁者対応から生じるリスクに絞って評価を行う手法もあります。OFAC規制は、米国の経済制裁に関する規制（日本の外為法に基づく資産凍結措置に相当）ですが、より広範で、かつ違反した場合には厳罰に処せられることになるので、金融機関としてはそのような事態を避けるために、各部門やグループ会社などにおける、OFAC規制に関するリスク・コントロールの状況を評価し、制裁者対応の態勢整備に役立てています。具体的な評価にあたって参考にするリスク要素は、地理的なリスクや商品・サービスのリスクなどマネロン・テロ資金供与全般のリスク評価と共通する部分も多いですが、あくまでもOFAC規制違反を生じる可能性に絞ったリスク評価となっていることが特徴的です。このようなリスク評価は、主に米国の金融機関で行われるほか、米ドル送金を取り扱う国内金融機関もOFAC規制の適用を受ける可能性があるため（域外適用）、OFACリスク評価を実施する例もあります。

(5) リスクの低減（リスク評価の活用方法）

上記のようなリスク評価の手法を用いてリスクを適切に評価することは、リスクベース・アプローチに必須の要件ではありますが、リスク評価を適切に行うだけでは十分ではありません。リスク評価の結果をマネロン・テロ資金供与対策の実務において活用して、初めてリスクベース・アプローチによるマネロン・テロ資金供与対策が実現できたと言えます。

リスク低減措置全般に関する「対応が求められる事項」は、以下のとおりです。

> (3) リスクの低減【対応が求められる事項】
> ① 自らが特定・評価したリスクを前提に、個々の顧客・取引の内容等を調査し、この結果を当該リスクの評価結果と照らして、講ずべき実効的な低減措置を判断・実施すること
> ② 個々の顧客やその行う取引のリスクの大きさに応じて、自らの方針・手続・計画等に従い、マネロン・テロ資金供与リスクが高い場合にはより厳格な低減措置を講ずること
> ③ 本ガイドライン記載事項のほか、業界団体等を通じて共有される事例や内外の当局等からの情報等を参照しつつ、自らの直面するリスクに見合った低減措置を講ずること

マネロン・テロ資金供与対策ガイドラインでは、リスク評価結果の活用については「リスク低減措置」として表現されており、その意義について「自らが直面するマネロン・テロ資金供与リスクを低減させるための措置は、リスクベース・アプローチに基づくマネロン・テロ資金供与リスク管理態勢の実効性を決定付けるものである。」と説明しています[7)]。

リスクの低減における「対応が求められる事項」の各項目においては、自らが特定・評価したリスクの高低に基づき、リスクに応じた低減措置を取ること求めています。リスク低減措置の中核的事項としてガイドラインでは「顧客管理（カスタマー・デュー・ディリジェンス：CDD）」を掲げるとともに、「取引モニタリング・フィルタリング」、「記録の保存」、「疑わしい取引の届出」、「ITシステムの活

7) 金融庁「マネー・ローンダリング及びテロ資金供与対策に関するガイドライン」（令和3（2021）年2月19日）Ⅱ−2 リスクの特定・評価・低減（3）リスクの低減（i）リスク低減措置の意義

用」、「データ管理（データ・ガバナンス）」の項目において低減措置を講ずることを求めています。

以下に、金融機関等が実務上実施する具体的な低減措置の例をいくつか挙げたいと思います。

- **顧客受入方針、継続的顧客管理への反映**
  「顧客リスク評価」の結果により、リスクの高い顧客に対しては取引開始時のチェックを厳格に行う、あるいは継続的顧客管理の方針に差をつけるといった方法が考えられます。
- **取引モニタリングへの反映**
  顧客リスク評価の結果に基づき、リスクの高い顧客に対しては、取引状況に関して通常より厳格なモニタリングを実施することが考えられます。特に、取引モニタリングシステムを利用する場合には、高リスク顧客に適用するシナリオの閾値を厳しくすることで、よりアラートが出やすいように調整するといった対応も行われます。
- **トレーニング・プログラムへの反映**
  研修のメニューを考慮する際に、リスク評価の結果、相対的に残存リスクが大きいと判断された部門に対しては、研修の頻度や内容を手厚くすることが考えられます。
- **予算配分・人員配置への反映**
  AML/CFTコンプライアンスに関する計画の立案に当たって、残存リスクの高い部門に対して、優先的に対応予算を割り当て、人員の配置を行うべきです。

上記以外にも様々なリスクベースの施策が考えられますので、各金融機関がAML/CFTプログラムを検討する際には、その構成要素の隅々にまで、リスク評価の結果を踏まえた対応が反映されるようにすべきでしょう。

なおマネロン・テロ資金供与対策ガイドラインには、何箇所かに「資源配分」というキーワードが登場しますが、リスク評価の結果を踏まえて最適な経営資源の配分を検討するということは、リスク評価結果の重要な活用方法の一つです。この点については、実務担当者レベルというよりは、経営陣にとって重要な課題であるといえます。

(6) リスク評価の文書化

リスク評価の結果については、各金融機関等において文書化されることがFATF勧告で求められており、それを踏まえて、犯収法では「特定事業者作成書面等」にかかる規定が置かれていますので、特定事業者においては特定事業者作成書面（リスク評価書）の作成が必要となります。作成書面の内容について詳細な規定は無いですが、業態によっては、業界団体が提供するひな形などをベースに作成している金融機関もあるようです。

また「リスク評価結果の文書化」という意味では、国・地域、商品・サービスといった「リスク要素」の評価結果をはじめ、ビジネスライン・全社的リスク評価の結果など、当該金融機関等が実施したすべてのリスク評価の結果について、何らかの形で社内で適切に文書化されている必要がありますが、必ずしもすべてが一つの文書としてまとめられていなくてもよいと思われます。

また、リスク評価の「結果」の文書化だけでなく、「評価手法」の文書化も重要です。リスク評価の手法別に、具体的な評価の手順や、リスク高低の判断基準などを予め定義し、文書化して、それを社内で（経営陣を含む）適切な承認を得ておくことが必要です。

第5章

リスク低減措置とAML/CFT 態勢の整備

1. AML/CFT態勢の整備に関する規制・ガイドライン

(1) AML/CFTプログラムとは

金融機関はマネー・ローンダリング／テロ資金供与防止に関して、様々な法律・規制・ガイドライン等に対応しなくてはならず、そのためには多くの部門が対応に関与する必要があります。例えば、金融機関のマネロン・テロ資金供与対策に関する基本方針や、リスク評価手法はコンプライアンス部門が策定し、犯収法上の「取引時確認」を含む、顧客管理に関する事務手続や帳票は事務部門が整備することが多いと思われます。また、事務手続を実際に運用するのは営業店や事務センター等の職員になりますし、顧客との取引等を通じて「疑わしい取引の届出」を発見するのも、こうした現場の職員の重要な役割です。さらに、外為取引やコルレス先の管理等に関する事務手続は国際部門が所管する、などの取決めになっている金融機関も多いでしょう。

このように、「マネロン・テロ資金供与対策」という共通の目的のために、金融機関の様々な部門が、金融機関全体として果たすべき機能の一部を分担して実施することになります。しかしこのときに、部門間の役割分担がうまくいかないと、金融機関全体としての義務を果たすことができないおそれがあります。各部門の取組みが有効に連携し、金融機関全体として十分なAML/CFTのコンプライアンス機能を発揮するためには、各部門がバラバラに対策を講じるのではなく、金融機関全体として機能させるための全体像を設計することが必要になります。こうした全体像をもとに整備された、一連のマネー・ローンダリング防止態勢全体のことを、海外の金融機関や規制当局では「AML/CFT（コンプライアンス・）プログラム」と呼びます。

なお、一般に日本の金融機関においては、かつての金融検査マニュアルの規定を踏まえて、年度毎に「コンプライアンス・プログラム」と呼ばれるコンプライアンスに関する年度計画を立てて経営陣の承認を得る運用が定着しています。しかし、AML/CFTの分野で「プログラム」といった場合には、上記のような意味で用いられることが多いので注意が必要です。

(2) FATF勧告、バーゼル・コア・プリンシプルにおけるAML/CFTプログラムの要件

ア FATF勧告18

FATF勧告18「内部管理、外国の支店及び子会社」には、「金融機関は、資金洗浄及びテロ資金供与対策プログラムの実施が求められなければならない。」と規定されており、金融機関に対してAML/CFTプログラムの整備を明確に求めています。また解釈ノートでは、「プログラム」には以下のものを含むとしています。

> FATF勧告18　解釈ノート
>
> 1. 金融機関の資金洗浄・テロ資金供与対策のプログラムは次のものを含まなければならない。
>   (a) 適切な法令遵守の管理を含む、内部の方針、手続、及び管理、そして従業員の雇用に当たり高い水準を確保するための適切な審査手続を構築すること
>   (b) 継続的な従業員の訓練プログラム、及び
>   (c) 当該システムを監視するための独立した監査機能。
> 2. 講じられるべき措置の種類や範囲は、資金洗浄及びテロ資金供与のリスクや事業の規模に対して適切なものでなければならない。
> 3. 法令遵守の管理規定は、役員レベルにおけるコンプライアンスオフィサーの任命を含まなければならない。

なお勧告18では、「金融グループは、資金洗浄及びテロ資金供与対策目的のため、グループ全体として、情報共有に関する政策及び手続きを含む資金洗浄及びテロ資金供与対策に関するプログラムの実行が求められるべきである。」として、金融機関のグループレベルでのAML/CFTプログラムの策定・実行も求めています。

イ　バーゼル委員会　コア・プリンシプル

銀行監督上の各国共通の指針であるコア・プリンシプル[1)]では、「原則29：金融サービスの濫用」の中に、「監督当局は、銀行が、金融セクターにおける高水準の倫理的・職業的基準を促進し、自行が意図的に、または意図せずして犯罪活動に利用されることを防ぐための厳格な顧客確認ルール（CDD）を含む適切な方針と手続を備えていることを確認する。」とのプリンシプルが示された上で、銀行監督上の「必須基準」を挙げています。

「必須基準」には、金融機関の対応状況について、監督当局が確認すべき観点が示されており、要約すれば、以下のような内容が記載されています。

- 自行が意図的に、もしくは意図せずして犯罪活動に用いられることを防ぐための方針と手続
- 疑わしい活動・不正行為の当局報告（自行の安全性、健全性または評判に重大と思われる疑わしい活動及び不正行為についての、銀行監督当局への報告を含む）
- 以下の項目を含む「顧客確認（CDD）」のための方針・手続の文書化と職員への周知徹底。（方針と手続が、銀行の総合的なリスク管理に組み込まれており、顧客、国及び地域、並びに商品、サービス、取引及び供給経路に関する、マネー・ローンダリング及びテロ資金供給のリスクを識別、評価、監視、管理及び軽減するための適切な措置が継続的に存在しなくてはならない）
  (a) 顧客受入方針（識別されたリスクに基づいて受入を拒否する業務関係を明記）
  (b) 継続的な顧客の特定、確認及びデューディリジェンスに関するプログラム。（受益権者（beneficial owner）の確認と、取引関係の目的及び性質について理解すること及び記録が更新され、有用であることを確保するためのリスク・ベースの見直

1)　金融庁のウェブサイト（http://www.fsa.go.jp/inter/bis/20120919-2.html）に仮訳が掲載されています。

しを含む)

(c) 通常とは異なるまたは潜在的に疑わしい取引を監視及び把握するための方針と手続

(d) ハイリスクな口座に対する強化されたデューディリジェンス(例:これらの口座に関わる業務関係の締結や、既存の業務関係がハイリスク化した場合の関係維持に関する意思決定を銀行の上級管理職レベルが行うこと)

(e) PEPsなどのハイリスク層に対する強化されたデューディリジェンス(特に、これらの者と業務関係を結ぶ場合の意思決定を銀行の上級管理職レベルが行うこと)

- 顧客確認や個々の取引に関して保存すべき記録及び保存期間に関する明確なルール
- コルレス・バンキングについての、特別なデューディリジェンスの方針と手続(以下の内容を含む)

(a) コルレス先銀行の業務、顧客基盤、当局からの監督の状況に対する理解

(b) 適切な統制を有しないあるいは実効的な監督が及ばない主体や、シェルバンクと思われる銀行とのコルレス関係の締結ないし継続の禁止

- 潜在的な金融サービスの濫用を防止、特定及び報告するための十分な統制とシステム
- 内部監査・外部専門家に対し、関連するリスク管理方針、手続及び統制を独立した立場から評価することを求めており、監督当局が、その報告書にアクセスできること
- 経営陣レベルのコンプライアンス・オフィサーを指名し、(疑わしい取引を含む)当該銀行の金融サービスが濫用されている可能性について、報告を受ける専任の職員を指名するための方針と手続
- 職員を雇用する際、または代理関係やアウトソーシング関係に入る際、高い倫理基準及び職業基準を確保するための適切なスクリーニングに関する方針と手続

- CDD並びに犯罪活動及び疑わしい活動を監視し、発見する方法を含む、職員に対する継続的な研修プログラムの実施
- 自行の金融サービスの濫用に関する、現場の経営陣ないし専任の関連職員に対する報告手続に関する方針と手続（及び、そのために必要な経営情報システム）

(3) 日本国内の法規制で求められる態勢整備

ア　マネロン・テロ資金供与対策ガイドライン

犯収法上の特定事業者のうち金融庁所管の事業者を対象として、金融庁が公表する「マネー・ローンダリング及びテロ資金供与対策に関するガイドライン」（「マネロン・テロ資金供与対策ガイドライン」）においては、「Ⅲ　管理態勢とその有効性の検証･見直し」として、以下の項目ごとに、「対応が求められる事項」、「対応が期待される事項」「先進的な取組み事例」が示されています。

Ⅲ-1　マネロン・テロ資金供与対策に係る方針・手続・計画等の策定・実施・検証・見直し（PDCA）
Ⅲ-2　経営陣の関与・理解
Ⅲ-3　経営管理（三つの防衛線等）
Ⅲ-4　グループベースの管理態勢
Ⅲ-5　職員の確保、育成等

また、Ⅱリスクベース・アプローチのⅡ-2-（3）で、「リスク低減措置」として求められる以下の各項目も、リスク低減措置を適用すべき管理態勢の各項目を表していると考えられます。

1. 顧客管理（カスタマー・デュー・ディリジェンス：CDD）
2. 取引モニタリング・フィルタリング
3. 記録の保存

4. 疑わしい取引の届出
5. ITシステムの活用
6. データ管理（データ・ガバナンス）

イ　犯罪収益移転防止法

犯罪収益移転防止法では、特定事業者（金融機関以外も含む）に対して、以下の態勢整備を求めています（犯収法11条、同法施行規則32条1項各号）。なお、下記①以外の体制整備については、努力義務とされています。

①　取引時確認をした事項に係る情報を最新の内容に保つための措置（※法的義務）
②　使用人に対する教育訓練の実施
③　取引時確認等の措置（取引時確認、取引記録等の作成・保存、疑わしい取引の届出）の実施に関する規程の作成
④　取引時確認の措置の的確な実施のために必要な監査その他の業務を統括管理する者の選任
⑤　自らが行う取引（新たな技術を活用して行う取引その他新たな態様による取引を含む。）について調査・分析し、および、当該取引による犯罪による収益の移転の危険性の程度その他の当該調査・分析の結果を記録し、または記録した書面・電磁的記録（「特定事業者作成書面等」）を作成し、必要に応じて見直しを行い、必要な変更を加えること。
⑥　特定事業者作成書面等の内容を勘案し、取引時確認等の措置を行うに際して必要な情報を収集するとともに、当該情報を整理・分析すること。
⑦　特定事業者作成書面等の内容を勘案し、確認記録および取引記録等を継続的に精査すること。
⑧　顧客等との取引が高リスク取引（新規則27条3号）に規定する取引に該当する場合には、当該取引を行うに際して、当該取引の任に当たっている職員に当該取引を行うことについて統括管理者の承

認を受けさせること。

⑨　高リスク取引について、⑥により情報の収集・整理・分析を行ったときは、その結果を記載した書面・電磁的記録を作成し、確認記録または取引記録等と共に保存すること。

⑩　取引時確認等の措置の的確な実施のために必要な能力を有する者を特定業務に従事する職員として採用するために必要な措置を講ずること。

⑪　取引時確認等の措置の的確な実施のために必要な監査を実施すること。

上記のほか、特定事業者のうち銀行等については、海外の銀行などの外国所在為替取引業者との間で、コルレス契約（為替取引を継続的に又は反復して行うことを内容とする契約）を締結するに際しては、①当該コルレス先がAML/CFT対策の責任者を任命しており、かつ所在国等の監督当局による適切な監督を受けていること（犯収法9条1号、犯収法施行規則29条）、②当該コルレス先がシェルバンクでないかを確認すること（犯収法9条2号）が求められています。

また、コルレス先と取引を行う際に、以下の体制を整備することが努力義務として求められています。（犯収法11条、犯収法施行規則32条4項）

i　コルレス先における犯罪による収益の移転防止に係る体制の整備の状況、当該コルレス先の営業の実態および行政庁の職務に相当する職務を行う当該外国の機関が当該外国の法令の規定に基づき、当該コルレス先に必要な措置をとるべきことを命じているかどうかその他の当該外国の機関が当該コルレス先に対して行う監督の実態について情報を収集すること。（1号）

ii　上記で収集した情報に基づき、当該コルレス先の犯罪による収益の移転防止に係る体制を評価すること。（2号）

iii　統括管理者の承認その他の契約の締結に係る審査の手順を定めた規程を作成すること。（3号）

iv　特定金融機関が行う取引時確認等の措置およびコルレス先が行う取引時確認等相当措置の実施に係る責任に関する事項を文書その他の方法により明確にすること。（4号）

以上のような犯収法上の体制（態勢）整備規定は、平成23（2011）年4月の改正（平成25（2013）年4月施行）、平成26（2014）年11月の改正（平成28（2016）年10月施行）で段階的に強化されてきたものです。

ウ　金融庁監督指針

「中小・地域金融機関向けの総合的な監督指針」、「主要行等向けの総合的な監督指針」など、金融庁による監督指針にも、マネー・ローンダリング防止態勢の観点が示されています。現在の監督指針のマネロン・テロ資金供与対策関連の記述の元となる部分は、バーゼル委員会による「コア・プリンシプル」の改訂を受けて、平成19（2007）年3月13日付の監督指針改訂により盛り込まれたものですが、その後の犯収法改正等を踏まえ改正を重ね、最近ではマネロン・テロ資金供与対策ガイドラインの適用開始を踏まえて改正されています。

監督指針の「組織犯罪等への対応」における主な着眼点（中小・地域金融機関向けの総合的な監督指針Ⅱ-3-1-3-1-2、主要行等向けの総合的な監督指針Ⅲ-3-1-3-1-3）では、以下の措置を講ずることが求められています。

「組織犯罪等への対応」における主な着眼点（要約）

⑴　取引時確認等の措置およびマネロン・テロ資金供与対策ガイドライン記載の措置を的確に行うための一元的な管理態勢の整備

①　管理職レベルのAML/CFTコンプライアンス担当者の選任・配置

②　AML/CFTリスクの調査・分析と、その結果を勘案した措置を講じるための以下の対応

イ．犯罪収益移転危険度調査書を勘案した、自らが行う取引のリスクの調査・分析と、「特定事業者作成書面」の作成・

定期的な見直し。

ロ．特定事業者作成書面等の内容を勘案した、必要な情報の収集・分析、並びに保存している確認記録及び取引記録等についての継続的な精査

ハ．「高リスク取引」を行う際の統括管理者による承認、および情報の収集・分析を行った結果を記載した書面の作成と保存

③　適切な従業員採用方針や顧客受入方針の策定

④　必要な監査の実施

⑤　取引時確認等の措置を含む顧客管理方法についての、マニュアル等の作成・従業員に対する周知。従業員への適切かつ継続的な研修。

⑥　従業員が発見した組織的犯罪による金融サービスの濫用に関連する事案についての適切な報告態勢（方針・方法・情報管理体制等）の整備

⑵　実質的支配者・外国PEPs該当性の確認、本人確認書類の適切な取扱いなど、取引時確認を適正に実施するための態勢整備。特に以下の点

- 犯収法上の「厳格な顧客管理を行う必要性が特に高いと認められる取引」を行う場合の確認方法
- 敷居値以下とするために、一の取引を分割したものであることが一見して明らかな取引についての、取引時確認の適切な実施

⑶　疑わしい取引の届出を行うに当たっての、犯収法および施行規則の規定を踏まえた適切な検討・判断が行われる態勢の整備。特に以下の点

①　業務内容・業容に応じた、システム、マニュアル等による疑わしい顧客や取引等の検出・監視・分析態勢

②　犯罪収益移転危険度調査書の内容を勘案の上、国籍（例：FATFが公表するマネー・ローンダリング対策に非協力的な国・地域）、外国PEPs該当性、顧客が行っている事業等の顧客属

性や、外為取引と国内取引との別、顧客属性に照らした取引金額・回数等の取引態様その他の事情の十分な考慮

また、既存顧客との継続取引や高リスク取引等の取引区分に応じた、適切な確認・判断。

(4) コルレス契約について、犯収法・施行規則、マネロン・テロ資金供与対策ガイドラインをふまえた以下の態勢の整備

イ. コルレス先の顧客基盤、業務内容、マネロン・テロ資金供与防止体制整備の状況、現地監督当局の監督体制等の情報収集と、適正な評価の実施。および、統括管理者による承認を含む、コルレス契約の締結・継続の適切な審査・判断。

ロ. コルレス先とのAML/CFTに関する責任分担についての文書化

ハ. コルレス先が「シェルバンク」でないこと、及びコルレス先が口座をシェルバンクに利用させないことについての確認（確認の結果、コルレス先がシェルバンクまたはシェルバンクとの取引を許容していた場合の取引遮断）

上記のとおり現在の監督指針では、犯罪収益移転防止法に基づく取引時確認等の措置に加えて、リスクベース・アプローチを含むマネロン・テロ資金供与対策ガイドライン記載の措置を的確に実施することが求められています。

監督指針で示される観点のエッセンス（下線部分）を抽出すると以下のような項目となります。

- 管理職レベルのコンプライアンス担当者の配置
- リスク評価の実施と実施結果の文書化
- 高リスク取引に対する対応（承認・精査）
- 従業員採用方針
- 顧客受入方針
- 監査の実施

- 顧客管理方法に係るマニュアルの作成・従業員への周知
- 従業員への適切かつ継続的な研修の実施
- 疑わしい取引等の当局報告態勢（方針・方法・情報管理体制等）
- PEPsに対する適切な対応（上級管理職による意思決定を含む）
- 疑わしい取引の検出・監視・分析体制
- 疑わしい取引の判断に当たっての顧客属性、取引態様の勘案
- コルレス契約の管理態勢

このようにして見ると、表現ぶり等は若干異なるにしても、結局のところFATFやバーゼル委員会のコア・プリンシプルにおけるAML/CFTプログラムと、国内の法規制が求める管理態勢は、おおよそ同じような内容の態勢整備を求めていることがわかります。日本国内においては、平成30（2018）年のマネロン・テロ資金供与対策ガイドライン制定後は、金融機関は同ガイドラインへの対応を念頭に態勢整備を進めていることから、以降はガイドラインの構成に沿って態勢整備の要点を解説します。

2. 「リスク低減措置」に関する態勢整備

(1) 顧客管理（カスタマー・デュー・ディリジェンス：CDD）

ア　CDDに関するガイドライン等の要件

マネロン・テロ資金供与対策ガイドラインでは、リスク低減措置の一部として「顧客管理」（カスタマー・デュー・ディリジェンス：CDD）を位置付けていますが、その定義について「リスク低減措置のうち、特に個々の顧客に着目し、自らが特定・評価したリスクを前提として、個々の顧客の情報や当該顧客が行う取引の内容等を調査し、調査の結果をリスク評価の結果と照らして、講ずべき低減措置を判断・実施する一連の流れ」がCDDであると説明しています。マネロン・テロ資金供与対策ガイドラインでは、CDDに関する「対応が求められる事項」と

して、以下の項目を示しています。

顧客管理（カスタマー・デュー・ディリジェンス：CDD）
【対応が求められる事項】

① 自らが行ったリスクの特定・評価に基づいて、リスクが高いと思われる顧客・取引とそれへの対応を類型的・具体的に判断することができるよう、顧客の受入れに関する方針を定めること
② 前記①の顧客の受入れに関する方針の策定に当たっては、顧客及びその実質的支配者の職業・事業内容のほか、例えば、経歴、資産・収入の状況や資金源、居住国等、顧客が利用する商品・サービス、取引形態等、顧客に関する様々な情報を勘案すること
③ 顧客及びその実質的支配者の本人特定事項を含む本人確認事項、取引目的等の調査に当たっては、信頼に足る証跡を求めてこれを行うこと
④ 顧客及びその実質的支配者の氏名と関係当局による制裁リスト等とを照合するなど、国内外の制裁に係る法規制等の遵守その他リスクに応じて必要な措置を講ずること
⑤ 信頼性の高いデータベースやシステムを導入するなど、金融機関等の規模や特性等に応じた合理的な方法により、リスクが高い顧客を的確に検知する枠組みを構築すること
⑥ 商品・サービス、取引形態、国・地域、顧客属性等に対する自らのマネロン・テロ資金供与リスクの評価の結果（Ⅱ−2（2）で行うリスク評価）を踏まえて、全ての顧客について顧客リスク評価を行うとともに、講ずべき低減措置を顧客リスク評価に応じて判断すること
⑦ マネロン・テロ資金供与リスクが高いと判断した顧客については、以下を含むリスクに応じた厳格な顧客管理（EDD）を実施すること
　イ．資産・収入の状況、取引の目的、職業・地位、資金源等について、リスクに応じ追加的な情報を入手すること

ロ．当該顧客との取引の実施等につき、上級管理職の承認を得ること

ハ．リスクに応じて、当該顧客が行う取引に係る敷居値の厳格化等の取引モニタリングの強化や、定期的な顧客情報の調査頻度の増加等を図ること

ニ．当該顧客と属性等が類似する他の顧客につき、顧客リスク評価の厳格化等が必要でないか検討すること

⑧　顧客の営業内容、所在地等が取引目的、取引態様等に照らして合理的ではないなどのリスクが高い取引等について、取引開始前又は多額の取引等に際し、営業実態や所在地等を把握するなど追加的な措置を講ずること

⑨　マネロン・テロ資金供与リスクが低いと判断した顧客については、当該リスクの特性を踏まえながら、当該顧客が行う取引のモニタリングに係る敷居値を上げたり、顧客情報の調査範囲・手法・更新頻度等を異にしたりするなどのリスクに応じた簡素な顧客管理（SDD）を行うなど、円滑な取引の実行に配慮すること（注1）（注2）

（注1）この場合にあっても、金融機関等が我が国及び当該取引に適用される国・地域の法規制等を遵守することは、もとより当然である。

（注2）FATF、BCBS 等においては、少額・日常的な個人取引を、厳格な顧客管理を要しない取引の一例として挙げている。

⑩　後記「（ⅴ）疑わしい取引の届出」における【対応が求められる事項】のほか、以下を含む、継続的な顧客管理を実施すること

イ．取引類型や顧客属性等に着目し、これらに係る自らのリスク評価や取引モニタリングの結果も踏まえながら、調査の対象及び頻度を含む継続的な顧客管理の方針を決定し、実施すること

ロ．各顧客に実施されている調査の範囲・手法等が、当該顧客の取引実態や取引モニタリングの結果等に照らして適切か、継続的に検討すること

ハ．調査の過程での照会や調査結果を適切に管理し、関係する役

職員と共有すること
ニ．各顧客のリスクが高まったと想定される具体的な事象が発生した場合等の機動的な顧客情報の確認に加え、定期的な確認に関しても、確認の頻度を顧客のリスクに応じて異にすること
ホ．継続的な顧客管理により確認した顧客情報等を踏まえ、顧客リスク評価を見直し、リスクに応じたリスク低減措置を講ずること
特に、取引モニタリングにおいては、継続的な顧客管理を踏まえて見直した顧客リスク評価を適切に反映すること
⑪ 必要とされる情報の提供を利用者から受けられないなど、自らが定める適切な顧客管理を実施できないと判断した顧客・取引等については、取引の謝絶を行うこと等を含め、リスク遮断を図ることを検討すること
その際、マネロン・テロ資金供与対策の名目で合理的な理由なく謝絶等を行わないこと

なお、FATF勧告10「顧客管理」では、以下の４点を、顧客・業務関係または取引のリスクに応じて実施することを求めており、上記のガイドラインの規定は、それを踏まえた内容となっています。

- 顧客の身元の確認及び照合
- 受益者の身元を照合するための合理的な措置
- 業務関係の目的及び所与の性質に関する情報の取得
- 継続的な顧客管理と取引の精査（金融機関の認識との整合性を確認）

なお「身元の確認」（いわゆる本人確認）は、顧客管理措置の一部にすぎないという点には注意が必要です。現在の犯収法の前身が「本人確認法」であったことなどから、マネロン・テロ資金供与対策における顧客管理といえば、いわゆる「本人確認手続」のイメージが強いのではないかと思いますが、本人確認を実施しているだけでは、FATFが求める顧客管理措置は満たしていないことになり

ます。また、前記のマネロン・テロ資金供与対策ガイドラインの規定からも分かるように、KYC／CDDはリスクに応じたもの（リスクベース）であるべきだという点も、きわめて重要です。

前記のガイドライン「対応が求められる事項」の11項目には幅広い内容が記載されており、それぞれの項目間の関係性がやや分かりにくいかもしれません。①から⑪を、顧客管理のプロセスに合わせて整理すると図表5-1のようになると考えられます。

○図表5-1：顧客管理

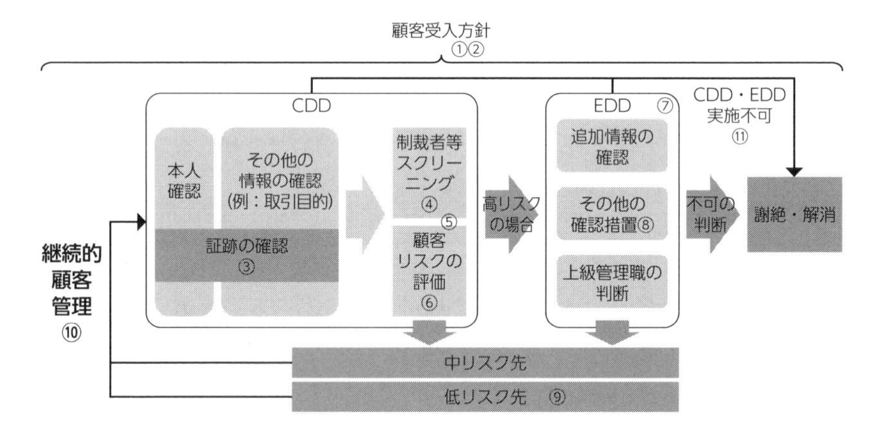

また、対応が期待される事項と、先進的な取組み事例には、それぞれ以下のような内容が記載されています。

【対応が期待される事項】

a．団体の顧客についてのリスク評価に当たっては、当該団体のみならず、当該団体が形成しているグループも含め、グループ全体としてのマネロン・テロ資金供与リスクを勘案すること

【先進的な取組み事例】

外国PEPsについて、外国PEPsに該当する旨、その地位・職務、離職している場合の離職後の経過期間、取引目的等について顧客に照会

し、その結果や居住地域等を踏まえて、よりきめ細かい継続的顧客管理を実施している事例。

イ　KYC/CDDの全体像（三段階）

「KYC（ノウ・ユア・カスタマー）」は、マネロン・テロ資金供与対策においてよく用いられる用語で、「顧客を知る」などと訳されます。KYCについての公式な定義は存在しないと思われますが、通常は「金融機関によってその顧客の本人確認を行い、顧客を理解するために行われるすべての活動」といった広い意味で用いられます。なお平成24（2012）年に9月に改訂される前の「コア・プリンシプル（・メソドロジー）[2)]」や「銀行の顧客確認に関するガイダンス[3)]」等の古いバーゼル委員会の文書においては「KYC」が用いられていましたが、最近では「カスタマー・デュー・ディリジェンス（CDD：customer due diligence)」という言葉を使っています。他方、FATF勧告では元々「カスタマー・デュー・ディリジェンス」（仮訳では「顧客管理」と訳されています）を使用していますが、ここでのKYCもCDDもおおむね同じような意味であると理解してよいでしょう[4)]。

FATFやバーゼル委員会のガイドラインは、やや抽象的で分かりにくいので、もう少し実務的な観点で整理したいと思います。金融機関は顧客と取引を行う際に、マネー・ローンダリング防止の目的で、KYCとして、当該顧客から様々な情報を取得し検証を行うことになりますが、これらは一般に3つの段階により構成されると理解されています。

---

2)　平成24（2012）年9月に公開された最新版のコア・プリンシプルでは、「KYC」という表記が「CDD」に変更されています。

3)　原題は“Customer due diligence for banks”。バーゼル委員会のウェブサイト（https：//www.bis.org/publ/bcbs85.htm）参照。

4)　ウォルフスバーグ・グループによる「投資銀行業務及び商業銀行業務におけるアンチマネーローンダリングに関するFAQ集（日本語仮訳）」の脚注には、以下のような記述が見られます。「本FAQ集は一般的に「顧客確認（KYC)」ではなく、むしろ「デューディリジェンス」という用語を使用する。なぜなら、金融機関は「顧客」ではない第三者、例えば取引の相手方やパートナー（例：プライベート・エクイティ・ファンド、ベンチャーキャピタルファンド）に関してデューディリジェンスを実施することもあるので、「顧客確認」（know your customer）という用語は実際には適用できないからである。」

①　本人確認

その第一段階は、「カスタマー・アイデンティフィケーション（本人確認）」であり、顧客が確かにその申出の本人であることを確認することがその目的です。このときに用いられる情報は、自然人であれば、住所・氏名・生年月日ですが、これらは、日本の犯収法で言うところの「本人特定事項」に相当します。また多くの国では、当該顧客を識別するための社会保障番号などのID番号も、確認すべき情報の一部とされています。

なお、本人確認プロセスをさらに細かく分類すると、FATF勧告にもあるように「アイデンティフィケーション（確認）」と「ベリフィケーション（検証）」の２つの段階に分けることができます。前者は当該顧客を特定する情報を入手することであり、後者はその情報が正しいか否かを、何らかの方法によって検証することを指します。例えば、取引申込書に住所・氏名・生年月日の記入を受けて申告を受けることは「アイデンティフィケーション」に相当し、本人確認書類の提示を受けて申告内容が正しいかどうかを確認する、あるいは顧客の住所に宛てて転送不要郵便を送付して不着にならないことを確認することは「ベリフィケーション」に当たるでしょう。

マネロン・テロ資金供与対策ガイドラインの「対応が求められる事項」にある「③ 顧客及びその実質的支配者の本人特定事項を含む本人確認事項、取引目的等の調査に当たっては、信頼に足る証跡を求めてこれを行うこと」の趣旨は、まさにこのベリフィケーションを求めているものです。なお、「信頼に足る証跡を求める」については、犯収法上で定められた確認手続を実施する必要があることは言うまでもありませんが、金融庁が令和3（2021）年３月に公表した「マネロン・テロ資金供与対策ガイドラインに関するよくあるご質問（FAQ）」（以下「FAQ」）においては、あらゆる確認事項について一律に書類等の証跡を求める趣旨ではなく、リスクに応じて顧客の申告内容の真正性を基礎づける証跡を求めればよいとされています（FAQ p.45-Q4）。

②　カスタマー・デュー・ディリジェンス（CDD）

その次の段階が「カスタマー・デュー・ディリジェンス（CDD）」です。（ここでは、狭義のCDDであり、上記の本人確認は除きます。）これは金融機関が、個々の顧客に関するリスクの高低や、リスク特性（プロファイル）を判断するために行われる手続であり、それらの判断に必要な様々な顧客情報を取得します。例えば、前述の「本人確認」を行えば、金融機関は顧客がどこの誰であるかについては知ることができます。しかし、当該顧客の住所や氏名、生年月日が分かっても、それだけでは当該顧客との取引が金融機関にもたらすリスクを判断することはできません。したがって、顧客を知るためには本人確認だけでは不十分であり、CDDによってリスクの高低や取引可否の判断に資する情報を収集し、適切に評価することが必要となるのです。これに関連する「対応が求められる事項」として、ガイドラインでは以下の項目を挙げています。

【対応が求められる事項】（再掲）

③ 顧客及びその実質的支配者の本人特定事項を含む本人確認事項、取引目的等の調査に当たっては、信頼に足る証跡を求めてこれを行うこと

④ 顧客及びその実質的支配者の氏名と関係当局による制裁リスト等とを照合するなど、国内外の制裁に係る法規制等の遵守その他リスクに応じて必要な措置を講ずること

⑤ 信頼性の高いデータベースやシステムを導入するなど、金融機関等の規模や特性等に応じた合理的な方法により、リスクが高い顧客を的確に検知する枠組みを構築すること

⑥ 商品・サービス、取引形態、国・地域、顧客属性等に対する自らのマネロン・テロ資金供与リスクの評価の結果（Ⅱ−2（2）で行うリスク評価）を踏まえて、全ての顧客について顧客リスク評価を行うとともに、講ずべき低減措置を顧客リスク評価に応じて判断すること

CDDにおいて確認する情報は幅広いですが、よく用いられる項目としては、職業・事業内容、国籍などの当該顧客自身の属性情報や、当該顧客の取引相手に関する情報、当該顧客が金融機関と予定している取引の内容（例：予定残高）、

取引の目的などがあります。CDDで確認する情報はリスク評価の手法によっても異なりますので、金融機関によって様々です。入手した情報に関して、必要に応じて証跡を確認することは、取引時確認（CIP）と共通です。

また、CDDの中には、リスクの高い顧客や取引を禁じられた顧客に該当しないかを確認することも含まれます。具体的には、「対応が求められる事項」の④にあるように、外為法に基づく資産凍結対象者や、国連安保理決議による制裁対象者などに該当しないかを取引を開始する際に実施することになります。また同⑤では、前述の制裁対象者や反社会的勢力、外国PEPsなどの「リスクが高い顧客」などに該当しないかを、システム等のリスト照合により確認することが求められています（FAQ p.47-Q1）。

さらに「対応が求められる事項」の⑥にあるように、追加で入手した情報などを踏まえて、すべての顧客に対するリスクの評価を行う必要があります。リスク評価の方法は、FAQでは顧客ごとに評価する方法や、顧客の類型ごとに評価する方法が例示されています（FAQp48-Q2）が、多くの金融機関では、顧客ごとのリスクの高低を「高・中・低（H/M/L）」などの「格付」で評価する、顧客リスク格付の手法が採用されています（詳細は第４章p.299参照）。

③　エンハンスド・デュー・ディリジェンス（EDD）

最後の段階が「エンハンスド・デュー・ディリジェンス（EDD）」です。EDDは、「FATF勧告」の仮訳では「厳格な顧客管理」と訳されており、マネロン・テロ資金供与対策ガイドラインでも「厳格な顧客管理（EDD）」と表記されています。一般に、EDDとはCDDを実施した結果、リスクが高いと判断した顧客あるいは取引に対し、さらに踏み込んだ情報の取得・確認を行うことで、当該顧客・取引の受入可否の最終的な判断につなげるものです。

マネロン・テロ資金供与対策ガイドラインの該当部分においては、以下の項目への対応を求めています。

【対応が求められる事項】（再掲）

⑦　マネロン・テロ資金供与リスクが高いと判断した顧客については、以下を含むリスクに応じた厳格な顧客管理（EDD）を実施するこ

と

イ. 資産・収入の状況、取引の目的、職業・地位、資金源等について、リスクに応じ追加的な情報を入手すること

ロ. 当該顧客との取引の実施等につき、上級管理職の承認を得ること

ハ. リスクに応じて、当該顧客が行う取引に係る敷居値の厳格化等の取引モニタリングの強化や、定期的な顧客情報の調査頻度の増加等を図ること

ニ. 当該顧客と属性等が類似する他の顧客につき、顧客リスク評価の厳格化等が必要でないか検討すること

⑧ 顧客の営業内容、所在地等が取引目的、取引態様等に照らして合理的ではないなどのリスクが高い取引等について、取引開始前又は多額の取引等に際し、営業実態や所在地等を把握するなど追加的な措置を講ずること

ここで「リスクが高いと判断した顧客」とは、犯収法4条2項前段に規定する高リスク取引に限らず、取引の開始時に顧客受入方針等に基づきCDDを行った結果、当該金融機関が高リスクと判断した顧客を含みます（FAQ p.52-Q1)。このことから、顧客との取引開始に向けた手続きの際に（例えば、銀行では窓口で口座開設の申込みを受け付けた時点において)、EDDを実施する必要があるかどうかを判断するために、何らかの形で「顧客リスク評価」を実施する必要が生じることになります。

EDDが必要とされる代表的な高リスク取引としては、コレスポンデント・バンキングやPEPs（重要な公的地位を有する者）との取引などが挙げられますが、上記のFAQにもあるように、自社のリスク評価基準において「高リスク」と判断される顧客に対して、あるいは、自社が高リスクと判断する商品・サービスを顧客に提供する場合にも実施しなくてはなりません。

なおEDDにおいては、取引の可否を判断するためのより詳細な情報を、顧客あるいはその他の情報源から入手することだけでなく、上級の管理者が受入可否

の意思決定を行うプロセスも、その一部であると考えられています。例えば、取引の申込みを行った者がPEPsに該当することが判明した場合には、取引可否の判断は現場レベルでは行わず、AMLコンプライアンス・オフィサー、あるいはさらに上位の意思決定機関により判断することを定めておくといったことが必要になります。

ウ　顧客受入・管理方針

マネロン・テロ資金供与対策ガイドラインの「(ii)顧客管理（カスタマー・デュー・ディリジェンス：CDD)」においては、以下のとおり「顧客の受入れに関する方針」を定めることが、「対応が求められる事項」に明記されています。

【対応が求められる事項】（再掲）

①　自らが行ったリスクの特定・評価に基づいて、リスクが高いと思われる顧客・取引とそれへの対応を類型的・具体的に判断することができるよう、顧客の受入れに関する方針を定めること

②　前記①の顧客の受入れに関する方針の策定に当たっては、顧客及びその実質的支配者の職業・事業内容のほか、例えば、経歴、資産・収入の状況や資金源、居住国等、顧客が利用する商品・サービス、取引形態等、顧客に関する様々な情報を勘案すること

ここでいう「顧客の受入れに関する方針」は、一般に「顧客受入方針(customer acceptance policy)」と呼ばれるものであり、マネー・ローンダリング防止の観点から、当該金融機関がどのような種類の顧客を受け入れ、あるいは謝絶するのか、また受け入れる前提としてどのような顧客情報を確認するのか、といったことについての全般的な方針を指します。言い換えれば、当該金融機関がCDDをどのように行うかを定めた方針であるとも言えます。実は、マネロン・テロ資金供与対策ガイドラインが公表される以前より、金融庁の監督指針等においては顧客受入方針の作成が求められていましたが、実際に対応できていた金融機関は必ずしも多くないと考えられます。

「顧客の受入れに関する方針」は、そのような名称の独立した文書を作成することが求められているわけではなく、受入方針が何らかの金融機関内の規程・マニュアル等に明記され、第１線の職員を含め周知されていればそれでかまいません(FAQ p.41-Q1)。「対応が求められる事項」の②にあるように、受入方針には顧客やその実施的支配者の様々な情報を考慮し、またリスクの高い顧客に対する謝絶や取引制限を行う際の決裁権限も含まれるべき（FAQ p.41-Q2）であると考えると、整備されるべき文書は当該金融機関のCDDに関する方針・規程そのものであると考えられますので、顧客受入方針は、そうしたCDDに関する方針・規程の一部として整備したほうがよいかもしれません。なお、「顧客の受入れに関する方針」は対外的に公表する必要はないと考えられます。

エ　継続的な顧客管理

すでに述べたように、顧客との取引関係を開始する際の判断基準と、その後取引関係を継続するための条件は、本来一体で検討されるべきものです。後者を別の言葉で表すならば「継続的な顧客管理」をどのように行うべきか、ということになります。犯収法11条の「当該取引時確認をした事項に係る情報を最新の内容に保つための措置を講ずるものとする」という規定も、継続的な顧客管理を求める条文です。継続的顧客管理について、マネロン・テロ資金供与対策ガイドラインでは、以下の対応を求めています。

【対応が求められる事項】(再掲)

⑩　後記「(ｖ）疑わしい取引の届出」における【対応が求められる事項】のほか、以下を含む、継続的な顧客管理を実施すること

イ. 取引類型や顧客属性等に着目し、これらに係る自らのリスク評価や取引モニタリングの結果も踏まえながら、調査の対象及び頻度を含む継続的な顧客管理の方針を決定し、実施すること

ロ. 各顧客に実施されている調査の範囲・手法等が、当該顧客の取引実態や取引モニタリングの結果等に照らして適切か、継続的に検討すること

ハ. 調査の過程での照会や調査結果を適切に管理し、関係する役

　　職員と共有すること
ニ．各顧客のリスクが高まったと想定される具体的な事象が発生した場合等の機動的な顧客情報の確認に加え、定期的な確認に関しても、確認の頻度を顧客のリスクに応じて異にすること
ホ．継続的な顧客管理により確認した顧客情報等を踏まえ、顧客リスク評価を見直し、リスクに応じたリスク低減措置を講ずること
　特に、取引モニタリングにおいては、継続的な顧客管理を踏まえて見直した顧客リスク評価を適切に反映すること

①　犯収法における「継続的顧客管理」

継続的顧客管理は、顧客との取引開始時（On-boarding）に行うCDDにより、顧客を受け入れて取引を始めた後に、当該顧客との取引関係を継続する際に行う顧客管理の取組みを指します。

第1章で解説したように、日本において最初にCDDに関して法律で義務付けられたのは本人確認法による本人確認ですが、その後の犯罪収益移転防止法も含めて、我が国の法令では、法令で定められた取引を行うに際して（つまり取引開始をする前に）確認を行うことに主眼が置かれており、取引を開始した後の管理については定めがありませんでした。この点についてFATF第3次審査で指摘を受けたことを踏まえて、平成25（2013）年4月に施行された犯収法の改正において継続的顧客管理に関する規定が設けられ、その後マネロン・テロ資金供与対策ガイドラインで要件が大幅に強化されて今日に至っています。なお、犯収法における継続的顧客管理については、導入当初の解釈としては顧客からの顧客情報の変更（例えば住居の変更など）に申出があった場合に対応すればよいと理解されていました。そのため、AML/CFTガイドラインの導入以前は、金融機関にとっての継続的顧客管理とは「顧客情報の更新」を指しており、かつ受動的な対応でよいと解されていたことから、あまり有効に機能していたとはいえない状況でした。

② マネロン・テロ資金供与対策ガイドラインの「継続的顧客管理」の仕組み

ガイドラインが求める、継続的な顧客管理の仕組みを表した条文は以下の一文になります。

「ニ．各顧客のリスクが高まったと想定される具体的な事象が発生した場合等の機動的な顧客情報の確認に加え、定期的な確認に関しても、確認の頻度を顧客のリスクに応じて異にすること」

これによれば、継続的顧客管理には、①金融機関が顧客のリスクが高まったと判断した場合の確認と、②定期的な確認が求められていることになります。一般的に、前者の確認は「イベントベース・レビュー」、後者の確認は「ピリオディック（定期的）・レビュー」などと呼ばれます。

継続的顧客管理で実施する具体的なアクションは、ガイドライン上では「調査」という言葉で表されています。調査が具体的に何を指すのかは、FAQは、本人特定事項や取引目的、職業、事業内容等の再確認のほか、顧客のリスクに応じて顧客及び資産・収入の状況、資金源等の確認も含まれうるとの考え方を示しています（FAQ p.59-Q2）。要するに、前述のCDD/EDDを実施するということであると考えられ、これらが金融機関の方針として予め「継続的な顧客管理の方針」として定義されている必要があります（前記ガイドライン「イ.」）。

本人特定事項は、文字どおり「金融機関の取引相手が誰なのか」を判別するための基本的かつ重要な情報であることから、その情報が最新の状態ではないこと自体が、金融機関にとっては大きなリスクをもたらす可能性があると認識すべきです。例えば、顧客に定期的に郵送していた郵便物が、突然不着になり戻ってきてしまった場合、金融機関にとっては、顧客がどこに住んでいる人かという、きわめて基本的な顧客情報の1つが分からない状態になっているということになります。この場合には、当該金融機関はその状態を解消するための対応を直ちにとるべきであり、当座の対応として口座の取引に何らかの制限をかけるといったことも考えられます。

他方、その他のCDDに関する情報は、顧客のプロファイルを知る、あるいはリスクの高低を判断するための属性情報であり、その情報がアップデートできていないことによるリスクは、本人確認に関する情報と比較すると小さいかもしれません。こうした類の情報に関しては、定期的に、あるいは何らかのイベント（例：来店時、追加取引の発生時など）が発生するタイミングで、顧客に届出内容の変更有無を確認する方法なども考えられます。

継続的顧客管理に関するFAQ（FAQ p.59-Q2）では、「申告されている属性から判断した資産・収入に比べて、入出金金額が不自然に高額な場合には、疑わしい取引の届出の対象として検証する仕組みの構築が求められます。」とあり、またガイドライン「ホ.」では、継続的顧客管理を踏まえた顧客リスク評価の実施とリスク低減措置が求められていることから、継続的顧客管理は単に顧客情報を更新すればよいのではなく、より総合的な対応が求められているものと考えられます。

③　ピリオディック（定期的）・レビュー

継続的な顧客管理においては、ガイドライン上「確認の頻度を顧客のリスクに応じて異にすること」とされており、リスクに応じた頻度の設定が必要となります。具体的な期間についてFAQでは、高リスク先は1年に一度、中リスク先は2年に一度、低リスク先については3年に一度といった頻度で行うことが考えられる、とした上で「これ以上、期間を延ばす場合には、合理的かつ相当な理由が必要になるものと考えます。」と解説していますので、基本的に上記のサイクルで実施することを想定していると考えられます（FAQ p.62-Q8）。もっとも、諸外国の例を見ると、必ずしも1・2・3年のサイクルでの確認を求めているわけではなく、金融機関の実務においても中・低リスク先により長い間隔（例えば1・3・5年）で実施する例も見られますし、顧客の類型（例えば、法人顧客と個人顧客）ごとに異なる間隔を設定している例もあります。この点については、各金融機関のリスク認識に基づいた期間設定ができればよいと考えられます。

顧客管理のために「定期的に」確認を行いますが、上記のように顧客のリスクに応じて確認の間隔は異なるため、顧客毎に次回の確認期限等の期日管理が必要となります。原則すべての顧客に対しての管理が必要となるため、手作業による管理は現実的ではなく、多くの金融機関等において何らかのシステム的な手当てが必要になると考えられます。なお、FAQでは、「期日管理や期日までに見直しができない顧客の管理、期日超過分の速やかな解消については、第1線と第

2線が連携し、適切な管理が行われることが重要」とした上で、「期日超過の管理状況については、定期的に経営陣に報告され、解消のための措置を講ずること」を求めています（FAQ p.62-Q8）。

④ イベントベース・レビュー

ガイドラインでは「各顧客のリスクが高まったと想定される具体的な事象が発生した場合等」に「機動的な顧客情報の確認」を行うことを求めていますが、このような確認の実施要否を適切に判断するために、予め、当該金融機関等において、どのような場合を「顧客のリスクが高まったと想定される具体的な事象」と認識するか定義しておくことが必要です（このように、イベントベース・レビューを実施するきっかけとなるイベントを一般に「トリガー・イベント」と呼びます。）。

どのような場合をトリガー・イベントと認識すべきかについては、ガイドラインやFAQには特段の言及はありませんが、例えば当該顧客に関するネガティブ情報を察知したときなどが該当すると考えられます。どのような条件に該当したら「リスクが高まったと想定される具体的な事象」であると判断するか、その基準を予め定義し、そのような事象が顧客に発生していないかどうかを検知するための態勢（システムによる検知を含む）が必要になると考えられます。

これまでの日本の法令（本人確認法、犯収法）に基づく金融機関等の実務では、特定取引を行う際（例えば口座開設を行う際）に取引時確認を行い、その後は確認済であることの確認を行えばよい、という考え方が基本になっていました。そのため、上記のような継続的顧客管理は、国内の金融機関におけるマネロン・テロ資金供与対策の中でも特に弱い点といえます。（FATF第4次対日相互審査においても、一部の大規模銀行等以外の特定事業者は、継続的顧客管理における（事業者としての）義務への理解が十分でない旨の指摘を受けています。）

ガイドラインにおいては、すべての顧客に対するリスク評価が必要とされていますが、従来は、日本の金融機関においては継続的顧客管理が十分に行われておらず、顧客情報が古いままであることも多いことから、そうした古い顧客情報に基づいて評価した顧客リスク評価（格付）は適切でない可能性があります。FAQにおいても、これまで管理を行っていない既存顧客等に対しては暫定的な顧客リスク評価を行った上、最新の顧客情報に基づいて当該仮の顧客リスク評価を見直す必要がある旨の言及があります（FAQ p.59-Q1）。今後は、日本国内においてもすべての顧客に対する継続的顧客管理がより強く求められていくことは避けられませんが、膨大な数の既存顧客に対してどのように継続的顧客管理を実施していくのか、次に述べるSDDの考え方なども踏まえつつ、計画的に取り組んでいく必要があると考えられます。

オ　簡素な顧客管理（SDD）

リスクベース・アプローチにおける顧客管理においては、リスクの高い顧客に対するEDDとは逆に、リスクの低い顧客に対して簡素な顧客管理を適用することが考えられます。

この点についてマネロン・テロ資金供与対策ガイドラインにおいては、「対応が求められる事項」に以下のような記載があります。

> 【対応が求められる事項】（再掲）
>
> ⑨　マネロン・テロ資金供与リスクが低いと判断した顧客については、当該リスクの特性を踏まえながら、当該顧客が行う取引のモニタリングに係る敷居値を上げたり、顧客情報の調査範囲・手法・更新頻度等を異にしたりするなどのリスクに応じた簡素な顧客管理（SDD）を行うなど、円滑な取引の実行に配慮すること（注1）（注2）
>
> （注1）この場合にあっても、金融機関等が我が国及び当該取引に適用される国・地域の法規制等を遵守することは、もとより当然である。
>
> （注2）FATF、BCBS等においては、少額・日常的な個人取引を、厳格な顧客管理を要しない取引の一例として挙げている。

簡素な顧客管理は、取引を開始する際においても継続的顧客管理においても想定されうるものですが、FAQによれば、犯収法上の「簡素な顧客管理」は取引時確認等の場面に（すなわち主に取引の開始時に）適用されるものであるのに対して、上記のガイドラインにおける「SDD」は、主として顧客情報の更新の場面を想定したものとなっています（FAQ p.56-Q2）。

SDDについてFAQでは、顧客リスク評価の結果「低リスク」と判断された顧客のうち、一定の条件を満たした場合に、DM等を顧客に送付して顧客情報を更新するなどの積極的な対応を留保し、取引モニタリング等によってマネロン・テロ資金供与リスクが低く維持されていることを確認する顧客管理措置のことをいう、と解説されています（FAQ p.56-Q1）。したがって、顧客リスク評価が低リスクなだけではSDDの対象とすることはできず、一定の条件を満たす必要があります。

SDDに関する要件（FAQ p.57-Q4）

① 法人及び営業性個人の口座は対象外であること
② 全ての顧客に対して、具体的・客観的な根拠に基づき、商品・サービス、取引形態、国・地域、顧客属性等に対するマネロン・テロ資金供与リスクの評価結果を総合して顧客リスク評価を実施し、低リスク先顧客の中からSDD対象顧客を選定すること
③ 定期・随時に有効性が検証されている取引モニタリングを活用して、SDD対象口座の動きが把握され、不正取引等が的確に検知されていること
④ SDD対象顧客については、本人確認済みであること
⑤ SDD対象顧客は、直近1年間において、捜査機関等からの外部照会、疑わしい取引の届出審査対象及び凍結口座依頼を受けた実績がないこと
⑥ SDD対象顧客についても、原則としては、情報更新が必要であるため、特定取引等に当たり、取引時確認等を実施し、顧客情報が更新された場合には、顧客リスク評価を見直した上で、必要な顧客管理措置を講ずること

具体的に適用される類型としては、FAQに以下のとおり例示されています（FAQ p.56-Q3）。

「一般的には、日々の生活に不可欠な口座（給与振込口座、住宅ローンの返済口座、公共料金等の振替口座その他営業に供していない口座）等が該当すると考えられ、1年以上不稼働の口座についても、稼働を始める前については、該当すると考えられます。また、国や地方公共団体、又は国や地方公共団体が主体的に管理する公共性を有する団体（法律上の根拠に基づき設立・資金の運用が実施されている団体等）についても、SDD の対象顧客とする可能性もあります。」

さらに、FAQ p.57-Q4（注1）においては、「①の「法人」口座のうち、上場企業等、法律上の根拠に基づく信頼性のある情報が定期的に公表されている場合（有価証券報告書等）には、顧客情報を更新する必要はありますが、積極的な対応を留保した上で、当該情報を基に顧客リスク評価を実施し、当該リスク評価に応じたリスク低減措置を実施することも考えられます。」との記述もあります。これらを踏まえ、顧客への積極的な対応を留保することが認められると考えられる対象先を表したのが図表5-2です。

○図表5-2：顧客への積極的な対応を留保する対象

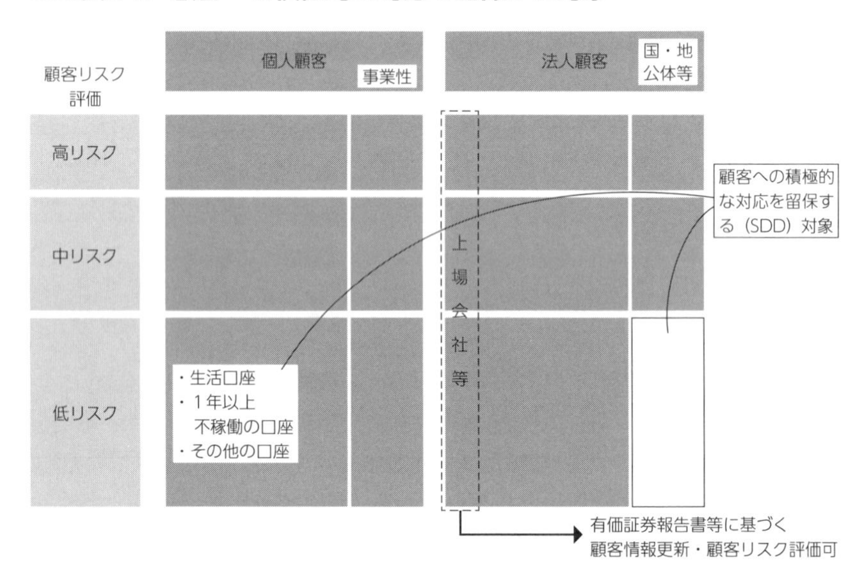

上記のように、FAQで例示される「日々の生活に不可欠な口座」「1年以上不稼働の口座」以外の口座においても顧客への積極的な対応の留保が認められる余地もあります。ただし、その場合についてFAQでは「金融機関等において当該類型の顧客のリスクが低リスク顧客の中でもより低いという合理的な根拠が必要になると考えます。したがって、このような場合には、金融機関等において、詳細かつ緻密なリスク分析に基づく具体的な根拠を備えた上、当該分析が有効性を保っていることを常に検証する態勢が整備されている必要があると考えます。」と解説しています（FAQ p.57-Q4）。

いずれにしても、上記のとおりSDDは「継続的顧客管理の適用除外」のような位置付けにあるわけですが、本来はすべての顧客に対して継続的な顧客管理を行うことが原則であるところ、単純に生活口座であるからなどの理由をもって除外対象とした場合には、相当の割合の顧客が継続的顧客管理の対象から外れることとなり、本来の継続的顧客管理の趣旨をゆがめることにもなりかねませんので、SDD対象先の選定の際は慎重な検討が必要になるものと考えられます。

カ　顧客との取引の制限・解消

金融機関等が定める顧客管理を実施できない場合について、ガイドラインでは以下のような対応を求めています。

【対応が求められる事項】

⑪　必要とされる情報の提供を利用者から受けられないなど、自らが定める適切な顧客管理を実施できないと判断した顧客・取引等については、取引の謝絶を行うこと等を含め、リスク遮断を図ることを検討すること
その際、マネロン・テロ資金供与対策の名目で合理的な理由なく謝絶等を行わないこと

ここでの「リスク遮断」には、新規顧客に対する口座開設の謝絶や、既存顧客に対する口座解約・取引制限も含まれます（FAQ p.64-Q1）が、新規顧客

に対しては契約自由の原則に基づき取引を謝絶することは従前より行われていますので、ここで特に問題になるのは既存顧客に対してであると考えられます。例えば、何年も前に、犯収法に基づく取引時確認を行った上で預金口座を開設した顧客に対して継続的顧客管理を実施する際に、犯収法で定められた確認項目以外の情報提供を求めたが、回答を拒否されたといったケースが想定されます。

継続的顧客管理への対応として、銀行等においては預金規定を改訂し、当該金融機関が定める顧客管理手続に顧客が協力しない場合には、取引の制限を行うことができるようにしていますが、実際に取引制限を行っている例は例外的であると考えてよいと思われます。

海外の金融機関の実務においては、継続的顧客管理に協力しない顧客に対して、例えばATMを使えなくする等の制限を行い窓口等にコンタクトするように誘導するといったことがよく行われており、確実に顧客情報の更新などを行うためには、ある程度強制的に協力させる手段も必要になります。しかし、日本国内においては、顧客側に継続的顧客管理が浸透しておらず、上記のような対応をとった場合には顧客からのクレームが多発することも想定されます。もちろん、クレームを恐れてAML/CFTの対応を緩くするといったことは避けるべきですが、日本国内において継続的顧客管理の導入がまだ途上であることを踏まえれば、当面の間は顧客への浸透度を見極めながら、慎重に適用していく必要があると考えられます。

(2) 取引モニタリング・フィルタリング

取引モニタリングとフィルタリングは、AML/CFTにおけるリスク低減措置として、いずれも重要な取組みです。これらの手法についてFAQでは、以下のように説明しています（FAQ p.68-Q)。

「取引モニタリング」：過去の取引パターン等と比較して異常取引の検知、調査、判断等を通じて疑わしい取引の届出を行いつつ、当該顧客のリスク評価に反映させることを通じてリスクを低減させる手法。

「取引フィルタリング」：取引前やリストが更新された場合等に、取引関係者や既存顧客等について反社会的勢力や制裁対象者等のリストとの照合を行うことなどを通じて、反社会的勢力等による取引を未然に防止することで、リスクを低減させる手法。

ア　取引モニタリング・フィルタリングに関するガイドライン等の要件

取引モニタリング・及びフィルタリングに関して、マネロン・テロ資金供与対策ガイドラインの「対応が求められる事項」においては、以下項目への対応が求められています。

【対応が求められる事項】

① 疑わしい取引の届出につながる取引等について、リスクに応じて検知するため、以下を含む、取引モニタリングに関する適切な体制を構築し、整備すること
　イ. 自らのリスク評価を反映したシナリオ・敷居値等の抽出基準を設定すること
　ロ. 上記イの基準に基づく検知結果や疑わしい取引の届出状況等を踏まえ、届出をした取引の特徴（業種・地域等）や現行の抽出基準（シナリオ・敷居値等）の有効性を分析し、シナリオ・敷居値等の抽出基準について改善を図ること

② 制裁対象取引について、リスクに応じて検知するため、以下を含む、取引フィルタリングに関する適切な体制を構築し、整備すること
　イ. 取引の内容（送金先、取引関係者（その実質的支配者を含む）、輸出入品目等）について照合対象となる制裁リストが最新のものとなっているか、及び制裁対象の検知基準がリスクに応じた適切な設定となっているかを検証するなど、的確な運用を図ること
　ロ. 国際連合安全保障理事会決議等で経済制裁対象者等が指定された際には、遅滞なく照合するなど、国内外の制裁に係る法規制等の遵守その他リスクに応じた必要な措置を講ずること

なお取引モニタリングについては、特定事業者の義務である疑わしい取引を発見し届出を行うための基本的な取組みであり、マネロン・テロ資金供与対策ガイドラインが公表される以前より、金融庁の監督指針においても「銀行の行っている業務内容・業容に応じて、システム、マニュアル等により、疑わしい顧客や取引等を検出・監視・分析する態勢を構築すること」との記述がありました。

これらのもとになる国際的なガイドラインとして、FATF勧告10（顧客管理）の解釈ノートでは、「明白な経済的又は法的目的のない、全ての複雑で、異常に規模の大きくかつ異常なパターンの取引について、金融機関は、合理的に可能な限り、その背景や目的を精査すべきである。」として、複雑な大口取引や通常でない取引に対するモニタリングが必要であるとしています。また、バーゼル委員会のコア・プリンシプルにおいても「原則29：金融サービスの濫用」の必須基準のうち、銀行グループ全体が備えるべきCDD管理プログラムの基本要素の１つとして、「通常とは異なるまたは潜在的に疑わしい取引を監視及び把握するための方針と手続」が必要であるとしています。

イ　取引モニタリング

①　マネロン・テロ資金供与対策におけるモニタリングの考え方

「モニタリング（監視）」という言葉は、コンプライアンス業務一般において広く用いられ、コンプライアンス業務の有効性等について「監視」するなどの意味でも用いられます。

しかし、マネロン・テロ資金供与対策において「モニタリング」といった場合には、特に「金融機関が顧客の口座や取引の状況を監視し、マネー・ローンダリングやテロ資金供与に関与している可能性があるものを洗い出すこと」を指す意味で用いられることが多いと思われます。（以下、その意味で「取引モニタリング」と表記します。）

②　取引モニタリングの目的とモニタリング基準

「取引モニタリング」を実施する目的は、金融機関等に義務付けられている「疑わしい取引の届出」を適切に行うため、マネー・ローンダリング等に関与する疑いのある取引を洗い出すことです。このとき、実際にマネー・ローンダリングやテロ資金供与が行われているのかを突き止めることまで、金融機関に求められているわけではありません。金融機関の果たすべき役割は、あくまで組織犯罪やテロ関連の犯罪捜査に資する「疑わしい取引」の情報を一定の基準に基づいて抽出し、当局に報告することです。

このような役割を金融機関等が果たすためには、顧客が行う取引が異常であるか否かを判断するために、何らかの判断基準が必要となります。このような、疑わしい取引に該当する可能性があると疑うべき条件を「シナリオ」、そのシナリオに適用する金額や回数などの数値条件のことを「敷居値」と呼びます。

なお、ガイドラインには「自らのリスク評価を反映したシナリオ・敷居値等の抽出基準を設定すること」とありますが、これはリスクベース・アプローチにより、取引のモニタリングもリスクベースで行うべきであることを示したものです。例えば、シナリオについていえば、FAQにおいては高リスク顧客に対するシナリオと低リスク顧客に対するシナリオを、リスクに応じてそれぞれ適用するなどの対応が考えられるとしています（FAQ p.69-Q1）。また、敷居値についていえば、図表5-3のとおり、高リスクの顧客に対して適用する敷居値は、低リスクの顧客に適用するものよりも厳格な値とすることなどが考えられます。

◯図表5-3：自らのリスク評価を反映したシナリオ・敷居値等の抽出基準の設定

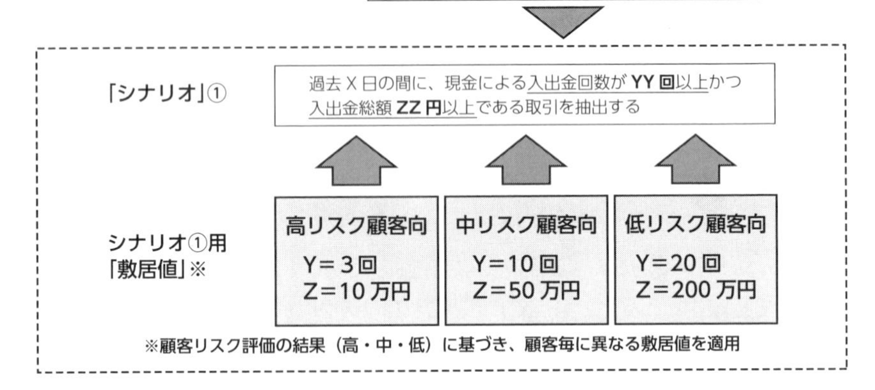

シナリオの設定において、従来から国内の多くの金融機関（及びその他の特定事業者）が参照してきたのが「疑わしい取引の参考事例」です。これは、特定事業者が疑わしい取引の届出義務を履行するために、特定事業者の業態ごとに「疑わしい取引に該当する可能性のある取引として、特に注意を払うべき取引の類型を示した」ものであり、特定事業者の各所管行政庁がウェブサイトで公表しています[5)]。例えば、金融庁が所管する特定事業者に対しては、預金取扱金融機関、保険会社、金融商品取引業者、暗号資産交換業者の4つの業態について、それぞれの参考事例が金融庁のウェブサイトに掲載されています。

また、犯収法においては、「疑わしい取引」に該当するか否かの判断は、当該取引の取引時確認の結果や取引の態様その他の事情及び「犯罪収益移転危険度調査書」の内容を勘案して、かつ主務省令で定める「項目」に従って疑わしい点があるかを確認する方法、その他の主務省令で定める方法により行うこととされています（法８条）。主務省令で定める「項目」（施行規則26条）を要約すると、以下３つの観点になります。

5)　JAFICのウェブサイト（https://www.npa.go.jp/sosikihanzai/jafic/todoke/gyosei.htm）に一覧が掲載されています。

① **他の顧客等との間で通常行う取引との比較**

当該顧客が行う取引内容を、他の一般的な顧客が行う取引内容と比較することにより、異常がないかを確認する方法です。例えば、当該顧客が会社員である場合に、その預金残高が、一般的な会社員の平均的な残高と比較して異常に多額である場合には、疑わしいと考えられます。(後述の「ピア・プロファイリング」に近い考え方です。)

② **当該顧客との間で行った他の取引との比較**

当該顧客との間でこれまでに行ってきた取引を通じて、金融機関が理解している当該顧客の「取引振り」に対して、当該取引の内容を比較することにより異常がないかを確認する方法です。例えば、口座開設以降全く海外送金をしなかった顧客が、突然頻繁に海外送金をするようになった場合には、疑わしいと考えられます。(後述の「ヒストリカル・プロファイリング」に近い考え方です。)

③ **取引時確認で取得した顧客情報との整合性の確認**

取引時確認の際に確認した情報により認識している当該顧客の「顧客像(顧客プロファイル)」と、実施された取引の内容が整合的であるかという確認方法です。例えば、口座開設の際に取引目的が「生活費」と申告していたのに、それに見合わないような多額の入出金があれば疑わしいと考えられます。

取引モニタリングにおいては、上記のような疑わしい取引の参考事例や法令上の要件を踏まえるほか、自社がこれまでに届け出た疑わしい取引の分析結果や、リスクの特定・評価の結果なども考慮したモニタリングの基準が必要となります。

なお、FATF第4次相互審査報告書(令和3(2021)年8月)においては、日本の金融機関等による疑わしい取引の届出について「疑わしい取引の届出の大部分は、FIU の指針に記載されている基本的な犯罪類型に基づいている。仮に適切な取引モニタリングツールが既に導入されており、より洗練された疑わしい取引の参考事例等を踏まえて、より精巧なシナリオを考慮していれば、検知される疑いの範囲と届出に含まれる情報の内容という両方の点で、届出が改善される可能性がある。」(IO.4仮訳　P.18)との指摘がされており、取引モニタリングについての今後の改善の余地は大きいと考えられます。

③　ソフトウェアによる監視／職員による監視

取引をモニターする、すなわち、疑わしい取引に該当する可能性のある取引を抽出する方法は、金融機関の職員等の人間が確認することにより抽出する方法と、システム（ソフトウェア）により抽出する方法の２種類に大別することができます。

これらの２つの方法は、どのような性質の「基準」についてチェックしたいのかによって使い分けることになります。例えば、ある銀行の窓口に口座開設を希望する顧客が訪れたが、どことなく挙動が不審であるといった場合、「挙動が不審であるかどうか」をチェックすることは、通常は人間にしかできません。逆に、ある種の取引パターンや、取引の金額・回数などの条件を設定しておき、それに該当する取引を異常な取引として抽出することは、システムが最も得意とするところです。

なお、どちらの方式を用いるにしても、「何を、どのような基準で抽出するか」というモニタリングの方針が、適切に設定されていることが前提であることに変わりはありません。また、ガイドラインに「ロ．上記イの基準に基づく検知結果や疑わしい取引の届出状況等を踏まえ、届出をした取引の特徴（業種・地域等）や現行の抽出基準（シナリオ・敷居値等）の有効性を分析し、シナリオ・敷居値等の抽出基準について改善を図ること」とあるように、シナリオや敷居値は一度設定したら終わりではなく、常に実績を分析し、継続的に改善を図っていくことが重要となります。

ウ　フィルタリング

①　マネロン・テロ資金供与対策におけるフィルタリング（リスト・スクリーニング）の必要性

フィルタリングは「リスト・スクリーニング」（リスト照合）などとも呼ばれ、何らかのリスト（通常は、人名や法人名、国名等をリスト化したもの）と、当該金融機関等が実施する取引や、取引相手等の属性を照合し、一致するものがないかどうかをチェックすることをいいます。

フィルタリングには大きく分けて２つの種別があります。１つは、取引等を実施する前に、事前にリストとの照合を行うことにより、本来取引を行いたくない相手方との取引を未然に防ぐことを目的としたものであり、代表的なものとしては、取引を実施する前の反社会的勢力データベースとの照合や、外国送金を行う際の、資産凍結リストとの照合手続等があります（送金の際の電文をシステムによりリストと照合し、一致する場合には送金をストップすることを、特に「フィルタリング」と呼ぶことがありますが、ここではスクリーニングに統一します）。もう1つは、すでに取引関係がある先などに対して、事後的にリストの照合を行うことであり、例えば銀行で言えば、口座保有者の中に反社会的勢力が含まれていないか、定期的にチェックを行う取組みがこれに該当します。

マネロン・テロ資金供与対策においては、法令上の要請、あるいは金融機関の独自の判断により取引を行わないと判断した相手方について、意図せずに取引関係を持たないような仕組みが必要となるため、そのためにフィルタリングが用いられます。また、通常はそうしたリスト自体が継続的にアップデートされていきますので、新たにリストに追加された者が、既存の顧客に含まれていないかを、定期的に確認することも必要となります。このように、事前・事後それぞれのリスト・スクリーニングは、金融機関のマネロン・テロ資金供与対策において、不可欠なものになっています。

② フィルタリングに関する規制上の要件

マネロン・テロ資金供与対策の観点では、FATF勧告16の「電信送金のルール」に、各国が電信送金を処理するに当たっては、テロリズム及びテロ資金供与の防止・抑止に関連する国連安保理決議1267号並びにその後継決議及び決議1373号など、国連安保理決議で規定される義務に基づき、金融機関が凍結措置を講じることを確保するとともに、指定された個人及び団体との取引を禁止しなければならないことが定められています。

これを受けて、我が国の外為法では外為法17条に銀行等が実施すべき確認義務を定め、外為検査マニュアルの「（別添2）資産凍結等経済制裁に関する外為法令の遵守状況に係るチェックリスト」には、確認義務を履行するに当たって留意すべき事項が詳細に記載されています。また、平成27（2015）年10月に施行された国際テロリスト財産凍結法では、第15条に国際テロリストとの規制対象行為（金銭の贈与や貸付け、預貯金等債務の履行）を行ってはならないことが規定されていますので、リスト照合等により、相手方が国際テロリストに該当しないかを確認する必要が生じることになります。

また、少し観点は異なりますが、反社会的勢力対応の政府指針（「企業が反社会的勢力による被害を防止するための指針（平成19（2007）年6月19日犯罪対策閣僚会議幹事会申合せ）」）においては、反社会的勢力の情報を集約したデータベースの構築及び更新、及び反社会的勢力との「取引を含めた一切の関係遮断」が求められており、主要行等向けの総合的な監督指針でも「反社会的勢力に関する情報等を活用した適切な事前審査」の実施[6]が求められていることから、反社会的勢力対応の観点でも適切なフィルタリングの実施体制の整備が求められていると言えます。

さらには、我が国における法規制だけではなく、外国における経済制裁関連の法令にも注意が必要です。特に、日本の金融機関が米ドル建ての送金取引を実施する場合には、最終的には米国の金融機関を通じて決済が行われるため、米国の財務省外国資産管理室（OFAC）が定める規制に間接的に服することになります。例えば、OFACにより取引が禁止された者のリスト（SDNリスト）に掲載されている者に対する外国送金を行う場合に、当該送金先が我が国の外為法上の制裁対象者でなければ、外為法上の問題は生じません。しかし、米ドル建ての送金取引であれば、米国の金融機関は当該送金取引の決済を取り扱うことは米国法で禁じられていますので、結局のところ決済を受け付けてもらえず、送金取引を完了することはできません。また、近年では、米国外の米ドル建て送金に対してOFAC規制違反に基づく制裁金の支払いが命じられるなど、同規制の域外適用の可能性も指摘されています。このような事態となることを防ぐために、日本の金融機関であっても、米ドル建ての外国送金取引を行う際には、実務上は相手先がSDNリストに掲載されていないかというチェック手続が必要になります。

③　フィルタリングの実施方法

フィルタリングを行うには、まず照合の対象となる「リスト」が存在しなくてはなりません。こうしたリストは、各国の政府等が公表する公的なリストと、各金融機関が独自に整備するリストの二種類に大別されます。前者の公的なリストとしては、

---

6)　Ⅲ－3－1－4　反社会的勢力による被害の防止　Ⅲ－3－1－4－2　主な着眼点　(3)適切な事前審査の実施

我が国の外為法に基づく資産凍結等の措置として、財務省のウェブページで公表される「経済制裁措置及び対象者リスト」や、前述の米国におけるOFAC SDNリストなどが挙げられます。これらのリストには、制裁の対象となる個人や法人の氏名・名称（別名等も含む)、生年月日等の情報が含まれています。後者の独自に整備するリストには、例えば当該金融機関が収集したネガティブ情報（反社会的勢力など）に基づき取引を謝絶する方針としている先や、過去に疑わしい取引を提出した先などが含まれます。なお、これらのいずれにも該当しないものとして、民間のデータベース提供業者から有償で提供される「PEPs」のリストも、同様にフィルタリングに用いられます[7)]。

リストに対する照合の実施方法は、取引実施の際の事前の照合手続であれば、1件ずつ手作業で照合作業を行うことも考えられますが、リストの件数・種類が多くなれば作業負担は大きいため、現実的には何らかのシステムによるサポートが必要となってきます。特に外国送金取引においては、あらかじめ登録したリストに対して当該送金の電文を照合し、瞬時に該当・非該当を判断するようなシステムが、多くの金融機関で採用されています。また、事後のフィルタリングについては、リストの情報を膨大な数の顧客情報と照合する必要があるため、一般的にはそのような照合を実施するソフトウェアを導入して実施することになります。

システムで照合を行う場合には、リストに掲載されている氏名と（例えばスペリングが）完全に一致していなくても、類似している氏名であれば検知することができる「あいまい検索機能」などが用いられますが、FAQにおいては、こうした機能について、取扱業務や顧客層を踏まえて、設定を定期的に調整することを求めています（FAQ p.71-Q2)。

なお、ガイドラインの直近の改正においては、「ロ. 国際連合安全保障理事会決議等で経済制裁対象者等が指定された際には、遅滞なく照合するなど、国内外の制裁に係る法規制等の遵守その他リスクに応じた必要な措置を講ずること」との要件が追加されています。ここでの「遅滞なく」についてFAQでは、国際連合安全保障理事会等で経済制裁対象者等が指定された際には「遅くとも24時間以内」に自らの制裁リストに取り込んで取引フィルタリングを行うとともに、既

---

7) ただし、PEPsに関しては（高リスクではあるものの）直ちに取引を謝絶すべき先とはならない点で、制裁対象者とは性質が異なります。

存顧客に対しても照合が行われることであるとの解釈が示されています（FAQ p.72-Q3）。国連安保理決議は、最終的には我が国の財務省が指定する資産凍結対象者リストに反映されます。従前の国内金融機関の実務においては、資産凍結対象者リストの更新をもって対応をすることになっていましたが、それでは遅いということになります。金融機関によってリストの更新方法（例：外部ベンダーから購入、自ら更新をチェックして反映など）は異なると思われますが、この新たな要件への対応についても、検討する必要があります。

(3) 記録の保存

ア　記録の保存に関するガイドライン等の要件

マネロン・テロ資金供与対策ガイドラインにおいては、記録の保存について「対応が求められる事項」として以下の項目が示されています。

【対応が求められる事項】

① 本人確認資料等の証跡のほか、顧客との取引・照会等の記録等、適切なマネロン・テロ資金供与対策の実施に必要な記録を保存すること

記録の保存については、FATF勧告11に「国内取引及び国際取引に関する全ての必要な記録を最低５年間保存することが求められるべきである。」また「顧客管理措置を通じて取得したすべての記録（中略）、取引内容の分析結果（中略）を含む口座記録及び通信文書を、業務関係又は一見取引の終了から最低５年間保存すべきである。」と規定されており、それを受けて我が国の犯罪収益移転防止法においても「取引記録」「確認記録」について、ほぼFATF勧告どおりの規定が置かれています（ただし、期間は５年でなく７年）。これらは法令上の義務ですので、適切な記録保存を行わない場合には行政処分の対象になるほか、犯収法上の是正命令が適用される可能性もあります。

ガイドラインの要件については、犯収法上の記録保存よりも幅広く、必要な記

録が求められているものと考えられます。FAQにおいては、「金融機関等におけるマネロン・テロ資金供与リスク管理に必要な全ての記録」を指すとしたうえで、以下の項目を例示しています（FAQ p.73-Q1）。

- 犯収法により作成が求められる確認記録（第6条）、取引記録（第7条）
- ガイドラインⅡ−2（3）（vii）【対応が求められる事項】③イ、ロ及びハに記載する事項に関する記録
  イ．疑わしい取引の届出件数（国・地域別、顧客属性別等の内訳）
  ロ．内部監査や研修等（関係する資格の取得状況を含む。）の実施状況
  ハ．マネロン・テロ資金供与リスク管理についての経営陣への報告や、必要に応じた経営陣の議論の状況
- 顧客との取引経緯の記録等

イ　記録の保存に関する検討ポイント

保存される記録のうち、おそらく犯収法上の「取引記録」については、多くの金融機関では、取引の申込書やシステムに保存されている取引データそのものということになると思われます。

また「確認記録」については、記録すべき項目は法令上細かく規定されていますが、保存の形態は紙の帳票、電子データ、マイクロフィルムのいずれでも構わないということになっており、金融機関によって対応は様々であると思われます。FAQにおいても、記録の保存全般について、電磁的記録による保存も認められるとしています（FAQ p.73-Q2）。

金融機関によっては、すべて紙の台帳として「確認記録」を作成し保存する例もあれば、顧客管理システム等に所定のデータを入力して保存する例もあります。またその折衷型として、紙の台帳に記入した後にスキャナーで読み込ませ、画像データとして保存するという方式をとる金融機関もあるようです。また同様に、本人確認記録の写しの保存方法も、金融機関によって様々のようです。

記録を保存する目的の一つは、当局からの照会を受けた場合に適時に必要な情報を提供するためですので、①保存していた情報を、必要なタイミングで適時に取り出すことができるか、という点は考慮する必要があります。また、②保存し

た情報をリスク評価や取引モニタリング等のマネロン・テロ資金供与対策業務に活用することができるか、ということも重要な観点だと思われます。

①については、どの程度の「適時性」が必要になるか、という点が問題となります。我が国の規制では特段定めがありませんが、国によっては当局からの照会に回答するまでの期間が指定されていることがあります。そのような場合には、規制要件を満たすための記録管理の仕組みが必要になります。なお、金融庁所管の金融機関においては現在、マネロン・テロ資金供与対策に関する年次の計数報告を求められていますので、こうした計数が適切に報告できるように、データを整理しておくことが必要です。

また、②のリスク評価や、取引モニタリングへの活用を考えた場合には、取得した情報が電子データ化されて分析可能な形で整理されていなければ活用が難しくなります。上記の法令上の記録保存要件を満たすことだけが目的であれば、どのような情報の保存形式でも構いませんが、有効に活用することを考えれば、順次電子データ化を進めていくことが望ましいと思われます。

(4) 疑わしい取引の届出

ア　疑わしい取引の届出に関するガイドライン等の要件

FATF勧告20に規定される疑わしい取引の当局（FIU）に対する届出義務は、我が国においても犯収法上の義務として、特定事業者に義務付けられていますが、マネロン・テロ資金供与対策ガイドラインにおいてはさらに、疑わしい取引の届出について、以下の「対応が求められる事項」が示されています。

【対応が求められる事項】

① 顧客の属性、取引時の状況その他金融機関等の保有している具体的な情報を総合的に勘案した上で、疑わしい取引の該当性について適切な検討・判断が行われる態勢を整備し、法律に基づく義務を履行するほか、届出の状況等を自らのリスク管理態勢の強化にも必要に応じ活用すること
② 金融機関等の業務内容に応じて、IT システムや、マニュアル等も活用しながら、疑わしい顧客や取引等を的確に検知・監視・分析する態勢を構築すること
③ 疑わしい取引の該当性について、国によるリスク評価の結果のほか、疑わしい取引の参考事例、自らの過去の疑わしい取引の届出事例等も踏まえつつ、外国PEPs 該当性、顧客属性、当該顧客が行っている事業、顧客属性・事業に照らした取引金額・回数等の取引態様、取引に係る国・地域その他の事情を考慮すること
④ 既存顧客との継続取引や一見取引等の取引区分に応じて、疑わしい取引の該当性の確認・判断を適切に行うこと
⑤ 疑わしい取引に該当すると判断した場合には、疑わしい取引の届出を直ちに行う態勢を構築すること
⑥ 実際に疑わしい取引の届出を行った取引についてリスク低減措置の実効性を検証し、必要に応じて同種の類型に適用される低減措置を見直すこと
⑦ 疑わしい取引の届出を契機にリスクが高いと判断した顧客について、顧客リスク評価を見直すとともに、当該リスク評価に見合った低減措置を適切に実施すること

イ　疑わしい取引の検知方法

そもそも、疑わしい取引として届出の対象となる取引はどのような取引でしょうか。FAQにおいては、「特定業務に係る取引について、当該取引において収受

した財産が犯罪による収益である疑いがあるかどうか、又は顧客等が当該取引に関し組織的犯罪処罰法第10条の罪若しくは麻薬特例法第6条の罪（いわゆるマネー・ローンダリング罪）に当たる行為を行っている疑いがあるかどうかを判断し、これらの疑いがあると認められる場合においては、速やかに、政令で定めるところにより、政令で定める事項を届け出る義務があります（犯収法第8条第1項、同法施行令第16条）。」と法令上の義務を解説しています（FAQ p.74-Q）。

このような、「疑わしい取引」に該当する可能性のある取引を検知する方法としては、大きく分けて、①金融機関等の役職員による気づき、②システムを利用した発見、の2つの方法が考えられます。このうち、役職員による気づきは、典型的なケースは、金融機関等の窓口職員や営業担当者が、顧客の挙動や取引内容について不審に思う場合などが想定されます。また後者については、取引モニタリングやフィルタリングシステムを利用した検知が想定されます。

ウ　疑わしい取引の調査

以上のように金融機関等は、あらかじめ設定した基準に基づいて「疑わしい取引」に該当する可能性がある取引を抽出しますが、抽出された取引について、実際に当局に届け出るか否かを判断するためには、取引の背景等の調査が必要になります。例えば、通常はありえないような多額の現金取引を行う顧客がいたとしても、顧客がその取引を行う理由を金融機関が承知しており、かつその理由が合理的なものであれば、当該取引を報告する必要はありません。

このように、疑わしい取引の候補となる取引から、実際に報告する取引を絞り込むための一連の業務を、一般に「調査（investigation）」業務と呼びます。多くの金融機関においては、第2線のAML/CFT所管部門において調査の実施・届出要否の判断、届出の事務手続を行っていますが、特にこの調査業務において、システムによるモニタリングを行う場合には、金融機関にとって大きな負担となります。システムを用いずに金融機関の職員の経験等に基づいて抽出した異常な取引は、疑わしさの度合いが高いものが多いのに対して、システムによって機械的に抽出した疑わしい取引の候補（一般に「アラート」と呼びます）には、届出が必要ないものが相当の割合で含まれるからです。

取引モニタリングシステムを本格的に導入している金融機関では、このような調査業務を専門とする数十人単位の専門チームを配置しているところも少なくありません。

また、疑わしい取引を届け出る（あるいは届け出ない）という意思決定については、適切な承認プロセスを必要としますが、後日その経緯を検証できるように、判断理由等の経緯を詳細に記録しておくべきです。また、ある顧客に関して、過去に疑わしい取引の届出対象になったことがあるかどうかは、その後の当該顧客に対するモニタリングや次回以降の疑わしい取引の届出要否の判断に大きく影響を与える情報です。必要に応じて顧客管理システム等により参照できるようにしておくことが望ましいでしょう。

エ 「疑わしい取引」該当性の判断基準

上記のとおり、「マネー・ローンダリング罪にあたる行為を行っている疑いがある」と金融機関が認める場合には届出の対象となりますが、それだけでは実務的には判断が難しいので、何らかの判断基準を設けておく必要があるかもしれません。前記ガイドライン⑤の疑わしい取引の該当性の判断について、FAQでは「基本的には列挙されている各項目全てを考慮して届出の要否を判断することが必要になると考えます。」として、こうした項目のすべてを「考慮するためのプロセス、情報の活用に必要なデータベースの整備も必要になると考えられます。」と解説しています（FAQ p.77-Q）が、このような考慮すべきポイントが網羅されるような手続書・チェックリスト等を整備することも考えられます。

○図表 5-4：疑わしい取引の判断基準

取引の種類	共通判断基準	追加的判断基準
新規顧客との特定業務に係る取引	法令上の判断基準 犯収法第 8 条第 2 項 ・取引時確認の結果、顧客属性・事業に照らした取引金額・回数等の当該取引の態様その他の事情 ・犯罪収益移転危険度調査書の内容	
既存顧客との特定業務に係る取引	犯収法施行規則第 26 条 ・一般的な取引の態様との比較 ・当該顧客との過去の取引との比較 ・取引時確認事項等との整合性 ガイドラインⅡ－2（3）（v）疑わしい取引の届出【対応が求められる事項】③における判断基準	○当該顧客等の確認記録、当該顧客等に係る取引記録等、特定事業者作成書面等による情報収集・分析等により得た情報その他の当該取引に関する情報を精査すること 犯収法施行規則第 27 条 2 号
高リスク取引 ○なりすまし・偽りの疑いがある場合 ○イラン・北朝鮮に居住・所在する者との特定取引 ○外国 PEPs との間の特定取引 ○顧客管理を行う上で特別の注意を要する取引 ○犯罪収益移転危険度調査書の内容を勘案してリスクの高い取引	・国によるリスク評価の結果 ・疑わしい取引の参考事例 ・自らの過去の疑わしい取引の届出事例 ・外国 PEPs 該当性 ・顧客属性 ・当該顧客が行っている事業 ・顧客属性・事業に照らした取引金額・回数等の態様 ・取引にかかる国・地域 上記の法令・ガイドライン上の事項は基本的に全て考慮して届出をすることが求められる。（FAQ P.77 Q）	（既存顧客との特定業務に係る取引については上記の追加的判断事項も行う） ○顧客・取引担当者への質問その他の必要な調査 ○統括管理者・これに相当する者の疑わしい点があるかの確認 犯収法施行規則第 27 条 3 号

なお、FAQ p.74-Qの注記でも言及がありますが、平成29（2017）年6月の組織犯罪処罰法の改正による前提犯罪の拡大により、現在ではマネー・ローンダリングの前提犯罪の範囲に法人税法、所得税法等の各種税法違反も含まれています。これは、FATFによる第3次相互審査で、日本においては脱税が前提犯罪に含まれていないことが指摘されていたことに対して、ようやく対応がなされたものですが、金融機関等の職員における認知度はまだ低いのではないかと思われます。詐欺、入管法違反、覚醒剤取締法違反等による収益を隠匿することが、典型的なマネー・ローンダリングであるとイメージされますが、「脱税したお金を隠す」こともマネー・ローンダリングに該当することは、研修などを通じて職員に周知を図っていく必要があります。

オ　その他、疑わしい取引の届出に関して留意すべき事項

①　届出の適時性（届出までに要する期間）

疑わしい取引の届出について、犯収法では「これらの疑いがあると認められる場合においては、速やかに、政令で定めるところにより、政令で定める事項を行政庁に届け出なければならない」（8条）と定められています。また、上記ガイドライン⑤でも、「疑わしい取引に該当すると判断した場合には、疑わしい取引の届出を直ちに行う態勢を構築すること」とされていますが、「速やかに」や「直ちに」がどれくらいの期間を指すのかについては、従前具体的な指針はありませんでした。この点についてはFAQでは「どの程度の期間で検証・届出をすべきかについては、取引の複雑性等に応じて必要な調査期間も踏まえつつ、個別取引ごとに判断されることになりますが、疑わしい取引の検知から届出まで1か月以内で実施できることが望ましいものと考えます。」（FAQ p.79-Q）と、目安を示しています。

このような適時性を確保するために、調査の実施が漏れている調査案件がないか、また、時間を要している案件がないかなどについては、システム（後述の「ケースマネジメントシステム」等）によって、あるいは手作業でも、適切に管理を行い、必要に応じて経営陣にも報告ができる態勢が必要になると思われます。

②　届出後の顧客リスク評価の見直し

ある取引について疑わしい取引の届出を実施した場合、届出を行ったらそれで終わりということではなく、その後の対応も必要になります。

一つは、前記ガイドライン「⑦ 疑わしい取引の届出を契機にリスクが高いと判断した顧客について、顧客リスク評価を見直すとともに、当該リスク評価に見合った低減措置を適切に実施すること」への対応です。一般に、疑わしい取引の届出対象となった顧客は、リスクが高い顧客である可能性が高いと考えられることから、例えば疑わしい取引の届出の前に顧客リスクが「低リスク」であると評価していた場合には、その評価を高リスクに見直すことを検討すべきであると考えられます。FAQにおいても、一律に高リスクとして管理するように求めているわけではないとしながらも、「制度の性質上、リスクが高いと判断することが一般的であると考えます。」（FAQ p.81-Q）と説明しており、届出を実施したタイミングで、適

時に顧客リスク評価を見直すプロセスを整備すべきです。また、複数回疑わしい取引の届出対象となった顧客については、取引関係を終了するなどの判断も必要になると考えられます。

③　届出内容の分析と低減措置の見直し

ガイドラインには「⑥実際に疑わしい取引の届出を行った取引についてリスク低減措置の実効性を検証し、必要に応じて同種の類型に適用される低減措置を見直すこと」との規定があります。

このような見直しを、すべての疑わしい取引の届出一つ一つに対して行うことは現実的ではありませんが、例えば当該疑わしい取引の調査を通じて、当該金融機関のサービスを悪用した新しいマネー・ローンダリングの手口を認識した場合などは、そうしたことが再び発生しないように、速やかに追加のリスク低減策を検討し導入すべきであると考えられます。逆に、そのような緊急性がないものについては、定期的に疑わしい取引の分析を実施し、その結果を踏まえてコントロールを検討することで十分であると考えてよいでしょう。また、FAQでは、「犯収法上求められている疑わしい取引の届出義務の履行及び義務履行を適切に実施できる態勢整備等のみならず、疑わしい取引の届出を実施した取引について分析することに加え、金融機関等自らのリスク評価や取引モニタリングのシナリオ・敷居値に反映できるような情報を抽出し、リスク管理態勢の強化に活用することが求められます。また、検知から届出までの時間の管理及び効率化、誤検知率を低下させるためのシナリオの見直しや取引モニタリングの有効性の検証等の取組み等も含まれます。」との対応も求めています（FAQ p.75-Q）。

④　内報の禁止

FATF勧告21を受けて、疑わしい取引として報告されることを、当該顧客に伝えることは犯収法により禁止されています。顧客に疑わしい取引の届出や捜査の可能性について知られれば、その後の捜査活動に支障をきたしかねないからです。意図的に伝えることは論外ですが、うっかりとでも漏らすことがないように、営業店職員等には周知徹底が必要でしょう。

(5) IT システムの活用

AML/CFT 態勢を整備・運用するに当たっては、近年のマネロン・テロ資金供与対策業務の高度化・複雑化に伴い、ますます取引モニタリング・フィルタリングをはじめとしたITシステムへの依存度が高まりつつあります。

ア ITシステムの活用に関するガイドライン等の要件

マネロン・テロ資金供与対策ガイドラインにおいては、ITシステムの活用について、以下の「対応が求められる事項」、及び「先進的な取組み事例」が示されています。

【対応が求められる事項】

① 自らの業務規模・特性等に応じたIT システムの早期導入の必要性を検討し、システム対応については、後記②から⑤の事項を実施すること

② 経営陣は、マネロン・テロ資金供与のリスク管理に係る業務負担を分析し、より効率的効果的かつ迅速に行うために、IT システムの活用の可能性を検討すること

③ マネロン・テロ資金供与対策に係るIT システムの導入に当たっては、IT システムの設計・運用等が、マネロン・テロ資金供与リスクの動向に的確に対応し、自らが行うリスク管理に見合ったものとなっているか検証するとともに、導入後も定期的に検証し、検証結果を踏まえて必要に応じ改善を図ること

④ 内部・外部監査等の独立した検証プロセスを通じ、IT システムの有効性を検証すること

⑤ 外部委託する場合や共同システムを利用する場合であっても、自らの取引の特徴やそれに伴うリスク等について分析を行い、必要に応じ、独自の追加的対応の検討等を行うこと

> 【先進的な取組み事例】
> 顧客リスク評価を担当する部門内に、データ分析の専門的知見を有する者を配置し、個々の顧客情報や取引情報をリアルタイムに反映している事例。

AML/CFTプログラムにおけるITの活用に関するガイドラインとしては、バーゼル委員会のコア・プリンシプル・メソドロジーの中で、社内のレポーティングに関連して「また監督当局は、管理職や専任の職員がそうした活動について適時に情報を得ることができるよう、適切な経営情報システムが銀行に備わっていることを確認する」との観点が示されています。

上記ガイドラインの①では、「自らの業務規模・特性等に応じたITシステムの早期導入の必要性を検討」とありますが、現実的には全くITシステムを活用せずにAML/CFTの対応を行うことは考えにくいです。ただし、AML/CFTに関連するITシステムは様々な機能のものが存在しますので、それらを適切に理解することが必要です。

イ　マネロン・テロ資金供与対策ソフトウェアの機能

一般的にマネロン・テロ資金供与対策で用いられるソフトウェア機能としては、図表5-5のような種類がありますが、一般にAMLソフトウェアとして発売されているものは、これらの機能を複数組み合わせてパッケージ・ソフト化したものだと考えてよいでしょう。

○図表5-5：マネロン・テロ資金供与対策に関連するシステム

種別	概要
顧客情報 管理システム	ノウ・ユア・カスタマーで取得した情報を、データベースに保存し、 必要に応じて参照したり、他のシステムに提供したりするシステム。
「本人確認書類」 の文書管理 システム	顧客から徴求した本人確認書類をスキャンし、 電子的に保存するシステム。

顧客リスク 格付システム	金融機関が顧客から取得した属性情報、及び当該顧客の 「振舞い」等を材料に、当該顧客のリスクスコアを算出し、 「高・中・低」などのマネー・ローンダリングに関する リスク格付を行うためのシステム。
取引モニタリング・ システム	顧客との取引内容（例：口座への入出金の状況）を監視し、 異常な動きを検知した場合にアラート（警報）を発し、 「疑わしい取引の報告」に役立てるシステム。
フィルタリング・ システム	ある取引が、金融機関が取引してはいけないと認識している先 （例；反社、資産凍結リスト先）によるものでないか、 氏名・生年月日等をキーにデータベースと照合を行うシステム。
ケース・ マネジメント・ システム	上記の取引モニタリング、フィルタリング、あるいは その他の方法により検知した「疑わしい取引の候補」について、 その届出要否を人手によって調査する際に、必要な情報（添付書類）・ 履歴を残し、漏れなく調査を行うためのワークフロー管理システム。
当局報告 （レポーティング）用 システム	「疑わしい取引の報告」を電子的に行うために、 所定のフォーマットの報告用データを作成するためのソフトウェア。

ウ　顧客情報管理（CDD/KYC）

マネロン・テロ資金供与対策に関して、金融機関等は顧客から様々な情報を取得することが必要になります。その中には、いわゆる「本人特定事項」や、その他の法令により確認が義務付けられる情報だけではなく、当該金融機関等の「顧客受入方針」に基づき、リスクベースで取得される情報も含まれます。

こうして取得された顧客情報は、法令上の要件を満たすように適切に保存されるとともに、マネロン・テロ資金供与対策の実務にも活用されなくてはなりません。単に規制上の保存要件を満たすためだけであれば、紙ベースの帳票や顧客管理台帳の形式で保存しておいても、記録保存の要件を満たすことは可能です。しかし、情報検索に関する利便性や、AML/CFT業務（例：取引モニタリング、顧客リスク格付）への活用を想定すれば、できる限り電子データ化して管理することが望ましいと言えるでしょう。

顧客情報管理のシステムは、いくつかの種別が想定されます。1つは、金融機関の既存の顧客管理システム（いわゆる勘定系／情報系システム）の顧客情報データベースを活用する方法であり、そうしたシステム上で、AML/KYCで必要な情報も合わせて管理できるようにする方法が考えられます。例えば、住所・氏名・生年月日といった犯収法上の本人特定事項に加え、「取引の目的」「職業」といった追加的に取得する属性情報を、既存システム内の顧客データベースに追加して管理できるようにしておく、といったことになります。

また別の方法として、上記のような既存システムとは別に、マネロン・テロ資金供与対策用の顧客情報管理データベースを整備することもあるでしょう。海外では、この様な目的の専用のソフトウェアが多数提供されており、海外の金融機関ではそうしたパッケージソフトを用いてシステムを構築することも多く見られます。上記のいずれの方法が優れているのかは、一概には言えません。コストや機能、柔軟性等の要素を考慮して、自社に最適な方法を選択すべきでしょう。

①　文書管理

法令上、「本人確認」を実施する際には所定の「本人確認書類」の提示を受けて確認するよう定められており、さらに実務的には、窓口で提示を受けた本人確認書類のコピーを保存する実務が定着しています[8)]。また、こうしてコピーした本人確認書類の写しは、疑わしい取引に関する調査や当局報告の際に参照や添付が必要となるため、適切に保存されなければなりません。

このような本人確認書類のコピーは、複写機による紙のコピーを保存する方法のほかに、スキャナーで画像として読み取り、電子的に保存する方法をとる金融機関も多くあります。紙のコピーを管理する方法と比較して、こうしたシステムの導入により、保存スペースが削減できるだけでなく、検索が容易になるなど作業効率が高まることも期待されます。また、これらの文書管理ソフトウェアには、前述の顧客管理情報システムと連動するものもありますので、AML/KYCの実務や、コンプライアンス部門における疑わしい取引の調査・届出業務の効率化のために、そのような製品の導入を検討してもよいでしょう。

②　顧客リスク格付

リスクベースによる顧客管理業務や取引のモニタリングを実施するために、一部の金融機関では、スコアリングによる顧客リスク評価を実施しています（前記第

---

8)　この点については、特定事業者の業態によって実務は異なります。

4章4.（4）イ参照）。

こうしたスコアリングモデル自体は、さほど複雑なロジックではありませんので、件数が少なければスプレッドシートでも十分に計算が可能です。しかし実務上は、多くの顧客のスコアを個別に算出するためには、膨大な量の計算処理が必要となるため、通常は何らかのシステム化が行われることになります。

このような顧客リスク格付の計算機能は、パッケージソフトウェアの一部としても提供されていますが、格付モデル自体は、各金融機関が自ら検討する必要があります。なお、モデルの見直しの結果、採用するファクターや掛け目等に変更が必要となることも想定されるため、パッケージの導入を検討する際には、これらの設定を柔軟に変更することができるように設計されたものを選ぶことが必要でしょう。

エ　取引モニタリング

取引モニタリングソフトウェアとは、口座・取引単位、あるいは顧客単位の振舞いに着目して、ある種のロジックにより、当局に届け出るべき「疑わしい取引」である可能性の高い取引を抽出し、「アラート（警報）」を発するためのシステムのことを指します。例えば、預金口座であれば口座に対する入出金等のパターンを監視し、システムにあらかじめ設定した条件に該当する動きがあれば検出する等のモニタリング業務に利用します。

このような「取引モニタリングソフトウェア」は、マネロン・テロ資金供与対策用のソフトウェア機能としては中心的なものであり、日本を含め、世界中で多数のパッケージソフトウェアが発売されています。モニタリングには様々なロジックが用いられますが、おおよそ以下のように分類することができます。

①　「ルールベース」の検知ロジック

ルールベースの検知ロジックとは、あらかじめシステムに一定の条件式と適用する敷居値を設定しておくことによって、設定条件に該当する取引が発生したときに、アラートを発するものです。

例えば、大口・多頻度の取引は疑わしいと考えるならば、ある口座において一定の期間内に「金額XX円以上、YY回以上」の取引のある口座を抽出する、などと設定しておくことで、その条件に該当する口座に対してアラートを発することができます。この例はかなりシンプルですが、いくつもの条件を組み合わせることにより、複雑な条件を設定することも可能になります。

○図表5-6：「ルールベース」の検知ロジック

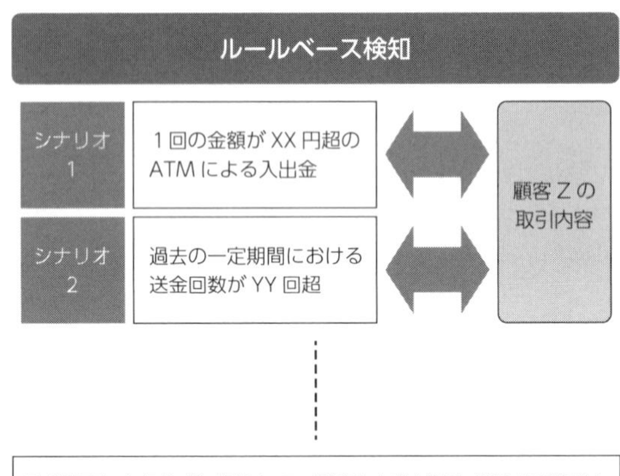

②　「プロファイリング」

プロファイリングとは、顧客や口座に対して予想される振舞い（プロファイル）からかい離した動きを検知するものであり、①ピア・プロファイリングと、②ヒストリカル・プロファイリングの２種類に分類されます。

「ピア・プロファイリング」では、金融機関の顧客をその顧客属性（例：年齢、職業、性別など）等により、同様の振舞いをすることが想定される集団に区分します。（一般にその集団のことを「ピア（Peer）」と呼びます。）その上でピアごとに想定される平均的な取引の傾向から、それぞれのピアに属する顧客の実際の振舞いが大きくかい離した場合には、システムがアラートを発します。例えば、「ピアA」に属する顧客は、平均的に月に10回の送金取引を行うという平均像（プロファイル）をシステムが認識している場合を想定してみましょう。このとき、「ピアA」に属する「顧客Z」が、ある月に実際に行った送金取引が30回だった場合、Zの振舞いは大幅にプロファイルからかい離していると考えられますので、システムはアラートを発することになります。なお、平均からどの程度かい離した場合にアラートを発するかについては、当該金融機関があらかじめ定義し、システムに設定しておくことになります。

これに対して、もう1つのプロファイリング手法である「ヒストリカル・プロファイリング」は、同一の顧客の過去の取引傾向から「プロファイル」を認識して、その顧客の振舞いの変化をチェックする仕組みです。例えば、ある顧客が、金融機関との過去の取引を通じて、月間10回程度の送金を行う顧客であると認識されていたとします。しかし、当該顧客がある月に突然30回の送金取引を行った場合には、過去の取引実績から予想していた振舞いと実際の取引振りに大幅なかい離が生じたことになりますので、システムはアラートを発することになります。

○図表5-7：プロファイリング手法

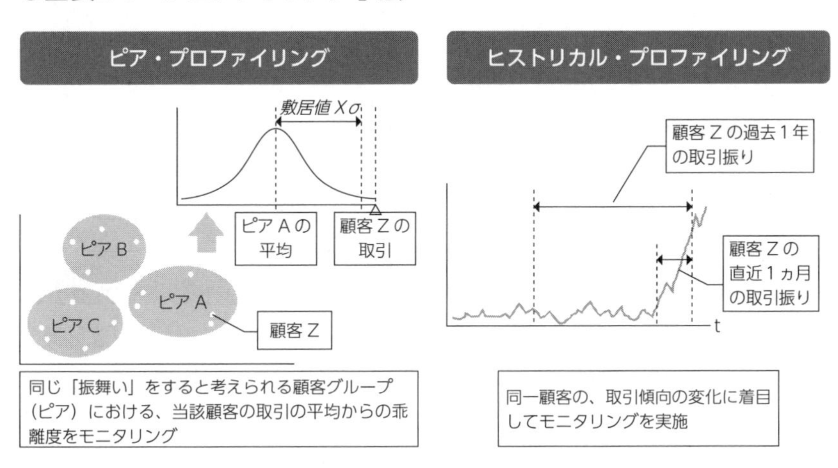

以上は単純化した例ではありますが、このように「プロファイリング」を用いることで、ルールベースのモニタリングとは異なり、「傾向」に着目したモニタリングが可能になります。このほかにも、一般的な取引モニタリングソフトウェアにおいては、ベンダーごとに工夫した、様々なタイプの検知ロジックを組み合わせて提供しています。金融機関が導入を検討する際には、自社の実施したいモニタリング業務に合致したソフトウェアを選択することが重要です。

なお、上述のような専用のパッケージソフトウェアを導入していない金融機関においても、金融機関の既存システムの中に一定のルールを組み込み、当該ルールに合致した口座のリストを出力して、異常な取引のチェックに確認に役立てるという取組みを実施しているところは多数存在します。こうした機能も、簡易的な取引モニタリング機能と呼ぶことができるでしょう。ただし、このような既存システムの中に作り込む検知機能は、一般に単純なルールに限られる上、ルールの変更も容易に行い難いなど柔軟性に欠けます。これに対して、専用のモニタリングソフトウェアでは、高度な検知ロジックが実装可能で、コンプライアンス業務の必要に応じて柔軟に設定変更が可能である点が特長です。

取引モニタリングシステムを用いたモニタリング業務では、職員の人手によるチェックでは不可能な、きめ細かいモニタリング業務が実現可能です。特に一定規模以上の金融機関においては、日々発生する膨大な取引（口座・顧客）に対して、適切なモニタリングを行うために、このようなシステムの利用は有力な選択肢となると思われます。

オ　フィルタリング（リスト・スクリーニング）

「フィルタリング」機能（あるいは「リスト・スクリーニング」機能）とは、金融機関があらかじめ禁止する取引相手をシステム的に検知して、知らずに取引してしまうことを防止することを目的としたソフトウェア機能です。

多くの場合この種のソフトウェアは、我が国の資産凍結リストや米国のOFAC-SDNリストのように、法令上取引を行うことが禁じられた者との取引を、意図せずに実施してしまわないためのチェックに利用されます。また、反社会的勢力データベースとの照合や、PEPsの該当有無とのチェックにも用いられます。

こうしたソフトウェアは、あらかじめ金融機関が用意した「リスト」に掲載されている者の氏名（名称）、生年月日、住所等の情報をもとに、取引電文や口座情報に含まれる情報と自動的に照合し、完全に一致する、あるいは類似する情報を含む取引や口座を抽出するものです。

抽出された後の処理は、ソフトウェアの利用目的によって異なります。外為送金の電文に対して、資産凍結対象者のスクリーニングを行う際には、（そのまま送金してしまえば法令違反になるため）その時点でいったん取引を停止させるというリアルタイムの対応が必要になります。他方「反社会的勢力リスト」との照合の結果、一致が見られた場合には、アラートを出して詳細な調査を促すことになるでしょう。この場合には、資産凍結リストとは異なり、そこまでの即時性は必要ないと思われます。このように、同じ「リストとの照合」であっても、対象となるリストの性質により、必要となる対応が変わってきます。

なお、リストとの「一致」に関しては、単に完全に一致したものを検出するだけではなく、アルファベットであればスペリングが類似しているもの、漢字であれば字体が異なるものなどについても、同一先である可能性のある候補として検出する、いわゆる「あいまい検索」機能を持つものが一般的です。

カ　ケースマネジメント

取引モニタリングシステムで検出された取引は「アラート」として、システムのユーザー（AMLコンプライアンス担当者）に通知されることになりますが、アラートの対象となった取引のすべてが、当局への届出が必要な取引というわけではありません。システムが発するアラートは、あくまでもシステムが機械的に検知した結果にすぎず、その中には多くの誤検知が含まれうるからです。（このように、誤って発生してしまうアラートのことを「偽陽性（false positive)」と呼びます。）そのため、システムから発生したアラートを、当局への届出が必要なものと、必要でないものに選別する確認作業が発生します。

逆に、ひとたびアラートとして認識されたものは、「疑わしい取引」の報告対象となりうる候補ですので、必ず全件調査が必要となります。すべてのアラートを調査するために、金融機関によっては数十人単位の専任の調査担当者を配置して、調査に当たらせているところもあります。このように、多数発生したアラートに対して漏れなく、適時に調査業務が実施されるためには、その進行状況の管理が必要になります。その管理のために用いられるのが「ケースマネジメント」機能です。

ケースマネジメントソフトウェアは、通常、取引モニタリングソフトウェアとセットで用いられ、モニタリングで検知した「アラート」が、自動的にケースマネジメント機能側に取り込まれる仕組みとなっています。

○図表5-8：取引モニタリング（当局報告の流れ）

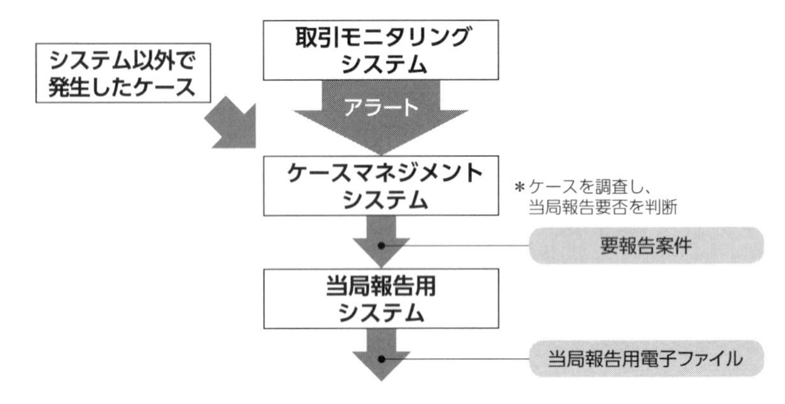

図表5-8に示すように、取引モニタリングシステムから取り込まれたアラートは、「ケース」（「案件」）と呼ばれて管理され、複数の調査担当者への作業の割振り、調査の進捗状況、調査結果に関する役席者の承認などを、すべてシステムで一元的に管理することになります。このように、一般的に「ケースマネジメント」と呼ばれるソフトウェアの中心的な機能は、アラート調査に関するワークフローの管理です。なお、管理の対象は、必ずしも取引モニタリングシステムによるアラートだけではありません。職員が検知し、営業店などから本部に報告された「疑わしい取引」に関するケースも、あわせて同じシステム上で管理することとしている場合も多いようです。

また後日の検証のためには、すべてのアラートに関する調査の経緯や、届出要否の意思決定のプロセス（なぜ疑わしい取引としての届出が必要、あるいは不要と判断したのか）を、適切に保存しておくことがきわめて重要ですが、通常ケースマネジメントシステムでは、そのような記録も残すことができるようになっています。

キ　レポーティング

レポーティング機能は、(i) 当局に対するレポーティングと、(ii) 自社の経営陣等に対するレポーティング（マネジメント・レポーティング）に分かれます。

システムで検知したアラートや、その他の社内で報告があった取引を調査した結果、「疑わしい取引」として届出が必要であると当該金融機関が判断した場合には、所定の様式による「疑わしい取引の届出」が必要となります。

我が国のJAFICは、フレキシブルディスクやオンライン経由での電子データによる届出を受け入れていますが、提出に際しては「疑わしい取引の届出」を、当局所定の電子データ様式で作成する必要があります。このようなデータの作成を行うのが前記（i）の当局に対するレポーティング（当局報告）機能です。なお、通常はケースマネジメント機能からデータを引き継ぎ、届出データ作成の作業負担を軽減するための工夫がされています。

また、コンプライアンス部門から経営陣に対する報告（マネジメント・レポーティング）を支援するためのツールとして、各種の分析機能を備えたソフトウェアも多く見られます。例えば、モニタリングソフトウェアによって検知したアラートの数や、発生したアラートの傾向などを分析するための機能などです。

ク　システム導入を検討する際に留意すべきポイント

①　適切な導入計画の検討・業務要件の決定

以上で解説した各システム機能は、マネロン・テロ資金供与対策の業務を、ITの力によってさらに強化しようとするものですが、よくある誤解として、「高機能なソフトウェアを導入しさえすれば、マネロン・テロ資金供与対策の高度化が実現される」というものがあります。いくらソフトウェア自体が高機能であっても、それを生かせるかどうかは、あくまで金融機関側の問題です。例えば、取引モニタリングシステムにおいては、明確なモニタリングの方針に基づいてシナリオが選定され、敷居値が適切に設定されなければ、システムはマネロン・テロ資金供与対策の強化には役立たないばかりか、意味のないアラートの処理に膨大な労力を費やし、かえって経営資源を無駄にすることになってしまいます。

取引モニタリング以外の機能も含めて、マネロン・テロ資金供与対策に関するシステムの導入を検討する際には、まず自社が実現を目指すコンプライアンス態勢をきちんと検討し、それを実現することが可能なソフトウェアを比較・検討した上で導入するのが、望ましいアプローチと言えるでしょう。

②　ITシステムの有効性検証とチューニングの実施

ガイドラインには「導入後も定期的に検証し、検証結果を踏まえて必要に応じ改善を図ること」「内部・外部監査等の独立した検証プロセスを通じ、IT システムの有効性を検証すること」との記述があります。内部監査・外部監査を用いて、システムの有効性を検証することも検討すべきではありますが、それ以前にシステムのユーザー部門（AML/CFT 所管部門）が自らシステムの設定内容等が適切であるかを検証する取組みが十分にできていない金融機関等が多いようにも思われます。一例として、取引モニタリングシステムのシナリオ・敷居値の定期的な見直しができていない金融機関自体も多くあると思われますが、これまでのシステムによる検知実績（アラートの発生状況）や、その中から実際に疑わしい取引として届出に至ったアラート等を定量的に分析し、根拠に基づいた見直しが行えている金融機関はさらに少ないものと思われます。これは取引モニタリングシステムだけではなく、同じことがフィルタリングや顧客リスク格付システムにもいえますので、IT システムの検証に必要なデータ分析をユーザー部門が実施できるように、そのようなスキルをもつ人員の確保などの取組みを行うべきです。

③　外部委託・共同システムの利用

ガイドラインの「対応が求められる事項」には「⑤ 外部委託する場合や共同システムを利用する場合であっても、自らの取引の特徴やそれに伴うリスク等について分析を行い、必要に応じ、独自の追加的対応の検討等を行うこと」との項目が置かれています。特に地域金融機関等においては、基幹系システムも複数の金融機関で共同利用しているケースが多く見られ、AML/CFT 関連のシステムも同様に共同利用して、システム運用費用の削減を図る動きも見られます。このこと自体は有意義な取組みではあるものの、一歩間違うとシステムの仕様や利用方法などが人任せになってしまうおそれもあると思われます。ガイドラインで求められているのは、リスクベース・アプローチに基づくマネロン・テロ資金供与防止態勢ですが、システムを共同利用している金融機関等であっても、それぞれが直面するマネロン・テロ資金供与リスクは異なるはずであり、他社におけるシステム機能や設定値をそのまま採用しているだけでは適切な運用とはいえません。このような仕組みに参加する金融機関等においては、共同利用によるシステムの構築・運用コストの削減メリットは享受しつつ、その利用の場面において、自社のリスクを踏まえた適切な設定・見直し等ができるような態勢は、各社単位で整備していく必要があると思われます。

(6) データ管理（データ・ガバナンス）

ガイドラインにおいては、「IT システムの有効性等は、当該IT システムにおいて用いられる顧客情報、確認記録・取引記録等のデータの正確性があってはじめて担保される。」とデータ管理の重要性を指摘した上で、データの正確な記録や、データを正確に把握・蓄積し、分析可能な形で整理するなど、データの適切な管理を求めています。

ア　データ管理に関するガイドライン等の要件

マネロン・テロ資金供与対策ガイドラインにおいては、データ管理（データ・ガバナンス）について、以下の「対応が求められる事項」が示されています。

【対応が求められる事項】

① 確認記録・取引記録等について正確に記録するほか、IT システムを有効に活用する前提として、データを正確に把握・蓄積し、分析可能な形で整理するなど、データの適切な管理を行うこと

② IT システムに用いられる顧客情報、確認記録・取引記録等のデータについては、網羅性・正確性の観点で適切なデータが活用されているかを定期的に検証すること

③ 確認記録・取引記録のほか、リスクの評価や低減措置の実効性の検証等に用いることが可能な、以下を含む情報を把握・蓄積し、これらを分析可能な形で整理するなど適切な管理を行い、必要に応じて当局等に提出できる態勢としておくこと

イ. 疑わしい取引の届出件数（国・地域別、顧客属性別等の内訳）

ロ. 内部監査や研修等（関係する資格の取得状況を含む。）の実施状況

ハ．マネロン・テロ資金供与リスク管理についての経営陣への報告や、必要に応じた経営陣の議論の状況

金融機関等におけるマネロン・テロ資金供与対策においては、多くのITシステムを利用するため、ITシステムの有効性を担保するためには、データの正確性が極めて重要になります。

例えば、過去の疑わしい取引の届出実績のデータを分析し、その結果をリスク評価に利用したいと考えたとしても、システムに記録されたデータが不正確であれば、誤った分析結果が得られることになります。また、顧客リスク格付を行う場合に、顧客の属性情報（例えば、業種・職業など）を利用しますが、そうしたデータが不正確であれば、やはり誤った格付が付与されることになります。

上記ガイドラインのデータ管理に関する要件は、データを把握・蓄積し分析可能な形で整理すること（①、③）と、網羅性・正確性の観点での検証（②）の2つに大別されます。

イ　データの把握・蓄積に関する留意点

このようなデータの正確性の問題や、あるいは、必要な情報が書面にのみ記録されていてデータ化されていないなどの問題も、多くの金融機関で見られます。

「対応が求められる事項」の①では、確認記録・取引記録等についてデータを分析可能な形で整理することが求められていますが、これについてFAQでは、「特にシステム対応に必要なデータがデータベース化（用途に応じて任意のデータを呼び出すことが可能となっている状態を意味します。）されていることが求められます。」と解説しています（FAQ p.87-Q1）。特に「確認記録」については、紙ベースで保存（あるいは紙をスキャンしたイメージデータを保存）している金融機関等が多くあり、また、従前は継続的顧客管理も十分に行われてこなかったため、必要な顧客情報がデータベース化されていない、あるいはデータが最新でないという問題が、依然として多くの金融機関等で問題になっています。

このような問題は、多くの場合は簡単に解決できるものではなく、改善のために

は長い期間と、多大な労力を必要とします。しかし、今日のAML/CFT業務におけるITシステムの重要性にかんがみれば、長期的な視野に立って、一歩ずつ整備を進めていく必要がある問題であるといえるでしょう。もっとも、こうした確認記録のデータベース化は、顧客数や取引数が限定的であるなどITシステム活用の必要がない金融機関にまで求めるものではないとされており（FAQ p.87-Q2）、金融機関の実態に合わせて判断すればよいと考えられます。

なお、「対応が求められる事項」③においては、イ.~ハ.に蓄積・管理すべき情報を列挙していますが、FAQではこれらの情報の他にも必要な情報として、以下を例示しています（FAQ p.89-Q1）。

- 電信送金における送金人情報
  - ▷ 個人の場合：氏名・住所・生年月日及び口座番号又は取引識別番号
  - ▷ 法人の場合：名称、所在地及び口座番号又は取引識別番号等
- 疑わしい取引の検知から届出までの期間と判断から届出までの期間
- 検知したものの疑わしい取引に該当しないと判断した取引情報等

これらに関しては、自社内の分析等に活用するほか、必要に応じて当局等に速やかに提出できるように管理しておくことが必要です。

ウ　データ活用の定期的な検証における留意点

「対応が求められる事項」②「網羅性・正確性の観点で適切なデータが活用されているかを定期的に検証すること」についてFAQでは「「検証」の具体的手法や留意点については、各金融機関等において、規模や特性、顧客のリスク等に応じて、個別具体的に判断されることになります。」とした上で、以下の検証の観点を例示しています（FAQ p.88-Q1）。

取引モニタリング
- ✓　取引のデータ及び顧客のデータが正確かつ網羅的であるか
- ✓　シナリオが適切であるか

取引フィルタリング
- ✓　取引のデータが、それぞれ、正確かつ網羅的であるか
- ✓　リスト自体が最新かつ適切であるか

一般的なAML/CFT分野のデータ・ガバナンスの取組みにおいては、データの網羅性・正確性の検証に先立ち、ITシステムで管理する重要データにまつわるデータ来歴を可視化し、データカタログとして整備し、定期的な検証を実施するためのデータ管理方針や管理基準、役割・責任等を社内規程として整備します。そのうえで、例えば、上流システムから下流システムまで、データが欠落や変質することなく引き継がれているか、などのデータ調査を行い、網羅性・正確性の検証を行います。

海外においては、例えばニューヨーク州金融サービス局（DFS）によるPart504最終規則など、AML/CFT分野におけるデータガバナンスの取組みが進んでいますが、国内金融機関におけるデータガバナンスの取組みは、一部の大手金融機関を除くとあまり進んでいないのが現状です。「データガバナンス」は、例えばバーゼル銀行監督委員会『実効的なリスクデータ集計とリスク報告に関する諸原則』（BCBS239）など、別の分野の規制でも求められていますので、効率化の観点から、そうした他の分野の取組みと共同して進めるなどのアプローチも考えられるでしょう。

(7) 海外送金等を行う場合の留意点

一般にAML/CFTにおいて、海外送金の業務はリスクの高い業務であると考えられています。諸外国の金融機関に対する処分事例を見ても、外国送金に関連した問題（制裁対象国への送金等）によって、巨額の制裁金を科せられている事例は多く見られます。また、外国送金に関連して、コルレス先の管理は

FATF勧告においても明確に対応が求められている項目であり、犯収法においても対応が求められているところですが、この点についてはガイドラインにおいても独立した項目を置いて対応を求めています。なお、当初ガイドラインにおいては、「海外送金等を行う場合の留意点」には、海外送金等に関する事項のみしか記載がありませんでしたが、令和3（2021）年2月19日のマネロン・テロ資金供与対策ガイドライン改正にともない、「(ii) 輸出入取引等に係る資金の融通及び信用の供与等」の項目が追加されました。これは、近年の貿易金融に関連するマネロン・テロ資金供与に対する当局の問題意識を反映したものだと考えられます。

ア　海外送金に関するガイドライン等の要件

マネロン・テロ資金供与対策ガイドラインにおいては、海外送金について、以下の「対応が求められる事項」と、「先進的な取組み事例」が示されています。

【対応が求められる事項】

① 海外送金等をマネロン・テロ資金供与対策におけるリスクベース・アプローチの枠組みの下で位置付け、リスクベース・アプローチに基づく必要な措置を講ずること

② 海外送金等のリスクを送金先等の金融機関等が認識できるよう、仕向・中継金融機関等が、送金人及び受取人の情報を国際的な標準も踏まえて中継・被仕向金融機関等に伝達し、当該金融機関等は、こうした情報が欠落している場合等にリスクに応じた措置を講ずることを検討すること

③ 自ら海外送金等を行うためにコルレス契約を締結する場合には、犯収法第9条、第11 条及び同法施行規則第28条、第32条に掲げる措置を実施するほか、コルレス先におけるマネロン・テロ資金供与リスク管理態勢を確認するための態勢を整備し、定期的に監視すること

④ コルレス先や委託元金融機関等について、所在する国・地域、顧客属性、業務内容、マネロン・テロ資金供与リスク管理態勢、現地当局の監督のスタンス等を踏まえた上でリスク評価を行うこと

コルレス先や委託元金融機関等のリスクが高まったと想定される具体的な事象が発生した場合には、コルレス先や委託元金融機関等を監視して確認した情報等を踏まえ、リスク評価を見直すこと

⑤　コルレス先や委託元金融機関等の監視に当たって、上記④のリスク評価等において、特にリスクが高いと判断した場合には、必要に応じて、コルレス先や委託元金融機関等をモニタリングし、マネロン・テロ資金供与リスク管理態勢の実態を確認すること

⑥　コルレス先が架空銀行であった場合又はコルレス先がその保有する口座を架空銀行に利用されることを許容していた場合、当該コルレス先との契約の締結・維持をしないこと

⑦　他の金融機関等による海外送金等を受託等している金融機関等においては、当該他の金融機関等による海外送金等に係る管理手法等をはじめとするマネロン・テロ資金供与リスク管理態勢等を監視すること

⑧　送金人及び受取人が自らの直接の顧客でない場合であっても、制裁リスト等との照合のみならず、コルレス先や委託元金融機関等と連携しながら、リスクに応じた厳格な顧客管理を行うことを必要に応じて検討すること

⑨　他の金融機関等に海外送金等を委託等する場合においても、当該海外送金等を自らのマネロン・テロ資金供与対策におけるリスクベース・アプローチの枠組みの下で位置付け、リスクの特定・評価・低減の措置を着実に実行すること

【先進的な取組み事例】

コルレス先管理について、コルレス先へ訪問してマネロン・テロ資金供与リスク管理態勢をヒアリングするほか、場合によっては現地当局を往訪するなどの方法も含め、書面による調査に加えて、実地調査等を通じたより詳細な実態把握を行い、この結果を踏まえ、精緻なコルレス先のリスク評価を実施し、コルレス先管理の実効性の向上を図っている事例。

「対応が求められる事項」の項目の多くは、FATF勧告及び犯収法施行規則にて対応が求められている「コルレス先管理」と、中継銀行の役割を適切に果たすことを改めて求めるものです。それに加えて、国内の多くの地域金融機関に見られる、大手金融機関へ外国送金業務を委託している関係を前提とした、委託者・受託者双方が実施すべき事項について述べています。

イ　海外送金の管理に関する実務上の留意点

海外送金で述べられているコルレス先管理、委託・受託、中継銀行の項目に共通して言えることは、自社が取扱う送金取引（送金電文）は、当該金融機関がすべての関係者を把握しているわけではないところにリスクがあると考えられる点です。

コルレス先の管理は、基本的には金融機関等の中でも、銀行等にのみ関係してくるトピックになります。コルレス契約を有する先においては、通常の顧客取引とは異なったAML/CFT対応が求められており、例えばコルレス用のCDD/EDD、継続的顧客管理を実施し、顧客リスク評価、モニタリング・フィルタリングといった取組みを一通り実施する必要がありますので、コルレス先管理に特化した手続が必要となります。

コルレス先に対するCDDを行う場合には、ウォルフスバーグ・グループが作成した質問票（CBDDQ）により相手先銀行から情報収集を行うことが一般的であり、その結果により、自らがコルレス関係を有する相手先のリスクの高低を評価することが世界中の金融機関で行われています。「先進的な取組事例」で取り上げられている、コルレス先の訪問や現地当局への訪問などは、こうしたコルレス先特有のCDD/EDD手続として位置付けられるものです。

このように、コルレス先の管理は厳格な手続が必要となり、コルレス関係を維持するだけでも管理コストが大きいので、近年ではなるべくコルレス関係先の数を圧縮するように取り組んでいる金融機関も見られます。

委託者・受託者の管理については、地域金融機関などにおいては海外送金の処理を大手銀行に委託しているケースが多く、近年、地域金融機関にて受け付けた外国送金が、後日北朝鮮関連の送金が疑われる事例も発生したことから、受託する銀行側に対してもそうした地域金融機関の委託元の管理態勢を監視し、個別の取引についても必要な対応をとることを求めています（前記ガイドライン⑦、⑧）。委託元の地域金融機関においても、自らガイドラインを踏まえた、リスクベースの管理態勢を整備する必要がありますが、上記のとおり受託者側も委託者の管理態勢の監視を求められている都合上、委託元金融機関に対して、送金を受託するにあたっての条件を課しているケースもあるとみられます。委託元の金融機関は、直接顧客に接する立場にありますので、チェックリスト等を用いた、取引目的などの十分な確認や、顧客・取引関係者の制裁者リストに対するフィルタリングなど、自ら適切に実施する必要があることは言うまでもありません。

ウ　輸出入取引等に係る資金の融通及び信用の供与等に関するガイドライン等の要件

マネロン・テロ資金供与対策ガイドラインにおいては、輸出入取引にかかる資金の融通及び信用の供与等について、以下の「対応が求められる事項」と、「対応が期待される事項」が示されています。

【対応が求められる事項】

① 輸出入取引等に係る資金の融通及び信用の供与等に係るリスクの特定・評価に当たっては、輸出入取引に係る国・地域のリスクのみならず、取引等の対象となる商品、契約内容、輸送経路、利用する船舶等、取引関係者等（実質的支配者を含む）のリスクも勘案すること

【対応が期待される事項】

a. 取引対象となる商品の類型ごとにリスクの把握の鍵となる主要な指標等を整理することや、取扱いを制限する商品及び顧客の属性をリスト化することを通じて、リスクが高い取引を的確に検知すること

b. 商品の価格が市場価格に照らして差異がないか確認し、根拠なく差異が生じている場合には、追加的な情報を入手するなど、更なる実態把握等を実施すること

c. 書類受付時に通常とは異なる取引パターンであることが確認された場合、書類受付時と取引実行時に一定の時差がある場合あるいは

> 書類受付時から取引実行時までの間に貿易書類等が修正された場合には、書類受付時のみならず、修正時及び取引実行時に、制裁リスト等と改めて照合すること
> d. 輸出入取引等に係る資金の融通及び信用の供与等の管理のために、ITシステム・データベースの導入の必要性について、当該金融機関が、この分野において有しているリスクに応じて検討すること

本項目は令和3（2021）年2月19日のガイドライン改正に際して新たに追加された項目であり、「輸出入取引等に係る資金の融通及び信用の供与等」とは、貿易活動に基づく債務不履行時の保証、履行保証、信用供与等で構成されるものであり、具体的には、輸出手形の買取り・輸入信用状開設に加え、輸出信用状の確認等が想定されています（FAQ p.100-Q）。

「対応が求められる事項」においては、「取引等の対象となる商品、契約内容、輸送経路、利用する船舶等、取引関係者等（実質的支配者を含む）」といったリスク項目を挙げ、例えば「商品」においては軍事転用可能なものでないか、「輸送経路」については、制裁対象国の瀬取りに利用されることがないか、といったように、勘案すべきリスク項目が示されています。

エ　輸出入取引等に係る資金の融通及び信用の供与等に関する実務上の留意点

「対応が求められる事項」に記載される内容は、外国為替取引におけるリスクの特定・評価にかかるものですが、実際のところは、ここで提示されているような観点で個々の外国為替取引のリスクを評価し、その結果を踏まえたリスク低減措置、すなわち追加的な確認措置（EDD）の実施や、取引の謝絶・制限等につなげていく必要があると考えられます。したがって、従前こうした取引を受け付ける際のチェックリスト等を整備していた金融機関等においては、チェックリストが上記の項目に対応しているかを再確認し、必要に応じてチェックリストの改訂が必要となると思われます。

「対応が期待される事項」の各項目は、それぞれ対応の難易度が高く、システ

ムによる対応等も必要となるため、自社の特性（例：貿易金融の取引が多いか、立地条件等）を踏まえ、さらされているリスクを評価した結果により、必要に応じた対応策をとればよいと考えられます。この分野は、拡散金融の観点から今後さらに注目を集めると考えられます。FATFも関連するガイダンス等を公表していますので、そうした内容も踏まえて対応を検討することが必要です。

(8) FinTech等の活用

ア　FinTechの利用に関するガイドライン等の要件

マネロン・テロ資金供与対策ガイドラインにおいては、FinTech等の活用について、以下の対応が期待される事項が示されています。

【対応が期待される事項】

a. 新技術の有効性を積極的に検討し、他の金融機関等の動向や、新技術導入に係る課題の有無等も踏まえながら、マネロン・テロ資金供与対策の高度化や効率化の観点から、こうした新技術を活用する余地がないか、その有効性も含めて必要に応じ、検討を行うこと

イ　FinTechの活用事例

AML/CFT業務のうち、特に、システムを利用した取引モニタリング・フィルタリング業務は、システムから大量のアラートを発生しますが、そうしたアラートを精査して、取引モニタリングであれば疑わしい取引を届け出るべきか否か、フィルタリングであれば、その電文を送信して良いかどうかは、最終的には金融機関の職員が判断する必要があります。このような業務は、世界中の金融機関にとって大きな負担になっており、これらをテクノロジーで解決しようという取り組みが、多くの金融機関で試みられています。具体的には、取引モニタリングシステムのロジックにAI（人工知能）を取り入れることで、誤検知が少ないモニタリングシステムを目指したり、アラートの調査業務において、RPA（ロボティックス・プロセス・オートメーション）の技術を用いて、定型的な調査業務を自動化したりするなどの

取り組みが行われています。こうした技術は、現状ではまだ発展途上のものも多く、ガイドライン上の扱いも「対応が期待される事項」であることから、すべての金融機関において直ちに取り組まなくてはならない課題とまでは言えません。しかしながら、AI等の技術は日進月歩であり、こうした新たなテクノロジーの活用が人的負担などの軽減に大きく寄与することが期待されることから、中長期的な課題として、こうした技術の活用の余地がないかどうか、研究を進めておくことは有益だと思われます。

3. その他の管理態勢整備と有効性の検証・見直し

(1) 方針・手続・計画等の策定・実施・検証・見直し(PDCA)

ア　PDCAに関するガイドライン等の要件

マネロン・テロ資金供与対策ガイドラインにおいては、PDCAについて、以下の「対応が求められる事項」と、「対応が期待される事項」が示されています。

【対応が求められる事項】

① 自らの業務分野・営業地域やマネロン・テロ資金供与に関する動向等を踏まえたリスクを勘案し、マネロン・テロ資金供与対策に係る方針・手続・計画等を策定し、顧客の受入れに関する方針、顧客管理、記録保存等の具体的な手法等について、全社的に整合的な形で、これを適用すること

② リスクの特定・評価・低減のための方針・手続・計画等が実効的なものとなっているか、各部門・営業店等への監視等も踏まえつつ、不断に検証を行うこと

③ リスク低減措置を講じてもなお残存するリスクを評価し、当該リスクの許容度や金融機関等への影響に応じて、取扱いの有無を含めた

リスク低減措置の改善や更なる措置の実施の必要性につき検討すること

④　管理部門及び内部監査部門において、例えば、内部情報、内部通報、職員からの質疑等の情報も踏まえて、リスク管理態勢の実効性の検証を行うこと

⑤　前記実効性の検証の結果、更なる改善の余地が認められる場合には、リスクの特定・評価・低減のための手法自体も含めた方針・手続・計画等や管理態勢等についても必要に応じ見直しを行うこと

【対応が期待される事項】

a. マネロン・テロ資金供与対策を実施するために、自らの規模・特性・業容等を踏まえ、必要に応じ、所管する専担部室を設置すること

b. 同様に、必要に応じ、外部専門家等によるレビューを受けること

c. マネロン・テロ資金供与リスク管理態勢の見直しや検証等について外部専門家等のレビューを受ける際には、検証項目に照らして、外部専門家等の適切性や能力について、外部専門家等を採用する前に、経営陣に報告しその承認を得ること
また、必要に応じ、外部専門家等の適切性や能力について、内部監査部門が事後検証を行うこと

AML/CFTの分野に限らず、リスク管理・コンプライアンスの「態勢」を整備する場合、いったん態勢整備の取組みを完了しても、それらの効果を継続的に検証し、必要に応じて見直しを図っていくことが重要です（いわゆるPDCAサイクル）。

AML/CFT態勢の整備においては、「態勢」という目に見えないものを可視化するという意味で、方針・手続の整備は重要です。

なお、「計画」が何を指すのかについてですが、FAQでは「個々の金融機関等のマネロン・テロ資金供与対策の実効性を高めるための内部管理態勢、監査、研修等の一連の計画」であると解説しています（FAQ p.104-Q）。

イ　方針・手続の策定

AMLコンプライアンスに関するあらゆる方針は、文書として目に見える形で整備されるべきです。また規制当局や内部監査部門等が、当該金融機関のコンプライアンス態勢を評価する際にも、適切に文書として整備されているかという点は、重要なポイントになると思われます。

①　方針・手続の策定に関する要件

マネロン・テロ資金供与対策ガイドラインでは、「対応が求められる事項」において、方針・手続を策定し（①）、実効性について検証し（②）、検証の結果、必要に応じ見直しを行うこと（⑤）が定められています。なお、犯収法11条2号においても「取引時確認等の措置の実施に関する規程の作成」が努力義務とされています。

マネロン・テロ資金供与対策ガイドラインの「方針・手続」や、犯収法の「規程」の詳細については、特段の定めはなく、これらを適切に整備することを求めているにすぎません。なお、上記の「方針」「手続」「規程」などの文書の名称は、金融機関等によって様々だと思われます。

この点では、他のコンプライアンスに関する文書の整備と、基本的な考え方は変わりません。すなわち、①階層化して体系的に文書を整備し、②それぞれの文書を適切な権限者が承認し、③適時に見直し・アップデートを行うこと、といったことを考慮する必要があるでしょう。

②　文書の階層化と承認権限

以上のように、AML/CFTにおける文書化の考え方自体は特殊なものではありませんが、海外の金融機関の実務を見ると、この問題の重要性に鑑み、AML/CFTに関して相当な分量の文書を整備しているのが通常です。通常、取締役会等が承認するマネロン・テロ資金供与対策に関するポリシーでは、AMLの基本方針を示し、実務的な内容はさらに下位の文書で規定しますが、それら下位の文書（プロシージャー、マニュアル）においては、当該金融機関におけるマネロン・テロ資金供与対策全体について詳細に記載するため、必然的に分量が多くなってしまいます。

これに対して、我が国の多くの金融機関においては、法令上求められる取引時確認の手続き等については、従前から詳細にマニュアル化されていますが、例えば、取引のモニタリングをどのような基準で行うか、あるいはどのような取引・顧客を高リスクと考えるのかといった具体的な考え方等について、適切に文書化している金融機関は少ないと思われます。

もっとも、金融機関には各社が定めた既存の文書体系があり、本人確認手続等や、疑わしい取引の届出などの、マネロン・テロ資金供与対策に関するマニュアル類も存在するはずです。これらを捨てて、まったく新しい文書体系を構築する必要はありません。目的は、当該金融機関のマネロン・テロ資金供与対策全体が、一元的かつ適切に文書化されることですので、図表5-9で示すように既存の文書は生かしつつ、不足するものは新たに整備し、また各文書間の関係を明確にするなどして、全体の関係を適切に管理することができれば問題はないものと思われます。

○図表5-9：文書整備のイメージ

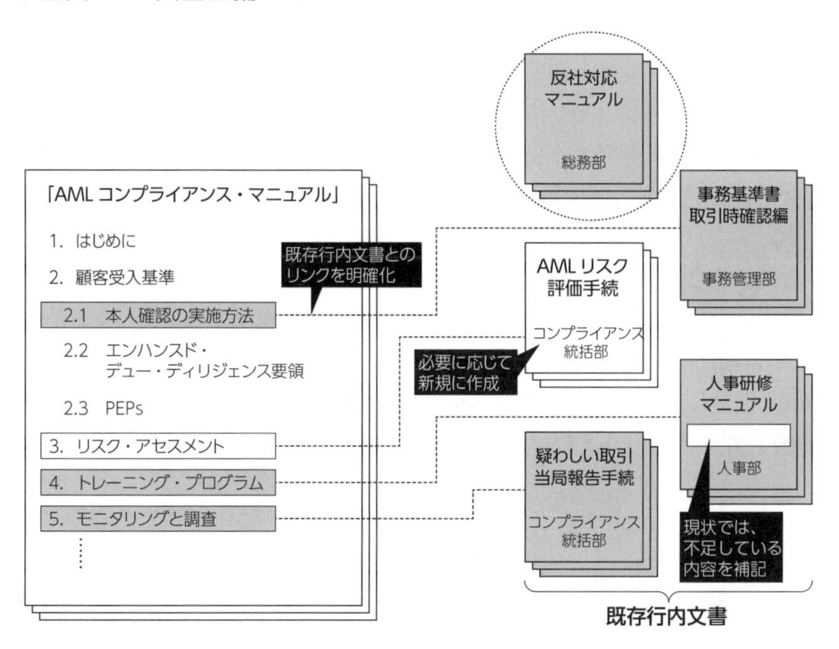

ウ　計画の策定・実施

①　整備計画の策定・実施

前述のとおりマネロン・テロ資金供与対策ガイドラインの「計画」については、前記のとおり「個々の金融機関等のマネロン・テロ資金供与対策の実効性を高めるための内部統制、監査、研修等の一連の計画」であると説明されており、一例として、ガイドラインの「対応が求められる事項」と現状のギャップを解消するための完了期限を付した行動計画を挙げております（FAQ p.104-Q）。このように、「計画」の1つとしては金融機関等の態勢整備を行うための整備計画が考えられます。

一般的に、金融機関等においてマネロン・テロ資金供与対策ガイドラインが求める管理態勢が完成していることは考えにくく、多くのギャップが存在していると考えられます。その差分を解消していくための適切な整備計画を立てることが望ましいと考えられます。マネロン・テロ資金供与対策ガイドライン等の要件と、自社の現状を比較して不足する項目の洗い出し（いわゆる「ギャップ分析」）を踏まえて、不足部分を解消するための整備計画を項目ごとに立てていくことになります。その際、システム開発を伴うものなど、内容によっては対応には何年もの期間が必要となるような項目もありますし、対応すべき項目間の依存関係にも留意が必要です。

なお、2021年5月に金融庁から、所管の事業者に対して2024年3月末までにマネー・ローンダリング及びテロ資金供与対策に係る態勢整備を完了するように求める要請が発出されております[9)]。要請には「上記の態勢整備について、対応計画を策定し、適切な進捗管理の下、着実な実行を図ること。」とあり、対応期限を意識した整備計画を策定するとともに、立案した計画に対して予定どおり進捗しているか、プロジェクト管理を実施する必要あります。

②　年次計画の策定・実施

上記の整備計画以外の計画としては、「年次計画」も考えられます。上記のような整備計画は期間を限定した、いわばプロジェクト管理のための計画となります。そのような局面でなくても、例えば年度ごとに、当該金融機関等がAML/CFT関連の業務についてどのように取り組んでいくか、担当別・分野別等の年度実施計画は通常業務の一環としても必要です。

なお、かつての金融検査マニュアルにおいては、コンプライアンスを実現させるための具体的な実践計画（「コンプライアンス・プログラム」）を最長でも年度ごとに策定させ、取締役会が承認した上で組織全体に周知させることを求めていました。これを踏まえ、金融機関においてはコンプライアンス分野に関する、年度の取組み計画を「コンプライアンス・プログラム」として毎年度策定していますので、こうした場合には、AML/CFTの年次計画も、コンプライアンス・プログラムの一部として整理することも考えられます。なお、リスクベース・アプローチの観点からは、上記の計画においては自社のリスク評価結果を踏まえ、例えばリスクの

---

9)　令和3（2021）年5月31日 金融庁「マネー・ローンダリング及びテロ資金供与対策に係る態勢整備の期限設定について」https://www.fsa.go.jp/news/r2/20210531_amlcft/2021_amlcft_yousei.html

高い領域について優先して取り組む、あるいは重点的に人員・予算を配分するなどの考慮が必要となります。

エ　検証・見直し

策定した方針・手続・計画は策定して終わりではなく、継続的にその内容の適切性について検証し、必要に応じて見直さなくてはなりません。ガイドラインでは、「リスク低減措置を講じてもなお残存するリスク」を評価することを求めており、FAQでは「高リスクから中リスク、中リスクから低リスクへとリスク低減措置の改善を図るため、疑わしい取引の届出の分析結果により敷居値やシナリオの改善等を行うなどしてリスク低減を図ることができないかを定期的に検証する機会を持ち、経営陣を含めて検討する必要があります。」と解説しています（FAQ p.107-Q)。この解説は、疑わしい取引の検証の結果を踏まえて、取引のモニタリングについて見直すことを例示したものですが、同様にして、当該金融機関等が実施するあらゆるAML/CFT関連の施策についても、内部情報・内部通報・職員からの質疑等の情報も踏まえて継続的に検証を行い（対応が求められる事項④)、さらに必要に応じて方針・手続・計画等や管理態勢等の見直しを行います（同⑤)。

なお、ガイドラインの対応が期待される事項には、必要に応じて外部専門家によるレビューを受けることが挙げられています。例えば、弁護士・コンサルタント等の外部専門家にレビューを依頼する際であっても、その目的や具体的な検証対象を明確にして、それに合った外部専門家を選定して依頼することが重要です。

オ　専担部室の設置

組織設計に関する論点の1つに、マネロン・テロ資金供与対策に関する専門の部署（専担部室）を設置することが必要か、というものがあります。この点について、以前は専担部室を置く金融機関はさほど多くありませんでしたが、マネロン・テロ資金供与対策ガイドラインが平成30（2018）年に公表され、「Ⅲ-1 マネロン・テロ資金供与対策に係る方針・手続・計画等の策定・実施・検証・見直し（PDCA)」の「対応が期待される事項」として「a. マネロン・テロ資金供与対策を実施するために、自らの規模・特性・業容等を踏まえ、必要に応じ、所管する専担部室を設置すること」との観点が示されてからは、マネロン・テロ資金供与対策を専門に担当する部・室を置くことが一般的になってきました。

現実的な問題としても、マネロン・テロ資金供与対策には専門的な知識が必要となることや、特にシステムによる取引モニタリングを実施する場合には相応の調査体制が必要となることなどを考慮すれば、各金融機関におけるマネロン・テロ資金供与対策の高度化の流れとともに、今後は専担部室を設置する金融機関が増えてくることが予想されます。なお、専担部室を置かず複数の部門で役割を分担する場合には、金融機関全体として必要なマネロン・テロ資金供与対策が漏れなく実施されるように、「一元的な管理態勢」を実現するための、部門間の連携のための工夫が必要です。

また、多くの中小・地域金融機関においては、そもそもマネロン・テロ資金供与対策に関して十分な人員が割り当てられていない現状があるようです。専担部室の設置以前の問題として、人数・能力の両面で必要な人員を配置することは必須であり、前記「Ⅲ-2 経営陣の関与・理解」の「対応が求められる事項」にあるように、マネロン・テロ資金供与対策の重要性を踏まえた上で、所管部門への専門性を有する人材の配置及び必要な予算の配分等、適切な資源配分を行うことは金融機関の経営者としての責務です。

(2) 経営陣の関与・理解

ア　経営陣の関与・理解に関するガイドライン等の要件

マネロン・テロ資金供与対策ガイドラインでは、金融機関等の経営陣の関与の重要性が強調されており、「Ⅲ-2 経営陣の関与・理解」として、以下のような「対応が求められる事項」と「対応が期待される事項」が示されています。

【対応が求められる事項】

① マネロン・テロ資金供与対策を経営戦略等における重要な課題の一つとして位置付けること

② 役員の中から、マネロン・テロ資金供与対策に係る責任を担う者を任命し、職務を全うするに足る必要な権限等を付与すること

③ 当該役員に対し、必要な情報が適時・適切に提供され、当該役員

が金融機関等におけるマネロン・テロ資金供与対策について内外に説明できる態勢を構築すること

④ マネロン・テロ資金供与対策の重要性を踏まえた上で、所管部門への専門性を有する人材の配置及び必要な予算の配分等、適切な資源配分を行うこと

⑤ マネロン・テロ資金供与対策に関わる役員・部門間での連携の枠組みを構築すること

⑥ マネロン・テロ資金供与対策の方針・手続・計画等の策定及び見直しについて、経営陣が承認するとともに、その実施状況についても、経営陣が、定期的及び随時に報告を受け、必要に応じて議論を行うなど、経営陣の主導的な関与があること

⑦ 経営陣が、職員へのマネロン・テロ資金供与対策に関する研修等につき、自ら参加するなど、積極的に関与すること

【対応が期待される事項】

a. 役職員の人事・報酬制度等において、マネロン・テロ資金供与対策の遵守・取組み状況等を適切に勘案すること

イ　経営陣の関与・理解に関する留意点

①　AML/CFT責任者の任命

上記のマネロン・テロ資金供与対策ガイドライン「対応が求められる事項」では、役員の中から責任者を任命し必要な権限を付与すること（②）、また、当該役員に対するレポーティングが適切に行われ、当該役員が自社のAML/CFT対策について内外に説明できるようにすること（③）が明確に求められています。FATF勧告やバーゼル委員会においても、適切な能力と権限を有するコンプライアンス・オフィサーの任命が、AML/CFTプログラムの極めて重要な要素として位置付けられており、上記のガイドラインの要件も、それに沿ったものとなっています。なお、海外の金融機関においては、マネロン・テロ資金供与対策の責任者として、専任の「AMLコンプライアンス・オフィサー」を置き、金融機関の経営陣

と連携しつつ、当該金融機関のマネロン・テロ資金供与対策全体を整備、運用する仕組みとしていることが多いようです。

上記のガイドラインを踏まえて、コンプライアンス担当の役員をAML/CFTの責任者としている金融機関が多く見られます。ガイドラインは、経営陣が「主導的に」AML/CFTに取り組むことを求めており、経営陣の中から特に選任されたAML/CFT担当役員は、当該金融機関におけるマネロン・テロ資金供与対策を推進する重要な役割を担っています。単なる管掌業務の1つとして、担当部門に任せきりにするではなく、自らがリードしていく姿勢が必要とされていると考えられます。

なお、犯収法において設置が求められている「統括管理者」は、リスクの高い取引の承認を行うなどの役割を担っていますが、統括管理者を各支店・事業所ごとに設置することも可とされており（平成27年パブコメ）、上記の責任者とは異なるものだと理解すべきです。

②　経営陣の具体的な関与方法

「Ⅲ−2 経営陣の関与・理解」の柱書には、経営陣は「自らのマネロン・テロ資金供与対策に主導的に関与し、対応の高度化を推進していく必要」とされており、「経営陣がこうしたリスクを適切に理解した上でマネロン・テロ資金供与対策に対する意識を高め、トップダウンによって組織横断的に対応の高度化を推進し、経営陣として明確な姿勢・方針を打ち出すことは、営業部門を含めた全役職員に対しマネロン・テロ資金供与対策に対する意識を浸透させる上で非常に重要となる。」と述べています。このように、経営陣が率先して取り組む姿勢は一般に”tone at the top”と呼ばれ、ガイドラインが述べるように、企業風土に大きな影響を与えるものと考えられています。近年、マネロン・テロ資金供与対策に関する監督当局からの要請はますます強まっており、こうした状況を正しく理解し、自社の「経営戦略等における重要な課題の1つとして位置付ける」（前記「対応が求められる事項」①）ことが、極めて重要であると考えられます。

具体的に経営陣に求められる役割としては、役員・部門間での連携の枠組みの構築（同⑤）や、重要な方針・手続・計画等の策定及び見直しについての承認（同⑥）などがありますが、所管部門への専門性を有する人材の配置及び必要な予算の配分等、適切な資源配分について検討すること（同④）は特に経営陣の重要な役割であると考えられます。こうした意思決定は、当該金融機関が置かれる環境や当該金融機関におけるリスクを、すべての経営陣が正しく認識した上で行われるべきです。それを可能にするためには、経営陣が研修などを通じてAML/CFTについての理解を深めること（同⑦）も重要ですが、経営陣向けに必要な情報がタイムリーに報告されるようなレポーティングの仕組み（同③）を整備し、運用することが重要です。

なお、FAQでは「マネロン・テロ資金供与対策に係る責任を担う者」やマネロン・テロ資金供与対策の内容等について、ディスクロージャー誌や年次報告書といった対外公表文書にも記載したりするなどして、組織の内外に周知されることが望ましいとしています（FAQ p.113-Q2, p.114-Q）。特に外部に対しては、悪用防止の観点からも当該金融機関の詳細な取組み内容までは公表する必要はありませんが、当該金融機関がAML/CFTに真摯に取り組む姿勢を内外に示すことを検討しても良いでしょう。

（3）経営管理（3つの防衛線等）

近年、金融機関におけるリスク管理において、「3つの防衛線」（three lines of defense）の概念が定着しています。第1の防衛線（第1線）は営業等のフロント部門を、第2の防衛線（第2線）はコンプライアンス部門やリスク管理部門等の管理部門を、第3の防衛線（第3線）は内部監査部門を指します。これらが相互に統制を働かせることで、金融機関の経営管理を強化するものです。マネロン・テロ資金供与対策ガイドラインも3つの防衛線の考え方に基づいて、それぞれの防衛線で求められる役割を解説しています。なお、AML/CFTの機能の一部を外部にアウトソーシングする場合にも、当該機能も金融機関の3線防衛の枠組みの一部として組み込むことが必要です（FAQ p.119-Q）。

ア　第1の防衛線

マネロン・テロ資金供与対策ガイドラインにおいては、第1の防衛線について、以下の「対応が求められる事項」が示されています。

【対応が求められる事項】
① 第1線に属する全ての職員が、自らの部門・職務において必要なマネロン・テロ資金供与対策に係る方針・手続・計画等を十分理解し、リスクに見合った低減措置を的確に実施すること
② マネロン・テロ資金供与対策に係る方針・手続・計画等における各職員の責務等を分かりやすく明確に説明し、第1線に属する全ての職員に対し共有すること

第1線、すなわち営業店や営業部門等は顧客と接する窓口であることから、職員が顧客の振舞いや取引内容の異変を察知して疑わしい取引の届出につなげたり、顧客リスクの高低を評価してリスクベースの顧客管理措置を実施したりするなど、極めて重要な役割を担っています。第1線は、第2線が整備した方針・手続や、各種の計画に基づいて、日々の業務の実行を担いますので、その前提として関連する方針・手続（例えば、社内規程等）や、策定された各種の計画等については、すべての職員に対して周知徹底する必要があります。こうした周知活動において、形式的に社内の通達は出ているものの、現場の職員には十分に理解されていないというケースもよく見られますので、地道に繰り返して周知の活動を行う必要があります。また、多くの金融機関等では、主に第1線の役職員を対象とした定期的なAML/CFT研修の実施などの取組みを行っていますが、職員が理解しやすい形で説明するなどの工夫も必要となります。なお、第1線の職員は、日常業務の実施を通じて主にリスクの低減措置を中心的に担いますが、第1線の職員は取引の内容や商品・サービスの内容に精通していることから、リスクの特定・評価を適切に行うためには第1線の協力が不可欠になります。

イ　第2の防衛線

マネロン・テロ資金供与対策ガイドラインにおいては、第2の防衛線について、以下の「対応が求められる事項」が示されています。

【対応が求められる事項】

① 第1線におけるマネロン・テロ資金供与対策に係る方針・手続・計画等の遵守状況の確認や、低減措置の有効性の検証等により、マネロン・テロ資金供与リスク管理態勢が有効に機能しているか、独立した立場から監視を行うこと

② 第1線に対し、マネロン・テロ資金供与に係る情報の提供や質疑への応答を行うほか、具体的な対応方針等について協議をするなど、十分な支援を行うこと

③ マネロン・テロ資金供与対策の主管部門にとどまらず、マネロン・テロ資金供与対策に関係する全ての管理部門とその責務を明らかにし、それぞれの部門の責務について認識を共有するとともに、主管部門と他の関係部門が協働する態勢を整備し、密接な情報共有・連携を図ること

④ 管理部門にマネロン・テロ資金供与対策に係る適切な知識及び専門性等を有する職員を配置すること

「第2線」であるコンプライアンス部門やリスク管理部門は、当該金融機関におけるAML/CFTに関する企画推進に責任を持ちます。また、近年では第2線にAML/CFTの専担部室を設置する例も多く見られます。3線防衛モデルにおいては、第2線はリスクオーナーである第1線によるリスク管理・コンプライアンスの取組みを支援する立場になります（上記②）。もっとも、実態としては、高い専門性を必要とするAML/CFT業務の大部分を第1線に任せて、第2線はその支援だけ行うというわけにはいきません。第2線の所管部門は、例えば方針・規程の整備、計画の立案、リスク評価手法の整備などの当該金融機関のAML/CFTの取組みに関する基本方針についての整備や、第1線も含めた全社的なAML/CFTの推進に責任を持ちます。その意味で、上記①にあるように第1線の各部門における取組みを「監視」する必要があります。この具体的な実施方法については正解があるわけではないですが、例えば第1線が、当該金融機関の定めたCDDに

関する基本的方針を充足する事務手続を整備し、それに基づいたCDDを漏れなく行っているかを、第2線が自ら検証する取組みも多くの金融機関で見られます。また、このモデルに当てはめて考えた場合には、第2線が行う取組みを、第2線が自ら検証することも考えられます。例えば、第2線が構築・整備した顧客リスク格付の有効性や、取引モニタリングシステムのシナリオ・敷居値の設定の有効性、疑わしい取引の届出状況の適切性などは、第2線内部の検証となると考えられます。こうしたことを考えた場合に、検証業務（テスティング）を実施するための担当者、あるいはチームを通常業務から独立させるなどの措置も必要になるかもしれません。

なお、③にあるように、AML/CFTの第2線としての機能が主管部門（専担部門）内で完結することは通常考えられず、複数の部門が協力して推進する必要があります。そのためには、関係部門の役割・責任を明確に定義した上で、必要な情報が適時適切に共有されなくてはなりません（FAQ p.124-Q）。一例としては、適時の情報共有や課題解決を目的とした、第2線の関係部門による会議体を設定することなども考えられます。

ウ　第3の防衛線

マネロン・テロ資金供与対策ガイドラインにおいては、第3の防衛線について、以下の「対応が求められる事項」が示されています。

【対応が求められる事項】

① 以下の事項を含む監査計画を策定し、適切に実施すること
　イ. マネロン・テロ資金供与対策に係る方針・手続・計画等の適切性
　ロ. 当該方針・手続・計画等を遂行する職員の専門性・適合性等
　ハ. 職員に対する研修等の実効性
　ニ. 営業部門における異常取引の検知状況
　ホ. 検知基準の有効性等を含むIT システムの運用状況
　ヘ. 検知した取引についてのリスク低減措置の実施、疑わしい取引の届出状況

② 自らの直面するマネロン・テロ資金供与リスクに照らして、監査の対象・頻度・手法等を適切なものとすること
③ リスクが高いと判断した業務等以外についても、一律に監査対象から除外せず、頻度や深度を適切に調整して監査を行うなどの必要な対応を行うこと
④ 内部監査部門が実施した内部監査の結果を監査役及び経営陣に報告するとともに、監査結果のフォローアップや改善に向けた助言を行うこと
⑤ 内部監査部門にマネロン・テロ資金供与対策に係る適切な知識及び専門性等を有する職員を配置すること

① マネロン・テロ資金供与対策における内部監査の位置付け

一般にマネロン・テロ資金供与対策においては、コンプライアンス部門等が整備したコンプライアンス態勢に対し、内部監査部門等による独立した検証が行われることが、極めて重要であると考えられており、規制上の枠組みにも取り入れられています。例えば、FATF勧告18の解釈ノート（内部管理、外国の支店及び子会社）においては、金融機関のマネロン・テロ資金供与防止に関するプログラムに必要な要素の1つとして、「(c) 当該システムを監視するための独立した監査機能」を挙げています。また、バーゼル委員会による、「コア・プリンシプル」の「原則29：金融サービスの濫用」においても、「監督当局は、銀行が以下の要件を満たしていることを確認する」として以下の項目が挙げられています。

内部監査及び（または）外部専門家*に対し、関連するリスク管理方針、手続及び統制を独立した立場から評価することを求めていること。監督当局は、その報告書にアクセスできること。

*適切な守秘義務の下で適切な任務を受託する、外部監査人ないしその他の適格な主体が、外部専門家として考えられる。

さらに、バーゼル委員会による、内部監査に関するガイドラインである「銀行の内部監査機能[10)]」においても、金融機関の内部監査部門がコンプライアンス機能に関して留意すべきテーマの１つに、「マネー・ローンダリング対策に関するプロセス及びコントロール」を挙げています。

上記のようなFATFおよびバーゼル委員会のガイドラインを踏まえて、日本国内においては、犯罪収益移転防止法施行規則（規則32条1項７号）に「取引時確認等の措置の的確な実施のために必要な監査を実施すること」との規定が置かれていますが、マネロン・テロ資金供与対策ガイドラインにおいては、それらを3線防衛の枠組みの中でさらに詳細に説明したものだと考えられます。

②　監査計画の策定

「対応が求められる事項」の①では、「以下の事項を含む監査計画を策定し、適切に実施すること」として、イ．～ヘ．の6つの項目を提示しています。なお、FAQにおいては、これらの項目は監査計画に最低限盛り込むべき項目であるとされています（FAQ p.126-Q）。

それぞれの監査項目については、例えば下表のような着眼点で検証を行うことが考えられます。

項目	検証の着眼点の例
イ．マネロン・テロ資金供与対策に係る方針・手続・計画等の適切性	✓　方針・手続は体系的に整備されているか。またそれぞれ方針・手続の記載の内容は十分か ✓　計画（整備計画・年度計画）は具体的か、適切に計画に基づいた進捗管理が行われているか ✓　方針・手続・計画の見直しが行われているか、適切な承認権限・プロセスにより承認されているか
ロ．当該方針・手続・計画等を遂行する職員の専門性・適合性等	✓　検討対象となる部門の役割を実行するために、あるいは計画を実行するために十分な数の職員が配置されているか。また職員の能力の観点ではどうか ✓　職員の経験年数、正社員・非正社員の割合。職員の専門資格の取得状況等
ハ．職員に対する研修等の実効性	✓　準備された研修プログラム（内部・外部）の充実度。職務内容・職階に応じたものとなっているか ✓　職員の研修受講状況。理解度テストの実施状況と不合格者に対するフォローアップの実施状況

10)　http://www.boj.or.jp/announcements/release_2012/rel120703a.htm/

ニ．営業部門における異常取引の検知状況	✓ 営業部門職員の気付きによる、異常取引の検知件数。所管部門への報告状況（報告に要する期間）。疑わしい取引届出割合 ✓ 留意すべき類型等の営業部門への周知状況、職員の理解度
ホ．検知基準の有効性等を含むIT システムの運用状況	✓ 取引モニタリングシステムにおける、敷居値・シナリオの見直しを定期的に行っているか。検証方法は適切か ✓ 顧客リスク格付システムにおいて、スコアの設定は適切か。H/M/Lの分布の適切性について検証されているか
へ．検知した取引についてのリスク低減措置の実施、疑わしい取引の届出状況	✓ システム及び職員が検知した疑わしい取引に対する調査手続は適切に行われているか。速やかに届出がされているか ✓ 疑わしい取引の届出を行った顧客に対して、必要に応じて取引方針の見直し等が適時に行われているか

上記の着眼点の例はあくまで一例に過ぎませんので、各項目について第1線及び第2線で実効的に実施されているかについて確認するための確認項目を詳細に検討し、監査計画に反映しなくてはなりません。また、上記イ．～へ．の項目も例示に過ぎないと考えられますので、マネロン・テロ資金供与対策ガイドラインを踏まえて第2線が中心となって整備・運用する当該金融機関の態勢全体について、必要な構成要素が揃っているか、また、各構成要素に関する整備の状況や運用の状況はどうかといった観点で、AML/CFT 態勢全般を検証するための監査計画の策定が求められます。

③ その他内部監査部門が留意すべきポイント

マネロン・テロ資金供与対策ガイドラインが策定される前は、マネロン・テロ資金供与防止に関する内部監査といえば、犯罪収益移転防止法に基づいた取引時確認が適切に行われているか、あるいは疑わしい取引の届出や記録保存が漏れなく行われているかといった、法令の遵守状況に対する検証が中心でしたが、ガイドラインはより広範に金融機関が整備すべきAML/CFT 態勢について規定していますので、上述のとおり内部監査部門もそれに合わせた監査計画が必要となります。またガイドラインは、内部監査部門に対してもリスクベース・アプローチによる対応を求めています（「対応が求められる事項」②、③）。そのためには、内部監査部門としても、自社が直面するマネロン・テロ資金供与のリスクについて正しく認識し、必要に応じて独自のリスク評価を行うことも考えられます（FAQ p.127-Q）。すべての項目に関して、単年度で一様に、深度ある内部監査を実施することはできません。リスクに応じて優先して検証すべき項目を特定した上で、態勢全般を検証するためには、複数年の監査計画となることも想定しておくべきであると考えられます。

なお、金融機関等におけるAML/CFT対応の実務は急速に進化しており、その動きに内部監査もキャッチアップしていかなくてはなりません。「対応が求められる事項」の⑤にもあるように、内部監査部門にもAML/CFTに係る適切な知識・専門性等を有する職員を配置する必要がありますので、内部監査部門の職員の中から、外部研修を受講させたり専門の資格取得に取り組ませたりするなどして、人材育成の取組みを計画的に進めるべきでしょう。それでもなお、専門性が高い検証項目であり内部監査部門だけでは監査が難しい場合、あるいは適切な内部監査を実施するためのリソースが不足している場合には、外部の専門家にサポートを依頼することも検討すべきだと思われます。

（4）グループベースの管理態勢

ア　グループベースの管理態勢に関するガイドライン等の要件

マネロン・テロ資金供与対策ガイドラインにおいては、グループベースの管理態勢において「対応が求められる事項」、「対応が期待される事項」として以下の項目を示しています。

【対応が求められる事項】

① グループとして一貫したマネロン・テロ資金供与対策に係る方針・手続・計画等を策定し、業務分野や営業地域等を踏まえながら、顧客の受入れに関する方針、顧客管理、記録保存等の具体的な手法等について、グループ全体で整合的な形で、これを実施すること

② グループ全体としてのリスク評価や、マネロン・テロ資金供与対策の実効性確保等のために必要なグループ内での情報共有態勢を整

備すること

③ 海外拠点等を有する金融機関等グループにおいては、各海外拠点等に適用されるマネロン・テロ資金供与対策に係る法規制等を遵守するほか、各海外拠点等に内在するリスクの特定・評価を行い、可視化した上で、リスクに見合う人員配置を行うなどの方法により適切なグループ全体での低減措置を講ずること

④ 海外拠点等を有する金融機関等グループにおいては、各海外拠点等に適用される情報保護法制や外国当局のスタンス等を理解した上で、グループ全体として整合的な形でマネロン・テロ資金供与対策を適時・適切に実施するため、異常取引に係る顧客情報・取引情報及びその分析結果や疑わしい取引の届出状況等を含む、必要な情報の共有や統合的な管理等を円滑に行うことができる態勢（必要なIT システムの構築・更新を含む。）を構築すること（海外業務展開の戦略策定に際しては、こうした態勢整備の必要性を踏まえたものとすること。）

⑤ 海外拠点等を有する金融機関等グループにおいて、各海外拠点等の属する国・地域の法規制等が、我が国よりも厳格でない場合には、当該海外拠点等も含め、我が国金融機関等グループ全体の方針・手続・計画等を整合的な形で適用・実施し、これが当該国・地域の法令等により許容されない場合には、我が国の当局に情報提供を行うこと（注）

（注）当該国・地域の法規制等が我が国よりも厳格である場合に、当該海外拠点等が当該国・地域の法規制等を遵守することは、もとより当然である。

⑥ 外国金融グループの在日拠点においては、グループ全体としてのマネロン・テロ資金供与リスク管理態勢及びコルレス先を含む我が国金融機関等との取引状況について、当局等を含むステークホルダーに説明責任を果たすこと

【先進的な取組み事例】
以下のように、本部がグループ共通の視点で海外拠点等も含む全社的なリスクの特定・評価を行いつつ、実地調査等を踏まえて各拠点に残存するリスクを実質的に判断し、グループベースの管理態勢の実効性強化に役立てている事例。
具体的には、海外拠点等を含む全社的なマネロン・テロ資金供与対策プログラムを策定し、これに基づき、本部のマネロン・テロ資金供与対策主管部門において、拠点別の口座数、高リスク顧客数等の情報を一括管理し、海外拠点等も含む各部門・拠点のリスクを共通の目線で特定・評価している。
その上で、部門・拠点ごとの低減措置につき、職員の人数、研修等の実施状況、IT 等のインフラの特異性等も踏まえながら、各拠点と議論した上で低減措置の有効性を評価している。
さらに、低減措置を踏まえてもなお残存するリスクについては、必要に応じて本部のマネロン・テロ資金供与対策主管部門が実地調査等を行い、残存するリスクが高い拠点については監視・監査の頻度を上げるなど、追加の対策を講じ、全社的な対策の実効性を高めている。

【先進的な取組み事例】
グループベースの情報共有について、グループ全体で一元化したシステムを採用し、海外拠点等が日々の業務で知り得た顧客情報や取引情報を日次で更新するほか、当該更新情報を本部と各拠点で同時に共有・利用することにより、本部による海外拠点等への監視の適時性を高めている事例。

なおここでの「グループ」は、どの範囲を指すのかが問題になりますが、この点についてFAQにおいては「グループ各社のリスク等に応じて、個別具体的に判断する必要があり、（連結）子会社や持分法適用会社といった持分割合によって機械的に判断されるものではありません。」（FAQp.131-Q1）としており、統一的な基準があるわけではありません。また、犯収法上の特定事業者に該当するか否かは、当該グループ会社のリスクについて検討する際の重要な要素ではあるものの、特定事業者でないということだけをもって、グループにおけるマネロン・テロ資金供与対策の検討範囲から完全に外してしまうことは必ずしも適切ではないと考えられます。

イ　グループベースの管理態勢に関する留意事項

①　グループ共通の方針・手続・計画

「対応が求められる事項」①で示されるように、AML/CFT関連の施策についてのグループ会社間での整合性には考慮する必要があります。例えば、銀行のグループの中に、カード会社やリース会社など、マネー・ローンダリング規制の対象となる会社が存在する場合に、同一グループに属しているにもかかわらず、各社のマネロン・テロ資金供与対策における基本的な考え方が異なっているのは不自然です。もちろん、事業の内容が異なれば、詳細レベルでの対応が異なるのは当然ですが、基本的な考え方については、グループ内の整合性に配慮すべきでしょう。こうしたグループ会社間での整合性を確保するためには、グループの親会社が、全体が遵守するAML/CFTに関する基本方針（方針・手続）を文書として定めることなどが考えられます。同様に「計画」に関しても、例えば親会社がグループレベルでのAML/CFT態勢整備計画や、年度のグループレベルでの取組み計画を策定し、その進捗状況も含めた管理を行うなどの対応も考えられます。

②　グループベースのリスク評価

「対応が求められる事項」の②においては、グループ全体としてのリスク評価の整備を求めています。この趣旨についてFAQでは、「現在形成しているグループのほか、例えば、国内外の事業を買収することなどにより、新たにグループを形成する場合においても、事前に買収先のマネロン・テロ資金供与リスクを分析・検証することが必要であると考えられます。」と説明されています（FAQ p.134-Q1）。

上記のようなリスク評価を実現するために、グループ各社のリスクの高低を、共通の尺度で評価するための固有リスク、コントロール、残存リスクを横串で評価するための手法を整備することが考えられ、おそらく「先進的な取組み事例」は、このようなケースを想定していると思われます。（なお、評価手法の詳細については、第４章の「全社的リスク評価」の手法を参照してください。）

上記の他に、グループの各社がそれぞれリスク評価を実施し、評価書（特定事業者作成書面）を作るにあたり、国・地域、商品・サービスといったリスク要素についてのグループ共通の考え方を親会社が提示したり、共通の評価書の様式を提示したりして、グループ内でのリスク評価を整合的なものにするための取組みを行っている金融グループの例も見られます。

③　グループ内の情報共有

グループベースのリスク評価と同様、「対応が求められる事項」の②においては、グループの情報共有態勢の整備を求めています。この趣旨についてFAQでは「マネロン・テロ資金供与対策の実効性確保等のために必要となる、グループ内における情報共有態勢のことを意味しており、同態勢については、例えば、進出先国の情報管理に関する法令等に留意しつつ、グループ内で共有される情報の利用、管理等を含むものを想定しています。」と説明しています（FAQ p.134-Q1）。

具体的な例としては、グループにおける反社会的勢力の情報（反社データベース）や、疑わしい取引の届出に関する実績を共有するケースなどが想定されます。このようなグループ内での情報共有については、法律上の問題がないかという点に留意する必要がありますが、この点、FAQにおいては個人情報保護法及び金融商品取引法との関係を整理しています（FAQ p.134-Q2）。同FAQでは、疑わしい取引の届出にかかる顧客情報・取引情報は、本人の同意を得ることなく個人データを第三者に提供できる例外ケースに該当しうるとの見解を示す一方、例外の要件に該当するか否かは個別具体的な事情に照らして判断が必要としており、実際にグループ内で情報共有を進める場合には、弁護士等の意見も踏まえて判断する必要があるでしょう。

ウ　グローバルベースの管理態勢に関する留意事項

①　海外にも拠点を有する金融機関の対応

海外に拠点を有しグローバルに展開する金融機関においては、前述の「グループ共通の方針・手続・計画」を、海外拠点にも展開することを想定する必要があります。その際、「対応が求められる事項」⑤で示されるように、海外拠点が所在する国・地域の現地の法規制と日本国内の規制と比較しより厳格な基準を適用する必要があります。このようなグローバル金融機関において方針・手続を整備する際には、まずグローバルで最低限満たさなくてはならない共通の方針（例：グローバルAML/CFTポリシー）等を、日本のAML/CFT主管部門が策定した上で、拠点が所在する国・地域ごとに現地の法律・規制を踏まえた、ローカルの方針・手続を整備するといった、トップダウン型のアプローチをとることが今日では一般的になっています。

以前は、本邦金融機関の海外拠点のAML/CFT態勢に関しては、本社主導というよりは、それぞれの拠点のコンプライアンス責任者や、現地で契約した専門家（弁護士・コンサルタント）に整備を任せることも多かったようです。このような場合には、拠点間でのマネロン・テロ資金供与対策が整合していない状態となってしまうおそれもあります。

なお、海外の拠点が多くなればなるほど、拠点との情報共有や、拠点から本店・本社に対する報告・本社としての情報収集にかかる労力は大きくなり、そうした業務を支えるITシステムの必要性も増すことになります（「対応が求められる事項」④）。さらに、そのような場合には法域を跨いだ情報共有が想定されますので、各国の情報保護法制等を踏まえた、より慎重な判断が必要となります。

②　外国金融機関の日本拠点の対応

外国金融機関の日本拠点においては、上記の「海外にも拠点を有する金融機関」とは逆に、本国のグローバルAML/CFT主管部門により展開されたグローバルAML/CFTポリシーに基づき、本邦の法令やマネロン・テロ資金供与対策ガイドライン等を踏まえた、日本国内向けの方針・手続を整備していることが多いと考えられます。この場合、犯収法等に定められる取引時確認・記録保存のルールは適切に方針・手続に反映する必要があるほか、日本国内固有のトピック（反社会的勢力対応）への対応や、AML/CFTに関する本邦当局の期待値などについても考慮が必要です。なお、ガイドラインの「対応が求められる事項」の⑥には「外国金融グループの在日拠点においては、グループ全体としてのマネロン・テロ資金供与リスク管理態勢及びコルレス先を含む我が国金融機関等との取引状況について、当局等を含むステークホルダーに説明責任を果たすこと」との項目が置かれていますが、FAQにおいては当局の求めに応じて説明できない場合には相応の行政処分がなされる可能性についても言及しており、丁寧なコミュニケーションが必要となります（FAQ p.139-Q）。

(5) 職員の確保、育成等

ア　職員の確保、育成に関するガイドライン上の要件

コンプライアンス全般において、「トレーニング」（教育訓練）の実施は重要とされますが、その点はマネロン・テロ資金供与対策においても同様です。マネロン・テロ資金供与対策ガイドラインにおいては、「対応が求められる事項」、「対応が期待される事項」として以下の項目を示しています。

【対応が求められる事項】

① マネロン・テロ資金供与対策に関わる職員について、その役割に応じて、必要とされる知識、専門性のほか、研修等を経た上で取引時確認等の措置を的確に行うことができる適合性等について、継続的に確認すること

② 取引時確認等を含む顧客管理の具体的方法について、職員が、その役割に応じて的確に理解することができるよう、分かりやすい資料等を用いて周知徹底を図るほか、適切かつ継続的な研修等を行うこと

③ 当該研修等の内容が、自らの直面するリスクに適合し、必要に応じ最新の法規制、内外の当局等の情報を踏まえたものであり、また、職員等への徹底の観点から改善の余地がないか分析・検討するこ

と

④ 研修等の効果について、研修等内容の遵守状況の検証や職員等に対するフォローアップ等の方法により確認し、新たに生じるリスク等も加味しながら、必要に応じて研修等の受講者・回数・受講状況・内容等を見直すこと

⑤ 全社的な疑わしい取引の届出状況や、管理部門に寄せられる質問内容・気づき等を営業部門に還元するほか、営業部門内においてもこうした情報を各職員に的確に周知するなど、営業部門におけるリスク認識を深めること

【対応が期待される事項】

a. 海外拠点等を有する金融機関等グループにおいて、各海外拠点等のリスク評価の担当者に対して、単にリスク評価の手法についての資料等を作成・配布するのみならず、リスク評価の重要性や正確な実施方法に係る研修等を当該拠点等の特殊性等を踏まえて実施し、その研修等の内容についても定期的に見直すこと

b. 海外拠点等を有し、海外業務が重要な地位を占める金融機関等グループにおいて、マネロン・テロ資金供与対策に関わる職員が、マネロン・テロ資金供与に係る国際的な動向について、有効な研修等や関係する資格取得に努めるよう態勢整備を行うこと

なお、FATF勧告18の解釈ノートにおいても、継続的な従業員の訓練プログラム（an ongoing employee training programme）」が金融機関のマネロン・テロ資金供与対策プログラムの要素の1つとされており、それを踏まえて犯収法11条においては、努力義務とされている体制整備の一部に、「使用人に対する教育訓練の実施その他の必要な体制の整備」の1つとして「教育訓練」を挙げています。

イ　単なる「研修」と「トレーニング・プログラム」の違い

ほとんどの金融機関等においては、現在でも何らかの形で、マネロン・テロ資金供与対策に関する研修を実施していることでしょう。例えば、新入社員研修の一部として実施することとしている金融機関もあるでしょうし、年次のコンプライアンス研修の一部として取り込むなど、すべての職員に一定期間ごとに研修を受けさせるように定めている金融機関も多いと思われます。

上記のとおりFATF勧告において継続的な従業員のトレーニング・プログラムは金融機関のAML/CFTプログラムの要素の１つとされていますが、ここでの「トレーニング・プログラム」は、単なる研修の実施とは異なります。

金融機関等においてマネロン・テロ資金供与対策を実施するにあたっては、職員の役割によって、必要な知識の範囲や、深さが異なります。例えば、顧客から口座開設申込を直接受け付ける窓口担当者と、顧客に接することがない事務部門の職員とでは、必要とされる知識は異なるでしょう。さらに、仮に所属部門が同じであったとしても、当該職員の職位によっても、身につけておかなければならない知識は異なるはずです。

「トレーニング・プログラム」とは、このように各職員の所属部門や職位等に合わせて、それぞれがマネロン・テロ資金供与対策で果たすべき役割に応じた、きめ細かい研修を提供するための「研修体系」を指す言葉であり、ガイドラインや犯収法が求める「職員の育成」「教育訓練の実施」は、本来このような研修体系を整備し実施することを求めているものであると理解すべきです。その趣旨からすれば、例えば年に１回、職員全員に対して同じ内容の研修を受講させるといった対応では、必ずしも十分とは言えないでしょう。

なお、ガイドラインの「対応が求められる事項」の①では、「マネロン・テロ資金供与対策に関わる職員について、その役割に応じて、必要とされる知識、専門性のほか、研修等を経た上で取引時確認等の措置を的確に行うことができる適合性等について、継続的に確認すること」とあります。ここでの「マネロン・テロ資金供与対策に関わる職員」の解釈について、FAQでは「営業担当職員も含むマネロン・テロ資金供与対策に関わる幅広い職員を想定しています」と説明していますが、金融機関のマネロン・テロ資金供与対策は全社的な取組みであることから、まったく研修の必要がない職員は基本的にはいないはずであり、原則すべての職員をトレーニング・プログラムの対象とすべきであると考えられます。

ウ　トレーニング・プログラムの整備で考慮すべきポイント

以上のようなトレーニング・プログラムは、外部研修への参加、金融機関内部での集合研修形式、各部門における勉強会、eラーニングなど、様々な研修形態を組み合わせて整備することになりますが、金融機関内の機能別トレーニング・プログラムで留意すべき事項は以下のとおりです。

①　第1線向け

第1線の営業部門等は顧客との取引を行う最前線であり、日常業務を通じて顧客管理手続を実施する立場にあります。多くの金融機関では、これらの部門に対するマネロン・テロ資金供与対策の研修を現在でも実施しているはずですが、その内容は関係する事務手続（例えば、取引時確認手続）を正確に実施するための研修内容に偏りがちなのではないかと思われます。

営業部門の担当者は日々顧客と接しており、顧客管理措置の実施等のリスク低減措置を現場で実施するほか、マネロン・テロ資金供与の疑いのある取引を検知するための「センサー」の役割を担っています。このような「疑わしい取引」の検知能力をさらに高めるために、こうした担当者に対する継続的なトレーニングの実施はきわめて重要であることから、最近のマネー・ローンダリング事例（手口）に関して理解するための研修が必要だと考えられます。また、近年ではマネロン・テロ資金供与対策ガイドラインに基づいたリスクベース・アプローチによる顧客管理が求められていることから、当該金融機関としてのリスク認識（リスクの特定・評価の結果）や、顧客リスク評価の考え方、リスクに応じた低減措置などについても、第1線の職員は研修を通じて理解を深める必要があります。

なお、「対応が求められる事項」⑤に「全社的な疑わしい取引の届出状況や、管理部門に寄せられる質問内容・気づき等を営業部門に還元するほか、営業部門内においてもこうした情報を各職員に的確に周知するなど、営業部門におけるリスク認識を深めること」とあるように、本部が実施する研修に参加するだけなく、営業部門内でも勉強会などを通じて職員の理解を深める取組みも有効であると考えられます。

②　第2線向け

多くの国内金融機関では、マネロン・テロ資金供与対策の中心的な役割を、コンプライアンス部門や事務企画部門などが担っています。また、近年は、マネー・ローンダリング／金融犯罪対策に関する専門の組織を設置している金融機関も増えてきています。

こうした部門の職員は、当該金融機関のマネロン・テロ資金供与対策の中心となるので、他のどの部門の職員よりも、AML/CFTに関して幅広く、深い知識が必要となります。トレーニングの内容としては、一般の書籍や教材だけでは十分ではないと思われますので、外部の専門家による研修を受講することなども考えられます。

また、マネロン・テロ資金供与対策に関するカンファレンス等や、AMLに関する専門家の団体に参加して最新の情報を収集したり、AML/CFTに関連する各種資格を取得するなどして、常に研さんを重ねる必要があるでしょう。

③　第3線向け

コンプライアンス部門等が中心に整備した「コンプライアンス態勢」を、内部監査部門等により定期的に検証し継続的に改善を図っていくことは、マネロン・テロ資金供与対策においては、きわめて重要な要素であると考えられています。そのため、内部監査部門担当者に対する研修も、今後ますます重要になってくるものと思われます。

とりわけ、近年はソフトウェアによる取引モニタリングの導入など、マネロン・テロ資金供与対策業務自体の高度化が進んでおり、そうしたコンプライアンス態勢の適切性を検証するためには、内部監査部門としてもマネロン・テロ資金供与対策全般に関する理解をさらに深めることが必要です。また、個別の専門的な論点（例えば、システムによるモニタリングが適切か）についてもある程度検証できるように、おおよその内容は理解している必要があります。こうした専門的な論点については、コンプライアンス担当者向けの外部研修などで学ぶことも必要でしょう。

④　経営陣向け

必ずしも「トレーニング」という呼び方は適さないかもしれませんが、経営陣に対する情報のアップデートも必要です。

マネロン・テロ資金供与対策の実務を担当するのは、コンプライアンス部門やその他の現場部門ですが、マネロン・テロ資金供与対策を経営上の重要課題と認識し、当該金融機関全体として取組方針や人材や予算等の経営資源の配分を判断するのは経営陣の役割です。そうした場面で、経営陣も適切な経営判断を行うために必要となる知識を身につけておく必要があります。

その趣旨からすれば、トレーニングの内容は、実務的・詳細なものである必要はありませんが、マネー・ローンダリング問題に関する規制の概要・動向や、同業他社の取組みの状況、対応が不十分であった場合のリスク（行政処分）等については、定期的にアップデートする必要があるでしょう。また、リスクベース・アプローチの観点から、当該金融機関におけるリスク評価の状況等についても、正確に理解しておく必要があります。具体的な実施方法としては、取締役会、経営会議等の一部の時間を、そうした説明にあてるなどの方法が考えられます。また、そのような説明については、外部の専門家を招いて実施する場合も多いようです。

エ　トレーニング・プログラムの運用上の留意点

以上のようなトレーニング・プログラムを整備したとしても、それが適切に運用されていなくてはなりません。例えば、職員ごとの受講状況等は、受講記録簿などを用いて管理するなどの仕組みが必要となるでしょう。また研修の効果を測定するために、研修の最後に「理解度テスト」を実施することも一案です。こうしたテストを実施することを、あらかじめ受講者に知らせておくことにより、受講者の学習意欲を高めることにもつながります。

ガイドラインの「対応が求められる事項」の④では「研修等の効果について、研修等内容の遵守状況の検証や職員等に対するフォローアップ等の方法により確認」することが求められており、終了後に研修の内容が業務上活用されているか、職員の働きぶり等も踏まえて確認する必要があります。また、そのような確認の結果や、最新のリスク評価の状況、その他内外の当局・規制動向なども踏まえて、個別の研修内容や実施方法、さらにトレーニング・プログラム全体について改善の余地がないかを常に見直し、必要に応じてアップデートを図ってくことが求められます（「対応が求められる事項」③）。

オ 「従業員採用方針」について

マネロン・テロ資金供与対策ガイドラインにおいては特に言及はありませんが、金融庁の主要行等向けの総合的な監督指針、及び中小・地域金融機関向けの総合的な監督指針においては、マネー・ローンダリング防止に関する一元的な管理態勢の整備に当たっての留意点として、「適切な従業員採用方針や顧客受入方針を策定すること」という項目が設けられています。なお本項目は、元々はバーゼル銀行監督委員会の（旧）「コア・プリンシプル・メソドロジー」（2006年10月）の原則18に規定されていた「高い倫理基準と職業基準を確保するため、職員の雇用に際して適切なスクリーニングを行う方針とプロセスが存すること」という箇所を、平成19（2007）年3月の監督指針改定で反映したものです。

このような規定が設けられた趣旨は、金融機関の職員は金融システム及び金融機関が行うマネロン・テロ資金供与対策を熟知していることから、万一職員がそのような知識を悪用してマネー・ローンダリングを実行した場合には、きわめて巧妙なスキームとなる可能性が高く、そうした事態を防がなくてはならないためです。

一方で、金融機関においては、不正防止や反社会的勢力対応の観点で、職員の採用時にすでに一定のチェックを行っていることも考えられますので、必ずしもマネロン・テロ資金供与対策のために特別なスクリーニングの手続を検討する必要はないとの考え方もあります[11]。ただし、金融機関としては、職員が関与するおそれのある不正の一類型に「マネー・ローンダリング」があることは、認識しておくべきでしょう。

11）　平成19（2007）年3月監督指針改定時の「『テロ資金供与・マネーローンダリング防止に係る主要行等及び中小・地域金融機関向けの総合的な監督指針の一部改正（案）』への意見一覧」項番3参照。

第6章

リスクベース・アプローチと反社会的勢力防止のための態勢整備

1. 反社会的勢力排除の必要性とその根拠

(1) 反社会的勢力排除の必要性

反社会的勢力排除を考えるとき、彼らが社会から排除すべき対象であると、事業者としても個人としても（強い共感を持って）認識していることが大前提であることは論を俟ちません。また、反社会的勢力の中核に位置する暴力団も、今や「社会悪」以外の何者でもないことを共通認識として持つ必要があります（なお、本稿では、最近の社会情勢をふまえ、「反社会的勢力排除」と「暴力団排除」をほぼ同義のものとして使用します）。

確かに、暴力団が「必要悪」として社会的に受容されてきたことは歴史的に見ても紛れもない事実です。警察や弁護士による合法的な対応とは別次元でグレーな解決を求める者が、社会には一定数存在し、暴力団がいわばその「非合法的なもの」を求めるニーズを満たすニッチかつユニークな（唯一の、独特な）存在であることがその背景にあり、社会が彼らを利用する限り、いわば社会の潤滑油として、彼らの居場所が社会の中に確固としてあったことが、「必要悪」として長い間社会的に受容されてきた理由であったと思われます。また、暴力団や暴力団員が「義理人情に篤い」「正義」といった日本人好みのイメージが映画等のメディアを介して国民の間に刷り込まれてきたことも影響していると思われます。暴力団、やくざ等の別称である「極道」は道を極めるという意味であって、そのような求道者を志向する個人又は集団という性格も一面にはあるとはいえ、今の組織の現状としては、それどころか、むしろ社会的弱者を含め広く市民や企業を対象とした搾取を行っており、そのことを多くの市民が正確に認識しない（暴力性に怯えて正視してこなかった）ことが、「必要悪」として彼らを肯定する社会的な素地となってきたものと思われます。さらに、メディアにより植えつけられた「アウトロー」「かっこいい」「底辺から力で這い上がる」「金を持っている」といったイメージが若年層を中心に影響を与え、暴力団員のリクルーティング（人材供給）につながってきたのも現実であり、社会的に不適応な若年層や社会的な底辺層を中心に人材の供給が絶え間なく行われ続けている実態があります（最近は、その受け皿として、暴力団ではなく、その周辺者と位置付けられる「半グレ」やその支配下にある特殊詐欺グループ等に変わりつつあります）。

暴力団を「必要悪」とみる風潮は残念ながら今でも一部にありますが、社会経済の変化に対応し、（警察や弁護士などに頼らないグレーな解決方法を望みます）人々の要求や、薬物や博打といった人間の欲望に非合法的に応えることで「必要悪」として生き延びてきた暴力団は、一般人の目からも明らかに「社会悪」と認められるようになるほど組織が変質したと言えます。すなわち「儲け至上主義」的な組織の行動様式が正当化されるようになり、それに伴って構成員の行動様式の変質、犯罪収益獲得のための手口もまた変質し、社会全体を搾取の対象とするに至ったのです。今や、彼らの収益の多くは、（みかじめ料のように）ある意味彼らを利用する意図のある者からではなく、本来保護されるべき高齢者や生活保護受給者、障害者などの「社会的弱者」からの搾取、公的制度の悪用（したがって、国民の税金の詐欺的な収奪）等であり、その手口は、人の善意を逆手に取った卑怯な「詐欺的手法」が主流となっています。「堅気に手を出さない」「ニッチなニーズを満たす」ことを拠り所として「やくざ」をしぶしぶ許容してきた社会的素地を、このような形で自ら捨て去ることで、「やくざ」が社会的な稼業として成り立たなくなるという「自己崩壊」により、もはや「必要悪」ではなく「社会悪」として排除すべき対象となったのです。

さらに、事業者の立場から見た場合、「必要悪」における「必要」とは、隠蔽したいクロやグレーのトラブルや不祥事等に対して、グレーに（秘密裏に）解決するために頼る相手が「必要」ということであり、「グレーな解決」を許容する企業風土・社会的風潮、そして個人的な悪意等が背景にあります。しかし、時代はコンプライアンスを求め、グレーなアプローチには「常識」をもって対応すること、不祥事は必ず発覚することから隠蔽が割に合わなくなっていること、安全確保も含め警察や弁護士等の外部専門家と連携して、彼らのグレーな土壌ではなく、正にコンプライアンスの土壌で「真っ当に対応する」ことが今の社会的規範であることを考えれば、そもそも「必要悪」は存在せず、その害悪のみがクローズアップされることになるのであって、今の彼らが社会的に存在する必要性はもはやないと言ってよいのです。

(2) 反社会的勢力とは

反社会的勢力の不透明化・潜在化とはよく言われることですが、その実態は、「ブラックのホワイト化」（暴力団等がその姿を偽装したり隠蔽したりして実態をわかりにくくすること）の深化だけでなく、「ホワイトのブラック化」（暴力団等とは関係のない一般の個人や企業がそれらと関係を持つこと）も進んでいること、つまり、反社会的勢力のグレーゾーンが両方向に拡がっていることであり、その点を理解することが大変重要です。

○図表6-1：反社会的勢力の不透明化の実態

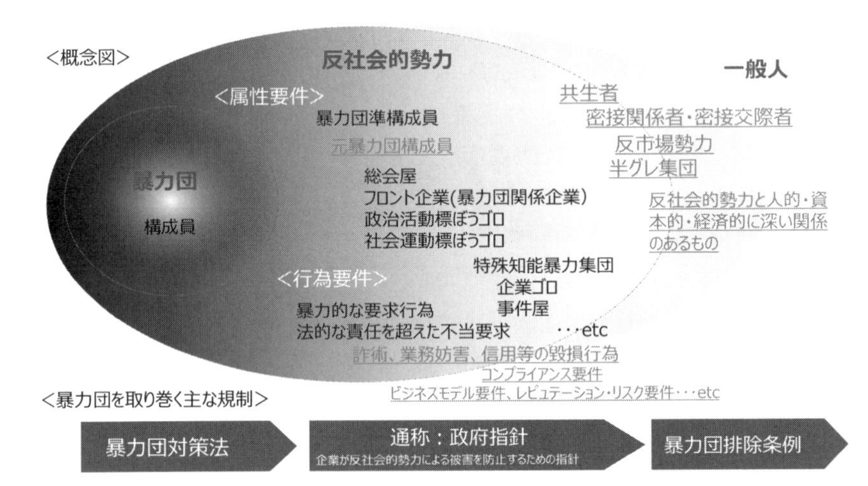

そのうえで、企業実務における反社会的勢力の捉え方、考え方については、そもそも、反社会的勢力という用語自体、暴力団対策法をはじめ全国の暴力団排除条例（暴排条例）でも使われておらず、その意味するところは実は社会的に確定していません。あえて言うなら、政府指針（平成19年6月19日犯罪対策閣僚会議申合せ「企業が反社会的勢力による被害防止するための指針」）等でその捉え方が例示・示唆されているにすぎず、結論から言えば、企業が自らの企業姿勢に照らして明確にする努力をしていくしかありません。「反社会的勢力の不透明化」は、結局は「暴力団の活動実態の不透明化」であり、それとともに、対極にある一般人の「暴力団的なもの」への接近、その結果としての周縁・接点（グ

レーゾーン）の拡大であって、反社会的勢力自体がア・プリオリに不透明な存在（明確に定義できないもの、本質的に不透明なもの）であるとも言えます。

また、暴排条例の浸透やメガバンクによる反社会的勢力への融資問題を契機とした実務の深化、それらに伴う社会の要請の厳格化によって、結果として反社会的勢力の不透明化の度合いがますます深まっており、その結果、彼らが完全に地下に潜るなど、いわゆる「マフィア化」の傾向が顕著です。令和3（2021）年8月、福岡地裁が特定危険指定暴力団工藤会のトップに対して死刑判決を下しました。決着するまで紆余曲折も予想されるところですが、暴力団のさらなるマフィア化や半グレ等の周辺者の活動のさらなる活発化が危惧されるところです。表面的には暴力団排除（暴排）が進んだとしても、「暴力団的なもの」としての反社会的勢力はいつの時代にもどこにでも存在するのであって、その完全な排除は容易ではありません。だからこそ、事業者は、その存続や持続的成長のために、時代とともに姿かたちを変えながら存在し続ける反社会的勢力の見極めについて、反社会的勢力の定義自体も時代とともに変遷することも認識しながら、関係を持たないよう継続的に取組んでいくことが求められています。つまり、反社会的勢力を明確に定義することは困難であるとの前提に立ちながら、暴力団や「現時点で認識されている反社会的勢力」、便宜的に枠を嵌められた、限定された存在としての、「目に見える反社会的勢力」だけを排除するのではなく、「暴力団的なもの」、「本質的にグレーな存在」として、「目に見えにくい不透明な反社会的勢力」を「関係を持つべきでない」とする企業姿勢のもとに排除し続けないといけないとの認識を持つことが必要となります。

したがって、反社会的勢力とは、「暴力団等と何らかの関係が疑われ、最終的には「関係を持つべきでない相手」として、企業が個別に見極め、排除していくべきもの」として捉えることが妥当だと言えます。

（3）政府指針と暴力団排除条例（暴排条例）

事業者に対して、反社会的勢力の排除を求める根拠となる規範としては、①政府指針、②各都道府県の暴力団排除条例（暴排条例）、③銀行、証券会社、保険会社等の金融機関については金融庁の監督指針が挙げられます。

ア　政府指針

政府指針は、「反社会的勢力による被害を防止するための基本原則」として５つを掲げています。

- 組織としての対応
- 外部専門機関との連携
- 取引を含めた一切の関係遮断
- 有事における民事と刑事の法的対応
- 裏取引や資金提供の禁止

この中で特に反社会的勢力の排除と関連するのは、「取引を含めた一切の関係遮断」です。政府指針における「2　基本原則に基づく対応」のうち、特に「(2) 平素からの対応」においては、反社会的勢力の排除に関する事項が多く規定されています（以下抜粋)。

- 代表取締役等の経営トップは、「反社会的勢力による被害を防止するための基本的な考え方」の内容を基本方針として社内外に宣言し、その宣言を実現するための社内体制の整備、従業員の安全確保、外部専門機関との連携等の一連の取組みを行い、その結果を取締役会等に報告する。
- 反社会的勢力による不当要求が発生した場合の対応を統括する部署（以下「反社会的勢力対応部署」という。）を整備する。反社会的勢力対応部署は、反社会的勢力に関する情報を一元的に管理・蓄積し、反社会的勢力との関係を遮断するための取組みを支援するとともに、社内体制の整備、研修活動の実施、対応マニュアルの整備、外部専門機関との連携等を行う。
- 反社会的勢力とは、一切の関係をもたない。そのため、相手方が反社会的勢力であるかどうかについて、常に、通常必要と思われる注意を払うとともに、反社会的勢力とは知らずに何らかの関係を有してしまった場合には、相手方が反社会的勢力であると判明した時点や反社会的勢力であるとの疑いが生じた時点で、速やかに関係を解消する。

- 反社会的勢力が取引先や株主となって、不当要求を行う場合の被害を防止するため、契約書や取引約款に暴力団排除条項を導入するとともに、可能な範囲内で自社株の取引状況を確認する。
- 取引先の審査や株主の属性判断等を行うことにより、反社会的勢力による被害を防止するため、反社会的勢力の情報を集約したデータベースを構築する。同データベースは、暴力追放運動推進センターや他企業等の情報を活用して逐次更新する。
- 外部専門機関の連絡先や担当者を確認し、平素から担当者同士で意思疎通を行い、緊密な連携関係を構築する。暴力追放運動推進センター、企業防衛協議会、各種の暴力団排除協議会等が行う地域や職域の暴力団排除活動に参加する。

なお、政府指針は、あらゆる企業を対象として、反社会的勢力による被害を防止するための基本的な理念や具体的な対応を定めたものであり、法的拘束力はありません。したがって、本指針の内容を完全に実施しなかったからといって、直ちに、罰則等の何等かの不利益が与えられるものではありません。

もっとも、上場会社や指名等委員会設置会社等においては、反社会的勢力との関係遮断を内部統制システムに位置づけることが求められています（「企業が反社会的勢力による被害を防止するための指針に関する解説」）。上場会社が、仕手筋から暴力団関係者に株を売却すると脅されて巨額の債務を肩代わりした「蛇の目ミシン事件」の最高裁判決（平成18年4月10日）においては、「会社経営者としては、…株主の地位を濫用した不当な要求がされた場合には、法令に従った適切な対応をすべき義務を有するものというべきである」として、取締役の善管注意義務違反を認めました。取締役の善管注意義務の判断に際して、民事訴訟等の場において、政府指針等が参考にされることになるため、事実上の法規範性が認められるものと考えられます。

イ　各都道府県の暴力団排除条例

平成21（2009）年から平成23（2011）年にかけて、各都道府県で暴排条例が制定されました（その後、ほぼすべての市町村レベルでの制定が進みました）。多くの都道府県の暴排条例では、事業者に対して、①契約締結時の暴力団関係者であるか否かの確認の努力義務、②契約書への暴力団排除条項（暴排条項）の規定の努力義務、③暴力団関係者への利益供与の禁止とそれに対する勧告・課徴金の措置等が定められています。以下では、東京都暴排条例における事業者に対する「契約締結時における措置」と「利益供与の禁止」の規定を紹介します。

東京都暴排条例第18条第１項においては、事業者に対して、暴力団関係者でないことの確認をする努力義務を定めています。同条第２項においては、契約を書面で締結する場合には、暴排条項を定める旨の努力義務を定めています。東京都暴排条例の「事業者の契約時の措置」は「努力義務」であって、これに違反しても不利益処分はありません。しかしながら、政府指針は、企業の内部統制システム構築の参考となるものであり、これを遵守しない場合には取締役の善管注意義務違反に基づく法的責任を招来し得るものです。さらに、暴排条項に基づく取引関係者の遮断を怠ることは、場合によっては、暴力団の活動を助長し、運営に資する利益供与（同条例第24条第３項）に該当するという考え方もありえます。これらを総合的に考えると、「事業者の契約時の措置」自体は努力義務であっても、実質的には政府指針などを通じた不利益処分があると考えられます。

ウ　金融庁の監督指針

金融機関に対しては、政府指針及び各都道府県の暴排条例に加えて、金融庁の監督指針が反社会的勢力の排除の根拠となります。金融庁の監督指針には、平成19（2007）年の政府指針の制定を受けて、平成20（2008）年に「反社会的勢力による被害の防止」に関する規定が設けられました。以下では、「主要行等向けの総合的な監督指針」の規定（Ⅲ-3-1-4）を中心に紹介します。

内容的には、政府指針を敷衍していますが、「反社会的勢力対応部署による一元的な管理態勢の構築」（Ⅲ-3-1-4-2（2））等は、政府指針には定めのないものです。

また、金融庁は、みずほ銀行の提携ローン問題を受けて、平成26（2014）年、反社会的勢力との関係遮断に向けた取り組みを推進するため、(1) 反社会的勢力との取引の未然防止（入口）、(2) 事後チェックと内部管理（中間管理）、(3) 反社会的勢力との取引解消（出口）に係る態勢整備等が強化されています。銀行等の金融機関は、反社会的勢力との関係を遮断するための態勢に問題がある場合には、以下のとおり金融庁等から行政処分を受けるため、一般の事業者より、一層進んだ反社会的勢力との関係遮断が求められます。

> Ⅲ-3-1-4-3 監督手法・対応
> 検査結果、不祥事件等届出書等により、反社会的勢力との関係を遮断するための態勢に問題があると認められる場合には、必要に応じて法第24条に基づき報告を求め、当該報告を検証した結果、業務の健全性・適切性の観点から重大な問題があると認められる場合等には、法第26条に基づく業務改善命令の発出を検討するものとする。その際、反社会的勢力への資金提供や反社会的勢力との不適切な取引関係を認識しているにもかかわらず関係解消に向けた適切な対応が図られないなど、内部管理態勢が極めて脆弱であり、その内部管理態勢の改善等に専念させる必要があると認められるときは、法第26条に基づく業務改善に要する一定期間に限った業務の一部停止命令の発出を検討するものとする。
> また、反社会的勢力であることを認識しながら組織的に資金提供や不適切な取引関係を反復・継続するなど、重大性・悪質性が認められる法令違反又は公益を害する行為などに対しては、法第27条に基づく厳正な処分について検討するものとする。

2. 反社管理態勢（入口・中間・出口）

以下では、金融庁の監督指針において求められる反社会的勢力との関係遮断のための態勢整備について説明します。

(1) 入口・中間・出口での管理

金融庁の監督指針が金融機関に求める反社会的勢力との関係遮断のための態勢整備は、平成25（2013）年に発覚したみずほ銀行の提携ローン問題を受けて高度化しました。その考え方は、平成25（2013）年12月26日に金融庁が公表した「反社会的勢力との関係遮断に向けた取組みの推進について」に示されており、そこでは、「入口」「中間」「出口」の３つのプロセスの適切な管理が求められています。

(2) 反社会的勢力対応部署による一元的な管理態勢の構築

監督指針（Ⅲ-3-1-4-2（2））は、反社会的勢力との関係を遮断するための対応を総括する部署（以下「反社会的勢力対応部署」という）を整備し、以下のとおり、反社会的勢力による被害を防止するための一元的な管理態勢が構築され、機能していることを求めています。（下線は筆者。以下同様）

① 反社会的勢力対応部署において反社会的勢力に関する情報を積極的に収集・分析するとともに、当該情報を一元的に管理したデータベースを構築し、適切に更新（情報の追加、削除、変更等）する体制となっているか。また、当該情報の収集・分析等に際しては、グループ内で情報の共有に努め、業界団体等から提供された情報を積極的に活用しているか。さらに、当該情報を取引先の審査や当該金融機関における株主の属性判断等を行う際に、適切に活用する体制となっているか。

② 反社会的勢力対応部署において対応マニュアルの整備や継続的な研修活動、警察・暴力追放運動推進センター・弁護士等の外部専門機関との平素からの緊密な連携体制の構築を行うなど、反社

> 会的勢力との関係を遮断するための取組みの実効性を確保する体制となっているか。特に、平素より警察とのパイプを強化し、組織的な連絡体制と問題発生時の協力体制を構築することにより、脅迫・暴力行為の危険性が高く緊急を要する場合には直ちに警察に通報する体制となっているか。
>
> ③ 反社会的勢力との取引が判明した場合及び反社会的勢力による不当要求がなされた場合等において、当該情報を反社会的勢力対応部署へ迅速かつ適切に報告・相談する体制となっているか。また、反社会的勢力対応部署は、当該情報を迅速かつ適切に経営陣に対し報告する体制となっているか。さらに、反社会的勢力対応部署において実際に反社会的勢力に対応する担当者の安全を確保し担当部署を支援する体制となっているか。

「反社会的勢力に関する情報を積極的に収集・分析」における「収集・分析」とは、例えば、日常業務に従事する中で得られる反社会的勢力に関する情報や、新聞報道、警察や暴力追放運動推進センターからの提供等の複数のソースから得られる情報を集めた上で、継続的にその正確性・信頼性を検証する対応等を指すものと考えられます。「積極的に」とは、日頃から、意識的に情報のアンテナを張り、新聞報道等に注意して幅広く情報の収集を行ったり、外部専門機関等から提供された情報なども合わせて、その正確性・信頼性を検証するなどの対応が考えられます。株式会社エス・ピー・ネットワークが実施した「反社リスク対策に関する実態調査（2021年）」（以下「実態調査2021」）によれば、様々な手法を組み合わせながら反社チェックを行っていることがうかがえる一方で、商号と代表者、現任役員までしかチェックの対象とされていないことから、不透明化する反社会的勢力を見抜くことは実質的に難しい状況にあることが分かりました。さらに、反社会的勢力に関するデータベース（反社データベース）については、「構築」するだけでなく、「適切に更新（情報の追加、削除、変更等）する体制」が求められます。反社データベースからの「削除」は、誤登録が発覚した場合など、反社会的勢力でないことが明白となるケースも想定されます。前述の実態調査2021においては、金融機関においても自社で整備している反社データベースのデータ数が1万件未満と回答したケースも一定数あり、その正確性・信頼性について課題があることが示されています。さらには、FATFの第4次相互審査結果においては、「基本的に、金融機関は、自らの情報と警察庁や都道府県警察を含むその他の情報源、サービス提供会社からのデータに基づいて作成した独自のリストを有している。当該リストは、金融機関により継続的に更新されることが必要であり、その正確性や確度の確保については課題がある。」と指摘されており、正確性・信頼性の確保が喫緊の課題であるといえます。また、「当該情報を反社会的勢力対応部署へ迅速かつ適切に報告・相談する体制となっているか。また、反社会的勢力対応部署は、当該情報を迅速かつ適切に経営陣に対し報告する体制となっているか」における、報告の方法や頻度等は、事案の重大性や緊急性等の個々の取引状況等を考慮して各金融機関において判断すべきと考えますが、経営陣に何らの報告もなされないことは適切ではないと考えられます。なお、必ずしも経営陣へ報告するタイミングについて一律の対応を求める趣旨ではなく、状況に応じて時機に遅れることなく適切なタイミングで報告を行う体制の整備を求めるものです。

(3) 適切な事前審査の実施（入口管理）

前述の金融庁が公表した「反社会的勢力との関係遮断に向けた取組みの推進について」においては、「反社との取引の未然防止（入口)」として以下のとおり示されています。

- 暴力団排除条項の導入の徹底
  各金融機関は、提携ローン（四者型）を含め、暴力団排除条項の導入を改めて徹底する。
- 反社データベースの充実・強化
  - 各金融機関・業界団体の反社データベースの充実
    各金融機関・業界団体において、引き続き反社会的勢力の情報を積極的に収集・分析して反社データベースの充実を図るとともに、グループ内や業界団体間での反社データベースの共有を進める。

- 銀行界と警察庁データベースとの接続の検討加速化
  警察庁が保有する暴力団情報について、銀行からオンラインで照会できるシステムを構築するため、金融庁、警察庁及び全国銀行協会の実務担当者の間における、情報漏洩の防止の在り方を含めたシステム構築上の課題の解決に向けた検討を加速する。

- 提携ローンにおける入口段階の反社チェック強化
  提携ローンについて、金融機関自らが事前に反社チェックを行う態勢を整備する。また、各金融機関は、提携先の信販会社における暴力団排除条項の導入状況、反社データベースの整備状況等を検証する。

このうち、「銀行界と警察庁データベースとの接続の検討加速化」については、平成30（2018）年1月から実現しています。本スキームは、職務上知り得た個人情報などの秘密保持が法律で義務付けられている預金保険機構のサーバーと警察庁のサーバーを接続、銀行に設置された専用端末から申込者の氏名や生年月日などを入力し、機構を通じてオンラインで照会するもので、回答は該当の有無のみ、該当した場合は改めて都道府県警に個別に照会する流れとなっています。警察への照会の結果、同姓同名の別人でないことなどを確認し、最終的に暴力団員らと認められれば取引を拒否することになります。

この方向性を受けた監督指針（Ⅲ-3-1-4-2（3））には、以下の通り示されています。

反社会的勢力との取引を未然に防止するため、反社会的勢力に関する情報等を活用した適切な事前審査を実施するとともに、契約書や取引約款への暴力団排除条項の導入を徹底するなど、反社会的勢力が取引先となることを防止しているか。

提携ローン（4者型）（注）については、暴力団排除条項の導入を徹底の上、銀行が自ら事前審査を実施する体制を整備し、かつ、提携先の信販会社における暴力団排除条項の導入状況や反社会的勢力に関するデータベースの整備状況等を検証する態勢となっているか。

（注）提携ローン（４者型）とは、加盟店を通じて顧客からの申込みを受けた信販会社が審査・承諾し、信販会社による保証を条件に金融機関が当該顧客に対して資金を貸付けるローンをいう。

このうち、暴力団排除条項（暴排条項）については、取引関係に入った場合、暴排条項に基づき契約を解除することにより、反社会的勢力との関係を断絶する機能（排除機能）があります。さらに、企業の反社会的勢力への対応を宣言する機能（コンプライアンス宣言機能）、反社会的勢力が暴排条項を導入していることからその企業との取引を躊躇し、避ける機能（抑止・防止機能）、裁判の規範となるという機能（裁判規範機能）があります。なお、暴排条項については、政府指針における反社会的勢力の定義を参考にして、属性要件としては、「暴力団、暴力団員のほか、暴力団準構成員、暴力団関係企業、総会屋等、社会運動等標ぼうゴロ、特殊知能暴力集団等」を、行為要件としては、「暴力的な要求行為、法的な責任を超えた不当な要求行為」等を定めるのが一般的でした。近時は、暴力団としての資金獲得活動が困難になってきていることから、暴力団は周辺者（「共生者」）を利用して資金獲得活動をするようになっているほか、暴力団からの偽装離脱者も増えてきており、このような共生者や偽装離脱者に対応した暴排条項が定められるようになっています。

(4) 適切な事後検証の実施（中間管理）

前述の金融庁「反社会的勢力との関係遮断に向けた取組みの推進について」においては、「事後チェックと内部管理（中間管理）」として以下の通り示されています。

- 事後的な反社チェック態勢の強化

  各金融機関は、反社データベースの充実・強化、反社チェックの頻度アップ等、既存債権・契約の事後的な反社チェック態勢を強化する。

- 反社との関係遮断に係る内部管理態勢の徹底
  各金融機関は、反社会的勢力との取引の経営陣への適切な報告や経営陣による適切な関与等、反社との関係遮断に係る内部管理態勢を徹底する。

また、これを受けた監督指針（Ⅲ-3-1-4-2（4））には、以下のとおり、規定されています。

> 反社会的勢力との関係遮断を徹底する観点から、既存の債権や契約の適切な事後検証を行うための態勢が整備されているか。

反社データベースについては後述しますが、取引開始後に属性が変化して反社会的勢力となる者が存する可能性もあり、また、日々の情報の蓄積により増強されたデータベースにより、事前審査時に検出できなかった反社会的勢力を把握できる場合もあると考えられることから、事前審査が徹底されていたとしても、事後検証を行うことには合理性が認められるものと考えられます（この点、実際の実務から、「入口」の限界があることから、「中間管理」の徹底において、その限界を乗り越えようとすることが必須となると言えます）。中間管理の具体例としては、代表取締役の変更や取引推移等を注視することや、反社データベースで相手方についての照合を事後的に行うことのほか、既存契約において暴排条項が導入されているかを確認し、導入に向けた方策を検討する等の対応が考えられます。FATFの第4次相互審査結果においては、「情報更新とリスク評価の見直しが実施されていない多くの既存口座が存在している。」といった指摘に代表されるとおり、「継続的顧客管理」あるいは「中間管理」において最新の情報への更新や状況の変化に基づくリスク評価の見直しが求められていますので、反社チェックにおいても同様に機動的なチェックの実施が求められることになります。

事後検証の実施頻度については、一律の対応が求められているわけではありません。データベースの更新状況や取引の相手方の属性が事後的に変化する可能性等をふまえ、各金融機関において、個別の債権や契約内容に応じて、実施頻度を検討する必要があると考えられます。また、上記（2）で説明したとおり、反社データベースについては、情報の収集・分析を通じて、適切に更新（情報の追加、削除、変更等）する態勢が求められます。

(5) 反社会的勢力との関係解消に向けた取組み

前述の金融庁「反社会的勢力との関係遮断に向けた取組みの推進について」においては、「反社との取引解消（出口）」として以下の通り示されています。

- 反社との取引の解消の推進
  各金融機関は、警察当局・弁護士等と連携し、反社との取引の解消を推進する。なお、事後に反社取引と判明した案件については、可能な限り回収を図るなど、反社への利益供与にならないよう配意する。
- 預金取扱金融機関による、特定回収困難債権の買取制度の活用促進
  金融庁及び預金保険機構は、特定回収困難債権の買取制度の運用改善を図るとともに、提携ローンにおいて、信販会社が代位弁済した債権を買い戻した場合も同制度の対象となること等を周知することにより、同制度の活用を促進する。
- 信販会社・保険会社等による、サービサーとしてのRCCの活用
  特定回収困難債権の買取制度の対象とならない信販会社・保険会社等の反社債権について、RCCのサービサー機能を活用する。

また、これを受けた監督指針（Ⅲ-3-1-4-2（5））には、以下のとおり、規定されています。

- 反社会的勢力との取引が判明した旨の情報が反社会的勢力対応部署を経由して迅速かつ適切に取締役等の経営陣に報告され、経営陣の適切な指示・関与のもと対応を行うこととしているか。
- 平素から警察・暴力追放運動推進センター・弁護士等の外部専門機関と緊密に連携しつつ、預金保険機構による特定回収困難債権の買取制度の積極的な活用を検討するとともに、当該制度の対象とならないグループ内の会社等においては株式会社整理回収機構のサービサー機能を活用する等して、反社会的勢力との取引の解消を推進しているか。
- 事後検証の実施等により、取引開始後に取引の相手方が反社会的勢力であると判明した場合には、可能な限り回収を図るなど、反社会的勢力への利益供与にならないよう配意しているか。
- いかなる理由であれ、反社会的勢力であることが判明した場合には、資金提供や不適切・異例な取引を行わない態勢を整備しているか。

(6) 金融機関における反社会的勢力排除のための態勢整備

上記で説明した金融庁の監督指針等で求められる態勢整備を基に、金融機関における「入口」「中間」「出口」での態勢整備について検討します。

あくまでひとつの取組事例として取り上げますが、まず、属性としては、「ブラック先」、「グレー先」、「準グレー先」、「ホワイト先」を設定します。「ブラック先」とは、①暴排条項における属性要件に該当し（属性あり）、②当該情報が警察情報や新聞情報等で確認でき（情報の確度あり）、③当該情報が直近10年間（例）以内のものである場合（情報の鮮度あり）をいうこととします。③で10年を目安として掲げたのは、経済事犯の最高刑が10年（刑法253条の業務上横領罪）であるからです（この点、バッファーをみて「13年」として運用している金融機関もあります）。「グレー先」は、①暴排条項における属性要件に該当するものの、②当該情報が警察情報や新聞情報等で確認できないか、又は、③当該情報が

10年以上前の情報である場合をいうこととします。「準グレー先」とは、インターネット上で暴力団関係者と関係があると噂されている場合や父親が暴力団員である場合など、属性や情報の確度において十分でない場合をいうこととします。「ホワイト先」とは、新聞だけでなく、インターネット情報等も含め暴力団関係者との関係がある等の情報が一切ない場合をいいます。

入口段階では、「ブラック先」だけでなく「グレー先」も新規取引を一切行わないことを原則とします。これは、契約締結段階であれば、契約自由の原則が働くため、「グレー先」であっても取引の謝絶が可能だからです（ただし、顧客に対しては、「総合的な判断」として回答し、それ以上の説明は不要です）。入口段階では、「準グレー先」についても原則として新規取引を謝絶することになりますが、合理的な理由があれば新規取引を許容することもあります。例えば、親が暴力団員であっても生計を別にして暴力団関係者とも全く関係がないことが明らかである場合が挙げられます。また、「準グレー先」と見られた事業者が、「ホワイト化」の試みをした場合等が考えられます。

中間管理の段階では、自行・自社の反社データベースにおいて、事後的に、「ブラック先」と照合できた場合でも、暴排条項で取引を解消するためには、通常、警察から「クロ」の回答があった場合に限られます。したがって、警察からの「クロ」情報が得られない場合は、自行・自社で「ブラック先」としても「グレー先」として扱うこともあり得ます。中間管理の段階で「グレー先」「準グレー先」であると自行・自社の反社データベースにおいて照合された場合は、例えば、反社データベースによるモニタリングを継続することになります。「グレー先」に関しては、延滞が進んでいる等の他の解除事由や期限の利益喪失事由がある場合には、その事由で解除や期限の利益を喪失させることが考えられます。

出口の段階としては、例えば、預金口座を解約した場合は口座の残金を弁護士に依頼して返金したり、預金取扱金融機関による、特定回収困難債権の買取制度を利用すること等が考えられます。

〇図表6-2：属性ごとの入口・中間・出口管理

属性	入口	中間	出口
ブラック先	新規取引を一切行わない	警察情報で照合できた場合は暴排条項で関係遮断。できない場合は「グレー先」と扱う	弁護士による口座解約による預金の返金 預金取扱金融機関による特定回収困難債権の買取制度の活用
グレー先	新規取引を一切行わない	延滞等の解約事由がある場合は解除 反社データベースで継続的にモニタリング	—
準グレー先	原則新規取引を一切行わないが、合理的な理由がある場合は取引を許容	反社データベースで継続的にモニタリング	—
ホワイト先	新規取引を行う	—	—

(7) ホワイト化

「ホワイト化」とは、事業者がブラック先またはグレー先と取引先に疑われた場合にそれを解消することです。他の取引先からの取引解消・新規取引の謝絶や事業者自身のレピュテーションの低下等を避けるために行うものです。「ホワイト化」をすべき場合としては、①事業者の取引先がブラック先又はグレー先と疑われた場合と②事業者内部の取締役又は従業員がブラック先又はグレー先と疑われた場合があります。

前者①については、暴排条項等の反社会的勢力との関係遮断の方法を駆使して、当該取引先との取引を解消することが考えられます。後者②は、取締役については辞任又は解任、従業員については解雇をすることが考えられます。取締役については自発的に辞任をしてもらうことが望ましいものの、辞任しない場合は、臨時株主総会等を開催して、解任することが考えられます。この場合、取締役から解任された者は、正当な理由がある場合は会社に対して損害賠償請求ができます（会社法第339条第２項）が、反社会的勢力である場合には「正当な理由」とは認められないものと考えられます。また、従業員を解雇する場合には、会社と雇用契約の関係にあるので、解雇権の乱用に留意する必要があります。就業規則に反社会的勢力と判明した場合には解雇する旨あらかじめ定めたり、従業員から反社会的勢力でないことの誓約書を徴求しておけば、解雇しやすくなります。

上場会社等が反社会的勢力と疑われた場合には、第三者委員会を設置し、独立性・専門性を有する弁護士や公認会計士等の委員により、調査をさせ、その調査報告書を公表（開示）するという手段も考えられます。この場合は、日本弁護士連合会が、平成22（2010）年7月15日に公表した「企業等不祥事における第三者委員会ガイドライン」に準拠して行うことが、調査報告書の信用性を高めることになります。この点、株式会社王将フードサービスが、平成28（2016）年1月5日に、反社会的勢力との関係の有無を調査するために第三者委員会を設置したことが参考になります。

「ホワイト化」については、まだまだ事例が少ないこともあり、金融機関として「ホワイト化」を認めて良いかどうかはケースバイケースであるのが実情です。外形的に（かつ客観的にも）関係解消が確認できたとしても、個人的な交友関係を介した関係の解消や第三者を介した反社会的勢力による影響力の行使など、厳格なモニタリングを第三者が継続して行い続けることがポイントとなるものの、そのモニタリングの適切性について金融機関がどう評価するかも判断の基準のひとつとなると考えられます。このように、「ホワイト化」を認定するにあたっての判断基準の明確化が実務上の今後の大きな課題となります。

3. 反社チェックの実務

ここからは、反社チェックを中心に、反社管理態勢のあり方、具体的な手法等について説明していきます。

（1）反社管理態勢の実効性を担保するためのポイント

これまで見てきた通り、反社管理態勢の形式的なあり方は明確に定められているものの、実際の運用面では様々な限界やあいまいさ、判断の困難さに直面することも多いといえます。このような実務面における困難さや限界をふまえつつ、組織的対応を念頭に置いた「内部統制システム」のあり方とその実効性を確保するために必要な視点が必要です。この反社会的勢力排除の内部統制システムの構築とは、「認知」「判断」「排除」の各プロセスの取組みレベルを、社会の要請に適合させることであり、それを「いかに正しく行うことができるか」がポイントとなります。とりわけ、反社会的勢力排除の取組みにおいては、現場レベル（役職員一人ひとり）の「暴排意識」や「リスクセンス」の自発的な発露が最も重要であり、厳格すぎるコンプライアンス（あるいは、形式的コンプライアンス至上主義）に陥りがちな「やってはいけないことをやらない」だけでは不十分です。

ア　強い危機感の認識

2021年5月、福岡県の暴力団関係事業者に対する指名停止措置等において、代表者が密接交際者であるとして社名公表された九州の事業者が、2週間後に倒産に追い込まれる事態となりました。代表者の認識の甘さがすべてではありますが、あらためて「企業存続にかかる重大リスク」という点で反社リスク対策の重要性を認識させられる事例であり、企業は強い危機感を常に持ち続けることが大事です。また、反社会的勢力排除を取り巻く環境は、今、正に「有事」の状況だといえます。政府指針、暴排条例の実務への浸透によって企業の暴排意識が高まりを見せる一方で、暴力団対策法の度重なる改正によって、反社会的勢力による資金獲得活動は確実に難しくなっています。彼らも相当追い込まれているのであり、したがって、企業側の「脇の甘さ」が命取りになりかねないという強い危機感を社内で共有する必要があります。また、このような「有事」の状況であるにもかかわらず、この問題には「これさえやっていれば大丈夫」といった抜本的な対応策がないのが現状であり、だからといって、「何もしない」ことはありえないし、「これまでの取組みレベルに安住すること」すら致命的なダメージを被る可能性があるという危機感も持つ必要があります。したがって、強い危機感に裏打ちされた、内部統制システムの絶え間ないブラッシュアップこそが、最終的にはこの「有事」を勝ち抜く大きな武器となることをあらためて認識する必要があります。

イ　「正しく行う」とは

「認知」「判断」「排除」の各プロセスを「正しく行う」ことが本取組みのポイントであると述べましたが、企業の意思決定や行動を「正しく行う」とは、つまるところ、「常識」的な対応を組織として行うことに他ならず、個人と組織の常識が一致しているということに帰着するといえます。具体的には、役職員一人ひとりが反社会的勢力を「社会悪」として捉え、個人的に関係を持ちたくないと心から思っていること（＝社会の常識）をベースとして、組織もまた、彼らと関係を持つことが「おかしい」ことだと当たり前に判断し、排除に向けて行動できることと言いかえられます。当然のことのように思えますが、多くの事例を見る限り、個人の常識と組織の常識の間に「業務」が介在することによって、（当事者が強く意図しない形で）大きな乖離が生じてしまっている例は少なくありません。「業務」を遂行することによって、過去の慣習等に囚われたり、問題を隠蔽しようとする意図が働くなど、（排除に踏み込めない）例外的な理由、「仕方がない状況」が作り出されてしまっているのです。社外では健全な常識人が、自らの組織運営・業務の遂行上の問題となると、途端に、その健全な常識が働かなくなる、しかも集団催眠のように、「何となくしっくりこないが、仕方がない」という状況に陥っています。残念なことに、そのような組織運営・業務の遂行状況によって、個人の「暴排意識」や「リスクセンス」の自発的な発露の妨げとなる悪循環に陥っている組織が少なくありません。したがって、個人の常識的な感覚と組織の意思決定・行動との間に違和感がないことこそ、安心して業務に専念できる、すなわち、取組みの実効性を高めるポイントであり、それこそが、コンプライアンス体制、内部統制システムが有効に機能した状態です。

ウ　目に見える属性がすべてではない

　反社会的勢力排除の取組みとは、単に目に見える契約当事者からだけではなく、「真の受益者」（いわゆる「実質的支配者」としての形式面から特定される者（自然人）にとどまらず、実質的に法人を支配し、最終的に利益を得ているという実態面から判断されるべき者）から反社会的勢力を排除することこそが本質的な要請です（例えば、賃貸契約において、契約からの暴排はできていても、実際に暴力団員が居住している実態があり、暴力団関係者を居住させないことが「真の受益者」からの暴排だと言えます）。彼らは、代理契約、偽名・借名・なりすまし、意図的な虚偽申請や本人確認資料の改ざん、ネーム・ローンダリングなど、（企業側のチェックの甘さを突くような）匿名化スキームの複雑化をすすめ、「契約当事者が本人でない」、「データ上の本人と一致しない」状況など「真の受益者」の潜在化を図っている状況にあります。その意味では、反社チェックをはじめ、反社会的勢力排除の取組みは、最終的には、「本人確認における精度の問題」に帰結するとさえ言えるのです。そのような状況をふまえれば、関係者による共謀、犯罪スキームなど背後関係・相関関係の把握の重要性が増している（すなわち、「点」ではなく「面」で捉えることの重要性が増している）のであり、金融機関や不動産事業者等の犯罪収益移転防止法に定める「特定事業者」に限らず、一般の事業者においても、AML/CFT実務における「KYC（Know Your Customer）はもちろんのこと、最近では、KYCC（Know Your Customer's Customer）」の流れや、「AML/CFTだけでなく詐欺事案等にまで拡げた組織犯罪の動向や手口の把握」、「取引NG形態の多様化」、「サプライチェーン・マネジメントの厳格化に対応したKYCC／KYCCCの重要性」といった視点が必要な状況です。FATFの第4次相互審査結果においても、「大部分の金融機関は、現金取引を介するもののほかは、前提犯罪とマネロンとの関連性や、どのように犯罪収益が金融システムに入り込むかについて、より深い理解を有していない。さらに、一定数の金融機関は、一定の特定の分野（例えば、閉鎖的なグループに属し、当該グループの会員であることにより本人確認が行われた顧客に対し、主にサービスを提供する銀行）に限定されているため、顧客基盤のリスクが低いとみなし、それゆえ、各顧客のリスク評価を実施していない。」と指摘されていますが、反社会的勢力の不透明化や手口の巧妙化の実態に関する情報を幅広く収集・分析し、「マネロン・テロ資金供与対策ガイドライン」の規定に沿って「画一的な低減措置」を講ずることにとどまらず、常に新たなリスク管理のあり方を模索し試行していくこと、より顧客に応じた個別のリスクに着目した対応が求められることになります。さらには、工藤会判決を受けて、暴力団等の反社会的勢力のマフィア化が進むことが予想される中、企業は、周辺者をいかに捕捉していくか、より厳格な見極めが求められるようになります。具体的には、反社会的勢力の範囲を最大限に拡げつつ、法人の「実質的支配者」だけでなく、「実質的関与者」をできるだけ把握し、調査対象を拡げていくことが求められ、現行の反社チェックではますます通用しなくなる（見抜くことがより困難になる）と認識する必要があります。

エ　不作為とは真逆の企業姿勢が求められる

反社会的勢力排除の取組みにおける様々な限界をふまえれば、そのスタート地点の認識としては、「既に取引しているかもしれない」との強い危機感と覚悟が必要です。したがって、これだけ厳しい社会の要請下にあっては、反社会的勢力との関係の端緒が社内の各部署から上がってくるのをただ待つのでなく、組織として、いち早く（外部から指摘される前に）「問題を見つけにいく」といった不作為とは真逆の企業姿勢が求められていると言えます。

また、排除すべき対象の範囲や関係のあり方は、「判断時点」という過去ではなく「現時点」における社会の目が判断基準となります。その間の社会情勢の変化により、過去「問題ない」、「このくらいは大丈夫」と判断したものが、後になって問題視されるリスクが既に顕在化しています。つまり、反社会的勢力排除の問題は、現在進行形として、過去に遡って深刻な拡がりを認識すべき問題でもあると言えるのです。したがって、過去の自社の取組みすら厳しく自己批判していく「ジャッジメント・モニタリング」の視点もまた重要です。そのような現状においては、まずは、既に「保留にしている」、「判断に違和感がある」、「再検討が必要である」と言われてすぐに頭に浮かんでくる契約や取引などから、優先順位を決めて計画的に取り組んでいくべきです。着手を躊躇っているのではなく、気になるところから潰していく勇気もまた重要です。

(2) 反社データベース活用の正しい理解を

平成30（2018）年1月から、警察庁の暴力団等に関する情報データベースを金融機関と接続する取り組み（公助）が始まりました。それ以外にも、全銀協・生保協会・損保協会等が保有するデータベース（共助）の活用、事業者が自ら収集するなどして保有しているデータベース（自助）をグループ・ガバナンスの一環としてグループで保有する反社データベースを共有するといった動きが加速しています。ただし、民間事業者が活用できるデータベースは、「既に何等かの形で公知となった者の情報」であり、「現時点の実態を正確に示すものではない」こと、「実務上は同姓同名・同年齢の問題から同一性の精度に問題がある」ことなどの限界があります。加えて認識すべき点として、警察や暴追センターが提供する情報がすべての反社会的勢力をカバーしているわけではなく、むしろ、警察庁の内部通達「暴力団排除等のための部外への情報提供について」(平成25年12月改定)に明記されている「立証責任」(情報の内容及び情報提供の正当性について警察が立証する責任を負わなければならないとの認識を持つこと)や「情報の正確性」の確保に鑑み、提供して問題のない確証のある情報(例えば、現役の暴力団構成員など)に限定される傾向が一層強まっている点があげられます。その帰結として、データベースに登録されている者や情報提供の対象者が比較的直近の属性や犯罪に紐付いている傾向にあること(つまり、データベースに「時系列的な厚み」があまり期待できないこと)、したがって、共生者や周辺者(最近活動が活発化している「準暴力団」など)といったグレーゾーンに関する情報があまり期待できないこと(経験的に、グレーゾーンに位置する者は、「直近ではない過去」に何らかの犯罪に関与しているケースが多いため、共生者等の把握にはデータベース上の「時系列的な厚み」が必要不可欠です)、さらには、そのようなデータベース上の属性を有する者が、チェックの対象となる者(=契約等の当事者)になりうるかといった根本的な懸念すら拭えない状況にあります。そして、当然のことながら、反社会的勢力は、そのようなリスクを、代理契約、偽名・借名・なりすまし等によってヘッジしている現実があるのです。データベースの活用においては、まずはこれらの限界について、十分認識しておくことが必要です。

さらに、データベースを巡る問題として、「反社会的勢力の範囲はどこまでか」が実務上の大きな課題となります。前述した通り、そもそも、反社会的勢力排除の取組みにおいては、反社会的勢力の範囲(定義)が明確でなく、あいまいなままであることがその難しさの根本的な要因となっています。一方で、その範囲(定義)さえ明確に線引きがなされ、それが社会全体での共通認識となれば、(データベースの限界は別として)社会からの反社会的勢力排除が実現されるかといえば、答えは「否」です。極論すれば、事細かに詳細まで定義すべきではありません。

前項で、反社会的勢力を、「暴力団等と何らかの関係が疑われ、最終的に『関係を持つべきでない相手』と個別に見極めて、排除していくべきもの」と定義しましたが、それは、そもそもが「本質的にグレーな存在」である実態を踏まえたものです。一方で、反社会的勢力の範囲を詳細に定義することが可能になれば、データベースの収集範囲が明確となり、その結果、データベースの精度が向上し、排除対象が明確になり、暴排条項該当への属性立証も円滑に進むであろうことは容易に想像できます。

しかし、そこに落とし穴が潜んでいるのです。

反社会的勢力の範囲の明確化は、反社会的勢力の立場からすれば、偽装離脱などの「暴力団対策法逃れ」と同様の構図により、「反社会的勢力逃れ」をすすめればよいだけの話となります。社会のあらゆる局面で、排除対象が明確になっており、データベースに登録されている者を、あえて契約や取引の当事者とするはずもなく、最終的にその存在の不透明化・潜在化を強力に推し進めることになると考えられます。その結果、実質的な契約や取引の相手である「真の受益者」から反社会的勢力を排除することは、今まで以上に困難な作業となっていくのは明らかです。そして、反社会的勢力の資金源を断つどころか、逆に、潜在化する彼らの活動を助長することになりかねず、結局はその見極めの難易度があがる分だけ、自らの首を絞める状況に追い込まれることになります。

さらに、反社会的勢力の範囲の明確化を事業者側から見た場合、排除すべき対象が明確になることで、「それに該当するか」といった「点（境目）」に意識や関心が集中することになることから、逆に、反社チェックの精度が下がる懸念もあります。そもそも、反社会的勢力を見極める作業（反社チェック）とは、当該対象者とつながる関係者の拡がりの状況や「真の受益者」の特定といった「面」でその全体像を捉えることを通して、その「点」の本来の属性を導き出す（炙り出す）作業でもあります。表面的な属性では問題がないと思われる「点」が、「面」の一部として背後に暴力団等と何らかの関係がうかがわれることをもって、それを反社会的勢力として「関係を持つべきでない」排除すべき対象と位置付けていく一連の作業です。その境目である「点」だけいくら調べても、反社会的勢力であると見抜くことは困難であり（さらに、今後その困難度合が増していくことが予想されます）、全体像を見ようとしない反社チェックは、表面的・形式的な実務に堕する可能性が高くなると考えられます。

〇図表6-3：反社チェックの本質とは？

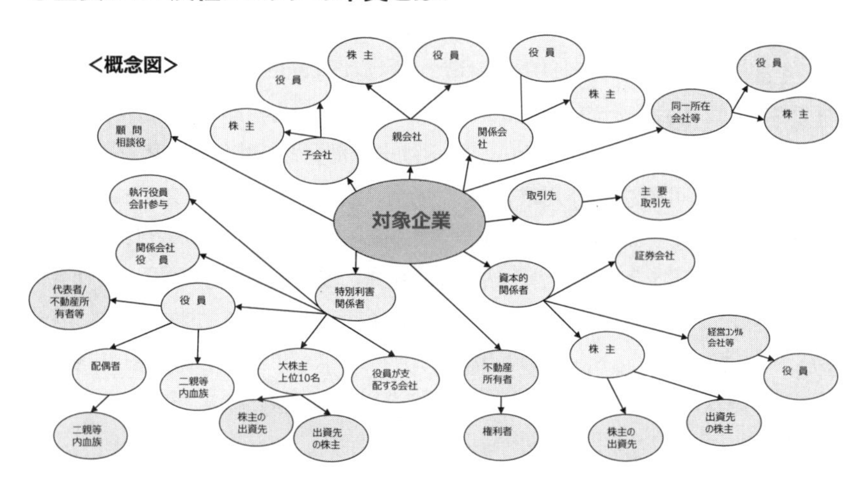

反社会的勢力の範囲を明確にすることで、表面的・形式的な暴力団排除・反社会的勢力排除の実現は可能となるでしょう。企業実務においてリソース等に限界がある以上、また、一方で営利を目的とする企業活動である以上、最低限のチェックで良しとする考え方もあることは否定しませんが、既に述べた通り、私たちに求められているのは、暴力団対策法によって存在が認められた暴力団や当局が認定した暴力団員等、あるいは、「現時点で認識されている反社会的勢力」、便宜的に枠を嵌められた、限定された存在としての「目に見える反社会的勢力」の排除にとどまるのではなく、「真の受益者」たる「暴力団的なもの」、「本質的にグレーな存在」である「目に見えにくい反社会的勢力」の排除が本筋であることを忘れてはなりません。反社会的勢力の範囲を明確にすることが、直接的に相手を利することにつながり、対峙すべき企業が自らの首を絞めるとともに、自らの「目利き力」の低下を招くものだとしたら、これほど恐ろしいことはないのです。

（3） 反社チェックのあり方

ア 目利き能力を如何に高めるか

前述した「実態調査2021」から見えてきたのは、反社リスク対策の現状のレベル感と排除すべき反社会的勢力の実態との間には絶望的なまでのミスマッチがあり、このままではその差がますます拡大してしまいかねないおそれがあるということです。そもそも現行の反社リスク対策のレベルでは、反社会的勢力を見抜くことができず、反社会的勢力の実態についての「無知」も相まって、その結果だけを見て「当社の反社リスクは低い。対策は十分だ」との妙な思い込みや過信につながっている可能性があります。したがって、反社リスク対策のブラッシュアップや役職員の意識やリスクセンスの重要性も省みられることなく、実務は形骸化が進み（一方の反社会的勢力の不透明化は急激に進行し）、その結果、反社会的勢力の侵入にも気づくことなく、反社会的勢力の活動を助長しかねないリスクを自ら高めてしまっている・・・そのようなネガティブ・スパイラル（悪循環）に陥っているのが現状だといえます。まずはそのような厳しい認識を持つことがスタートとなります。

さて、反社チェックにおいては反社データベースを活用したスクリーニングが一般的ですが、真に憂慮すべき問題は、情報を利用する側の企業姿勢にあります。つまり、反社データベースに「依存」「安住」するあまり、それ以上の取組みについて「思考停止」に陥ってしまうこと（これで十分だと誤信してしまうこと）、もっと言えば、反社会的勢力の不透明化や手口の巧妙化の現実をふまえれば、現場の「目利き」力を高めるべき状況にあるにもかかわらず、「思考停止」によってその能力の低下すら招きかねないという点にあります。例えば、企業が暴排コンプライアンスについて、営業活動を阻害する「やっかいなもの」との認識を持っており、「データベースで確認しさえすればよい」といった活用の仕方が推奨されることによって、一定の「お墨付き」を得られるとの感覚があるとすれば、根本的な解決には程遠いと言わざるを得ません。そもそも反社チェックとは、日常業務の中から「疑わしい」端緒を把握し、それを基に組織的に見極め、排除に向けて取り組むことに他なりません。現場の端緒情報を軽視しデータベースに依存することだけでは反社チェックの精度を十分に確保することは難しいし、現場における暴排意識やリスクセンスの向上なくしては、反社会的勢力の実質的な排除、あるいは、その前提となる見極めすら期待できません。それが実質的に高い精度が期待できないデータベースであればなおさら、それがどのようなものであれ、「データベースに該当しないこと＝反社会的勢力でない」との短絡的な思考が、それ以上の思考を停止させ「目利き」力を低下させること、つまり、反社会的勢力排除のためのデータベースが、反社会的勢力排除の実効性を阻害するという本質的な矛盾を生じさせる危険性を孕むことを強く認識すべきです。

反社チェックは反社管理態勢の出発点です。反社チェックを支えるものは、あくまで現場における高い「暴排意識」と「リスクセンス」であり、データベースはそれらと相互に補完しあう役割を担っているにすぎません。反社会的勢力につながる端緒情報をデータベースから得られることは、現場の意識を高めること、すなわち、チェック（観察力）の精度を高めることにつながります。また、現場で収集された風評や取引や接触等を通じた違和感や怪しさといった「ぼんやりとした」端緒情報にデータベースが客観的な事実（確証）や示唆を与えることもあります。データベース・スクリーニング自体は「必要条件」や「十分条件」にはなりうるものの、単独で「必要十分条件」にはなり得ないといった性質のものです。なお、現場が拾い上げる端緒情報の精度については、あるメガバンクでAML/CFTの取組みについて伺ったところ、AMLシステムにおける膨大なロジックによりシステム的に抽出された端緒情報（異常値）と現場行員から寄せられた疑わしいとの端緒情報の「精度（この場合は、最終的に金融庁に「疑わしい取引」として届出をすることになる比率）」を比較すると、後者の方が圧倒的に高いということでした。データベース偏重が現場の思考停止を生むことをリスクとして認識しながら、現場の目利き力を高めるためには、まずは、「何かおかしい」と個人が思えること・気付くこと（リスク感覚が麻痺していないこと）、その個人的な感覚が組織の感覚とマッチすること（組織の論理が個人の常識や感覚を封じ込めないこと）、つまり、組織の外においては健全に機能する各人の「社会の目」を組織内にどれだけ取り込めるかという組織風土（社風）に着眼する必要があります。したがって、組織風土の醸成との観点から言えば、「風通しが良い」、「正しいことを正しく行う」、「正しいことが評価される（正しいことをやろうとして犯した失敗にはある程度寛容である）」といった当たり前のことが、暴排の取組みにおいても極めて重要だと言えるのです。

イ　反社チェックにおけるデータベース・スクリーニングの位置付け

そもそも、反社会的勢力を見極める作業（反社チェック）とは、当該対象者＝「点」とつながる関係者の拡がりの状況や「真の受益者」の特定といった「面」でその全体像を捉えることで、その「点」の本来の属性を導き出す（炙り出す）作業です。表面的な属性で問題がないと思われる「点」が、「面」の一部として背後に暴力団等と何らかの関係がうかがわれることをもって、それを「関係を持つべきでない」反社会的勢力として排除すべき対象と位置付けていく一連の作業であって、この本質的な反社チェックのあり方から見た場合、データベース・スクリーニングに代表される機械的・システム的なチェックやそれに伴う判断は、あくまで本来的な反社チェックの「一部」あるいは「代替策」に過ぎないと言えます。「預金口座の開設」、「保険契約」、「クレジット契約」、「個品割賦購入契約」といった大量かつスピーディな処理が求められている業務においては、効率性と精度をある程度のところで両立させる有効な方法が他にないが故の「代替策」であって、他の手法とどれだけ組み合わせられるかは企業努力次第ということになります。したがって、このような手法に依存することが多い「入口」審査においては、データベースの限界と相まって精度が不十分である（すなわち、不完全である）こと、結果として、反社会的勢力がすり抜けて入り込んでしまっていることを強く認識した業務運営を行うべきだと言えます。したがって、「入口」審査の限界を踏まえた「事後チェック」（中間管理／事後検証）の精度向上の視点が一層重要となります。データベース・スクリーニングの手法に限って言えば、データベースの更新の都度行うという高頻度のスクリーニング、あるいは、複数のデータベースを組み合わせて利用することによって「粗い網の目」を狭めていく工夫などが考えられます。実際、IPOの場面では、自社による反社チェック（記事検索サービスやインターネット検索、専用データベース等の活用による自律的・自立的なチェック）以外にも、主幹事証券の保有するデータベース、証券取引所の保有するデータベースと少なくとも３段階の異なるデータベースによるスクリーニングを実施することで、万全を期すための努力を行っています。また、データベース・スクリーニングが本来的な反社チェックの「代替策」に過ぎないことをふまえれば、「融資契約」、「代理店・加盟店等の業務委託契約」、「売買契約」をはじめとする他の契約類型においては、「登記情報の精査」「風評の収集」「実体・実態確認」その他の反社チェックの手法を組み合わせるなど、反社チェック本来の形に近づける努力をすべきであるし、それが求められていると認識すべきです。

さらに、「入口」審査の限界を踏まえた「事後チェック」の精度向上においては、データベース・スクリーニングの高頻度かつ重層的な活用以外にも、中途でのモニタリング強化の視点が必須です。そこでの主役は、現場レベルの「日常業務における端緒情報の把握」であり、一人ひとりが「暴排意識」と「リスクセンス」をフルに発揮できる環境作りと情報の集約・審査体制の整備、さらには排除を可能にする積極的な仕掛け作りが求められます。

(4) 反社チェックの具体的な手法

これまでの内容を要約すると、反社チェックのあり方については、以下のような視点が必要です。

- 反社チェックとは、日常業務の中から「疑わしい」端緒を把握し、それを基に組織的に見極め、排除に向けて取り組むことに他ならない。現場の端緒を軽視しデータベースに依存することだけでは反社チェックの精度を十分に確保することは難しいし、現場における「暴排意識」や「リスクセンス」の向上なくしては、反社会的勢力の実質的な排除、あるいは、その前提となる見極めすら期待できないと言ってよい。
- 反社チェックとは、別の言い方をすれば、当該対象者＝「点」とつながる関係者の拡がりの状況や「真の受益者」の特定といった「面」でその全体像を捉えることで、その「点」の本来の属性を導き出す作業である。表面的な属性で問題がないと思われる「点」が、「面」の一部として背後に暴力団等と何らかの関係がうかがわれることをもって、それを反社会的勢力として、「関係を持つべきでない」排除すべき対象と位]置付けていく一連の作業だと言える。
- 例えば、データベース・スクリーニングのような手法に依存するしかない「入口」審査においては、日常業務における端緒情報の不足の問題、およびデータベースの限界と相まって精度が不十分である（すなわち、不完全である）こと、結果として、反社会的勢力がすり抜けて入り込んでいることを強く認識した業務運営を行うべきである。したがって、「入口」審査の限界を踏まえた「事後チェック」の精度向上の視点が重要となる。

ア　反社チェック手法の例

反社チェックの具体的な手法については、データベース・スクリーニング以外にも、「取引経緯や取引途上の特異事項等の把握（日常業務における端緒情報の把握)」、さらには、「風評チェック（リアル／ネット)」「登記情報の精査」「実体・実態確認」といった複数の手法があり、それらを可能な限り複数組み合わせることによって、多面的に分析していくことが重要となります。

さらには、法人の反社チェックにおいては、商号変更されている場合は現在の商号だけでなく、以前の商号もチェック対象に加える、現任の役員だけでなく、既に退任した役員までチェック対象に含めるといった時系列的な観点からのチェック対象の拡大、また、経営に関与しうるとの観点からは、重要な取引先や株主、顧問や相談役などにまで対象を拡げることすら検討していく必要があると言えます。

○図表6-4：反社チェックの具体的手法の例

チェック手法項目	チェック概要
属性要件・行為要件・コンプライアンス違反等への該当の有無	データベース・スクリーニング／記事検索／インターネット検索
反社会的勢力排除条項の締結状況	“排除条項締結を合理的な理由なく拒む”、“排除条項付き契約書の押印が遅い” など不審点がないか
商業登記情報の精査	商号・役員・所在地・事業目的の変更理由等は合理的か
風評チェック	業界内や近隣での噂、ネットでの風評等に好ましくないものがないか
取引の経緯のチェック	取引を行う理由が明確か、紹介者は問題ないか、代替可能性があるか、必要な調査や検討手続きは適切に行われているか

取引上の懸念事項等のチェック	異例・例外的な部分はないか、企業実態はしっかりしているか、資本政策や主要株主・役員等の動向に急激な変化や与信上の問題はないか
現地確認・実在性チェック	経営の規模に応じた事務所の規模か等
閉鎖登記・不動産登記情報の精査	過去の役員、不動産登記簿謄本上の所有者等や最近の動向に不審な点はないか
財務分析	粉飾や不自然な資金調達が行われていないか等

そのうえで、入口におけるデータベース・スクリーニング主体の反社チェックを行わざるを得ない場合に、その限界を乗り越える工夫について、いくつか実例を紹介します。データベース・スクリーニングにおいては、「同一性の精査」が悩ましい問題であり、最終的に警察に情報提供を求めるべきではありますが、その中で、審査に十分な時間をかけられない制約がある場合には、以下のような取組みも考えられます。なお、これらについては、あくまでも企業姿勢によるところが大きいことを付言しておきます。

- 新規取引開始時の審査であれば、自社で出来る範囲の追加調査（ネットで情報を収集するなど）にとどめ、それ以上の情報収集をせず（新聞記事の取得や警察に相談することなく）、ある程度同一と疑われるものについて「契約自由の原則」により取引NG対応とする（同一でないと判断したものについては、判断の根拠について記録を残す）
- 同一性の精査を一切行うことなく、「同姓同名・同年齢」レベルのデータベースへの該当事実をもって新規取引を行わないことを組織的判断とする
- 他に問題がなければ、いったん審査を通過させておいて、その後、警察相談や専門家への調査依頼など十分な審査を行い、その結果、問題がある場合には、関係解消に向けたアクションを起こす（継続監視として関係を解消出来る機会を探る、次の契約更新をしない、確証が揃った時点で中途での契約解除に踏み込むなどが考えられます）

- 自社で出来る範囲の追加調査にとどめつつ、第三者である専門家に風評等の簡易なチェックを依頼し、その範囲内で同一性の判断と取引可否判断を行う。

イ　反社チェックの実務

以下ではこれに引き続き、反社チェックをどういった範囲で行えばいいか、また、調査手法には具体的にどのようなものがあるのかをより詳しく解説します（すべての業種・業態の参考になるものと思われますので、金融機関を例に検討します）。

①　反社チェックの調査範囲

既に述べたとおり、金融機関に求められる反社チェックは、全国の暴排条例等で求められるレベルを大きく超えています。具体的には平成23（2011）年6月に改正された「銀行取引約定書に盛り込む暴力団排除条項参考例」の内容を踏まえて、当該企業が「暴力団員等が経営に実質的に関与していると認められる関係を有する」かどうか、「暴力団員等に対して資金等を提供し、または便宜を供与するなどの関与をしていると認められる関係を有する」かどうか、といった点にまで注意を払うことが求められています。

このような観点から、金融機関では、対象企業の商業登記情報（以下「登記情報」）を取得するなどして「現在の商号と取締役・監査役」等を把握し、それを過去の記事検索や自行庫のデータベース、外部の公知情報データベースと照合して、該当事項がないか確認するということが広く行われています。しかし、反社会的勢力は、そのような反社チェックを見越して、すでに巧妙に実態を隠しており、表面的な情報だけで反社会的勢力を見極めることは困難になっています。したがって、実効性ある反社チェックを行うためには、閉鎖された登記情報を取得するなどして、「退任した役員」「会社設立当時の役員」「会社の来歴」等にまでチェック対象を拡大し、「隠したい過去」を導き出す（見つけにいく）といった取組みの深度が必要になります。金融機関の取組みが表面的であればあるほど、反社会的勢力にとっては、実態や手口、真意（狙い）の隠蔽や偽装が容易です。「面倒だから」「難しいので」ということで表面的な取組みに終わらせること自体が、相手に隙を見せることになるのです。また、反社会的勢力は、企業等に接近し、接点が生じるや、関係者を一斉に送り込んでくるなど、「面で活動する」行動様式に特徴があります。その意味では、反社会的勢力に関する端緒（兆候）は、事業者を取り巻く様々な接点（例えば、関連会社や資本・業務提携先など）に点在していることにも注意が必要です。

以上を踏まえると、望ましい反社チェックの調査範囲としては、対象企業の現時点の状況に限定することなく、【図表6-5】にあるような過去の関係者や周辺の関係者にまで拡げることが重要です。経験則上も、とりわけ外から見えにくい部分に反社会的勢力が潜んでいることが多いといえます。

○図表6-5：反社チェックの調査範囲の拡大例

- 退任した役員
- 子会社や関係会社
- 主要な取引先
- 主要な取引先等の紹介者（仲介者）
- 主要株主
- 主要な従業員（取締役以外の執行役員、中途入社した部長など）
- 顧問や相談役、コンサルタント、アドバイザー
- 外部から招聘した取締役・監査役およびその経歴先企業
- 投資先や融資先、法人所有不動産や役員個人所有不動産の債権者など

② 反社チェックの調査手法

実効性ある反社チェックを行うには、調査範囲を拡げるだけでなく、データベースの限界も踏まえ、多面的な角度からの調査（情報の収集・分析）、複数の調査手法を組み合わせていくことが求められます。そこで得られる一つひとつの端緒情報を積み重ねることが、見極めの精度を高めることにもつながります。ここでいう「多面的な調査手法」には、具体的には【図表6-4】のようなものがあります。

これらについて自行・自社の反社会的勢力の定義を踏まえ、どこまで踏み込むべきか、それを業務プロセスの中にどのように落とし込んでいくかを検討する必要があるわけです。

暴力団関係企業（フロント企業）の認知においては、通常とは異なる「異様・違和感・例外」といった端緒情報が重要です。日常業務において、いつでも、どこからでもそれを組織的に収集できる仕組み（例えば、職制だけでなく内部通報制度など複数の報告経路や、取引先管理台帳・業務日報等の情報の共有など）を備えておくことも重要なポイントとなります。反社会的勢力への対応は、「特定の部門・人による有事の際の排除」から、「全員参加による、組織的な、平時における有事への備え＝平時と有事の連続性を重視した取組み」に転換しています。このことを踏まえ、「疑わしい端緒を把握した際の見極めから排除」という一連の取組みを支える重要なプロセス（単なる形式ではない）として、反社チェックを位置づける必要があります。

③　商業登記情報のチェックポイント

ここでは、「反社チェック」の方法の一つである「登記情報分析」のポイントについて取り上げます。

〈登記情報分析〉

商業・法人登記は、会社・法人を設立するうえでの義務（必須事項）です。すでに取引のある先であり、取引開始時に商業登記情報を取得・確認している先であれば、それを「反社会的勢力の見極め」という視点から再活用することを考えたいところです。登記情報を分析することによって、その企業の表面的な姿（情報）の裏側に潜む「隠したい事実」や「隠そうとする意図」までもが浮かび上がることがあるからです。ただし、それにはできる限り時系列で、その企業の変遷を確認することが必要です。そのためには、「現在事項証明書」ではなく、「履歴事項全部証明書」や「閉鎖登記簿」等の情報を確認することが望ましいといえます。

〈登記情報分析の視点〉

反社チェックにおける登記情報分析においては、「内容に整合性があるか」という視点が最も重要です。具体的には「商号、本店所在地、役員を変更する理由は何か」「事業目的が大きく変わった理由は何か」など変更点を確認し、その背景事情を分析します。実際にチェックする際には、以下のような点を踏まえて分析し、当該会社の来歴、経緯の把握に努める必要があります。

- 履歴事項全部証明書は「情報の入り口」であり、閉鎖登記簿情報は「隠された事実の宝庫」であることが多い
- 最近は、登記情報に反社会的勢力の属性要件に該当する人物が登記されていることは少ない。したがって、できる限り過去に遡って登記情報を精査し、反社会的勢力としての属性を有する者の有無を確認する、あるいは過去に潜在する懸念事項を可視化する、といった調査の深度も必要となる
- 登記情報については、登記されていることを確認するだけなど、形式的な審査・確認のみで済ませることなく、登記情報から会社の沿革や役員の変遷状況を精査して懸念事項の有無を確認することが重要である
- 不自然な商号変更、本店移転、業態転換、役員の総入替えなど、会社の継続性に疑義のある登記事項がないか、「会社の継続性」の観点からチェックする
- 可能な限り役員経歴書の提出を受け、代表者等の役員の就任経緯や経歴会社、空白期間について情報収集を行う

会社法の改正により、資本金1円、取締役1名から株式会社を設立できるようになりました。このことから最近は新設間もない会社が、経歴に問題のない人物を役員に据えるなどして、表面的に問題のないような会社に偽装してアプローチしてくる場合も多くなっています。一方、資本の大きな会社を設立するには資本金の払込証明が必要であり、業歴の長い会社をいきなり設立することも不可能であることから、休眠会社を買収して、そのような会社に仕立て上げるといった偽装もよ

く行われます。さらに、貸金業などの許認可付きの会社がネット上で売買されているのも現実であり、監督官庁等の審査を経ず、いきなりそれらを手に入れることも可能です。新たに会社を設立するよりもコストと期間がかからず、長期の業歴や潤沢な資本を有する会社になれるため、休眠会社等の利用は少なくありません。そのため登記情報の時系列的な流れを確認し、商号・設立・目的・役員各欄の情報を精査することが必要であり、また会社としての継続性やその履歴の合理性・整合性を確認することを通し、その手口を看破することに努めなければなりません。

〈登記情報分析のポイント〉

登記情報分析は以上のような観点から行っていくわけですが、その際、次に当てはまる企業については特に注意が必要です。

- 主要事業の変更（業態転換）がある
- 事業目的間の関連性が低い
- 事業目的が多岐にわたりすぎている、大幅に変更されている
- 短期間での大規模な増資や小口の増資、減資などが続いている
- 商号、本店所在地、役員が頻繁に変わっている
- 複数役員が一斉に退任している、「解任」された役員がいる
- 会社の合併、分割がある
- 債権譲渡などが登記されている
- 商業登記簿謄本が存在しない
- 登記内容の変更手続きが常態的に法定期間を超えている

ただし、これらはあくまで暴力団関係企業（フロント企業）などに多くみられる特徴にすぎず、それだけでは反社会的勢力と特定できません。反社会的勢力を見つけるためには、その他の調査結果や収集された端緒情報と併せ、総合的にチェックを進めるという慎重な姿勢が必要となります。

④　不動産登記情報分析のポイント

必要に応じて会社所有不動産、代表者等の個人所有不動産の登記状況についても確認することが望ましく、その場合のポイントは以下のとおりです。

- 不動産の所有者に不審な者がいる
  - 会社不動産の所有者に当該会社や役員以外の者がいる
  - 代表者の個人資産の所有者に本人および会社関係者以外の者がいる
- 登記内容に以下のような登記がある
  - 「差押」「仮差押」の登記がある
  - 「競売開始決定」の登記がある
  - 「所有権移転請求仮登記」の登記がある
  - 「破産」「予告登記」の登記がある
  - 「譲渡担保」がみられる
- 抵当権や根抵当権の設定状況で以下のような登記がある
  - 抵当権や根抵当権設定が異常に多い、評価額と対比してみてオーバーしている
  - 「市中金融」の担保設定がある
  - 「個人名」の担保設定がある
  - 「根抵当権設定仮登記」の登記がある
  - 短期間に担保設定が相次いでいる

⑤　風評チェックの手法とポイント

次に、「反社チェック」の手法の一つである「風評チェック」について取り上げます。

企業に関する「風評」については、信憑性が疑われて軽視されたり、その取扱いや見極めの難しさから適切に活用されていないのが実情だと思われます。単なる噂話や根拠のない誹謗・中傷も含め、信憑性が疑わしい玉石混交の情報が氾濫する中では、適切な情報を選別する「情報リテラシー」が求められます。と

はいえ「火のないところに煙は立たない」という言葉を常に念頭に置き、それを裏付ける事実・実態に関する情報を幅広く収集する、つまり「風評の信憑性を検証する」というスタンスが重要です。実際の事例としては、取引先と反社会的勢力との関係についてネット上に書き込みがあり、その理由を探ったところ、最近外部から招聘した取締役が、仕手銘柄や反社会的勢力が関与しているとされる複数の企業で取締役を歴任していた事実が判明したといったケース、インターネット掲示板で「社長が暴力団員と飲み歩いている」との書き込みがあったので調査を続けたら、社長のSNSの友達リストに暴力団員が含まれていたといったケースなどがあります。

したがって、「風評チェック」については、「相手をじっくり観察する」という反社チェックの原点に戻り、次のような観点から取り組む必要があります。

- 風評と企業実態の比較、事件・事故、不祥事等の「風評を裏付けうる事実」の収集に努める
- 新聞・雑誌等の情報だけでなく、許認可や行政処分の状況などの公知の事実、同業者や近隣からの情報などを幅広く収集する
- 風評は一部分のみが切り出された状態で点在（流布）していることが多く、周辺まで確認範囲を拡げながら、全体像を描くことに努める
- 当該情報に限らず反論・反証となるような情報の収集にも努め、できる限り客観的・中立的な立場で情報に接する

実際に「風評チェック」を行う際の留意点は次のとおりです。

〈ネットでの風評検索〉

ネットでの風評検索には、本来、高度なスキル・ノウハウ・経験が必要であり、そのスキルは個人差が大きいものです。したがって、組織的に反社チェックを行うには、各営業店における「精度の確保とレベルの均一化」を図る必要があります。例えば、次のようなチェック要領をあらかじめ定め、マニュアル等に明文化す

るなどして周知徹底することが考えられます。

【現場(第1線)でのチェック】

- 調査対象者（社）の固有名詞と【図表6-6】のような複数のキーワード（ただし、反社会的勢力として捉える内容によって設定の仕方は異なる）を「and／or検索」により絞り込み、疑わしい情報がないか検索結果を最低10ページ程度は確認する
- 検索した結果、何らかの情報がある場合については、現場レベルで判断をせず、該当情報すべてを管理部門等に報告することが望ましい
- 検索結果については、参照ページのコピー、該当URL、追加調査情報、判断結果等とともに証跡を残す

○図表6-6：ネット風評検索キーワード例

暴力団	反社	総会屋	右翼	逮捕
容疑	違反	不正	処分	疑い
詐欺	インサイダー	金融商品取引法	漏えい	中止命令
株価操縦	暗躍	闇（ヤミ）	グレー	悪

また現場からの情報に基づき、管理部門等で追加のチェックを行う際には、現場での調査結果の確認に加えて、以下のような観点から精査することも精度を高めるうえでは重要となります。

【管理部門(第2線)での追加チェック】

- キーワード検索した以外の掲示板やブログ、仕手筋等の情報が収集できるような専門サイト等への書き込みがないか、略称や通称、省略、ペットネーム、その他ネット内でのみ使われる呼称といった形

での書き込みはないか
- 書き込みが、複数の人物や複数のサイトで行われているのか、内容自体に整合性があるか、内容を裏付ける事実があるか
- 収集した情報に関係のある会社や人物、ファンド等について、当該事案以外に関与している事案や、その事案に関連して反社会的勢力との関係の端緒がないか、過去の事案・事件への関与はないか

〈業界・近隣からの情報（噂等）〉

実際、ネット上の風評を検索するだけでは、情報や精度が不足する場合が多いものです。それぞれの業界や近隣における生の情報を併せて収集することは、情報量や鮮度、信憑性といった面でも大変有用であり、当然ながら与信管理上も必要です。ただし、現実的にこのような情報は専ら現場（第１線）にあることが多く、したがって管理部門（第２線）としては、（取引をすすめたい）現場による情報の意図的な隠蔽リスクへの対策も必要です。たとえ、その情報がネガティブな内容であっても、管理部門（第２線）等に情報が適切に伝わるための仕組みづくりが求められます。また、隠蔽が自ら（組織・個人）の存続を危うくするとの共通認識、端緒情報の報告を奨励するといった社内風土が醸成されていることが必要になります。そして、緊急性・重要性を帯びた情報だけでなく、日常業務における上司への口頭報告や職場での同僚との会話、営業日報や訪問報告などに記載された中から、必要な端緒情報（リスク情報）をいかにして自らのデータベースに取り込むかという、取引先管理・データベースの運用上の問題にも配慮する必要があります。つまり、反社チェックにおいては、報告する側と報告される側双方における「リスクセンス・暴排意識」こそ重要となるのです。

⑥　現地確認（実体と実態の確認）のポイント

「百聞は一見に如かず」の言葉通り、現場に行かなければ分からないことや、現場に行くことで容易に分かることは意外に多いと言えます。また、実際に調査してみると、商業登記情報に登記された会社の本店所在地に会社が存在しないという事例も少なくなく、登記内容、会社案内、HPや提出書類などの記載事項が

「実体」と相違がないか確認することは極めて重要です。このように対象企業の「実体」を確認するだけでなく、外観や周囲の環境、人の出入りをはじめ、現地でしか知りえない「同一所在地の別会社」の存在や、会社の業務実態（稼動しているか、事業規模に見合っているか等）、社内の雰囲気などの「実態」を確認して、他の収集情報と照らし合わせることで、分析の精度を高めることも重要です。なお、具体的には、現地を訪問する前に、住宅地図・Google検索等を活用して実在性を確認するとともに、現地訪問により、次のような疑わしい状況がないかを確認することが望ましいと言えます。

- 会社事務所が住宅地の中にないか（看板等もなく実在性が疑わしい）
- バーチャル・オフィスでないか（電話代行業者や私設私書箱業者などを悪用したペーパーカンパニーでないか）
- 会社に電話したところ、携帯電話に転送される、事務所所在地と電話番号の関連がない等おかしい点はないか
- 事務所への従業員や取引業者等に怪しい人物の出入りがないか
- 事務所内の設備や調度品等が過度に豪奢でないか

なお、現地訪問の際には、相手に訪問の予定を告げず訪問する、事務所の外から一定時間監視する、といった方法も有効ではありますが、身の安全確保等の観点から、従業員には無理をさせず、可能な限りで確認することを徹底しておくことも重要です。

⑦　その他、端緒情報のチェック

その他にも、端緒情報としては以下のようなものもあるので、参考にしていただきたいと思います。

- 株主・取引先・投資先等に、反社会的勢力や反市場勢力、あるいは、それらと関係を有する人物が含まれていた場合、それらが会

社に与える影響を考えなければならない

- 現在に限らず、過去の取締役・監査役に、反社会的勢力や反市場勢力、あるいは、それらと関係を有する人物が含まれていた場合、現在におけるそれらの影響力を考えなければならない
- 執行役員・顧問・相談役など登記情報に現れない関係者についても同様の注意を払わなければならない。また、他に、どのような企業や団体等でそのような役職を得ているのか、それらはどのようなもので、反社会的勢力等との関連は窺えないのか、といった観点も重要である。
- 役員（取締役・監査役）については、出来る限り設立からの登記情報を収集し、役員の変遷に不自然さがないか分析する
- 執行役員は、登記情報に現れないので注意が必要である。過去の事例では、ある会社の「副社長」が反社会的勢力であったことが判明したものの、肩書が「執行役員副社長」であり、反社チェックとしては登記情報のみを確認するだけであったことから、そのような重要な情報を見逃してしまっていたといったものがあった。同様に、顧問・相談役、アドバイザー、コンサルタント等についても、外部からは確認するのが困難なケースも多く、執行役員同様に細心の注意が必要である
- 他の投資先は仕手銘柄でないか、過去に不可解なファイナンスがないか、投資先の株主構成はどうなっているか、といった観点で網を広げることも重要である
- 大株主については、反社会的勢力としての属性を有するものが表面化する事例は減少傾向であるが、現在のみならず過去の経歴や投資先に仕手銘柄企業が含まれていたり、仕手銘柄以外の企業であっても投資先の株主に仕手人脈が窺われないか確認が必要である。特に、持株比率が高い者や、関係が窺われる者の持株合計が会社支配権に影響を与えるおそれがある場合は、要注意である
- どんな人物・企業・団体が不動産所有者・債権者になっているか、それら企業の企業概要・株主構成はどうなっているか、といった観

点で網を広げることも重要である
- 不動産所有者・債権者について言えば、不動産所有者が影のオーナーであったり、債権者が権利行使で経営に関与する場合もあることから、その影響力に注意が必要である。実務上は、不動産登記の確認や決算書の付属明細などの確認により債権者等を把握する必要である

(5) 調査結果を踏まえた取引判断の考え方

ア　調査結果を踏まえた判断のあり方

どんなに十分な反社チェックを行っても、相手が「反社会的勢力である」と明確な「確証」を得るのは難しいことが多いものです。それだけに、取引を行ってよいか否かについては、反社チェックの結果を踏まえた組織的な「判断」が重要となります。なお、この場合の「判断」には、「反社会的勢力に該当するか否かの判断」と、「取引可否の判断」という2つの「判断」が含まれる点に注意が必要です。例えば、反社チェックにより「反社会的勢力である疑いが濃い」と判断した場合、新規取引であれば「契約自由の原則」に基づき「取引不可」と判断できるでしょう。一方、すでに取引がある場合は、中途で関係を解消するには十分な確証がないことから、「継続監視」「期限を切って解消する」といった判断・対応となる可能性が高いと言えます（グレー先、準グレー先への対応の項を参照してください）。

反社チェックとは、それだけで完結するものではなく、「反社会的勢力に該当するか否かの判断」と「取引可否の判断」が適正に行われることとセットです。特に後者の判断を誤ると、その後の対応に苦慮することになります。目先の売上や利益を優先するがための恣意的・属人的な判断により組織としての姿勢がブレたり、反社会的勢力排除の取組みの甘さから判断基軸が歪められたりすると、それが反社会的勢力の侵入を許す大きな要因となります。

整理すると、【図表6-7】のとおりですが、まずは反社チェックの結果を踏まえた判断が「組織的に」行われることが重要です。次に、業務プロセスの中で

「誰が」「いつ」判断すべきかを明確にするとともに、それが「組織的な判断」であるとする根拠について、職務権限規程や稟議手続き・取引先管理ルールなどに明文化することが必要となります。また、最終的な取引可否は、反社会的勢力排除だけでなく、営業戦略や与信状況を含む総合的な見地からの判断となりますが、「反社会的勢力に該当するか否かの判断」と、最終的な「取引可否の判断」に重大な齟齬が生じないよう、組織的な牽制やモニタリングなどの運用面にも十分な配慮が必要です。

○図表6-7：取引可否判断のポイント

- 「反社会的勢力に該当するか否かの判断」「取引可否の判断」の判断基準（原則）や判断・決定プロセスをあらかじめ明確に規定しておく
- 場合によっては、合議体（判定委員会の招集など）による判断や外部専門家による調査結果・アドバイスなどを判断・決定プロセスに組み込む
- 取引可否の判断結果として、「継続監視」「当該取引のみ」など条件付きで取引する場合は、取引先管理の主管部門など業務ライン以外の部門で取引状況等を監視する
- 調査から判断に至る検討過程を含むすべてを記録・保管する
- あらかじめ規定した判断基準に則った判断が、適切な手続きにより遂行されているかを内部監査部門等が監視するとともに、その判断結果が社会の要請からみて妥当なものかを事後的にでも検証し、問題があれば随時見直していく

イ　関係解消に向けた判断

政府指針の解説（平成19年6月）によれば、「実際の実務においては、反社会的勢力の疑いには濃淡があり、企業の対処方針としては、①直ちに契約等を解消する、②契約等の解消に向けた措置を講じる、③関心を持って継続的に相

手を監視する（＝将来における契約等の解消に備える）などの対応が必要となると思われる。ただ、いずれにせよ、最終的に相手方が反社会的勢力であると合理的に判断される場合には、関係を解消することが大切である」とあります。

ここでも述べられているように、「速やかな関係解消」が求められていますが、それまでには様々な検討があってもよく、金融機関としても、【図表6-8】を参照に（社会的な説明責任を果たし得る）最も望ましい方針を決定すればよいと考えられます。このような取引可否の判断基準は、実際にはケースバイケースとなりがちですが、具体的なケースの想定や実例を積み重ねながら、より精緻な判断基準としていくことが必要です。さらに「例外的な対応」が求められる場合の組織的な意思決定のあり方や対応策についてもあらかじめ決めておきたいところです（例外的な対応自体も組織としての対応であることが重要だからです）。そして最終的には「表明している企業姿勢」と（結果的に反社会的勢力との関係が発覚するといった）「クライシス発生時における説明責任」が果たせるような、判断基軸に歪みがない運用を行っていくことが重要であり、その積み重ねが自行・自社を守ることとなるのです。

○図表6-8：関係解消に向けた判断の例

- 反社会的勢力との関係の疑いが濃い（確度が高い）場合（グレー先／準グレー先）
  - 新規取引先であれば、取引不可（契約しない）
  - 既存取引先であれば、取引不可（関係を解消する）

ただし、状況に応じて、以下のような措置が考えられる。

  - 即時に取引を停止する（速やかに契約を解約／解除する）
  - 一定期間後に取引を解消する（契約を更新しないなど）
  - 一定期間の猶予を設けたうえで取引を解消する（予告して契約を解約する）
  - 他に規定違反行為等がないかを含め、引き続き監視を続け、関係解消に向けて準備をする（解除事由を収集する、いつでも契約を解約できるように準備するなど）

- 上記のような法的対応とともに、取引を縮小する、代替先に取引を（少しずつ）移管する、取引条件を見直すといった実務上可能なアクションについても検討する
- 反社会的勢力に該当する（関係がある、確証がある）場合（ブラック先）
  - 取引不可（契約しない／速やかに関係を解消する／契約を解除する）

ウ　組織的判断

既に述べたとおり、「認知」としての反社チェックにおいて重要なことは、反社チェック自体を適切に実施するだけでなく、「反社会的勢力の見極めの判断」と「取引可否の判断」を適正に行うことで完結する（「認知」と「判断」のプロセスの一体化・連動）のであり、特に後者の判断を誤ると、その後の対応に苦慮することになることを認識する必要があります。反社会的勢力の見極めにおいて、確証がない場合、売上や利益の優先、誘惑、悪意といった、恣意的・属人的、あるいは統制環境からくる組織的な意思・暗黙の了解などによって、判断機軸を歪めてしまうことが時としてあり、それが反社会的勢力の侵入を許す大きな要因となりえます。したがって、反社チェックによる調査結果を踏まえた判断もまた「組織的に」行われることが重要であり、

- 取引担当部署（現場）による判断／反社会的勢力対応部署による判断
- 経営トップによる判断
- 合議体（判定委員会など）による判断

について、想定される場面ごとに、誰が判断するのが適切かを明確にするとともに、それが「組織的な判断」であるとする根拠を明文化（職務権限規程や稟議手続きルールなど）することや、組織的な「判断基準」（判断上の原則）を統一・標準化し、明確に規定しておくことが必要です。

このように「適切な判断」を支えるのは、①組織的な判断プロセスと②その手続きの適正性であり、③判断自体の妥当性に関するモニタリングです。①組織的な判断プロセスとして重要なことは判断基準を定めておくことですが、それと同様に、その判断基準を見直していくことも極めて重要であり、社会の要請レベルから逸脱していないか常に注意を払うことが求められています。それは、例えば、社会的に厳しさを増している「密接交際者」を巡る議論を想起してもらえればよく、とりわけ、東京都の暴排条例の施行前後の時期に、大物芸能人の引退騒動も絡んで大きく世の中の判断基準が変わったことは印象深く、今や暴力団との交際は、その程度を問わずNGです（「必要悪」「やむを得ない」といった議論は今やありません）。したがって、③判断の妥当性については、事後的であるにせよ、世間の基準に照らして検証していく「ジャッジメント・モニタリング」のプロセスが極めて重要となっている点に注意が必要です。

また、最終的な取引可否の判断は、反社会的勢力排除の観点だけでなく、営業面や与信状況を含む総合的な見地からの判断となるのは当然のこととはいえ、「反社会的勢力の見極めの判断」結果と最終的な「取引可否の判断」に重大な齟齬が生じないよう、組織的な牽制やモニタリングについて配慮することも必要です。そして、このような判断機軸の歪みを回避するためには、具体的には、あらためて【図表6-7】のような注意や工夫が必要となります。

エ　経営判断の原則の枠組みと説明責任

実際の場面では、自行・自社の反社チェックの結果をふまえて、警察相談や外部専門家の調査結果などをふまえて、（機が熟した）適切なタイミングで、「経営判断の原則」の枠組みを意識した対応、すなわち、「調査に十分手を尽くしたか」という事実認識のあり方、「正しい事実認識に基づき、合理的な結論を、正しい方法で導いたか（議論の方法や過程に誤りはないか）」という結論のあり方に十分配慮することによって、取締役の忠実義務・善管注意義務の履行を担保していかなければなりません。また、これらが適切に実行されていたことを客観的に確認する方法として、弁護士からの意見書を取り付け、判断に不合理性がないことを担保しておくことも検討しておくとよいと思われます。

なお、取締役の忠実義務・善管注意義務が履行されているからといって、社会の目線からみてそれが十分な対応だと認められない可能性が残ります。これこそ、反社会的勢力排除の実務における極めて難しい課題であって、深刻なレピュテーション・リスクを惹起することにまで配慮が必要です。したがって、企業としては、関係を解消することによって短期的な損失を被るとしても、民間企業として出来る最大限の努力を講じていること、それでも法的なリスクを含め完全に排除できないものについては、「最終的に属性を確認できる根拠が得られれば関係を解消する」、「関係解消のタイミングを注意深く監視する」といった組織的判断のもと、常に必要な注意を払いながら厳格にモニタリングを行っていることを、状況に応じて、「いつでも」「丁寧に」説明できるようにしておくことしかないとの認識が極めて重要となります。

4. リスクベースの反社管理態勢の実務 ～KYCからKYCC、KYCCCへ

(1) AML/CFTと反社管理態勢の一体化

金融庁の「マネー・ローンダリング及びテロ資金供与対策に関するガイドライン」(以下、「マネロン・テロ資金供与対策ガイドライン」)は、金融機関の実効的なAML（アンチ・マネー・ローンダリング）/CFT（テロ資金供与対策）のリスク管理態勢の構築を促すため、リスクベース・アプローチ（RBA）の内容を明らかにするとともに、経営陣の関与、他のリスク管理でも用いられている「３つの防衛線」に基づくガバナンス（３線管理)、グローバルに展開する金融機関への視点、官民連携等をあげています。AML/CFTと反社管理態勢については、実務上の共通項が多いこともあり、両者を高次元で融合させ統合的に実施すべきであって、それにより両者の実効性が高まること、犯罪の高度化やサプライチェーン・マネジメントの厳格化などの昨今の社会の要請から、犯罪収益移転防止法（犯収法）上の特定事業者だけでなく、一般の事業者においても、AML/CFTの観点から取り組む必要があり、反社チェックからKYCチェックへ、さらにはKYCCチェックへと概念を拡大させていく必要があると言えます。

リスクベース・アプローチ（RBA）については、これまでAML/CFTの実務が、

「画一的・硬直的・形式的なチェック」になっており、疑わしい取引の届出についても、あくまでも「犯罪協力・コンプライアンス」の一環としての取り組みにとどまっていること（疑わしい取引はリスクの端緒であって、その実務の本質はリスク管理に他ならないとの認識に乏しく、届け出るまでが実務と勘違いしているケースが多いのではないか）、その後の継続的な顧客情報の確認や取引のモニタリングが行われないなど、時々刻々と変化する犯罪の手口やテロの動向等への柔軟な対応ができずにきた（結果的に、AML/CFTのグローバル・スタンダードを充足できず、日本の金融機関等が「抜け穴」として犯罪組織やテロリスト等に悪用されることを許してきた）反省をふまえ、これまでのリスク管理の限界を乗り越えるために導入された考え方です。一方の反社管理態勢においても、反社会的勢力の不透明化・潜在化の進展から、相手を見抜くことが困難になる中、一律の反社チェック・ルールだけでは見極めの実効性は担保されず（結果的に「入口」の反社チェックが意味をなさない状況があり）、自社にとっての重要性（取引等の取引額・態様・属性等について、その重要性を自社において自立的・自律的に決定するもの）に鑑み、反社チェックの軽重をルール化する「層別管理」が提唱されています。さらには、数年前のメガバンクの融資事件以降、「中間管理（モニタリング）」を強化する考え方が金融機関から一般の事業者にも浸透しつつあり、「入口」の限界を「中間管理」で乗り越えようとする取り組みが定着しつつあります。そのような中、マネロン・テロ資金供与対策ガイドラインが求めるRBAにおいては、非対面取引や反社会的勢力等の法令等で想定されている個別の取引や顧客等以外のリスクも含め、自らが直面するマネロン・テロ資金供与リスクを包括的に（AML/CFT＋反社管理態勢等として包括的・統合的な視点から）特定・評価したうえで、当該リスクの高低に応じた適切な措置の要否を検討するものであり、個々の取引等の取引額・態様・属性等を総合的に勘案して、追加の分析・調査等も必要に応じ行いながら、リスクに見合う実質的な対応を丁寧に検討しいくことが重要となります。

また、マネロン・テロ資金供与対策ガイドラインでは、「経営陣の積極的な関与」と「3線管理」が強調されています。AML/CFTについては、当然ながら国際的な包囲網の一員としての責任を果たすべく、経営上の課題として強いリーダーシップが求められています。また、反社管理態勢においても、政府指針で、

「担当者や担当部署だけに任せずに、不当要求防止責任者を関与させ、代表取締役等の経営トップ以下、組織全体として対応する」、「反社会的勢力による被害の防止は、業務の適正を確保するために必要な法令等遵守・リスク管理事項として、内部統制システムに明確に位置付けることが必要である」ことが明記されており、その組織としての対応態勢の基本的な考え方には共通項が多いものと考えられます。また、マネロン・テロ資金供与対策ガイドラインでは、その経営陣の強い姿勢を反映させるべく、組織全体を俯瞰した実効的な管理態勢の構築（いわゆる内部統制システム、AML/CFTリスク管理態勢の構築）を進めるにあたっては、「営業」「管理」「監査」の「3つの防衛線」による３線管理の考え方が採用されています。第１線の営業部門は、顧客と直接対峙し、その際にリスクを適切に把握して当該リスクに見合った措置を講ずる等、金融機関をマネロン・テロ資金供与に利用させないためのいわば「最初の防波堤」として重要な役割を担っていると言えます。反社管理態勢においても、最前線にいる営業部門（取引担当窓口）の「暴排意識」と「リスクセンス」の如何によって、営業部門が、反社会的勢力の侵入（アプローチ）に対する「防波堤」にも「協力者」にもなってしまうことをふまえ、営業部門の感度を高める取り組みを行うことが最も重要となります。AML/CFT、反社管理態勢の観点からは、営業部門が、「リスクセンス」「目利き力」を適切に発揮することは極めて重要であり、それが、AML・CFT・反社リスク対策など個々のリスク領域のうちのどれかに該当するか否かではなく、包括的・統合的な視点から、顧客の何らかの「リスクの芽」（端緒情報）に気付くことが重要であり、それこそが「AML/CFT＋反社管理態勢＋α」＝「KYC（Know Your Customer）チェック」という考え方の肝となります。

さらに、続く第２線の管理部門は、第１線による対策の実効性につき、一歩離れた視点で監視する、監視の実効性確認（シナリオの適切性等の定期的な検証等）などの重要な役割がある他、立案した対策の整備・周知、研修等の機会の提供や相談対応等のサポート態勢の構築を担っています。反社管理態勢においても、営業部門からの端緒情報を集約し、組織としての見極め・取引可否判断・排除の方向性の決定などを行う重要な役割を担っており、AML/CFTとの共通項も多いと言えます。そして、第３線の内部監査部門が、営業部門や管理部門から独立した立場で実効性を監査する（例えば、データの適切性の確認やチェック態勢がルール通りに運用されているか等の確認など）ことが求められています。

これらについて、AML/CFTにおけるガバナンス態勢の枠組み【図表6-9①】を借りて、反社リスク対策にあてはめたものが【図表6-9②】となります。

○図表6-9①：AML/CFTにおけるガバナンス態勢

経営陣
- 重要な経営課題としての位置付け
- AML/CFT 統括役員の選任
- AML/CFT 統括役員への情報提供
- 人材・予算等の適切な資源配分
- AML/CFT 担当役員・部門間の連携
- AML/CFT 関連研修への参加
- 役職員の人事・報酬への勘案
- リスクの特定・評価（方針・手続・計画の策定）への関与

営業部門（第１の防衛線）
- 方針等の理解・リスク低減措置の実施
- 職員の責務等の説明・共有

管理部門（第２の防衛線）
- 管理態勢の有効性の独立の立場からの監視
- 第１線への十分な支援（情報提供・質疑応答）
- 主管部門・関係部門との情報共有・連携
- 知識・専門性を有する職員の配置

内部監査部門（第３の防衛線）
- 監査計画の策定
- リスクに照らした監査対象・頻度・手法
- 非高リスク業務についての適切な監査
- 内部監査結果の報告・助言
- 知識・専門性を有する職員の配置

○図表6-9②：反社リスク対策におけるガバナンス態勢

経営陣
- 重要な経営課題としての位置付け
- 反社担当役員の選任
- 反社担当役員への情報提供
- 人材・予算等の適切な資源配分
- 反社担当役員・部門間の連携
- 反社関連研修への参加
- 役職員の人事・報酬への勘案
- リスクの特定・評価（方針・手続・計画の策定）への関与

営業部門（第1の防衛線）
- 方針等の理解・リスク低減措置の実施
- 職員の責務等の説明・共有

管理部門（第2の防衛線）
- 管理態勢の有効性の独立の立場からの監視
- 第1線への十分な支援（情報提供・質疑応答）
- 主管部門・関係部門との情報共有・連携
- 知識・専門性を有する職員の配置

内部監査部門（第3の防衛線）
- 監査計画の策定
- リスクに照らした監査対象・頻度・手法
- 非高リスク業務についての適切な監査
- 内部監査結果の報告・助言
- 知識・専門性を有する職員の配置

これらの、RBAや3線管理を含む「KYCチェック」あるいはKYC管理という考え方は、金融機関のみならず、今後、一般の事業者においても、積極的に取り組んでいくべきものと言えます。

また、AML/CFTはお金の流れを中心とした考え方ですが、今後のリスク管理の重要なキーワードの一つである「サプライチェーン・リスクマネジメント」における実務については、従来の「KYCチェック」だけでは不十分であり、よりスコープを拡げた「KYCC（Know Your Customer's Customer）チェック」、「KYCC管理態勢の構築」へと取り組みを進化・深化させていくことが求められます。

(2) KYCチェック／KYCCチェックの必要性

反社チェックが、与信管理とともに取引時確認の実務として定着しつつある状況は望ましいものではありますが、企業を取り巻くリスクはもはやそれだけでは十分でない状況があります。例えば、北朝鮮の制裁逃れにおいては、国連安保理北朝鮮制裁委員会専門家パネル報告書で、「無意識のうちに加担している貿易会社や石油会社によって、数百万ドルの違法なビジネスが生み出されている」との指摘がありますが、日本の事業者が正に違法なビジネスに「無意識」のうちに取り込まれ、犯罪を助長している可能性が示されているといえ、あらためて、北朝鮮制裁の実効性を確保する観点、サプライチェーン・マネジメントの厳格化の観点から、KYCチェック/KYCCチェックを踏まえた「厳格な顧客管理」が必須となっていることが認識いただけると思います。また、反社管理態勢とAML/CFT及び北朝鮮リスク対策のリスク管理上の共通項として、「点」から「線」、「面」へと拡大していることが挙げられます。もはやローカルな「点」だけの対応ではグローバルに拡大するリスクを防ぎきれず、「線」や「面」での対応がグローバル・レベルで求められているとの認識がすべての事業者に必要な状況です。さらに、反社排除、AML/CFT、北朝鮮制裁をはじめ、特殊詐欺犯罪や金融犯罪、あるいは倫理的消費やSDGs、ESG投資などの「関係をもってよい『健全性』の意味の拡大」、「取引NG形態の拡がり」が最近顕著となっており、顧客管理のあり方が大きく変わろうとしています。言い換えれば、顧客管理/顧客チェック(CDD)におけるリスクの多様化への対応としての「反社チェックからKYCチェックへ」、さらには、「サプライチェーン・リスクマネジメントの厳格化への対応」(商流の健全性確保)の視点が加わった「KYCチェックからKYCCチェックへ」という風に、CDDのあり方が深化しているとも言えます。具体的な事例としては、北朝鮮の弾道ミサイル発射時のクレーンを製造したのは日本のクレーンメーカーであるとの指摘が国内外からなされ説明を求められたケース、イスラム教スンニ派過激派組織(イスラム国(IS))の宣伝動画にトヨタ製の車が大量に登場していたことから、米財務省がトヨタに説明を求めたケース、自社の商材・商流からの人権問題の排除のため「人権デュー・ディリジェンス」が本格化している状況などがありますが、取引NGリスクの多様化、サプライチェーン・リスクマネジメントの厳格化への対応がこのような形で求められており、それに対応した「厳格な顧客管理」を行うべき状況にあります。そして、その具体的な手法として、「反社チェックからKYCチェック/KYCCチェックへ」が、今後の取り組むべきリスク管理のあり方ということになります。さらに、「厳格な顧客管理」という点では、「社会の要請・常識等の変化への対応」としての「継続的な顧客管理」、「犯罪者の潜在化への対応」としての「チェック手法の多様化・高度化」、「データベース依存からの脱却」なども同時に追求すべきことだと言えます。

さて、このようなKYCチェック／KYCCチェックをベースとする「厳格な顧客管理」が必要な状況にあることを、金融庁が、最近、ある事例をもとに示しました。これは、金融庁が、地銀･第二地銀との意見交換の場で明らかにしたもので、「マネロン・テロ資金供与対策（以下、「AML/CFT」）について、平成30年１月の意見交換会において「『ガイドライン』（案）に照らし問題のある個別事例が見られる」旨発言したことについて、当該問題事例に関して、現時点での問題認識を示したもの、となりますが、その指摘はかなり辛辣な内容となっています。

【事例】（報道をベースに筆者にてまとめたもの）

地方銀行ＡのＢ支店に、巨額の現金を持ち込んだ人物がいる。同行の別の支店に口座を持つ会社経営者で、平成29年5月の約1,000万円を皮切りに、6月末までに計５回、総額５億5,000万円ほどを、香港にあるＸ銀行の特定の口座に振り込んだ。Ａ銀行は自らＸ銀行に送金することができなかったため、先方と取引関係があるメガバンクＣに為替取引を依頼。このメガバンクＣもまたこれをすんなり受け付けた。問題は、振込先となったＸ銀行の口座の主Ｙで、北朝鮮と関係の深い会社で、しかも役員の１人は国連安全保障理事会の制裁委員会が指定した北朝鮮制裁リストに名前が載る人物。さらにこの会社Ｙは、中朝国境に近い黒竜江省の商社Ｚと頻繁に取引があり、その商社Ｚは北朝鮮と密貿易をしていることで良く知られている“札付き”だという。さらに、送金を依頼した会社経営者の会社はすでにもぬけの殻。本人も消息を絶っている。

〈以下、金融庁の公表文書より〉

詳細は、まだ調査・確認中だが、当該事例では、「複数回にわたり」、「顧客が、窓口に持参した現金を既存の顧客口座に入金し」、「海外口座に送金を実施」しているが、「ガイドライン」の趣旨に照らし、大きく次に述べる４点の問題が認められ、マネロン等のリスク管理態勢の機能

発揮状況に重大な懸念を持たざるを得ないものと考えている
【問題点（1）】
窓口に多額の現金を持参し、これまで個人の生活口座として使われてきた口座にそれを入金した上で、貸付金の名目で、海外の法人に対してその全額を送金するといった、これまでに例のない不自然な取引形態であった。にもかかわらず、犯収法・外為法で規定された最低限の確認に止まり、疑わしい取引にあたるかどうかの判断のために必要と思われる、送金目的の合理性の確認や送金先企業の企業実態・代表者等の属性についての調査、その結果を踏まえた検討など、取引の危険性に応じた検証を行わないまま、複数回続いた高額送金を漫然と看過した。法令上確認が必要な事項に係るエビデンスさえ揃っていれば、問題なしとし、実際の取引のリスクに見合った低減措置が講じられておらず、またそのような適切な措置を講じるためのリスクベースでの管理態勢（画一的・形式的なチェック態勢ではなく、顧客の取引のリスクを評価した上でリスクの程度に応じた措置を講じる態勢）が構築されていない
【問題点（2）】
海外送金責任者に速やかに情報が上がらず、第２線の管理部門にも情報伝達が行われていない
【問題点（3）】
外部からの指摘を受けるまで、問題意識を持たず、再発防止策や態勢見直し等の対応を行っていない
【問題点（4）】
海外の送金先口座からの資金の移動状況を、送金先銀行に確認する等の情報収集を行っていない

金融庁は、以上の問題意識を提示したうえで、「AML/CFTは、低いレベルの金融機関が１つでも存在すると、金融システム全体に影響し、日本全体のマネロン・テロ資金供与対策が脆弱であるとの批判を招くおそれがある」こと、「『ガイドライン』については、確定版とパブリックコメントの概要を公表するとともに、そ

れに伴う監督指針の改正も行ったところ。各行においては、これらの内容を確認し、対応が求められる事項と自らの現状とを比較し、前向きにAML/CFTの高度化のために、自らが何を行うことができるか検討してほしい」こと、「当局としても、必要に応じ、検査も含めた深度あるモニタリングを行い、金融機関の的確な対応を促していきたい。また、金融機関に具体的な対応の目線を示すべく、例えば、具体事例の提供を更に進めるなど、協会とともに検討・対応を深めていきたい」ことを金融機関側に示しています。

金融庁の示した問題意識の核心は、「最低限の確認に止まり」、「漫然と看過した」、「法令上確認が必要な事項に係るエビデンスさえ揃っていれば、問題なし」、「画一的・形式的なチェック」、「外部から指摘を受けるまで、問題意識を持たず」といった部分に集約されることになろうかと思いますが、RBAを踏まえた３線管理態勢の整備が求められるところ、そもそも「横並び意識の弊害」から、「受け身のリスク管理態勢」、「リスクセンスの組織的な欠如」、「AML/CFTへの無関心」が色濃い組織風土を背景に、「入口」管理態勢の脆弱性、とりわけ第１線（営業部門）の脆弱性ゆえに、特異な兆候を見逃してしまったと指摘できると思います。さらに、特異な取引であったにもかかわらず、それをモニタリングしようとしない（モニタリングすべき状況とすら認識／理解できていない）「中間管理」態勢の脆弱性もあわせて指摘できると思います。犯罪者側は、正にその脆弱性を突いており、（推測ですが）以前にも何等かのアプローチや情報の入手によって脆弱な管理態勢であるとの確証を得たうえで、複数回にわたる大胆な犯行に及んだのではないかとすら思えます。

一方、KYCチェック／KYCCチェックの重要性の観点から見れば、近時、国連制裁リスト等のスクリーニングを全く実施していないことは考えにくい一方で、送金先の口座の所有者である法人名は制裁リストに載っておらず、役員の１人についてのみ該当があったという点から口座所有者の法人の役員までは確認していなかった可能性が考えられます。また、この法人自体が北朝鮮との関係が噂される“札付き”の商社と頻繁に取引があったとの指摘から、法人の主要取引先の確認（とはいえ、企業情報データベース等に記載されていなかった可能性はあります）や法人およびその主要取引先にかかる風評チェック等の踏み込んだ情報収集も実施されていなかった可能性も考えられます。そして、送金元となった会社経営者とその会社についても、別の支店の既存顧客であったことから中間管理（モニタリング）が実効性を持って行われていたのか、送金手続き時のチェック（送金目的や資金の出所、なぜ取引支店で手続きを行わないのか等の確認）が十分だったのかも懸念が残るところです。結果論かも知れませんが、金融庁の指摘している「送金目的の合理性の確認や送金先企業の企業実態・代表者等の属性についての調査、その結果を踏まえた検討」が、KYCチェック/KYCCチェックの実施と「厳格な顧客管理」という形で実施されていればある程度、見抜けたものではなかったかと考えます。なお、反社チェックの実務においても、役員や主要取引先までチェック対象に含めることや、中間管理について実効性を持って実施することは、推奨されているとはいえ、そこまで徹底して実施できている事業者はそれほど多くないのが現状です（反社チェックに置き換えた場合に通常の事業者がこれを見抜くことができたかどうか疑問です）。

しかしながら、本件においては、「送金目的が日常の口座の利用状況と整合性が取れないこと」、「取引支店ではない別の支店からの送金依頼であること」、「短期間の間に分割された形で複数回の送金依頼であること（明らかに敷居値以下に分割された取引（?）など）」であることが分かっており、これだけで「疑わしい取引」として届け出を行うべきレベル感であり、慎重に判断されるべき取引であったと評価できます（金融庁も、「これまでに例のない不自然な取引形態」と指摘しています）。そうであれば、「疑わしさ」を感じ取り、通常より厳格なチェックを行うべきだったということにもなり、やはり、トータルでみれば、AML/CFT＋反社管理態勢＋北朝鮮リスク対策（制裁対応）という観点からの「厳格な顧客管理」が求められる事案であり、その実務としての「KYCチェック/KYCCチェック」としては不十分だったと指摘できます。そして、このように十分なリスク評価に基づくKYCチェック/KYCCチェックが行われていない実態は、この銀行だけでなく日本全国のどの金融機関でも起こり得ること（既に起こっていること）が容易に想像でき、金融庁の危機感も当然です。今後、官民連携のもと、真相解明と再発防止に全力を挙げることを期待するとともに、実務としてのKYCチェック/KYCCチェックの深化、厳格な顧客管理の深化を図っていく必要があると考えます（そして、それは金融機関だけでなく一般の事業者にも必要な取り組みとして定着していくことが望ましいと言えます）。

(3) 本人確認手続きの厳格化の必要性

反社チェックにおいても、KYCチェック/KYCCチェックにおいても、その実効性を担保するベースとなるのは、「真の受益者」の特定を含む「正しい本人確認」手続きです。対面取引であろうと非対面取引であろうと、すべてのビジネスにおいて重要なプロセスであり、金融機関等の「特定事業者」だけでなく、すべての事業者において、その精度の向上に努めてほしいものです。

本人確認の重要性とその困難さについては、「地面師」の問題が理解しやすいものと思われます。東証一部上場の大手住宅メーカーの積水ハウス社が、「当社が分譲マンション用地として購入した東京都内の不動産について、購入代金を支払ったにもかかわらず、所有権移転登記を受けることができない事態が発生」したとのリリースを公表しました（平成29年8月2日）。戦後の混乱期やバブル期に暗躍した、所有者になりすまして不動産を売り飛ばして巨額の現金をだまし取る「地面師」と呼ばれる詐欺グループが最近また活動し始めているものです。同社から本件に関する報告書（ただし概要）が公表されていますので、紹介します。

リリースによれば、本件について、「売買契約締結後、本件不動産の取引に関連した複数のリスク情報が、当社の複数の部署に、訪問、電話、文書通知等の形で届くようになりましたが、当社の関係部署は、これらのリスク情報を取引妨害の嫌がらせの類であると判断していました。そのため、本件不動産の所有権移転登記を完全に履行することによって、これらが鎮静化することもあるだろうと考え、平成29（2017）年6月1日に残代金支払いを実施し、所有権移転登記申請手続を進めましたが、同年6月9日に、登記申請却下の通知が届き、A氏の詐称が判明」したということです。そして、その原因として、「担当部署は、直ちに購入に動き出しましたが、A氏のパスポートや公正証書等による書面での本人確認を過度に信頼し切って、調査が不十分な状況で契約を進めて」しまったこと、「マンション事業本部が一線を画し、リスク感覚を発揮すべきところ、その役割が果たされませんでした。さらに、本社のリスク管理部門においても、ほとんど牽制機能が果たせなかった」ことなどが挙げられています。なお、「本社から地面師詐欺を意識した特別な対応を要求することは非常に困難です」という指摘は興味深く（巧妙な手口を見抜くことは確かに難しいと言えます）、とはいえ、「本件不動産の取引内容を勘案すれば、審査期間の確保とリスクの洗い出しを指摘すべき」という部分は、第2線（管理部門）としての防衛線のあるべき姿であり、他の事業者においてもこのようなチェック態勢が構築できるかがポイントになるものと思います。さらに、複数寄せられたリスク情報（端緒）への対応についても厳しく自省しており、「これらのリスク情報を取引妨害の類と判断し、十分な情報共有も行われませんでした。その結果、本社からの牽制機能が働かず、現場は契約の履行に邁進することとなりました。個々のリスク情報を一歩引いた目線で分析すれば、本人確認に対する考え方も違っていた可能性は高く、リスク情報の分析と共有を現場と本社関係部署が一体となって実施する必要があったのではないかと考えます」という部分は大変示唆に富むものです。この点については、マネロン・テロ資金供与対策ガイドラインでも言及されている「3線管理」（現場部門・管理部門・内部監査部門のそれぞれで防衛線を講じること）と同様のフレームワークで説明できますが、とりわけ第2の防衛線である「管理部門」が現場部門に引きずられることなく、「冷めた冷静な目」で案件に向かうことが極めて重要であることに気付かされます。

なお、「本件を防げなかった直接の原因は、管轄部署が本件不動産の所有者に関して書面での本人確認に頼ったことにあります。ただ、司法書士も本物と信じたという偽造パスポートや公正証書等の真正な書類が含まれていたという地面師側の巧妙さもあり、また、売買契約締結時には所有権移転請求権の仮登記も実現しているといった事情もあって、初期段階で地面師詐欺を見破ることには、困難な点もありました」という調査委員会のコメントからも、地面師の巧妙さが分かりますが、やはり、最も重要なポイントは、「いい話だから早く手続きを進めたい」という点にあるのではないかと思われます。そもそも「地面師」の問題は、登記上の手続きにおいて偽造書類等を使って土地が勝手に転売される詐欺犯罪という意味で、登記手続きの脆弱性、あるいは、司法書士や弁護士などがその専門性（肩書き）を悪用する（される）「専門家リスク」などがその根底にあります。また、「いい土地を早く押さえたい」と考える買い手側の弱みを上手く突いてくる手口の巧妙さが、犯罪の成功率を高めているという側面もあります。ただ、様々な地面師の案件の手口を追っていくと、やはりどこかに怪しさがあるようです（所有者本人になかなか会えない、代理人が登場する、手続き等に通常と異なる部分があるなど）。とはいえ、それらは騙された後に気付くことが多く、未然にリスクを察知するのが困難なほど用意周到に準備されており、プロでも騙されてしまうというのが実情です。すべてを巧妙に偽造してくる地面師相手では、現時点では、取引においては、まずは本人確認を厳格に行い取引相手を見極めること、相手の言うことを鵜呑みにせず、慎重に裏取りをしながら、また偽造でないことを確認しながら、進めるくらいしか防止する手立てがないとされます（例えば、不動産の権利証は印鑑証明書のような透かしに偽造防止技術が施されていることはなく、一見して明らかなものを除いて偽造を見抜くのはまず無理だと言われています。また、登記識別情報であっても、パスワードさえわかればよいため、盗品であることを見抜くことは不可能ということになります）。

(4) マネロン・テロ資金供与対策と金融犯罪対策、反社リスク対策の関係

これまで述べてきた通り、これらの態勢整備については、「厳格な顧客管理」として一元的に進めることが望ましいと言えます。具体的な例としては、大手金融機関で既に行われているように、「金融犯罪対策室」を設けて横断的な対応をすることが挙げられます。一方で、最近では、「金融犯罪対策室」内部で「反社対策」、「マネロン・テロ資金供与対策」、「金融犯罪対策」と専門化が進み、セクション制になりつつある懸念もあります。それに対しては、室内等での人事ローテーションや横断的な教育・研修を行うことが重要になります。社内規程の整備に関しては、それぞれの対策ごとに行うことになりますが、横断的な連携が可能なようにしていくことが重要です。さらに、データベースに関しては、反社会的勢力だけでなく、マネロン関与者、テロリスト、金融犯罪関与者の情報を含むデータベース（不芳情報データベース等）を構築することが考えられます。ただ、データベースが膨大となるとかえって利用しにくくなるので、中間管理において利用しやすいように、「ブラック先」、「グレー先」等の定義をしておくことも重要な検討点となります。また、警察、暴追センター、弁護士等の関係機関との連携を強化することはいずれの対策でも重要です。

これらを簡単にまとめたものが【図表6-10】となります。今後のリスク管理のあり方、KYCチェック/KYCCチェックの実務への落とし込みのためにも、各事業者において参考にしていただきたいと思います。

○図表6-10：一元化の試み

<table>
<tr><th></th><th>マネロン対策</th><th>反社対策</th><th>金融犯罪対策</th></tr>
<tr><td rowspan="2">態勢整備</td><td colspan="3">• 一元的な部署（金融犯罪対策室等）の設置【内部でマネロン対策、反社対策、金融犯罪対策を分担】
• 従業員に対するマネロン、反社、金融犯罪に関する横断的な教育
• 人事ローテーション
• 規程の整備（それぞれの対策ごとに規程を策定するが横断的な連携を可能とするようにする）
• データベースの構築（マネロン事犯、テロリスト、反社、特殊詐欺犯等を含む）
• 警察、暴追センター、弁護士等の関係機関との連携</td></tr>
<tr><td>• 統括管理者の選任
• 約款、契約書、申込書、確認記録・取引記録等の作成
• マネロン事犯の研究
• 自らのリスク評価を行い「特定事業者作成書面等」を策定
• 取引モニタリングシステムの導入</td><td>• 反社事案の研究
• ブラック先・グレー先等の定義・分類
• 入口・中間・出口の管理方法の設定</td><td>• 特殊詐欺事例の研究
• 口座凍結要請があった場合の対応方法の設定</td></tr>
<tr><td>入口</td><td>• （暴力団員等との取引が疑われる場合や振り込め詐欺等の金融犯罪に利用されていると疑われる場合）取引時確認
• （暴力団等との取引を高リスク取引に位置づけている場合）厳格な取引時確認
• （取引関係の構築の有無を問わず）疑わしい取引の届出（統括管理者による確認）
• （合理的な理由により取引関係を構築する場合）統括管理者の容認</td><td>• 契約書への暴排条項の規定・表明（確約を取る場合も）
• データベースとの照合
• （ブラック先・グレー先と判明した場合）契約関係の謝絶
• （グレー先であるが取引を構築することに合理的な理由がある場合）契約関係の構築</td><td>• マネロン対策、反社対策に依拠</td></tr>
</table>

中間管理	• 取引時確認事項等を最新の内容に保つための措置 • 「特定事業者作成書面等」の内容を勘案し、確認記録及び取引記録等を継続的に精査 • 取引モニタリングシステムで定期的に確認 • （なりすましや契約時確認事項に偽りの疑いがある場合）厳格な取引時確認 • （契約関係の解消の有無を問わず）疑わしい取引の届出	• 反社データベースで「ブラック先」と照合され警察情報で確認できた場合は暴排条項で契約解除 • 「ブラック先」であるが警察情報で確認できない場合や「グレー先」については継続的なモニタリング • 反社データベースの適切な更新（情報の追加、削除、変更等）	• マネロン対策、反社対策に依拠 • （顧客からの申し出がある場合や本人確認書類に偽造がある場合等）振り込め詐欺救済法に基づき預金口座凍結
出口	• 反社対策、金融犯罪対策に依拠	• 弁護士による口座解約に伴う預金の返金 • 預金取扱金融機関による、特定回収困難債権の買取制度を利用	• 振り込め詐欺救済法に基づく、預金債権消失手続き、被害分配金支払手続き

事項索引

■A-Z

■あ行

■か行

■さ行

■た行

■な行

■は行

■ま行

■ら行

著者略歴

白井真人（しらい まひと）

有限責任監査法人トーマツ パートナー

1974年生まれ。成蹊大学経済学部卒。早稲田大学大学院ファイナンス研究科修了（ファイナンス修士（専門職））。1997年日本興業銀行（現 みずほ銀行）入行。コンサルティング会社・監査法人を経て2018年より現職。主に金融機関のコンプライアンス・規制対応に関するアドバイザリー業務を担当。関連する論稿に「『アナリティクス』の活用でマネロン対策の高度化を：『経験ベース』の顧客リスク格付けの定期的な見直しに有効」（『週刊金融財政事情』2020年11月23日号、共著）などがある。公認不正検査士（CFE）、公認AMLスペシャリスト（CAMS）。

芳賀恒人（はが つねひと）

株式会社エス・ピー・ネットワーク 取締役副社長 主席研究員

1968年生まれ。東京大学経済学部卒。大手損害保険会社を経て、エス・ピー・ネットワーク入社。企業リスク抽出・リスク分析ならびにビジネスコンプライアンスを中心とする内部統制構築を専門分野とするリスクアナリストとして、数多くの企業危機管理に関する事例を手がけるほか、大学での講義など幅広く活躍。企業の反社会的勢力排除の態勢整備や実務支援、各種コラムの執筆・講演など、反社会的勢力排除の分野を中心に数多くの実績を有する。主な著作に、『暴力団排除条例ガイドブック』（共著、レクシスネクシス・ジャパン）、『フローチャートでわかる　反社会的勢力排除の「超」実践ガイドブック　改訂版』（2020年1月、第一法規）などがある。

渡邉雅之（わたなべ まさゆき）

弁護士法人三宅法律事務所 シニアパートナー弁護士

1970年生まれ。東京大学法学部卒。Columbia Law School（LL.M.）。1998年総理府入府。2001年弁護士登録。アンダーソン・毛利・友常法律事務所を経て2009年より現事務所。2011年パートナー就任。主に反社・マネー・ローンダリング対策、個人情報保護法制に関する法律業務のほか、金融機関のAML/CFTの外部監査、研修のテキスト・試験問題の作成などを担当。主な著作に、「取引時確認マスター講座」（きんざい）、「マネロン対策ブラッシュアップ講座」（2021年12月、銀行研修社）などがある。

※本書は、2016年6月17日に、レクシスネクシス・ジャパン株式会社より初版第1刷が発行されたものです。

サービス・インフォメーション

通話無料

①商品に関するご照会・お申込みのご依頼
TEL 0120(203)694／FAX 0120(302)640
②ご住所・ご名義等各種変更のご連絡
TEL 0120(203)696／FAX 0120(202)974
③請求・お支払いに関するご照会・ご要望
TEL 0120(203)695／FAX 0120(202)973

●フリーダイヤル(TEL)の受付時間は、土・日・祝日を除く9:00〜17:30です。
●FAXは24時間受け付けておりますので、あわせてご利用ください。

マネー・ローンダリング　反社会的勢力対策ガイドブック　改訂版
―2021年金融庁ガイドライン等への実務対応―

2018年 8 月25日　初版発行
2022年 1 月10日　改訂版発行
2022年 3 月15日　改訂版第2刷発行

著　者　白井真人
　　　　芳賀恒人
　　　　渡邉雅之

発行者　田中英弥

発行所　第一法規株式会社
〒107-8560　東京都港区南青山2-11-17
ホームページ　https://www.daiichihoki.co.jp/

装　幀　SANKAKUSHA

印刷・製本　日経印刷株式会社

マネロン対策2　ISBN 978-4-474-07668-6　C2032 (7)